尚志钧 本草文献全集

本草古籍辑注丛书·第一辑

2018年度国家古籍整理出版专项经费资助项目

尚志钧／辑注
尚元胜 尚云飞／整理
尚元藕 任 何

尚志钧
百年诞辰
典藏

U0239762

历代中药文献精华

尚志钧 林乾良 郑金生 著

北京科学技术出版社

图书在版编目（CIP）数据

本草古籍辑注丛书．第一辑．历代中药文献精华／尚志钧，林乾良，郑金生著．—北京：北京科学技术出版社，2019.1
ISBN 978 - 7 - 5304 - 9978 - 8

Ⅰ．①本…　Ⅱ．①尚…②林…③郑…　Ⅲ．①本草 - 中医典籍 - 注释②中草药 - 文献　Ⅳ．①R281.3

中国版本图书馆 CIP 数据核字（2018）第 268702 号

本草古籍辑注丛书·第一辑．历代中药文献精华

作　　者：尚志钧　林乾良　郑金生
策划编辑：侍　伟　白世敬
责任编辑：杨朝晖　张　洁　董桂红　白世敬　朱会兰　吴　丹
责任印制：张　良
责任校对：贾　荣
出 版 人：曾庆宇
出版发行：北京科学技术出版社
社　　址：北京西直门南大街 16 号
邮政编码：100035
电话传真：0086 - 10 - 66135495（总编室）
　　　　　0086 - 10 - 66113227（发行部）
　　　　　0086 - 10 - 66161952（发行部传真）
电子信箱：bjkj@ bjkjpress. com
网　　址：www. bkydw. cn
经　　销：新华书店
印　　刷：北京七彩京通数码快印有限公司
开　　本：787mm×1092mm　1/16
字　　数：464 千字
印　　张：26. 25
版　　次：2019 年 1 月第 1 版
印　　次：2019 年 1 月第 1 次印刷
ISBN 978 - 7 - 5304 - 9978 - 8/R·2533

定　　价：**650. 00 元**

京科版图书，版权所有，侵权必究。
京科版图书，印装差错，负责退换。

凡　例

（一）本书正文分三篇：上篇"本草概要"，中篇"本草要籍"，下篇"本草大系"。

（二）上篇据本草发展特点划分历史阶段，讨论本草发展历史。

（三）中篇重点介绍清代以前（含清代）的主要本草著作 77 种（另附述 14 种），并按时代先后编列。

（四）下篇广罗 1911 年以前出现的本草文献有关资料。现存本草著作均有简介。各本草著作以成书先后为序编列。

（五）本书所涉的主要本草书名及其作者名均可在书后作者索引、书名索引中查得。

目　录

上篇　本草概要

中篇 本草要籍

下篇　本草大系

上药一百二十种为君主养命以应天无毒多服久服不伤人欲轻身益气不老延年者本上经

中药一百二十种为臣主养性以应人无毒有毒斟酌其宜欲遏病补虚羸者本中经

下药一百二十五种为佐使主治病以应地多毒不可久服欲除寒热邪气破积聚愈疾者本下经

上篇　本草概要

第一章　历代本草分期概说

本草，即中国传统药物学。它是我国传统医药学中很重要的一个组成部分，内容广泛，成果丰硕。

在整个中医药发展史中，本草的发展有着独特之处，形成了别具风格的体系。历代本草多有递遭发展的关系，但不同时期的本草又有它们各自的特色。因此，本书按本草发展本身的实际情况，将历代本草发展划分为七期，即酝酿萌芽期、草创雏形期、搜辑充实期、校刊汇纂期、药理研究期、整理集成期、整理普及期。

也许我们所划各期的名称还不一定足以概括它们本身的特殊面貌，但是，这七个时期的划定却是经过深思熟虑的，是在全面收集历代存佚本草资料的基础上加以分析得出的。我们在研究本草分期时，充分考虑到以下几方面的影响。

（1）时代背景。本草作为我国古代优秀文化遗产的一个分支，自然与各历史阶段的具体情况有着极为密切的关系。举凡各个朝代的政治、经济、哲学思想、科学技术、文化风尚、中外交流等，无不对本草发展产生影响。"儒之门户分于宋，医之门户分于金元"（《四库全书总目》），说明科技、文化领域各分支的发展在同一朝代步伐不一，规律各异。本草虽属于中医学，但与其他专科医学发展情况也不尽相同。因此，我们在划定本草分期时，并不单纯以朝代计进程，而主要以本草发展的自身规律为依据。

（2）药家思想。本草分期的主要依据应该是本草著作的内容和形式，但是这些内容又往往取决于本草著作的作者的思想方法。重书轻人则不免会带有局限性。

分析某一时期本草书作者的总体情况，往往有助于抓住各期的特色。例如，对早期本草整理厥功甚伟的陶弘景，是南北朝众多的道家者流中的一员，自称"以吐纳余暇，游意方技"，所以他的著作中掺杂着大量与方士有关的内容。唐宋的本草编纂者以名宦大儒为多，自然多从典籍文献入手，钩稽编订，校勘汇纂。金元以至明清的本草作者，大多数是临床医生，故而多注重临床药效与理论的探求。本书不仅在上篇"本草概要"中注意分析不同时期的药学家的思想潮流，而且在中、下两篇各本草书的介绍中，也都注意叙述它们的作者的情况，目的就在于将人、书的讨论结合起来，更好地揭示本草发展的规律性。

（3）药书内容。各个朝代都有为数众多、内容各异的本草著作。根据本草书的内容和形式，可以将其分为综合性本草（内容全面而丰富）、食疗著作、炮制制剂著作、地方本草、药性本草、歌括便读著作、单味药研究著作等。那么对衡量不同朝代药学水平，概括各时期本草发展主要态势，哪一类本草占举足轻重的地位呢？我们认为，应该将综合性本草作为各代本草的主流，而把其他类型的书籍视为旁支。抓住主流，各时代本草发展的特点和总趋势就朗若列眉了。

综合性本草之所以重要，是由于它们大多包含了构成本草学的三个基质，即药物、药效、药理。"药物"是单纯围绕药用物品本身的内容，如名称、形态、产地、采收、加工炮制等；"药效"是药物作用于人体所产生的效应，及由此决定的它所主治的各科疾病；"药理"则是古人对药物在人体产生的效应所做出的理论解释，包括性味、归经、升降浮沉等。对这三方面都予以讨论，并提供许多前代文献所无的资料的综合性本草往往成为各个朝代本草的主流。它们是我们划分本草发展时期的重要依据。

第二章 酝酿萌芽期

（先秦，公元前 221 年以前）

关于神农尝百草始有医药的传说，可见于《史记·三皇本纪》《淮南子·修务训》等古代文献中。此反映了人类从十分湮远的时代就开始在实践中认识药物。先秦的文献资料中，已经出现了"药"字，并有许多关于药物、药效和药理的散在记载。但是，直到汉代，书籍中才表明已有药学专著出现（即使这些书籍产生于先秦，也不会距离汉代太久远）。作为我国传统药学专用名词"本草"也未见诸先秦史籍。众多的零散的药物知识在先秦时期还没有形成一个体系。此时期医学著作中药物与方剂内容并存，《汉书·艺文志》将其统归"经方"类。因此，这一时期应属于本草的酝酿萌芽时期。万里长江，源于涓流。这一时期存在于各种医书与非医书中的点点滴滴的药学知识，就是源远流长的本草的滥觞。

一、"药"字与药物

在我国的历史上，有许多关于医药起源的神话传说，它们只能部分地反映远古先民们发明医药的艰难和医药发明的某些形式（如神农尝百草，一日遇七十毒，等等）。文字出现以后，药物发展的进程才逐渐清晰地展现在人们的眼前。

商代的甲骨文中还未见有"药"字。据统计，甲骨文中动植物的名称多达 60 余种，尽管它们后来被收入本草，但在甲骨文中还没有将其作为药用的证据。甲骨文中多次提到"尹",即传说中商初的伊尹。伊尹是汤妻的媵臣,皇甫谧《针灸甲乙经》(简称《甲乙经》)说他"撰用《神农本草》以为《汤液》"。《吕氏春秋》载有伊尹与汤的对话,其谈到"阳朴之姜,招摇之桂"。伊尹还说:"调和之事,必以甘酸苦辛咸,先后多少。"可见五味的调和由来已久。这与后世药物的五味恐怕不无关系。

"药"字,已见于周朝的典籍。如《书经》云"若药弗瞑眩,厥疾弗瘳";《易经》云"无妄之疾,勿药有喜";《礼记》云"医不三世,不服其药";《周礼》云"医师掌医之政,聚毒药以供医事",等等。生理活性较猛烈的药物,往往最容易被人们认识到,但由于对这些药物的使用量还缺乏精确的控制,所以药与毒往往极为接近,中毒的事常有发生。《周礼》以"毒药"供医事,可见一斑。早期典籍中有不少用药惟慎的记载,就是当时用药情况的反映。《论语》记曰:"康子馈药,拜而受之曰:'丘未达,不敢尝。'"《礼记》中也有君、亲服药而臣子先尝的记载。《国语》还说骊姬曾以含乌头的肉饲狗以验其毒。早期的药物在概念上比现在要狭窄一些,这是人们受认识事物的一般规律的支配和当时条件的限制所造成的。

文物考古资料表明,青铜器铭文中已有一个"药"字,其形作"藥",其后,秦小篆作"藥"。东汉·许慎《说文解字》释为"治病草,从草,乐音"。虽然今人对古代"药"字的形、声有多种理解,但药是一种治病的物品(多为草类),基本上无可非议。在先秦的非医药典籍中,已有许多有关药物的记载。《诗经》载植物 178 种,动物 160 种(共 338 种),其中不少可供药用。《山海经》中的动、植、矿物数量更多,可作药用的不下百种,且其中有些物品的功用已很明确,甚至还有兼治两种疾病的物品(如虎蛟,"食者不肿,可已痔")。《吕氏春秋》提到了菟丝、茯苓、堇等药物,还记有"夫草有莘有藟,独食之则杀人,合食之则益寿",这说明当时已有了配伍的用药形式。这里所说的"草",已依稀现出了后世用"本草"称药物的形迹。其他如《孟子》云"七年之病,求三年之艾",《庄子》云"药也,其实堇(今乌头)也,桔梗也,鸡雍(今芡实)也,豕零(今猪苓)也",等等,都反映出有些药物已比较常用,为人熟知。

二、医书中的药学内容

长沙马王堆三号汉墓出土的古医书中,有 4 种含药物的医书,其中记载着许多药物处方(283 首),据考证,其所载药物数量已有 396 种。其中约抄写于秦汉之际的《五十二病方》，更是考察先秦药物发展的珍贵史料。该书所载药物的种类已比较广泛，据初步考证，有矿物（21 种）、草（51 种）、木（29 种）、果（5 种）、谷（15 种）、菜（10 种）、待考植物（5 种）、禽（6 种）、兽（23 种）、鱼（3种）、虫（16 种）、器物（30 种），以及后世所谓人部药（9 种）、泛称的药（如五谷、鸟卵等）和待考药（24 种），总数已达 247 种。《五十二病方》有一个很有意义的特点，即药物的产地、形态也见于方书中，这是当时方、药内容糅合的明证。如"菫叶异小，赤茎，叶从（纵）缯者，□叶、实味苦，前【日】至可六、七日秀（秀），□□□□泽旁"。这些内容本来应该是药物书的内容。此外，该书在药物的贮藏、制剂和炮制、配伍用药等方面也有不少记载，这表明当时人们对药物已有更深入细致的认识。

先秦时期对药物性质有了初步的理论归纳，如有毒无毒及五味等。五味不仅是味觉的尝试结果，而且已与当时出现的五行学说联系起来。《书经·洪范》云："水曰润下，火曰炎上，木曰曲直，金曰从革，土爰稼穑。润下作咸，炎上作苦，曲直作酸，从革作辛，稼穑作甘。"《管子》更将五味与五脏相配合。这些内容在《内经》中更为多见：五味进一步与五体、五窍、五色、五气等相配属；阴阳学说也被用于归纳药物的味及其他性质，如"辛甘发散为阳，酸苦涌泄为阴""阳为气，阴为味""形不足者，温之以气；精不足者，补之以味""阴味出下窍，阳气出上窍。味厚者阴，薄为阴之阳；气厚为阳，薄为阳之阴。味厚则泄，薄则通；气薄则发泄，厚则发热"等；不仅如此，药性还与运气岁时、五方、五宜、五过相关联，显示出更为复杂的层次；药物配伍已有君、臣、佐、使之分；五味组合可治六淫为病，如"风淫于内，治以辛凉，佐以苦，以甘缓之，以辛散之"，这甚至已超越了当时的组方水平。《内经》这些与药性理论相关的论说，有些是用药实践的总结，有些是哲学模式在中医药学中的理论演绎。它们都已成为后世丰富和发展中药理论的原则，发挥着指导用药的作用。与古代埃及、古代希腊同时期的药学相比，中药在数量、特效药的使用方面并没有占领先地位，然而其对药性的理论归纳却引人注目。中药理论始终与中医基本理论相协调、相适应，这就奠定了中药的基本特点。

三、最初的药学著作

"药食同源"是关于药物起源的说法之一。这种说法并不很全面，但它确实揭示了食物在治疗中的作用和地位。《内经》中列举的药物极为有限，而谷、畜、果、菜的名称却频繁出现，并被用于调养人体。这些食物始终是中国传统药学的组成部分，到梁·陶弘景分类药物时，七类药物之中还有四类（虫兽、果、菜、米食）与食物相关。我们甚至可以说，古人对食物的认识比对药物（狭义的药）来得更早、更细腻，也更深入。这样说的重要依据是先秦时期有关饮食宜忌的记载甚多。《周礼·天官》分医为四，食医赫然占一席地位。《汉书·艺文志》未记载一部真正意义的药学专著，却惟独著录了《神农黄帝食禁》7卷。这部著作早已失传，但从《千金要方》卷26引用的"黄帝云"条文来看，此类以"食禁"（或"食忌"）为名的著作皆局限于食物的服用禁忌，而不载其治疗作用。如《千金要方》曰："黄帝云：服大豆屑，忌食猪肉；炒豆不得与一岁已上，十岁已下小儿食；食竟啖猪肉，必拥气死。"

依现在的中药学体系来说，食疗著作只是其中一个分支。但从中药发展的历史来看，食物宜忌似乎还要早于一般的药物治疗。它很可能是食医们的经验总结。那么先秦时期只有《神农黄帝食禁》一本食疗书吗？这时有没有专门的药学著作出现呢？完全可能有。公乘阳庆传给淳于意的《药论》就是其中的一种。出土的文物资料总是冲击着史学家的陈旧观念，把中国文明历史向前推移。但是，我们也必须看到，尽管我们可以认为先秦时期已经出现了总结药物、药效和药性理论的专著，却没有更多的理由证实现存的《神农本草经》也产生于先秦时期。在没有确凿的、为人们公认的证据之前，我们不敢贸然断言先秦时期已出现《神农本草经》及其注本。我们期待着新的出土文物资料出现，以解决这一本草史上悬而未决的问题。当然，战国末期和秦汉时期已非常接近，汉代出现的众多本草著作也许在战国末期就已具雏形，或者至少可以说，它们饱含着先秦时期长期积累的药物知识。然而对于"先秦"这样一个纵跨数千年的历史时期来说，它在整体上仍然是本草酝酿和萌芽的时期。本草破土而出，崭露头角，从现有史料来看，应该在秦汉时期。到魏晋南北朝，它已是规模大定，肢全体丰了。

第三章 草创雏形期

（秦汉魏晋六朝，前221—公元581）

　　秦始皇在公元前221年统一中国。此后，由秦、汉、魏、晋，至于六朝，大约经过了800年的时间。秦代存在时间很短，仅16年。这一时期忙于统一，实行车同轨、书同文，加强中央集权，在学术上还来不及有什么建树。但国家的统一和封建制度的建立，却为药物学2000多年的发展提供了社会条件。文字的统一，为汇集整理春秋战国各地的药学经验并使之流传后世创造了有利的文化条件。汉代是我国封建王朝兴盛的时期，为总结整理先秦积累的大量药物资料提供了安定的社会环境。"本草"一词的出现，表明这一学科彻底从经方中分立出来。多种药学专著的涌现，使本草发展进入了新纪元。到南北朝为止，见诸史籍记载的药学专著已达110余种。从现存的这一时期的本草著作来考察，其又可分为三个阶段。第一阶段属草创阶段，以《神农本草经》为代表。该书收载了300多种卓具功效的药物，简述了其名称、别名、性味、功效、主治、生长环境，以及少量的药物形态。更有意义的是，它载有类似总论性质的序录，以记载中药学最为基本的理论原则。它形粗质朴，形体未充，但却规模初具。第二阶段是一个过渡阶段，以《名医别录》为代表。该书经过许多医药学家的增补，在药物数量上超过了《神农本草经》约一倍多，且在性味功能方面有所发展，还较多地注出了药物的产地。它成为向第三阶段过渡的桥梁。梁·陶弘景《本草经集注》是第三阶段的代表作。此书对药物的来源这一重要内容予以增补，完成了早期本草的分类、体例排列、文字标志等工作，使本草著作有了一个典型模式，本草的雏形从此建立。因此，第三阶段应是雏形阶段。这三个阶段构成了本草的草创雏形期。

一、"本草"一词的出现

"本草"一词出现于西汉，这是本草史上划时代的一件大事。其意义不只在于中国传统药学有了专用名词，更重要的是，本草作为一门学科，已经独立存在，并达到了一定的水平。

在《汉书》中，"本草"2 字凡三见。《汉书》卷25"郊祀志"记载："候神方士使者副佐，本草待诏，七十余人，皆归家。"颜师古注曰："本草待诏，谓以方药本草而待诏者。"可见本草家已进入宫廷。朝廷以本草而待诏这一史实本身，无可怀疑地表明本草的学术地位已经稳固。《汉书》卷12"平帝纪"载："（元始五年）征天下通知逸经、古记、天文、历算、钟律、小学、史篇、方术、本草，以及五经、《论语》《孝经》《尔雅》教授者，在所为驾，一封轺传，遣诣京师，至者数千人。"这段记载把本草与天文、历算等学科和经典著作并列，无可争议地说明本草作为一门学科或者作为一部经典著作在当时已占有较为重要的地位。至于数千人中，有多少人是通知本草的，已无可考，但决不会是个别人。精通本草的学者已经形成了一支队伍，这种说法是可以成立的。西汉学者楼护，就是这支队伍中的佼佼者。

楼护的事迹见于《汉书》卷92"游侠传"，其云："楼护，字君卿，齐人。父世医也。护少随父为医长安，出入贵戚家。护诵医经、本草、方术数十万言，长者咸重之。"如果说前面的两段记载中，本草还有可能是医药学的泛称的话，那么这条记载则明确地表达了这么一个事实：在医学领域中，本草已和理论性的医经、治疗方法的概称——方术明显地分离开来；它完全是作为整个医学中的一门独立学科而存在的。诚然，我们已不可得知楼护习诵的数十万言医药书中，本草占多大的分量，可是毋庸置疑的是，他使用的是已成书的本草著作，而不是散见于医方中的药物资料。楼护后来改医从政，先在河平（前28—前25）京兆尹王尊手下为吏，以后在政治斗争中沉浮。王莽篡位时，楼护年事已高。综上3条史料，"本草"一词大约出现在公元前31年或更早。公元前31年至公元5年这数十年间的史料表明，当时的本草已成为专门学科，且已有了自己的专著和研究队伍，所以我们说与

"本草"2字相关的史料在本草发展中具有划时代的意义。

"本草"2字为什么被选来作为药物学的代称呢？后世学者各抒己见，纷纷揣测其原始意义。后蜀·韩保昇解释说："药有玉石草木虫兽，而直云本草者，为诸药中草类最众也。"他只解释了"草"，认为"草"是药物中最多见的，认为"本草"寓以草为本的意思。宋·掌禹锡则说："盖上世未著文字，师学相传，谓之本草。"这是颇难理解的一种解释。自古以来，没有一个学科不是这样流传下来的，为什么惟独药学被命名为"本草"呢？更晚一些的明代人谢肇淛说："神农尝百草以治病，故书亦谓之本草。"这不过是根据神话立论，也只解释了"草"字。此说颇有知音者。日本玲木素行在《神农本草经解故》中表示，"肇淛此说，颇为近理"。他还列举了几种说法，如有人认为《汉书·艺文志》中记载的"经方者，本草石之寒温，量疾病之深浅"之"本"字可以解释"本草"的"本"；而《说文解字》曰："藥（药），治病草也。从艸，樂（乐）声"，说明草即药。这种说法的"本"是作动词用的，用来解释"本草"不无牵强之嫌。可见"本草"的"本"字是颇使后人费猜想的。因此，有人干脆避开它，说"本草者，木草之讹"，这自然更无人相信。在《灵枢》中，有"本神""本病"篇名，"本草"的"本"与这些篇名的"本"字有没有共通之点呢？未见有讨论。我们认为，古人取名大都是质朴无华的，当时的科学水平还达不到凭精确的学科定义来命名的程度，因此，为古人圆说倘过于复杂，反而可能有失原义。"本"的原始意义就是根，"草"则泛指植物。植物的根、茎、枝、叶都是药用部分。择取"本""草"组合成词，最简单的意义就是根根、草草。取药物中最常见的种类作为整体的代称，是合乎当时的习惯和认识水平的。例如，现在所说的方剂学，古代就常用"汤液"来代称，《汉书·艺文志》就有《汤液经法》一书，它当然不会像现在的汤剂专著一样不涉及其他剂型。"按摩"也只是手法治病的两种主要形式，却自古至今被作为此类疗法的总称，《汉书·艺文志》就有《黄帝岐伯按摩》一书之名。"按摩"在后世形成专科之后，又有"推拿"一称，其实"推拿"也不过是另外两种常用手法而已。"房中"这一命名更为简单，它不过是将性行为的场所作为性技巧、性医学以及相关的养生术一类内容的代称而已。从这一个角度来解释"本草"，也许更接近古人原义。

自汉代以来，"本草"2字被大量用于命名中药书籍，同时，本草也逐渐成为具有中国特色的传统药物学的总称。

二、本草主流

以下仍分三个阶段予以概述。

（一）草创阶段

现知其代表作为《神农本草经》。与其同时代出现的多种同类书均已散失，或仅剩下只鳞片爪，难窥全貌。在中国本草发展史上，《神农本草经》是后世本草实际发展的主要出发点。该书不是一人一时之作，这一点已经得到公认。它绝不可能是文字尚无的、传说中的神农时代的作品，更是常识。但它最后的成书年代，至今仍有争议。我们初步认为，《神农本草经》的主体在西汉已经撰成，托名神农。其又经东汉医家增订修补，最后由陶弘景予以厘正。它应该算是西汉时期的本草专著，也是现存最早的药物书（见中篇）。

《神农本草经》在中国药物学上做出了哪些贡献呢？简单地说，它完成了三个层次的工作。

第一个层次是单味药叙述体例和内容范围的确立。每一药物之下，依次有药名、性味、有毒无毒、功效主治、别名、生长环境等内容，少数药物下还有炮制、质量标准等内容。这些内容又是以功效主治为主的。受当时社会风气的影响，其中时有"不饥延年""久服延年神仙"之类的不经之说，但总体来说，这些功效主治是早期临床用药经验的总结。它质朴无华，其中绝大多数记载是可靠的，这一点经受住了 2000 多年的用药实践的反复验证。

第二个层次是众多药品的分类。《神农本草经》记载了 365 种（按传统说法）药物，其中 200 余种至今沿用不替。它不是杂乱无章地罗列药品，而是以养命、养性、治病三种功效将药物归并为上、中、下三品。三品分类是粗糙古拙的，但它却开了本草按效用分类的先河。

第三个层次是序录和具体药物各自分立，形成总论与各论的书籍形式。这一形式一直到今天，仍被绝大多数药物书籍所采用。序录的 13 条理论原则，涉及分类原则、配伍、七情、四气五味、采收、鉴别、调剂、用药及服药法等。它虽然只不过是一些简单的条文，但却是中药理论的精粹。虽然《神农本草经》还有不完备之处，如对药物的形态记载其少、所载炮制法多属初级、分类过粗等，但是它却完成了本草草创阶段的历史使命。它像一把大孔的筛子，筛选出了第一批疗效卓著的药物。它用精练的词句，记载了在它成书前经数千年锤炼过的药物疗效。因此，该书一直被奉为药学的经典著作。

在此，必须提出一个重要的问题：在本草草创阶段，是不是只出现了《神农本草经》一部著作呢？换句话说，本草著作的起源是一元的还是多元的呢？

在封建社会中，确有不少学者将中国药学文献的起源归于神农一家。日本的铃木素行还提出了中国早期本草是"神农尝定，子仪辑录，李当之论广，而后《本草经》全矣"的观点，把中国本草源起想象成单线独传的模式。但是，这些想象和推论并不符合本草发展的规律。在春秋战国诸子百家争鸣的特定文化背景下，在分崩离析、组合频繁的历史环境中，惟一的一部本草著作凭着手抄刀削在各诸侯国流行着，是不可想象的。"子仪"是否实有其人，已是悬案。至于魏《中经簿》著录的《子仪本草经》，谁能保证它绝不可能像《神农本草经》一样，也是托名之作呢？何况该书只字未存，拿什么来证明它确是《神农本草经》的辑录本或所谓注本呢？

《神农本草经》最早记录在梁·阮孝绪《七录》之中，与它同时著录的还有多种本草经，甚至同样书名的《神农本草经》也有卷数的不同（见中篇"《神农本草经》"条）。我们拿什么来证实它们孰先孰后呢？在西汉之时，"世俗之人，多尊古而贱今。故为道者，必托之神农、黄帝，而后始能入说"（《淮南子·修务训》）。因此，农书、本草书，甚至针灸书，都有托名神农的。我们不能见到"神农"一词就认为它是现在还存在的《神农本草经》。反过来，本草书也未必尽托名于神农。东汉末《吴普本草》引用的各家药学见解，就分别来自托名于神农、黄帝、岐伯、雷公、桐君、扁鹊、医和等的药书。对同一药的性味，各书见解常有不同（见中篇"《吴普本草》"条），就连吴普引用的"神农"药性，也与陶弘景《本草经集注》中引用的《神农本草经》观点不一。对此，我们又凭什么猜测得出这些同样是托名的本草书的成书年代之先后呢？又如何得知它们互相有没有联系呢？人为地用想象把它们串起来，似乎勾出了早期药学发展的脉络，殊不知这种脉络是多么脆弱，多么经不起严密的逻辑思维的推敲。

我们依据汉代有关的史料和此后的书志著录，初步得出这么一个印象：在本草发展的初期，曾涌现出多种本草著作，它们分别总结了先秦时期各地的药物知识。在这些本草中，《神农本草经》以其内容和编排的特色赢得了声誉，成为汉以后本草学者整理本草的主要蓝本。也就是说，本草著作以先秦点点滴滴的药物经验为源头，众多源头又初步地汇为许多涓涓细流。这涓流中的一支就是《神农本草经》。它在奔流的过程中又汇合其他源头，终于成为中国本草的主流。这就是本书的中国本草发展的多元一统论。

为了更好地使读者对早期本草发展有一个明晰的了解，我们把各种史料中的本草书名按出现先后排列成表（表1）。在这张表中，我们没有轻易地用线条表示它们之间的相互关系（尽管它们很可能有某种继承关系，甚至是同一本书），而是让读者从这些先后出现的记载中自己得出本草起源的印象。在这张表中，我们标出了早期本草现存的两大系统：一是本草著作，一是类书。这两大系统各自保存了草创阶段诸多本草著作的内容。本草系统的流传情况，将是本书的重点内容，兹不赘述。必须一提的是类书中的早期药物资料。宋代《太平御览》，据日本冈西为人（《中国医书本草考》）统计，共引用前代本草物品达294种（不计重出和分合条目引起的品种变化）。其实际引用的书名和条文数（共434条）为：《本草经》222条；《本草》13条；《吴氏本草》（或《吴氏本草经》）173条；《神农本草经》（或《神农本草》）9条；《陶弘景本草经》3条；《陶弘景集注本草经》3条；《神农本草注》1条；《陶隐居本草注》1条；《陶弘景新录》1条；《李当之药录》1条；《吕氏本草》1条；《甄氏本草》1条；《本草拾遗》1条；《神农经》1条；《神农食经》1条；《华佗食经》1条；《神药经》1条。

表1　六朝以前史料中引用、著录的本草著作

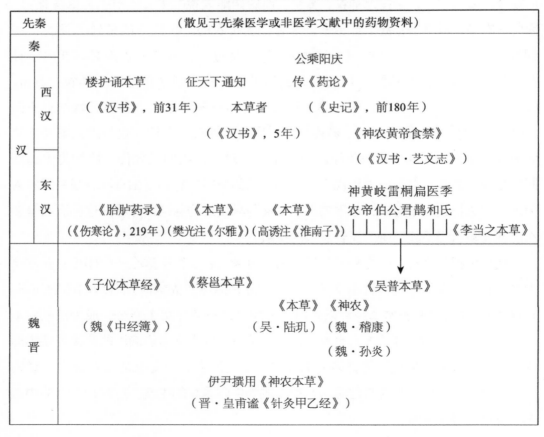

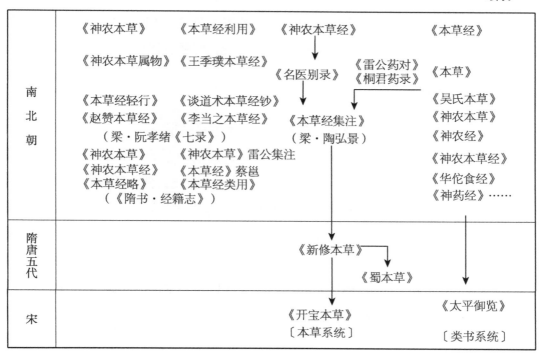

南北朝	《神农本草》 《本草经利用》 《神农本草属物》《王季璞本草经》 《本草经轻行》 《谈道术本草经钞》 《赵赞本草经》 《李当之本草经》 （梁·阮孝绪《七录》） 《神农本草》 《神农本草》雷公集注 《神农本草经》 《本草经》蔡邕 《本草经略》 《本草经类用》 （《隋书·经籍志》）	《神农本草经》 ↓ 《名医别录》 ↓ 《本草经集注》 （梁·陶弘景）	《本草经》 《雷公药对》《桐君药录》 《本草》 《吴氏本草》 《神农本草》 《神农经》 《神农本草经》 《华佗食经》 《神药经》……
隋唐五代		《新修本草》→《蜀本草》	
宋		《开宝本草》〔本草系统〕	《太平御览》〔类书系统〕

从这些书名可知，《太平御览》主要反映了唐代以前的本草面貌。这些条文中所反映的早期药物书写的体例和内容是别具一格的，其风格与经陶弘景整理后流传下来的《神农本草经》《名医别录》并不相同。《太平御览》所引药物资料涉及的内容既广泛又杂乱，这似乎与未经统一修饰的早期本草古拙的部分形象相似。有时在同一药下，可同出几种古本草条文。例如卷955"桑"条，并排引有："《本草经》曰：桑根旁行、出土上者，名伏蛇。治心痛"；"《神农本草》曰：桑根白皮，是今桑树根上白皮。常以四月采，或采无时。出见地上名马领，勿取，毒杀人"。这与陶弘景《本草经集注》中所载《神农本草经》同条内容出入较大。陶弘景整理后的《神农本草经》重在效用，体例整齐划一，而《太平御览》所引则叙说自由，更像当时的语体。上所举2条条文都以"《本草经》""《神农本草》"命名，然而又不像今所见《神农本草经》条文，这说明一个什么问题呢？二者是《神农本草经》一书的不同传本，还是《神农本草经》的同名异书呢？从内容比较，我们更倾向于后者，即《太平御览》引用了多种与《神农本草经》时代相仿的早期本草著作，它们名称相近或相同，却具有不同的内容和风格。前引的"《本草经》"认为露出土上的桑根可治心痛，而跟在此条后面的"《神农本草》"却说"勿取，毒杀人"（此与今所见《神农本草经》相近），这不是文字的增减，而是观点的不

同。有人愿意把这些差异想象成同一本书的不同传本（或注本），而我们宁可把它们想象成不同的书。因此，我们认为，在《神农本草经》出现的草创阶段，本草著作已然如雨后春笋，纷纷破土而出，呈现出一番昌盛的景象。

（二）过渡阶段

从《神农本草经》产生到梁·陶弘景编成《本草经集注》，这六七百年间，已涌现了许多本草著作。东汉末期，本草著作不再是清一色的托名或无作者名的作品，而是许多署名之作。这是一个进步。尽管这一进步比其他文化领域来得更迟一些。现知从东汉到六朝南梁之间署名本草书有：《蔡邕本草》（东汉·蔡邕）；《李当之本草》（魏·李当之）；《李当之药录》（魏·李当之）；《吴普本草》（魏·吴普）；《王季璞本草经》（梁以前王季璞）；《新集药录》（梁·徐滔）；《秦承祖本草》（刘宋·秦承祖）；《药辨诀》（东汉·张仲景）；《赵赞本草经》（梁以前赵赞）；《随费本草》（梁以前随费）；《谈道术本草经钞》（刘宋·谈道术）。此外，还有一些署名的专科本草将在后面述及，兹不赘引。

这些本草著作内容如何，大多数已不可得知。从残留佚文的李当之、吴普等所著本草来看，其所载药性与《神农本草经》不尽相同。突出的差异在于这些本草中已较多地记载药物形态、鉴别特征，以及采收时月、产地等（见中篇各相应本草条下），可惜我们已无法得见这些本草的原貌。只有《名医别录》一书，被较完整地保存下来。

《名医别录》不是一个人的作品。它的内容是魏晋间诸名医对《神农本草经》的增补（所谓"附经为说"），这些内容经陶弘景编定而成为现在我们见到的《名医别录》。因此，该书代表了一段时间内众多医家的集体成就（见中篇"《名医别录》"条）。该书突出的成就有以下两个方面。其一，增补了相当于《神农本草经》药物数目一倍（按传统说法是365种）的药物，使药物数目有了大幅度的增长。新增药物数目与原书药物数目的比例之大，是本草史上首屈一指的，即使是绝对数字也十分可观。现在该书中还有上百味药被作为常用药。其二，补充和扩展了《神农本草经》的内容。其补充的性味、功效内容最多，但最有意义的却是记载了产地名称、采收时月和粗加工方法，而这些内容在《神农本草经》中处于近乎空白的状态。

上述两方面的成就是按保存在《证类本草》中的《名医别录》内容来归纳的。但由于这些内容是经陶弘景"苞综诸经，研括烦省"之后的产物，所以还不是其原始状态。《新唐书·于志宁传》提到《名医别录》"言华叶形色，佐使相须"，而今天却很难看到它记载的"华叶形色"。唐·于志宁认为"名医"就是魏晋以来的吴普、李当之，可是吴普、李当之的本草都已涉及药物形态，而《名医别录》却几乎缺如。这说明此类内容恐怕被删去了不少，或者说这一内容还没有发展到在综合性本草中足以成为药物正文必备项目的程度。一般认为，《名医别录》的成书年代是晚于《神农本草经》的，但这并不意味着《名医别录》的某些内容一定是后出的。例如，桂枝发汗，在《伤寒论》中已十分常用，说明它的出现一定更早。《名医别录》在后世被作为仅次于《神农本草经》的药学经典，从它的内容来看是符合实际的。

那么，陶弘景是怎样了解到哪些内容是名医所加，哪些内容是《神农本草经》原文的呢？由于没有任何原始文献可供考察，我们只能从陶弘景编《本草经集注》的体例去推想。陶弘景著作的标示方法有二，即朱墨分书、小字加注，而这两种形式都有可能来源于《名医别录》。至于是否符合当时的实际情况，还有待进一步研究。

在本草发展的这一阶段，显然，《神农本草经》已经鹤立鸡群，受到了许多学者的关注。在纸张发明以后，卷子本书籍的传播比竹简木牍式书籍的流传要广泛一些。多源头的局面对抄书者抄书来说，仍是需要花费精力的。人们需要有一部总结性的，或者说内容相对丰富的本草著作来形成一统局面。在经过草创阶段后，《神农本草经》得到了医药人员的青睐，以它为基础汇集各种资料，就成为水到渠成的事。严格地说，《名医别录》并不是《神农本草经》的补注本，因为它既没有针对《神农本草经》原文予以驳正，也没有对其加以解释。所以"附经为说"4字准确地点出了该书的性质——它只是依附于《神农本草经》的一部著作，最多只能说是《神农本草经》的增补本。

《神农本草经》另有注本，这就是迟至《隋书·经籍志》才著录的经雷公集注的《神农本草》4卷和梁·陶弘景的《本草经集注》7卷。把汉末至六朝间出现的带有"《本草经》""《本草》"字样的书籍（不管署名与否）都说成是《神农本草经》的注释本，是没有确凿依据的。相反，说《神农本草经》早期传本极少注训，倒有可靠证据，即陶弘景《药总诀序》中所说"但本草之书，历代久远。既靡师授，又无注训"。陶弘景起而注《神农本草经》，正是为改变这一状况。

（三）雏形阶段

这一阶段主要在南北朝后半期，以陶弘景《本草经集注》为代表作。此书汲取了汉代以来多种本草内容和编写方面的优点,出色地完成了使中国主流本草雏形大定的历史任务。它是本草史上的一座丰碑。

陶弘景是一位通才,既有治国的韬略,又有广泛的自然科学知识。他晚年一心向道,摒绝杂务,隐居幽岭,才有机会完成整理本草的大业。陶弘景整理的本草很多,著名的有《本草经集注》和《药总诀》,尤其是前者,意义更为重大。综观《本草经集注》的成就,主要有以下五个方面。

第一,按统一体例整编了混乱的早期重要本草。他能见到的《神农本草经》4卷,当时已有多种前人损益过的传本,在药品数目和内容上均相当混乱。陶弘景描述其情景时说:"或五百九十五,或四百三十一,或三百一十九。或三品混糅,冷热舛错;草石不分,虫兽无辨。且所主疗,互有多少。医家不能备见,则识智有浅深。"这些困难,都需要陶弘景去解决。他选定《神农本草经》药 365 种,"又进《名医》副品"(《名医别录》药)365 种,采用整齐划一的各药条文书写体例,使之成为一个完善的定本。当然,从现有史料来看,虽然陶弘景自称"精粗皆取,无复遗落",但实际上仍有遗漏或删削,不过对于使用本草来说,以功效主治为主统一文体无疑是最可取的一种整理方法。

第二,使《神农本草经》原有的理论纲领变得丰满,并创设了一些新的项目。在"序例"中,他逐条补充内容和进行阐释,使《神农本草经》的理论原则落实到具体用药上来。一般认为,由他首创的"诸病通用药""七情表"等,都是针对临床实际归纳的专篇,给后世本草以深远的影响。

第三,把药物的自然属性用于分类药物。《周礼》中尽管提到了药有"草、木、虫、石、谷",但未将其直接作为药书分类纲领,而陶弘景却以玉石、草木、虫兽、果、菜、米食、有名无实七类归并药物。这种从基原出发的分类法,又开药物分类一大法门。

第四,陶弘景个人对药物形态和产地等问题的大量意见,是早期本草最富新意的一大类内容。此举对确定药材品种,保证用药安全有极为重要的意义。此后1000 多年间,药物品种的确定一直是主流本草的重点内容。

第五,采用了朱墨分书、小字增注的文献出处标识法,使药学内容源流清晰,是非各有所归。这种严谨的出处标注体例,成为一个优良传统,一直被后世继承。中国本草脉络如此明晰,与陶弘景确定的体例有很大关系。当然,这种方式并不是陶弘景发明的,当时儒家注经,就是遵照"注不破经,疏不破注"的原则的。朱墨分书在他以前的非医书中也有运用,陶弘景的功劳在于把这些方法引进本草中来。

关于《本草经集注》的贡献，还可列举出几条，但仅以上几点，似已足够显示该书里程碑式的历史作用。中外学者对此书评价很高，详见中篇该书条下。总之，到《本草经集注》之时，中国本草已有了一个令人相当满意的雏形，本草的草创雏形期有了个完满的结局。

以上三个阶段仅列举了主流本草，事实上这一时期还出现了许多专科或专题本草。以下将这些旁支药学书籍按内容归类，予以梳理。

三、本草旁支

本阶段出现的本草著作类型是比较多的，几乎涉及本草学各方面的内容。但这些著作的地位与主流本草相比还显得次要一些，因而在长时间的流传过程中逐渐被湮灭，只有极少数侥幸留存下来。因此，我们只好较多地从书名揣测其重心所在。

（一）专科类本草

专科类本草，指配合临床各科而集录的本草著作，大致有以下几个类型。

（1）儿科。张仲景《伤寒杂病论序》中提到的《胎胪药录》。梁《七录》著录的《小儿用药本草》（王末抄集）。

（2）外科。梁《七录》著录的《痈疽耳眼本草要钞》（甘濬之撰）。此书还涉及耳、眼疾病。

（3）内科。某种意义上说，中医内科用药是无须有专著的，几乎所有药物都与之有关。但《隋书·经籍志》记有徐叔嚮《四家体疗杂病本草要钞》一书，体疗不明所指，而杂病则显然指内科杂病，故列于此。

（二）配伍宜忌类本草

如同食物禁忌一样，在药物配伍宜忌方面也很早就有专著。最有名的是《雷公药对》和徐之才《药对》（见中篇该条）。药对的意义是"药性主对"，即提供正确适宜的药性配伍。据考，在《神农本草经》《名医别录》正文之后、陶弘景注说之前的小字注文，可能出自《雷公药对》。其主要内容是药物的七情配合，即使是禁忌药，也有相得益彰的配伍法。著名的十八反的原始内容即出自此类注文。徐之才《药对》内容更广，"以众药名品，君臣佐使，性毒相反，及所主疾病，分类而记之"，实际上是临床配伍用药专著。这些内容在古代是很受医家重视的。

与此相类的还有题为张仲景撰的《药辨诀》（见下篇该条）。据其佚文，可知其也是以讨论配伍禁忌为主的，但其中有"合、服药忌日"的内容，即涉及制药与服药的时间宜忌。与此名称或内容相近的还有梁《七录》著录的《药忌》，《嘉祐本草》著录的《药总诀》（题陶弘景撰）等，这些恐怕也是与之同类的著作。

（三）采药类本草

此类著作出现得也很早。《七录》著录了《神农采药经》，惜此书今无形迹可寻。此类著作影响较大的是《桐君采药录》。这是汉代一部高水平的植物鉴定著作。它专于"说其花叶形色"，兼述采药时月和所采入药部分。此书是否讨论药性或附方，还难确定，不过其以描述形态为主是毫无疑问的（见中篇该条）。

《隋书·经籍志》也著录了几种采药专书，如《入林采药法》《太常采药时月》《太常采药及合目录》等，其似与《桐君采药录》为同类著作。在魏晋南北朝期间出现的植物学著作也被归入医方类，《隋书·经籍志》记有"《太清草木集要》二卷，陶隐居撰"即一例。题为晋·稽含撰的《南方草木状》是最早的一部地方性植物志，它的内容对药物的采集自然是十分有用的。药物辨识内容被大量收进综合性本草，是从《本草经集注》开始的，但是这些内容早在先秦的医方书中及汉魏六朝上述专门的采药类、植物类著作中已经出现，并且已有较高的水平。

（四）药物栽培类本草

《隋书·经籍志》著录了《种植药法》1卷，此为最早的药物栽培专著。古代人口稀少，野生植物众多，药源是比较充裕的。汉代虽然有"栀、茜千亩，可以为万户侯"之说，但栀、茜是作为染料而栽培的，并不是为了药用。我国在南北朝出现《种植药法》专著，从用药需要来看，颇为费解。此类著作在本草史上很少，但出现时间又这么早，恐怕要从当时混乱的政治局面引起药物贸易时交通受阻方面去思索原因。另有《种神芝》1卷，也见于《隋书·经籍志》。神芝是当时人们崇信的灵物，故出现此类书并不奇怪。这证明我国早在1400年前就能人工培育菌类植物。

（五）炮制类本草

炮制在先秦医方或早期本草史中又常被称为"合和""冶合""合药""制药"等，通常包括制剂与炮制两方面的内容。《隋书·经籍志》著录的刘宋·徐叔嚮

《本草病源合药要钞》及《旧唐书·经籍志》所载《本草病源合药节度》，应该说是比较原始的制药著作。《宋史·艺文志》著录的《制药总诀》，成书年代不明，有人将它附在南北朝出现的《药总诀》之后，但这不一定可靠。最负盛名的炮制专著是《雷公炮炙论》，关于其成书年代，至今众说纷纭。通行的说法是其为刘宋时雷敩所撰。其成书年代最迟也不会迟于隋代。该书载药 300 种，系统地叙述了这些药物的实际炮制操作方法，并注意在炮制药物之前，正确地鉴别药物品种。其成为我国第一部系统的炮制专著（见中篇该条）。书中有相当一部分炮制方法是很烦琐的，甚至带有浓厚的道家色彩，这和当时盛行道教有关。《雷公炮炙论》被归入本草主流，已然到北宋之时。明代以后更为崇尚之。其中的一些内容对中医用药和制药产生了深刻的影响。

（六）食物类著作

先秦已有《神农黄帝食禁》问世，汉代以后，此类著作数量更多。梁《七录》中此类书近 20 种，从书名推测，其中有的与医药关系不大，如《北方生酱法》《杂藏酿法》等，属于食物制作法。但《黄帝杂饮食忌》《食经》等，则与食物疗法有密切关系。《隋书·经籍志》著录的《老子禁食经》《四时御食经》《食馔次第法》《膳馐养疗》等书应该记载了较多的饮食卫生和食疗方面的知识。但这些书籍均无佚文流传，无法进一步考察。《医心方》等书中收录了《七卷食经》《新撰食经》等书的少量佚文，这些书籍成书年代不明，我们没有办法把它们放到本阶段来讨论。

署名的食物类著作有晋·何曾《食疏》、刘宋·黄克明《江餐馔要》、南齐·刘休《食方》等，书佚无考。

（七）单类药专著

一类是芝菌类著作。汉魏六朝之间，由于认识水平和宗教意识的影响，人们特别迷信芝菌类药物，给此类药物涂上神灵的油彩。"服芝可以长生、寿千岁"，这种离奇的传说引起了人们对此类药物高度的兴趣，因而出现了许多专门的著作。据载，东晋·陆修静著有《灵芝瑞草像》（一作《神仙芝草图记》）。又，《证类本草》转引的《道藏》中的《神仙芝草经》《灵芝瑞草经》等，从时代风尚来看，似皆为六朝前后之作。《太平御览》卷 986 收集了这段时间有关崇尚芝草的多种史料，从中可知当时对芝草的种类已有较烦琐的区别。葛洪甚至说当时有一部绘有

120种神芝的图谱（关于图谱以下专节介绍）。这些种类主要是依据外形划分，再用相似物命名的，如牛角芝、龙仙芝、燕胎芝等。草创雏形期的主流本草中也汲取了这类著作中的某些内容，并给以显赫的地位，如列芝草（6种）为上品药，将之置于草部卷首等。唐宋以后，芝菌类药物的魅力逐渐减退，这类著作也就很少见了。即便是《菌谱》（宋·陈仁玉），也已经没有了神秘色彩。

另一类是金石类药物著作。金石类药物在魏晋南北朝服石成风的情况下，也很受人重视。《隋书·经籍志》中就著录有《服石论》《序服石方》《服玉方法》《太一护命石寒食散》等书。陶弘景《本草经集注》也是把玉石类摆在各类药之前，表明当时对金石类药物的偏爱。《服石论》为此时的专著，但内容不明。服石风气一直延续到隋唐，因此，隋唐时期一些金石类专著仍然不断出现。《石药尔雅》（唐·梅彪撰）及日本《本草和名》引用的《五金粉药诀》、《日本国见在书目录》著录的《药石》等书，都是这段时间服石风气延续的产物。

（八）图谱类本草

前已述及，魏晋南北朝出现了一些关于芝草的药图，甚至有多达120种芝草的彩图。青龙元年（233），有神芝见于习阳，因形态奇特，"诏御府匮而藏之，具画其形"。现知有专门的芝菌图谱多种，如《大莵神芝图》《芝草图》《神仙芝草图》《神仙玉芝图》等，其中《芝草图》早在陶弘景之前就出现了。因此，早期本草图中，芝草图谱占了相当的数量。

描绘其他药物的图谱也已出现。第一部署名的药物图谱是源平仲《灵秀本草图》，其起于赤箭，终于蜻蛉，这说明其中动、植物图均有。从著录及药图排列来看，其有可能是辅《本草经集注》而绘制的。唐代《历代名画记》著录了《神农本草例图》，顾名思义，它是以《神农本草经》药物为描绘对象的。此图年代不明，但至少出现于6世纪。此外，还有《食图》一书，其著录于《隋书·经籍志》。总之，本草绘图出现的时间是比较早的。古代药学家很快注意到用绘画来帮助识别药物，从而为本草附图开创了先例。

（九）其他

在草创时期，还出现了一些其他类型的药学著作，可惜原书无存，难知内容。例如，《神农本草属物》《本草经轻行》《本草经利用》《药法》《药律》等，从书名不容易猜度其性质。而《本草经类用》《依本草录药性》《诸药要性》《本草钞》

等，似乎是一类节要性的本草书。《药目》《药目要用》等，会不会是现在的药物目录类的书呢？不能确知。此外，还有《本草夹注音》，这应该是较早的注音本草，可以被看作隋唐众多音义类本草的先声。

此外，在敦煌残卷中，还保存了一种似本草序例的残篇［见下篇"（本草序例）残篇"］，其中涉及的药学理论与主流本草所载并不完全相同。它表明当时探讨药性理论者并不只有陶弘景一家。我们现在勾画的本草草创雏形期的发展过程的根据只是侥幸留存下来的极少数文献。须知在梁·陶弘景时，经"汉献迁徙，晋怀奔进，文籍焚糜，千不遗一"。这千分之一的文献留存到现在，又更加稀少。因此，我们只能说对这一时期的本草发展情况还了解得十分粗浅。但就是这样，我们仍能体会到，本草在汉魏六朝间呈现一派百花齐放的局面，完成了许多创造性的工作。

第四章　搜辑充实期

（隋唐五代，581—960）

　　隋、唐和秦、汉两朝一样，在一个强盛的封建王朝建立之前，有一个虽然完成统一大业，但却寿命短暂的朝代。隋代只有 30 年历史，因此这一时期有一些名医是跨朝代的。应该承认的是，在隋朝短短的数十年间，也出现了若干引人注目的医学成就（如巢元方《诸病源候论》等）。强盛的李唐王朝开创了封建王朝上升时期的新局面。这一时期文化艺术和科学技术呈现出一派繁荣昌盛的景象。在本草发展上的表现为，此时期出现了由政府组织编写药学著作和开展全国药物调查这样举世闻名、影响深远的创举。在《本草经集注》这一本草雏形著作基础上，医药家们更广泛地搜集了前代的药学资料，使原来雏型期的本草各方面的内容得到了充实，使之逐渐丰满起来，日趋成熟。

　　唐代发达的文化艺术，为本草著作增添了新的风采和种类。频繁的中外交流为中药学灌注了新的血液，此时出现了第一批外来药物专著。文化水平较高的士大夫们撰写的本草著作，注重文献资料的收集、书籍的编写形式，以及寻求便于阅读和检索的办法。这一些成就，构成了本时期药物学在搜辑充实阶段的特征。

一、本草主流

　　本草发展到隋唐，药物的数量和用药经验已经基本能满足一般临床治疗的需要。但在此以前，国家分裂等历史原因造成的药物品种混乱现象，没有得到一次全面深入的调查了解，因而直接关系到用药的安全和有效。陶弘景已经注意到这一点，也做了一些"分别科条，区畛物类，兼注铭时用土地所出"等的工作，但他所处的历史环境束缚了他的眼界，靠他"一家撰制"无法解决这一本草发展中出现的重大学术问题。唐·孔志约在《新修本草序》中客观地评价了陶弘景的得失，肯定了他"兴言撰辑，勒成一家，亦以雕琢经方，润色医业"的功绩，也分析了他失误的原因，即"然而时钟鼎峙，闻见阙于殊方；事非佥议，诠释拘于独学"。《新修本草》就是在汲取《本草经集注》经验教训的基础上着手编撰的。国家的统一，政府的支持，克服了"闻见阙于殊方"的困难；集体编修，儒士与医家相结合，避免了"诠释拘于独学"的弊病。似乎可以这样说，《新修本草》的产生，是文化发达的体现，也是本草发展的必然。

显庆二年（657），在苏敬这位熟谙医药的官员的倡导下，政府批准组织了20多人的编写班子，在陶弘景《本草经集注》的基础上重新编修本草。其主要目的是改变当时"承疑行妄，曾无有觉"的状态，核定药物名实，确保用药的有效和安全。历史雄辩地证明，这次编撰《新修本草》取得了巨大的成功。这一成功，不仅表现在《新修本草》一书的产生以及该书的内容上，更重要的是，该书给后世留下了宝贵的编书经验。

《新修本草》编写方式不外二条：一是，"上禀神规，下询众议"，即广泛征集资料并加以分析讨论；二是，"普颁天下，营求药物"，即动员全国力量，调查征求药物。这两种办法都是本草史上的创举。《神农本草经》《名医别录》虽然也是集体创作的，但那是不同时代集体经验的集合，与《新修本草》集体讨论、共同撰修有本质的不同。人们之所以把《新修本草》视为世界上第一部药典，不仅因为它是政府颁行的官修本草，而且因为它的编纂方式（集体讨论、广泛调查等）确实使该书在当时具有很大的权威性。也许在法律效力等方面《新修本草》与今之药典还有不少差距，但在编写程序和组织形式上，今之药典仍未脱其旧轨。

最值得自豪的是，在1300年前，我们的祖先利用封建集权的优势，竟在那样广阔的地域上进行了一次药物实际调查。可以毫不犹豫地说，这是中国药物史，也是中国科技史上的壮举。现有资料表明，这次所调查地域，反映到书中的有13道133州。由此可见药品来源之广。调查方式因史料简略，只粗知是"征天下郡县所出药物，并书图之"。其成果集中在唐本《药图》和唐本《图经》中。"丹青绮焕，备庶物之形容"，就是这次调查成果的写照。当然，这份成果没能保存多久。也可以说，它几乎没有对本草发展发挥实际应有的作用。但它的编写方式却直接给后世提供了经验。它促进了宋代《本草图经》的产生。

我们今天所能见到的《新修本草》，不过只是原书54卷中的20卷正文，它同样为本草发展做出了巨大的贡献。关于该书的全面考察，请参中篇"《新修本草》"条。这里仅就该书所具有的历史意义予以简述。

（1）进一步完善了本草编纂体例。编撰者保留了《本草经集注》原来的诸药书写体例，将新加注文冠以"谨按"，附于陶弘景注说之后。又模仿《神农本草经》《名医别录》药条书写顺序，撰成新药条文（增写了用法等），末注"新附"2字以示区别。这一做法被宋代官修本草采纳，从而使本草发展的脉络变得十分清晰。针对陶弘景分类过粗的缺点，该书将类别扩大为9类，将原草木类析为草、木2类，原虫兽类析为禽兽、虫鱼2类。其在分类方法上虽无突破，却更为细致。在此以前虽有药图出现，然而像此书这样，将正文、药图、图经三部分各自成册，相辅而行的做法，仍属首创。从此，综合性本草附图几乎成了一定之规。

（2）对药物品种和其他内容进行了全面订正，这是该书在内容上的突出贡献之一。它不仅纠正了陶弘景注说中的许多错误，而且还对《神农本草经》《名医别录》的某些阙误进行了补正。正如该书序中所说："羽、毛、鳞、介，无远不臻；根、茎、花、实，有名咸萃。遂乃详探秘要，博综方术。《本经》虽阙，有验必书；《别录》虽存，无稽必正。"

（3）精选了新药114种。更有意义的是增补了当时的许多外来药，丰富了我国药物的品种和内容。

《新修本草》问世之后，成为我国和日本医学生的必修教本，促进了两国药物学的发展。此后，陈藏器针对《新修本草》进行补遗、解纷，编写了《本草拾遗》；后蜀·韩保昇重加增广，修成《重广英公本草》（《蜀本草》）。这就形成了隋唐五代本草主流。

《本草拾遗》是唐代一部重要的本草著作。据现有资料来看，它的成就仅次于《新修本草》。陈藏器在《新修本草》撰成后80余年，凭个人之力，予以订补，成绩显赫。他拾掇遗逸药品至少692种，虽然其中常用药不多，但其却是考察古代用药情况的宝贵资料。书中还含有许多有关其他自然科学成就的记载。明·李时珍非常崇拜陈藏器，说他"博极群书，精核物类；订绳谬误，搜罗幽微。自本草以来，一人而已"。他编《本草纲目》时，直接从陈藏器本草中汲取经验。陈藏器参考的各类书籍达116种，这在当时是前无古人的。他提出了许多个人见解，纠正了《新修本草》的一些失误。他记载的"十剂"说，是对中药方剂理论的重大贡献（见中篇"《本草拾遗》"条）。

五代后蜀的《重广英公本草》（《蜀本草》）是第一部对《新修本草》进行校补的著作。主修人韩保昇为翰林学士，富有才学，补充了许多注释内容，引述了部分唐本《图经》的内容，还增添了新药14种（见中篇"《蜀本草》"条下）。该书增添的内容绝大多数切于实用，涉及的面也很广，举凡效用、品种，每出新见。其还对《神农本草经》文后的七情内容进行了一些统计归纳，"十八反"即来源于这一统计。

从隋唐五代本草发展的主流来看，本草学无论是在资料搜集还是在实际用药经验总结方面，都有一个大幅度的进步，这使得本草学真正充实起来。政府组织编修本草从唐代肇始，此后几乎每一个朝代都有官修本草。这一阶段搜集整理本草的经验对后世产生了不可估量的影响。

二、本草旁支

如果从本草种类来看，唐代还比不过魏晋南北朝。但这并不表示退步，因为只要全面了解一下这段时间的本草内容，就会发现这么一个好现象：本草内容更切实用，更少受迷信及某些不良风气的影响。另外，此时还出现了一些新种类的本草著作，如外域药物类本草等。

（一）临床药学类本草

这种分类名词也许并不准确，本书借此名称来归类隋唐五代出现的更适合临床医生使用的一类药书。它们的内容和形式又各有不同。举例如下。

《药性论》是隋唐间一部重要的本草著作。它虽以"药性"名书，但和明清时期一些药性理论著作有所不同。从内容涉及面来说，它可以算得上是综合性本草，但它的重心是围绕临床用药的。这表现在该书对药物的君、臣、佐、使的属性比较重视（每药均予以注明）上（因为临床组方用药时须了解药物的属性）。又，该书已经较多地在药效之后附上方剂和用法，使方药结合以便于实际用药。其通过以方证药的办法，加深了人们对药物的了解。本草著作从医方中独立出来，至此又与方剂融合，但方剂在本草中只起着辅助作用，这表明本草又发展到了一个新的高度。本草附方影响到唐代《新修本草》《食疗本草》等书，也对后世本草产生了影响。

明·李时珍认为，假如本草去掉方剂，则"有体无用矣"。体用关系说明了药书附方的意义。此外，《药性论》少量记载了药物对脏腑、经络、肢体等特定部位的作用，以及一些实用的制药方法，这些都与实际用药紧密相关。

自《药性论》之后，陆续出现了一些节要性的本草，如王方庆《药性要诀》、杨损之《删繁本草》、江承宗《删繁药咏》、杜善方《本草性事类》、张文懿《本草括要诗》、孙思邈《备急千金要方》中"药录纂要"一节，其目的都在于使本草简便，易用易记。歌诀类的本草在这个时期已露端倪。据现存《删繁本草》佚文来看，它删的可能是唐《新修本草》之繁。本草发展就像这样一幅情景：许多溪流汇入江河，但江河之水又常被开沟作渠，引灌到更多的地方。对主流本草进行节纂、改编，形成某一专门本草，在明清以后已是司空见惯之事。唐代此类节要本草数量还很有限，可是已显露出了合久必分的趋势。

到五代末期，与宋初交叉的时间里，出现了《日华子本草》这样一部著名的临床药学文献。它的主要内容也是药性功效和附方，故《嘉祐本草》称赞它说："其言近用，功状甚悉。"其作者是南方人，总结了许多当时的用药经验。该书可靠性强，对后世的临床用药颇有影响。该书没有局守成规，对药性有新的归纳，其中凉性药多达53种，为前代本草所未载；还补记了敛、涩、滑等药味，从而丰富了药物性味内容。书中首先收载了延胡索、自然铜、仙茅等药物，兼带记录了一些药材质量和炮制方面的知识。隋唐五代的这些颇有新鲜内容的药性本草在宋代被汇入本草的主流之中。

（二）药物音义及异名专著

近人谢观在《中国医学源流论》中指出，汉唐诸儒抱残守缺，在学术理论上不能会通创新，但在"医家义疏之学"方面却有一定建树。对于本草来说，唐代音义方面著作陡然增多，也可以说是义疏之学盛行在本草的反映。见于著录的音义类本草书有姚最《本草音义》、甄立言《本草音义》、孔志约《本草音义》、杨玄操《本草注音》、李含光《本草音义》、殷子严《本草音义》，及《日本国见在书目录》中著录的《本草音》等。此类书在唐代本草中占的比例较大。可惜此类书至今连一部也未流传下来，只有李含光《本草音义》还有少数佚文散在（见下篇"《本草音义》"条）。由这些佚文可知，此类著作通过对药名的发音、意义进行训释，达到辨正药物基原的目的。

药物增多，同名异物、异名同物的现象也就多起来了。检索异名的专著应运而生。隋·僧行距《诸药异名》（《旧唐书·经籍志》记作"《诸药异名》十卷，释行智撰"）即其中之一。后世虽很少有这方面的本草专著，但某些综合性本草中常记有这一内容。魏晋南北朝服食丹药风气甚盛，炼丹家们常用隐名来记载所用药物，以增加神秘感和保密性。唐·梅彪《石药尔雅》就是这样一部著作。后唐·侯宁极《药名谱》，则似乎和炼丹隐名无多大关系。此类著作实用性小，故不受医药家重视。

音义著作也好，异名著作也好，都是为了提高本草著作的可读性和可查性。药物分类除了显示诸药内在联系之外，还方便检索。唐·萧炳《四声本草》着眼于检索方便而分类，按每药名称头一个字的四声归类药物（见下篇 269 页），可以说是现在按笔画、拼音、部首等排列药物的鼻祖。近代萧步丹《岭南采药录》即直接仿照萧炳的办法来分类药物的。

（三）海药及外域药物专著

唐代的丝绸之路与海上交通促进了中外交流，药物交流也在其中。此时出现的郑虔的《胡本草》7 卷，是我国最早的反映外域及少数民族药物的专著。如果说《胡本草》有可能偏重于西北和北方地区外来药的话，那么五代的李珣《海药本草》及佚名氏《南海药谱》则确凿无疑地记载了南方及东南亚地区的药品。这些著作对当时的外来药进行了相对集中的介绍。其主要对有关资料进了汇集，却很少实际调查之。

（四）食疗类著作

隋唐以前食物类著作并不少，但有相当一部分注重的是烹调藏制。有些食禁之类的书又都侧重于饮食调配以防病，以避免饮食不得法，损害人体。直到唐代，以饮食物治病才得到系统总结。此外，此时还有发明动物脏器疗法等许多著名的食疗成就。孙思邈《备急千金要方·食治》专卷已经涉及许多食疗经验。他的弟子孟诜又撰《食疗本草》，是为唐代著名的食疗专著。该书不仅辑录了许多食物的性味、功效及用法，还提出了饮食与地区间的关系等问题，内容全面，丰富多彩。唐·咎殷的《食医心鉴》也是很有名的食疗书，但它重在出示食疗处方，而不像本草著作那样以单味药为叙述单元。唐代见于著录的食疗类著作还有隋·诸葛颖《淮南王食经》120 卷，加上《淮南王食目》10 卷、《淮南王食经音》13 卷，共计143 卷。其堪称食经之冠，惜原书片纸无存。留有少量佚文的食疗类著作有《新撰食经》7卷（或疑即《七卷食经》）、马琬《食经》、崔禹锡《食经》、朱思简《食经》、严龟《食法》等多种（其中有的撰年不明），其均被《医心方》引录。唐代丰富的食疗著作为本草这一富有特色的分支增添了不少光彩。

（五）图谱类本草

唐代最负盛名的药物图谱是唐本《药图》（25卷）。它的修撰过程已见前述。大概因为当时的药图都是大幅的挂图式的图卷，不便于将解说词写在图上，于是又另撰唐本《图经》7卷，"图以载其形色，经以释其同异"（见中篇"《新修本草》"条）。在此以前，还有多种药图流传，如徐仪《药图》、王定《本草训戒图》等，其均为唐人所绘。另外，还有一些采药或芝草类的图，年代不明（如《日本国见在目录》所记《采药图》《杂药图》《芝草图》《仙草图》等）。一般说来，此类药图以隋以前流传较多，唐代即便有，也多为魏晋六朝之余韵。

值得一提的是《天宝单方药图》。该书有图有方，相辅而行，实用性较强。它在北宋时尚有残卷留存，给苏颂撰《本草图经》以很大的启示（见下篇"《天宝单方药图》"条）。

（六）单类药专著

隋唐以前大有市场的菌芝、金石类专著在唐代已在走下坡路。史志中虽然仍有著录，数量已不太多。唐人对芝草兴趣不大，可体现于《新修本草》6种芝草下的注文。这些注文极简单，毫无吹捧之词，且云："但芝自难得，纵获一二，岂得终久服耶。"这反映了当时对芝草的不经意的态度，而不像陶弘景所说"此六芝皆仙草之类"云云。

虽然唐·李翱《何首乌传》还称不上专书，但说它是较早的单味药专论似不为过。此文虽然不免还有些传奇色彩，但毕竟较系统地介绍了该药的发明史、形态、用法等。中国本草中单味药专论或专书在后世出现较多，推本溯源，当以《何首乌传》为其滥觞。

唐代本草流传下来的并不多。当时印刷术虽已发明，但还不够发达，未见有唐代雕版印刷的医药书。当北宋时将本草著作印刷发行之后，本草学的发展才出现了一种新的局面。

第五章　校刊汇纂期

（宋代，960—1279）

　　赵匡胤建立了高度中央集权的宋王朝，结束了五代十国的混乱局面。国家的统一，为商业交通提供了便利，促进了手工业的发展和都市的繁荣。印刷业在宋代得到了高度的发展，为医药书籍的广泛传播提供了技术条件。北宋帝王和高级官员中，许多人对医药文献的整理抱有浓厚的兴趣。我国历史上最早的国家医药编纂出版机构——校正医书局，整理了一批最重要的医药典籍，这对此后的中医发展有着重大的促进作用。医药书籍不再只存于士大夫阶层手中，一般的医生亦可读之。随着医学教育范围的不断扩大，钻研医学理论的风气日趋浓烈。北宋时期兴起的理学，也对医学理论产生了影响。但是，北宋的医学理论探讨还未来得及掀起高潮，金兵就迫使宋室南迁了。由此肇始，金元时期医学争鸣，出现了"医之门户分于金元"的历史现象。因此，北宋时期的医药功绩主要是书籍校勘整理。本草学著作在北宋100余年的时间内，就已由中央政府进行了三次编修。与前代其他医学著作整理不同的是，其除了校勘之外，还增补了大量的文献资料和实际用药经验总结，从而形成了历史上官修本草的高潮。这些工作结束了本草书全靠手抄流传的历史。直到今天，除了少数出土药书和类书中散存的药学资料之外，我们所能见到的北宋以前的绝大部分本草文献都集中在这一时期的《证类本草》之中。因此，北宋本草实际上是整个本草史上的枢纽和主焦点。我们把宋代称作校刊汇纂期，主要是因为北宋时期本草著作的成就。南宋时期，本草与国运同衰。此时私人所撰本草增多，他们对北宋主要本草进行节纂、改编，简化本草以符实用。这成为此时本草发展的潮流。为此，我们在介绍这一时期本草主流的发展概况时，分北宋和南宋两部分。

一、北宋的药典性本草

在本草史上，北宋时药典性本草（古代政府主持编纂并颁行的药物书）发展到鼎盛阶段。如果仔细描绘一下北宋时药典性本草的发展曲线，可见有三个波峰，且一个高于一个。这三次本草发展高潮虽然都是围绕着整理汇纂本草资料而起的，但各具特色，分别完成了独特的历史重任。

第一个波峰：在北宋初期，代表作是《开宝本草》。唐代本草发展取得了重大进展，产生了第一部药典《新修本草》，但是手抄传播限制了它的流传。唐本《图经》和唐本《药图》很快就散佚了，正文部分到北宋初也已是"朱字墨字，无本得同；旧注新注，其文互阙"。官府藏书尚且如此，民间的流传情况就可想而知了。本草自身发展需要解决这一资料散佚残缺的新问题。

很有意思的是，宋代初期皇帝对方药感兴趣到这般程度：宋太宗还未当皇帝之时，就爱好收藏方剂（这些方剂成为宋初《太平圣惠方》的组成部分之一）；在四方征战的时候，居然也注意调查药物，网罗人才，征集药图。这可以从《开宝本草》几段记载中得到明证。

"据皇朝收复岭表，询其事于人，殊无蛇屎事。"（"金屑"条）

"皇朝收复岭表，得广州医官，问其事，曾无慎火成树者，盖陶之误尔。"（"景天"条）

"按广州送丁香图，树高丈余……"（"丁香"条）

北宋时，印刷术已经很发达了。这时所刻书籍才从佛经、儒书、经史著作发展到医书。就在北宋建立后13年（973），校刊本草被提到议事日程，并立即付诸实行。首次校修组织了刘翰、马志等9名医药人员，并请翰士学士扈蒙、卢多逊为之刊正。《开宝新详定本草》校修完毕后，宋太祖亲自写序，由国子监镂版。这毕竟是第一次出版印刷本草书，经验不足，所出之书未能完全合乎朝廷的意愿，所以次年再次校修。此次增派编书经验极丰富的翰林学士李昉等儒臣参与刊定，编成《开宝重定本草》。连续两次校修本草，反映了政府对此项工作的高度重视。

关于《开宝本草》详细工作，参见中篇"《开宝本草》"条。必须予以赞扬的是，编写人员在本草典籍由传写变为版刻的转折性历史时期，明智地选择了完整保存古本草内容的编纂法，并想出了适合雕版印刷的文献标识新方法。具体表现在他们以《新修本草》为底本，校正增补，汲取其成功的经验，丰富其体例和内容，使中国药典性本草有了第一个定本。由雕版的阴、阳文代替朱墨分书，也是一个相当好的主意。虽然它也补充了134种药品和一些注说、引文，但这并不是它的特殊贡献。如果在这一关键时刻，采用不注文献出处的实用性临床药物书的编纂法，也许我们就没有办法像现在这样清晰地了解此前本草发展的脉络了。当然，不可否认，《新修本草》是宋初本草发展的基石和蓝本，它的编纂法也成为《开宝本草》的模板。

第二个波峰：在北宋中期，代表作是《嘉祐本草》和《本草图经》。这一时期的文化科学水平较北宋初期有了更大的发展，出现了一批像沈括、苏颂那样的在科学事业上具有辉煌成就的政府官员。在政府儒臣们建议下，嘉祐二年（1057），集贤院成立校正医书局。其成立后的第一件事就是着手校定本草。其校定规模在古代本草史上是空前绝后的。这次几乎同时编修了两部书，其一是《嘉祐本草》，其二是《本草图经》。前者在《开宝本草》基础上拾遗补阙；后者仿《新修本草》编写办法，重在订伪求实。这两书是姊妹篇，又各有不同的重心，采用的编写方式也不尽同。《嘉祐本草》以增补校正为主，需要广泛收集文献资料，所以基于"考正群书，资众见则其功易就"这一想法，地理学家掌禹锡组织了儒臣与医官相结合的班子，集体完成了此书。与此同时，其又在征集全国药物资料、标本的基础上，编修《本草图经》。该书"用《天宝》之例"，即采用《天宝单方药图》将用药（附以处方）、辨药（附以药图及形态解说）相结合的办法撰写，不同于其他校注医书。有鉴于"论著文字，出异体则其体不一"，该书由天文学家苏颂一人撰写。这些编纂本草的历史经验是很值得后人借鉴的。

《嘉祐本草》"立例无所刊削"，旨在补其"漏略"，所以它的成就在于文献学方面。它以引文广博、体例严谨著称于世。相形之下，此书所增99种药倒还功在其次。《本草图经》的成就则在于它以全新的面貌把宋代本草推到了当时世界药学的最高水平。其成功的基石是全国药物大普查所得到的广泛而深入的药物内容。继唐代举行第一次全国药物调查之后，宋代又再次重演了这历史上壮观的场面：各地的药物专家们分别对药物的基原（原动、植、矿物）进行仔细研究，寻求鉴别特点，记录它们生长的全过程，然后逐件画图撰文，从四面八方提交到校正医书局；各口岸交易场所的外商们，也受到征询，介绍外国药物的有关情况，并将药物标本密封，送到京城，供绘图及编《图经》之用。这要动员多少人力、物力，已不可考，但仅所得上千幅药图（涉及 150 个州军）和《图经》中记载的民间用药经验，就足以反映这次调查的深度和广度。

乍看起来，这次的药物调查似乎是重复了唐代的工作，但这种重复对本草发展的实际意义并不亚于唐代。这是因为唐代的第一次普查药物所得的成果已丧失殆尽，并无原有成就可资写作时吸收，苏颂实际上是另起炉灶。再者，苏颂借助了当时的印刷术，把征集的药图改绘为墨线上版，同时在图旁撰写解说。《本草图经》成为首次合药图与图经部分为一的图谱，成为世界上第一部雕版药物图谱，具有重大的历史意义。尽管该书也综述了许多文献中的药物知识，但其更重要的价值是将调查所得药图和实际用药经验和盘托出，为宋代本草灌注了大量的新鲜血液。直到今天，该书仍然是考证药物品种、提供用药经验的重要参考文献，这显示了它深远的影响。

北宋本草发展的第二个波峰虽然在外表上看来小于第三个波峰，但它所含的实际能量却是第一位的。中国本草史上两次药物全面调查分别产生于唐、宋，这两个王朝处于封建时代的上升阶段并临近巅峰，其文化科学的发展也都相应地走向高潮。唐、宋这两个统一的封建帝国的庞大有力的中央集权成为科技发展的有利条件。尤其是对于一些需要在广泛地域进行的大规模的调查、测量、推广的科技项目来说，这一条件至关重要，远胜于西方古代的城邦制。嘉祐年间编修本草就是一个例证。书成之后，政府又采取小字印本以降低书价等办法向全国推广此书，因而又引出了北宋后期本草发展的第三个波峰。

第三个波峰：与前两次不同的是，这个阶段推波助澜的不是儒臣医官，而是一些处于下层的医药学家，其突出代表有陈承、唐慎微、寇宗奭等。他们工作的共同特点，是扩大和完善嘉祐年间所取得的战绩。

苏颂虽然合药图与图说为一，但其书与《嘉祐本草》却是分开的，因而容易出现"学者不兼有"的现象。医学家陈承首先把《嘉祐本草》和《本草图经》合而为一，完成了正文、药图、图经三位一体的工作，这就是《重广补注神农本草并图经》的主要历史作用。陈承还补充了少许颇有见地的意见，但与后来的寇宗奭相比，则逊色多矣。

无独有偶，四川名医唐慎微也重复了陈承所做的工作。但他不满足于《嘉祐本草》《本草图经》的原有资料，煞费苦心，广采博辑，历数十年，辑成《经史证类备急本草》（简称《证类本草》）。此书改进分类（将禽兽部析为人、兽、禽三部），扩充卷数，增引了 240 余种文献中的药物素材，从中拾掇出《开宝本草》

《嘉祐本草》两次筛选药物所遗余的 554 种药物（仅 7 种系唐慎微自己新增），使全书药物总数达到了 1748 种。它具有资料丰富、内容广泛、药品众多、体例完备等优点。以保存古本草资料和面貌为主旨的北宋本草主流至此发展到了顶峰。《证类本草》在文献资料方面取得的硕果使它成为宋代及其以前本草资料的渊薮，它几乎囊括了它以前主要本草的精华。唐慎微以个人之力完成了这样艰巨的工作。其在本草学家中的地位仅次于明代伟大的药学家李时珍。唐慎微只着眼于资料辑录，没有谈什么个人经验和见解，这一点远不及李时珍；但他对资料的处理态度是十分严谨的，此较李时珍又胜一筹。

唐慎微对前人本草搜罗甚广，以至于在他以后，很少有本草著作对宋以前药物资料进行补充收集。更多的人在他所编《证类本草》基础上校正、补注、节纂、改编。以宋代为例，大观二年（1108）地方官员艾晟首次校刊此书，补入陈承书中少量注说和他自己的 10 余条资料，写成了《经史证类大观本草》（即《大观本草》）。政和六年（1116）医官曹孝忠奉诏领衔校勘《大观本草》，并将其更名为《政和新修经史证类备用本草》（即《政和本草》）。该书在校勘方面是有成绩的，但别无新增内容。书成后，版片被金兵掳至北地。其在金元时期屡次被刊行，成为《证类本草》流行最广的一种版本。南宋时期，借北宋官修本草之余势，医官王继先等于绍兴年间修撰了《绍兴校定经史证类备急本草》（即《绍兴本草》），在药条后增补"绍兴校定"内容，以全面考订药性和药效为特色。原书残佚，仅存部分抄绘节本（见中篇该条）。此外，南宋以后，出现了托名寇宗奭撰的《新编类要图注本草》之类的《证类本草》节纂本。上述这些著作，都是以《证类本草》为基础形成的。

北宋末，出现了一部对《嘉祐本草》等书进行全面订补的专著，这就是寇宗奭的《本草衍义》。此书不像前述宋代本草那样，在前人书的基础上加上自己收集的材料，后一部书包裹着前一部书。它主要是依据实际经验和某些材料，对医药学有关的某些理论与实际问题加以辨正或阐发，尤其是在对具体药物的药效进行理论解释方面，其之阐述别开生面。寇宗奭注重辨正药物，善于探理穷源。他在药性理论方面所做的工作成为金元药理研究期的前奏（见中篇"《本草衍义》"条）。此外，寇宗奭对药物基原、药材质量、炮炙制剂、用药方法等也有许多出色的见解。元代书商张存惠重修《政和本草》时，将寇宗奭《本草衍义》逐条散入其中。

宋代，大型综合性本草形成了一条壮阔的主流。如果用图来表示的话，那就更像一幅千沟万壑归于一川的景象了（图1）。

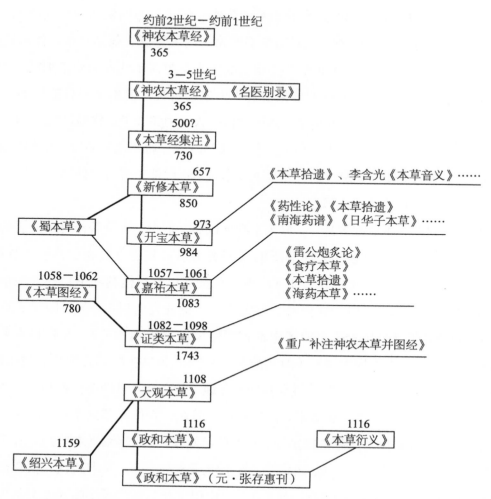

约前2世纪—约前1世纪
《神农本草经》
365

3—5世纪
《神农本草经》　《名医别录》
365

500?
《本草经集注》
730

657
《新修本草》　　　　《本草拾遗》、李含光《本草音义》……

850
《药性论》《本草拾遗》
《蜀本草》　　　　973　　《南海药谱》《日华子本草》……
《开宝本草》
984
《雷公炮炙论》
《食疗本草》
1057—1061　　《本草拾遗》
1058—1062　　《嘉祐本草》　　《海药本草》……
《本草图经》　　1083
780　　　　1082—1098
《证类本草》
1743　　《重广补注神农本草并图经》
1108
《大观本草》
1116　　　　　　　　1116
1159　　《政和本草》　　　　《本草衍义》
《绍兴本草》
《政和本草》（元·张存惠刊）

　──，表示直接继承，后一书包裹前一书；──，表示引用书籍；框上数字，表示成书年份；框下数字，表示载药数量

图1　宋代本草主流形成结构示意图

二、南宋的临床节要本草

　　宋室南迁（1127）之后，偏安一隅。北方先后受到金、元的军事威胁，战争不断。统治阶级在这种情况下已无暇关心医药。南宋惟一的一部官修本草——《绍兴本草》（1159）也不过是在校勘《大观本草》的基础，略加增补而成（见中篇该条）。主编者王继先，本身是一名醉心权术的医官，书成后不久就遭到弹劾，所以《绍兴本草》也就不像北宋官修书那样受人重视。它流传极少，几乎没有对古代本草发展产生过推动作用。从现存该书残本内容来看，它的侧重点是考订药性

和药效，提炼诸药运用要点，这和整个南宋本草的发展状况是一致的。

南宋本草没有明显的主线索可寻。概而言之，南宋本草不过是为适应临床用药需要对《大观本草》进行节要、改编、类纂，或略事增补而已。北宋占主流的药典性本草到此时已被众多的私家著述的临床节要本草所替代。简化本草，变更体例，以符实用，成为南宋多数本草的宗旨。为什么南宋本草截然不同于北宋？我们认为这也是由本草发展本身的需要所决定的。

北宋处于本草由手抄转向版刻的关键时期，采用校正汇纂、标志明确、广采博搜等编书办法，最有利于尽可能多地保存前代药物资料，并利于摸清本草的发展源流。北宋的本草学家们是明智的，他们出色地完成了这一转折时期的历史任务。但是经过 100 余年的连续整理，散存的前代本草基本上被集中到了《证类本草》中。《证类本草》卷帙浩繁，各药内容又多重复，甚至诸家之说互相牴牾，这就给临床用药带来了不便。于是人们就用各种办法使之易携好用。

《绍兴本草》采用的是提要法，每药加一"绍兴校定"，以简述其药性和主要功效等与临床用药相关的内容，但它的篇幅并没有减少。

郑樵这位大史学家也觉得"景祐以来，诸家补注，纷然无纪"，所以想要打乱《证类本草》原分类法。他编的《本草成书》选药 1095 种，不过是在《神农本草经》《名医别录》730 种药物基础上又补了常用药 365 种，并没有超出《证类本草》的内容范围，仅减少了其中的几百种药而已。这样改编的书并无特色，不上不下，所以未能流传下来。

南宋的《新编类要图注本草》，不过是《证类本草》一种节编本。由此又派生了几种版本，均无可称道。因为其文字虽大大减少，但其类例反而不清，故其既无文献价值，又不便实用。

除此以外，此时还有一类短个精悍的普及性本草。它们部头不大，内容简洁，在编述方法上有所创新，是南宋比较有特色的一类本草。其中《纂类本草》（疑为陈言撰）打破了《证类本草》正经和注文的分界，削冗举要，于各药下设名、体、性、用四项解说，是本草著作分项归纳内容的嚆矢。类似的本草著作还有陈日行《本草经注节文》、张松《本草节要》、王梦龙《本草备要》、艾原甫《本草集议》等书，其各有特色（见下篇各相应书条中）。

此类本草中最有代表性的是陈衍《宝庆本草折衷》。此书汇集了多种节要本草的编纂优点，内容切于实用，编排注重文献出处标识，实为南宋民间药书的佳作。陈衍在编写法上有几处改进，如废除《证类本草》按先后堆积序例的做法，按药学专题归类总论内容，对旧本草序例进行了一次大手术；对书中各药均编以序号，以利于检索；打破了药条内容按年代先后层层包裹的状况，采用统一的以内容性质为序的体例，使全书精炼充实。该书虽然涉及面很广，具有综合性本草的特点，但主要讨论药性，且其中有许多新的见解。像《宝庆本草折衷》这样的好书，在南宋实不多见，这反映出南宋的本草学发展已经放慢了速度。

三、本草旁支

宋代以药典性本草为特色，本草旁支相形之下显得十分贫乏，种类不多，出类拔萃者少，今择其要简述如下。

（一）本草辑佚

王炎（1138—1218）辑的《本草正经》是《神农本草经》的第一个辑佚本。其目的在于不使《神农本草经》之文湮没隐晦。此辑本也许从未刊行过，但它很有历史意义，开明、清辑复《神农本草经》风气之先。

（二）图谱类本草

《本草图经》是宋代此类著作中最富成果者，开创了药图版画的新纪元，如前所述。此外，文彦博有《节要本草图》，南宋末杭州市面上有《彩画本草》，《上善堂书目》著录了《（皇宋）五彩本草图释注文》，但这些图谱早已散失，不可考。非常幸运的是，嘉定十三年（1220）画家王介绘制的《履巉岩本草》至今还有明抄绘本存世。该书取临安慈云岭附近206种植物药彩绘成书，成为古代本草史上较少见的小区域地方本草著作，也是现存成书最早的彩色本草图谱（见中篇该书条）。此书虽有流传，但影响面不广。其历史意义在于在画技上有了新的发展。王介的画法近似于马远、夏珪，他将马远的画法移植于药物图，经常截取花枝、果枝、叶片来表现全体，因而药图比例匀称，形态逼真。《本草图经》为了着意表现药物基原的全貌，常把植物全株（甚至乔木）不合比例地压缩在一幅图上。与之相比，《履巉岩本草》的绘图法就科学得多了。

（三）炮制类本草

宋代的手工业颇为发达，出现了许多药铺，它们前店后厂，专门炮制药材。北宋设置的太平惠民和剂局，就是专门的制药厂。这一时期中成药十分发达，各种剂型齐备，还出现了像提炼秋石（纯净的性激素）、人工造牛黄、升华法制龙脑与樟脑等科技成就。很不相称的是，宋代竟没有产生一部较好的炮炙制剂专著，这方面的知识大多散见于方书中。《宋史·艺文志》著录了一本《制药法论》，仅1卷，书佚失考。比较好的涉及制药的著作为南宋·许洪的《用药总论指南》（即《和剂指南总论》）。该书"论合和法""论炮炙三品药石类例"，介绍了宋代常用药的炮制方法，简便实用。此外，庞安时《伤寒总病论》书末附有其门人魏炳编的《修治药法》（1113）。王硕《易简方》卷首、许叔微《本事方》卷末、张锐《鸡峰备急方》卷1之后，均附有药物炮制方法。

（四）单味药专著

宋代此类著作较唐代有增加。丁谓《天香传》是沉香专论。杨天惠《彰明附子记》是十分出色的附子专著。它已不像《何首乌传》那样带传奇色彩，而是实实在在的实践经验的总结，涉及附子的栽培、形态、制法等相关内容。此外，有著录的还有《菖蒲传》《灵芝记》，两书作者不详。宋代虽然单味药专著不多，但涌现了许多富有特色的动、植、矿物专著及某些加工品专著，如郑樵《通志·昆虫草木略》、韩彦直《橘录》、陈翥《桐谱》、赞宁《笋谱》、陈仁玉《菌谱》、蔡襄《荔枝谱》、王观《扬州芍药谱》、傅肱《蟹谱》、王灼《糖霜谱》等，这些著作又丰富了此后的本草著作。

（五）药物歌诀

宋代本草中有许多被淘汰的种类，我们已莫知其详。据陈衍介绍，他编书时，对"审订不真，或舍醇而取疵者；或醇疵糅混而无定据者""或立偏奇之论，与经注相戾者；或翻括经注，以裁歌诀，而性用失叙者"，都没有援引。其实所谓"偏奇之论"，可能含有新的思想；而"翻括经注，以裁歌诀"，说明当时已有具有普及性的本草歌诀了。《宝庆本草折衷》里就引了一句《本草简要歌》中的歌括，即"越瓜却乃是稍瓜"。这可算得上是早期的本草歌诀了。

（六）食疗类著作

著录于《宋史·艺文志》等书的食经或食疗著作的数量不少，约20余种（见下篇），但佚散者甚众。存于《说郛》《百川学海》等丛书中的有黄庭坚《食时五观》、虞悰《食珍录》、司膳内人《玉食批》、陈达叟《本心斋食谱》及《中朝食谱》等，其内容多数很贫乏。林洪《山家清供》虽算不上本草，但里面却有不少饮食知识。郑樵曾撰《食鉴》，从所存个别佚文来看，此书确实卓有见地，但原书早佚，难知其真面目。

（七）其他

《秘书省续编到四库阙书目》中记有《大宋本草目》3卷。这是一部引人注目的著作。原书已佚，然而顾名思义，恐怕其是最早的本草著作专门目录书。此外，史志中还著录了宋代许多本草，均因书佚，不予赘引。宋代的笔记小说、地方志以及众多的医方书中也含有许多药物资料，如沈括《梦溪笔谈·药议》就有许多精辟的有关药物的见解。我国在北宋时就已能炼制秋石这一记载亦见于《苏沈良方》（据考证这是世界上最早有关采用皂甙法提取性激素的记载）。

第六章 药理研究期

（金元时期，1115—1368）

女真族于 12 世纪兴起，在很短的时间内灭辽、侵宋，建立了金国，占据了北方大片土地，与南宋对峙。金国统治下的中原，正是北宋文化繁盛的中心。政权虽然更迭，但人们在文化传统方面仍然深受北宋的影响。在某种意义上来说，此时学术方面的束缚反而更少，因为女真族的自然科学知识和文化思想毕竟无法与历史悠久的中原文化相比拟，其不可能实行文化奴役。金国 100 余年的统治被随后崛起的蒙古族推翻后，强悍的蒙古铁骑很快统一了全国，建立了幅员广阔的元帝国。在文化、科学方面，统一之前，南北文化各自发展；统一以后，南北文化开始交流。就医学而言，南宋统治下的南方和金元统治下的北方在短暂的 100 余年中竟产生了相当大的差异。这种差异表现在对新学说的探讨方面，北方医学学派争鸣，轰轰烈烈；南方医学则依然局限于整理旧有资料，搜集单方验方，更谈不上理论上的深化。为什么北方在金元的统治下，会出现某些自然科学领域中的杰出成果呢？这是科技史界比较关注的一种特殊现象。学者们见仁见智，有许多见解，本书不详加综述，仅就本草发展略做讨论。

概而言之，金元本草的主要撰著者是临床医生，其与宋代儒臣医官的着眼点不同。他们不去广搜博采前人的药物资料，也无须去考订药物基原，因为这一切已由北宋本草学家先期完成。金元医家只是利用北宋时刊行的医经本草，根据临床用药需要，进行理论探讨，以便将经验用药化为理论指导下的用药。通过对药性理论的归纳，以简驭繁，成为这一时期本草的主要特点。

如果从本草著作的数量来说，金元时期的著作最少，但是其本草主流的独特风格，却给后世以极为深远的影响，这就是我们将它作为一个独立时期的原因。

一、药理探讨新潮流

金元时期几乎找不到一部本草代表作，但是许多本草文献的风格又都是一脉相承的，即便是不同学派的医家所撰本草，也是如此。如果要寻求其发展主潮流的话，那么，精炼药效、归纳药理就是此时本草内容的主潮流。

药理探讨是此时新兴的一项课题。药物的气化说、归经说、升降浮沉说等都在这段时间得到体系化。说它体系化，是因为金元医家所凭借的理论原则并非新创。金元医家将医学理论经典著作中的有关论述，和具体药物密切联系，使之形成中药多层次的理论体系。

北宋时医学书籍的广泛刊行，为其后的临床医家进行学术研究提供了必要的资料。医学校的兴建，医学考试的举行，促进了人们对医药理论的学习。当时的医学校重视经典医著的学习，学生应试时，"并问所出病源，令引医经本草，药之州土、主疗及性味畏恶、修制次第、君臣佐使、轻重奇偶条对之"。这就使得药性功效与基础理论、临床证治更密切地结合起来。北宋理学的兴起，是此后理论探讨的社会影响因素之一。北宋后期，运气学说大盛，官方每年颁布"运历"，并宣传以此察病用药。这样强制性地灌输运气说，使它对金元医药学理论产生很大的影响。

北宋末寇宗奭已较多将运用《素问》中的药理原则解释药效的方法应用于《本草衍义》中。如"桂枝"条曰："《素问》云辛甘发散为阳，故汉张仲景桂枝汤之表虚，皆须此药，是专用辛甘之意也。"此外，从阴阳、五行、归经引经等角度论药的条文也散见于宋以前医药书籍中，但皆为只鳞片爪，未得系统化。

金兵迫使宋室南迁，却未能割断文化渊源。北宋末成书的《圣济总录》《政和本草》《圣济经》等书仍在北地流行。北宋校刊的医学经典的内容已深入人心。将各医学经典融会贯通，成为一些优秀医学家的研究方向。金元药理体系化的先行官是金·成无己，他所撰《注解伤寒论》，"百一十二方之后，通明名号之由，彰显药性之主，十剂轻重之攸分，七精制用之斯见，别气味之所宜，明补泻之所适，又皆引《内经》，旁牵众说"（严器之序）。可见他将《黄帝内经》及诸家之说，用于释方阐药。如"麻黄汤"下，成无己注曰："《内经》曰：寒淫于内，治以甘热，佐以苦辛。麻黄、甘草，开肌发表，桂枝、杏仁，散寒下气。"成无己《伤寒明理药方论序》集中阐释了"一物之内，气味兼有；一药之中，理性具焉"的思想，着重阐发了《黄帝内经》和《证类本草·序例》中涉及的药理原则、结合方药，讨论了十剂、七方、四气六味、阴阳、君臣的变化。《伤寒明理药方论》，集中讨论 20 首方剂的方义，且每一方义均引用了《黄帝内经》的有关药理条文，在论方之中，阐释药理。他已不是蜻蜓点水式地用《黄帝内经》理论释方药，而是以此作为重要依据，系统地加以论述。据张孝忠所题跋之介绍，成无己当生于嘉祐、治平之间（1056—1067）。张孝忠认为成无己之所以能获得医学上的成就，是因为北宋的医学教育。可见成无己是北宋与金元药学发展的桥梁性人物之一。

理论上的融会和提高，使人们逐渐从经验用药和医方医学中超脱出来，认识到方、药无数，只有从理论的高度去治病用药才能提纲挈领，应付裕如。北宋末张锐说："近世医者，用药治病，多出新意，不用古方。"这反映的就是医学教育产生的效果之一：站在理论的高度治病用药，而不是拘守成方。正如范行准先生指出的那样，金·张元素提出的"运气不齐，古今异轨。古方新病不相能也"等口号式的原则，不过是对原有现象的概括而已（《中国医学史略》85 页），并不一定是受王安石变法的影响而提出的。中医学术界一度流行这样的说法：金元医学争鸣是受王安石"天命不可畏，祖宗不可法"的影响而产生的。这恐怕是所谓"儒法斗争"说法的余韵。其实对金元医家影响最深刻的还是北宋后期的医学理论探讨风气和运气学说的泛滥。

金代早期的药学著作是刘完素的《素问药注》。此书虽佚，但从书名即可得知这是以《素问》为依据来讨论药物的专著。刘完素论药的方式还可见于他的《素问病机气宜保命集·本草论》。该论前半部与成无己《伤寒明理药方论》几乎同出一辙，都十分重视十剂、七方、气味阴阳。其有所发展的是气化理论。其根据《素问·阴阳应象大论》所说的"阳为气，阴为味；味归形，形归气；气归精，精归化；精食气，形食味"，推演出了五脏气味补泻内容。他还进一步地发展了《素问》与王冰注文中的气味厚薄阴阳说，并给予实际药物的例证。例如，他说："附子、干姜，味甘温大热，为纯阳之药，为气厚者也；丁香、木香，味辛温平薄，为阳之阴气不纯者也。故气所厚则发热，气所薄则发泄。"这就为《素问》"薄则发泄，厚则发热"做了注解。此外，刘完素《素问病机气宜保命集·本草论》对《圣济经》中有关药理的部分内容也予以采撷，吸收了其中的法象药理学说。从刘完素这一药论专篇的理论来源来看，他吸收了《素问》《证类本草·序例》和《圣济经》的有关论说，将其杂糅成篇，并增加了少数药例。而在《素问病机气宜保命集·药略》中，刘完素列举了65味常用药的最主要的功效，并用一示意图显示了他考辨药性的原则（图2）。他以形、色、性、味、体为主干，以五行、五色、五性、五味、五体为右侧支，以真假、深浅、急缓、厚薄、润枯为左侧支。左侧支的作用是指出所用药与人体纵向部位的对应关系，所谓"轻枯、虚薄、缓、浅、假，宜上；厚重、实润、深、真、急，宜下。其中平者宜中"。而右侧支则重在指出所用药与体内脏腑的对应关系，所以他说："余形、色、性、味，皆随脏腑所宜。"此外，在"四物主治法"中，他明确地将四物汤主药分别作为通肾经（熟地）、肝经（川芎）、脾经（芍药）、心经（当归）的主药。《素问病机气宜保命集·药略》中也多处提到药物的归经，但这一内容并未进一步形成体系，后来由其他金元医家予以推演扩充。刘完素可称得上是金元药理体系化的领路人。中外医

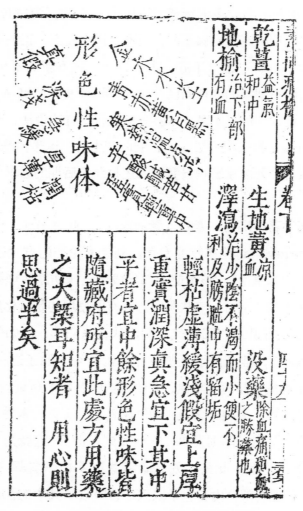

图2　《素问病机气宜保命集·药略》书影

药史学家都承认他在中医药理学发展的历史作用，但评价不一。范行准认为，刘完素开拓了药理学上的新境界，引起了异派医家如张元素、李东垣诸人的共鸣，从而将本草学的药性理论"推入一个新的唯心的境界"（《中国医学简史》90 页）。日本冈西为人指出，金元药理是在刘完素首载具体药物的药理的基础上扩充而成的一种思辨的理论（《本草概说》160 页）。笔者认为，刘完素汇集金代以前的药理论说，附以药物例证，并建立以形、色、气、味、体为主干的药理学模式，在使中医药理的理论原则与具体药物结合起来，形成层次丰富的体系方面，有突出贡献。但其模式，却带来机械、刻板的弊病，即容易把一些富有个性的药物作用纳入程式化药理解释之中，而影响人们对其的进一步广泛、纵深的探索。

继刘完素之后，张元素《珍珠囊》（《医要集览》本）对药理学说又进行了总结。他采用的是"药象阴阳"模式。与刘完素不同的是，他进一步将时、卦、季节与用药相联系。该书引录了许多《素问》的内容，来阐发五味、五臭与脏腑经络的关系。该书的特色有：①用药本四时；②建立药物归经与引经体系；③药性分阴阳、升降；④评论药物主要功效；⑤将人身法象与药物法象相联系。其中归经及引经报使学说影响最大。《珍珠囊·诸品药治主治指掌》载常用药 90 味，除简述其性味、良毒、升降、阴阳、归经引经之外，还高度地提炼出了药物的几个主要功效，这比刘完素《素问病机气宜保命集·药略》仅用几个字简括药效更为实用。然张元素所论之药太少，连李时珍也说："惜乎止论百品，未及遍评。"李时珍认为张元素"辨药性之气味阴阳厚薄，升降浮沉补泻，六气十二经，及随证用药之法，立为主治秘诀"等，在药理阐发方面建有奇勋。他赞扬张元素说："《灵》《素》之下，一人而已。"张元素的贡献在于建立了更为完善的药理体系，下此以往的元明诸家，都未脱张元素《珍珠囊》的窠臼。

张元素的弟子李东垣进一步发展了《珍珠囊》中的多种学说。例如，张元素认为防风的身部去人身上半身风邪，梢去身半以下风邪；黄芩酒炒上行，主治上部积血。这些散在的用药法被李东垣理论化。《用药心法》"用药根梢身例"与"用药酒洗曝干"二节，明确提出："病在中焦与上焦者，用根；在下焦者，用梢，根升而梢降。大凡药根，有上中下。人身半以上，天之阳也，用头；在中焦用身；在身半以下，地之阴也，用梢。述类象形者也。"这就把前人在少数药品分部用药方面的经验，一下子用述类象形的方法演为普遍规律。炮制方面也是如此。李东垣提出了用寒药治头面及手梢、皮肤疾病时，须酒炒以借酒力上腾；而病在咽之下、脐之上时，须酒洗之；病在下时，宜生用。他又提出大凡药物皆"生升熟降"等理论原则。这些内容，都已经超出了前人的有关的理论范围。李东垣在《用药法象》中，除继承张元素已总结的一些理论外，又创"药类法象"，即根据药物气味厚薄归类，用风升生、热浮长、湿化成、燥降收、寒沉藏五类归并了上百味药。

李东垣在《用药法象》的"随证治病药品"一节中，以症为纲，列举常用药："如头痛，须用川芎。如不愈，各加引经药……如调气须用木香，如补气须用人参……"这方便了临床用药。类似这样的内容在李东垣的药学著作中常可见到。因此，在明代以后出现的《药性赋》，也常伪称为《东垣珍珠囊补遗药性赋》。要之，金元药理学说发展到李东垣，已经趋向于通俗化、简洁化，更容易被广大临床医生接受，这大概也是此后金元药理学说盛行的一个原因。

刘完素、张元素、李东垣三家的药理学说虽已逐层扩大成一个体系，但他们的著作却都是短篇专论或小册子，并不是鸿篇巨制。也可以说，金元的本草学领域，是临床医生们的天地。他们不讲究药物基原考订。这些事情在当时医药分家的情况下是药家们的职责范围。药性、功效、理论解释和少量炮制，才是金元医家所关心的内容。罗天益《卫生宝鉴》卷21"哎咀药类"，就继承了其师李东垣的学说，补充了药物的炮制内容，并引录了李东垣的若干药学专论。

王好古《汤液本草》，是易水学派诸家药理学说的集成之作。书分3卷，上卷相当于总论，集录李东垣《药类法象》《用药心法》之内容及王好古自家论说，以药理专题为目。中、下卷分部类议药200余种，集录《证类本草》中偏于临床用药的一些言论及张元素、李东垣之说，资料比较丰富，但要言不烦。王好古在该书中"取洁古《珍珠囊》断例为准则。其中药之所主，不必多言，只一两句，多则不过三四句。非务简也，亦取其所主之偏长，故不为多也"。这也反映了整个金元本草简要求实的风格。

在王好古之后，较有名的本草有朱丹溪《本草衍义补遗》。由于该书是针对《本草衍义》的补遗之作，所以其未涉及众多的理论原则。朱丹溪深研理学，因此在论药时也非常注意探求药物命名及功效的义理。他论药的主要着眼点是药物的阴阳及五行属性。他据五行属性来判断药物的归经入脏及功效主治。以五行属性来归类和阐解药物性能这一点，北宋·寇宗奭已较早在具体药物下谈及，但没有普遍运用。刘完素、张元素、李东垣等人较多地着眼于气味厚薄、阴阳、升降浮沉、归经等，对五行释药较少运用，因而朱丹溪从五行属性论药，有一定的特点。明末江南有些医家，多采其说。

元代以其独特的风格，为中国本草发展开辟出一种新的局面。这一时期多数本草书记载的药物不过一二百种，且其功效主治相对简要，并无多少新的药效发明。然而其理论层次的丰富，使得药效不仅与性味良毒有关，而且与脏腑经络、药物形色及质地轻重润燥、升降浮沉补泻、四时六气、阴阳、五行等有联系，从而把药物本身与人体、天地结合成一个整体。这种结合的主要理论原则虽早已见于《黄帝内经》等书，但金元医家把它们与具体药物组合起来，形成了血肉丰满、易于推广运用的理论体系。这一时期的工作使中医用药从经验处方完全上升到理论处方的高度，促进了在新的医学理论指导下创制新方的兴盛。李东垣和朱丹溪等金元医家的许多新方就是医理与药理结合的产物。当然，我们也必须看到金元药学对后世产生的消极影响，即抓住药物的主要功效，引出药效简单化、平庸化；药理模式与运气、五行学说等形成格套，框住了后人的眼界；在古代某些唯心主义的哲学思想影响下，重视理论用药，滑向忽视实验研究和用药经验的泥淖，从而为招致清代复古派的抨击埋下了伏笔。

二、本草旁支

金元药学专著的种类较宋代更为简单。金元时期药学专著的突出变化是一向占主流的综合性本草退到次要位置，食疗本草有了较大的发展。

（一）综合性本草

至元二十一年（1284），元世祖命撒里蛮、许国桢集诸路医学教授增修本草，撰成《至元增修本草》，但书佚失考。所谓增修，似在《政和本草》基础上的一种补订。现存元代惟一的综合性本草即医官尚从善的《本草元命苞》9卷。尚从善在《大观本草》基础上，"摭其切于日用者四百六十八品，取其义理精详、治法赅博，纂而成章"。该书虽然在编排方法上有所调整，且对药物内容进行了精简，但没有什么新的发明，所以流传不广。

（二）食物本草

《饮膳正要》是元代著名的营养专著。该书的作者忽思慧等，是蒙古族的膳医。此书基本跳出了以汉族为主的传统食疗的资料圈子，补充了大量的带有浓郁的北方少数民族（以蒙古族为主）特色的饮膳内容，为中医食疗注入一股清新的渠流。该书编纂方式颇得体，论、方、药、图相结合，简便实用。该书卷3所附168

幅图，多为常见食用动、植物图，这是元代惟一的附图本草。另，天历年间海宁吴瑞《日用本草》也是一部较简便的食物专著。

此外，元代诸多养生类著作中经常会涉及食疗知识。例如，李鹏飞《三元参赞延寿书》卷3，着重介绍了饮食有度的养生方法；汪汝懋《山居四要》中的"养生之要"篇，亦多涉及食疗。但迟至清代才出现的题为元·贾铭所撰的《饮食须知》，显然是伪托之作，详见下篇该条。

（三）本草歌括

元瑞州医学教授胡仕可，撰有《本草歌括》。该书的目的是"以便童蒙"，其是较早的一部药学启蒙书。该书后经元·何士信、明·熊宗立增补，有多种版本。日本冈西为人称它为"后世续出的药性歌之端绪"。如果从实际影响来说，也许如此。但歌诀类普及本草的出现，则要比胡仕可之书早得多，至少南宋时已经有药性歌出现（参前面第五章"药物歌诀"条）。

第七章　整理集成期

（明代，1368—1644）

　　明代我国已进入封建社会的后期。自明代中期以后，随着生产水平的提高、国内外市场的开拓，文化经济有了很大的发展。尤其是江南水陆交通发达的大都市，更是人文荟萃。因此，在万历年间以后，医药学领域与其他文化科学领域一样，人才辈出，名著迭起。就本草而言，此时产生了李时珍《本草纲目》、缪希雍《本草经疏》等一系列影响深远的药学名著，这为本草的整理和集成做出了巨大的贡献。

　　但是，必须看到的是，在整个明代的不同时期中，本草的发展是不平衡的，其风格也是不同的。笔者在广泛涉猎明代现存本草并收集佚散药学书籍的基础上，将明代前、中期（200余年）与后期（不足100年）出现的本草做了一个粗略的比较，结果表明：前、中期的本草（40余种）不足整个明代本草的三分之一；较重要的本草著作大多集中在万历到崇祯年间；明代本草中数量最多的是普及性本草，占总数一半以上（70余种）。明代本草种类，还是比较丰富的。对明代的本草进行分析，比对宋、金、元等朝的本草进行分析，显然更困难一些，这是因为它不像其他朝代那样，有着明显的风格和清晰的脉络。我们拟从时间、风格、种类三方面交叉予以探讨，以期勾画出明代本草发展的轮廓。

一、南宋、金、元不同风格的本草交融

　　北宋以后，本草著作停止了广泛汇纂的势头，转而向小型、实用发展。南宋本

草的主流是依托《大观本草》进行改编、节要，且其编写体例有所改进；金元时期则将《素问》等书中的用药原则与具体药物相结合，建立了一套药性理论体系，且气味厚薄、阴阳、升降浮沉、归经引经诸说颇为盛行。明代前、中期，南宋与金元时期的这两股潮流逐渐汇合交融，出现了一批普及性本草。

明初浙西著名学者叶子奇，年老居闲无事，对《证类本草》倍感兴趣，但又"颇病其诸家言语重复冗杂"，于是在崇安《类编本草集注》的基础上钩玄提要、折衷补阙，编成《本草节要》10 卷。可惜《本草节要》已佚，无法知其详。据此书序言，可知它和南宋节要性本草相近，毫未涉及金元药理说。叶子奇另有《草木子》一书。该书虽非本草著作，但其中"观物"篇对人体及动、植物有许多新的认识。

弘治九年（1496），礼部郎中王纶择取常用药物编成《本草集要》10 卷，这是明中期很有影响的一部实用本草。然而因李时珍对它评价不高，说它"别无增益，斤斤泥古者也"，所以近现代医药史学者也每每附和。其实此书在明代本草中是很有特色的。此书分三部，上部相当于总论，其特色在于将《证类本草·序例》中的内容与金元医家药理说糅合起来，这在现存明代本草中还属首见。中、下两部为各论，中部按草、木、菜、果、谷、石、兽、禽、虫鱼、人分部，下部又按气、寒、血、热、痰、湿、风、燥、疮、毒、妇人、小儿分门，这种于一书之中用两种分类法的方法，也属首创，甚方便检索。更有意思的是，他宣称中部分类把"无知之物"排前，"有知之物"列后。因"人为万物之灵"，故终以人部。这就朝李时珍"从微至巨，从贱至贵"的科学分类迈进了一大步。其中各药不分三品，"以类相从"，和以病类方的方法，被《本草纲目》所借鉴。下部分门之后，各门又按功效再分类，形成了二级分类法。每药之后，有内容提要式的按语，且这些按语也颇为简洁。因此，《本草集要》问世后，深受临床医生欢迎。虽然李时珍从该书新内容不多的角度予以诋评，但不可否认的是，他也汲取了《本草集要》的许多长处。南宋与金元本草的融合也体现在此书中。

王纶的本草着眼于用药，不涉及药物形态，这是金元本草的遗风。直接受他影响的有汪机（1463—1539）《本草会编》。此书"惩王氏《本草集要》不收草木形状，乃削去本草上、中、下三品，以类相从"，扩充为 20 卷，弥补王纶之书"词简不赅"的不足，并在编类上有所变更。对汪机的改编，陈嘉谟和李时珍各有评价。陈嘉谟说："喜其详略相因，工极精密矣。惜又杂采诸家，而讫无的取之论。"李时珍曰："其书撮约，似乎简便，而混同反难检阅。冠之以荠，识陋可知；掩去诸家，更觉零碎。臆度疑似，殊无实见，仅有数条自得可取耳。"因原书已佚，我们无法核实，但从陈嘉谟、李时珍二家评语中可以知道，仅仅是简化前人本草已不能满足本草发展和临床用药需要，更重要的是应该有自家见解，及对诸家异说的正确评论。陈嘉谟在分析了《大观本草》《本草集要》《本草会编》三书得失之后，写出了明中期影响最大的《本草蒙筌》（1565）。

《本草蒙筌》12卷，药物分类仿《本草集要》，附有药图（原动、植物图皆取自《证类本草》），卷前总论部分也摘自《证类本草》及金元药理说，这些都算不上特色。与他以前的同类本草相比，陈嘉谟本草更注意保证药物知识的完整性。因此，他对药物的鉴别给予更多的关注，尤其是对与医生关系较密切的药材鉴别、贮藏等问题，均设专题讨论。他列举了药材作伪的若干现象，绘制了30余幅药材图，补充了药物产地与采收内容，这表明金元药学不重视药物形态采收的情况逐渐得到改变。陈嘉谟引用了一句形象生动的谚语——"卖药者两只眼，用药者一只眼，服药者全无眼"，来表达医家了解药物情况的重要性。《本草蒙筌》原是授徒的教本，故其在内容取舍、首尾连贯、重点突出等方面都着力编撰，并且附以歌诀，以便记诵，这是它的又一个成功之处。此书载药742种，比《本草集要》545种又有增多。在许多药物下，陈嘉谟附上自己的见解，以避免产生《大观本草》"意重寡要"、《本草会编》"无的取之论"的弊病。对此书，李时珍予以高度评价，说："每品具气味产采，治疗方法，创成对语，以便记诵。间附己意于后，颇有发明，便于初学。名曰《蒙筌》，诚称其实。"

以上三书，有着直接的承继关系，它们共同的特点是内容较《证类本草》大为简约，而又不似金元本草那样仅寥寥一二百种药，简单几句条文；汲取了金元药理最切实用的若干原则，并将之融入书中。此外，其在编排分类上也有不少改进。这条本草承继线又下连《本草纲目》，为《本草纲目》的编撰提供了某些很有价值的经验。

此外，在明代前、中期，还出现了若干颇有特色的节要性本草，为李时珍所未见。《本草品汇精要》即其中之一。该书也算是明代一部官修本草，但它却远不如唐、宋官修本草那样成就显赫。单就编写班子来说，其以太医院院判刘文泰为总裁，以与刘文泰沆瀣一气的太监张瑜为总监。词臣（翰林学士）和医官之间的勾心斗角使得这部官修本草丢弃了唐、宋时儒与医合作编书的优良传统，这也决定了该书偏重临床实用而不注重资料补订的特点的产生。这部著作是在《证类本草》基础上改编并略加增补而成的，它有所改进的一点，就是将《证类本草》层层补注的文字改用分项解说的形式，而减少了重复。这种编纂法与明孝宗下达的"删繁补缺，纂辑成书，以便观览"的旨意是相符的。其将各药条文分成24项（名、苗、地、时、收、用、质、色、味、性、气、臭、主、行、助、反、制、治、合治、禁、代、忌、解、膺），可以说对传统药物的内容做了一次全面的分解、系统的合成。各药分项解说并不是此书首创（首见于南宋《纂类本草》），但此书分项最细，甚至出现了子目过繁、各项界限有时欠明的弊病。此书另一个令人瞩目的成就，是绘制了1358幅精美的工笔彩图，且其中至少有366幅系新增药图，只有宫廷才有能力完成这一巨大的工程（关于此书药图后文还将另评，不赘）。分项述药、增绘彩图即该书最主要的特色。

刘文泰是医官中仅次于南宋·王继先的一名奸佞之徒。他醉心于官场争斗，并没有认真组织该书编撰，因而《本草品汇精要》出现了许多纰漏，其中有名无文、同物异出的现象多次出现。该书分类也采用了二级，甚至三级分类法，如草部分草、木、飞、走四类，禽兽虫鱼分羽、毛、鳞、甲、蠃五类，每类又按出生形式分胎、卵、湿、化四种类型。这种分类较之《证类本草》前进了一大步，但因此书在选择分类法和具体归类药物时比较草率，所以实际上此书的多级分类法并没有像《本草纲目》的分类法那样发挥提纲挈领的作用。其致命之点在于它不是从药物实际出发，而是套用《皇极经世》的模式，这造成了分类时的诸多困难。例如，将草、木、谷、菜、果五部，一律再划分为草、木、飞、走四类，给人以叠床架屋之感。因此，该书多级分类的思想虽然在当时是先进的，但由于没有先进方法与之配合，收效甚微。从增补新资料方面来说，此书也无可称道之处。此书新增药仅48种（10种有名无文），且多取自《饮膳正要》诸书。至于明代的实际用药经验，其更未能充分加以反映。如果以新内容多少来衡量该书的话，实在无法给它较高的评价。

《本草品汇精要》成书后，一直被藏于深宫，束之高阁，并未对古代本草发展产生很大的实际推动作用。为什么该书未得刊行？有人归之于刘文泰不久就因宪宗、孝宗病殁而获罪。但是，从清代医官在该书基础上再加续修来看，应该已不计较其作者的罪行了，那为什么还是未予刊行呢？这只能从该书本身考虑。在当时还没有可能将其精美的彩图予以印刷出版。该书正文采用朱、墨分书的形式，这也不利于印刷。正是这两点，限制了此书在古代的刊行。

现存的明中期节要性本草还有薛己的《本草约言》等书。《本草约言·药性本草》（约1520）旨在"以类志约"，仅载日用不可缺的药物287种，较多地引用了前人药物资料，少有个人发挥。就内容而言，该书主要继承了金元药学论说，偏于临床用药，但其分类仍沿袭《证类本草》旧例。

此外，在综合性医书的本草专篇有周恭《医说会编·用药药戒》（1493）、贺岳《医经大旨·本草要略》（1556）等。前者辑药论59条，后者仅摘录金元医家所论药物70种，二者均无所发明。这一时期出现的节要本草见于著录者还有李暵《汤液本草》、戴思恭《类证用药》、解延年《本草集略》、徐彪《本草证治辨明》、郑宁《药性要略大全》、程伊《释药》、万全《本草拾珠》、袁仁《本草正讹》、贺岳《药性准绳》等。现在我们无法见到这些原书，从书名和其他零星史料可知，它们也都是为适应临床用药而编撰的一类节要本草。从现存的此类著作风格来看，其有的保持南宋节要本草的余韵，有的带有金元药性本草的遗风，但更多的是将此两者结合融会在一起。它们成为明代前200余年本草的主要形式。

二、风靡明代的药性歌括

药性歌括易于记诵。它将药学内容（主要是药性功效）通俗化，以利初学。此类本草在宋、元早已产生，但数量不多。较有影响的是元·胡仕可《本草歌括》。它先后经过元·何士信、明·熊宗立等增补，是一种图、诗并存的普及本草。这种歌括在元末明初流行，此后则很少有人翻印。

明代流行多种药性歌赋，其每经书贾等人托名改编，混乱异常。据记载明中期以前编撰补订的本草歌赋的有刘纯《本草歌括》、杨澹庵（即杨溥）《用药珍珠囊诗括》、熊宗立《药性赋补遗》、傅滋《药性赋》、严萃《药性赋》、冯鸾《药性赋》（以上均佚），及罗必炜《太医院增补青囊药性赋直解》等。其中严萃《药性赋》，仅知其内容为寒、热、温、平四篇。因原书已佚，不知其是不是在明清广为流传的四性《药性赋》。

该《药性赋》含寒、热、温、平四赋（下称四性《药性赋》），述药240种。其最早刻本为《医要集览》本，与张元素《珍珠囊》合刊，不著撰人，不分卷次，由明经厂梓行。经厂刻书始于永乐十九年（1421），结合该赋著录情况，可知它约出现于15世纪。明·高儒《百川书志》（1540）首次著录了1卷本的《东垣药性赋》，且记云："元东垣老人李杲撰。分寒热温凉四赋，载二百四十八种。"这是四性《药性赋》托名李东垣的较早的记载。对此，李时珍曾说："（《洁古珍珠囊》）后人翻为韵语，以便记诵，谓之《东垣珍珠囊》，谬矣。"所谓"《东垣珍珠囊》"

即《东垣药性赋》，它虽然不是李东垣所撰，但也不曾把《洁古珍珠囊》翻为韵语。这是坊贾把《药性赋》《珍珠囊》合刊，托名李东垣，而引起的混乱。《百川书志》还著录了《东垣方指掌珍珠囊》2卷，从其解说中可知这是张元素《珍珠囊》，不含《药性赋》。

2卷本《药性赋》著录于明末殷仲春《医藏书目》，《医藏书目》也注云"东垣"撰。此类刊本，明刻本尚未见，但清代以后刻本甚众，虽题为李东垣撰，实即《医要集览》中的张元素《珍珠囊》和不著撰人的《药性赋》的合编本，托名李东垣。

约在嘉靖年间（1522—1566），罗必炜对药性歌诀进行了一次重要的汇编工作。他辑成的《太医院增补青囊药性赋直解》前2卷"医方药性"中，实际包括了四性《药性赋》、张元素《珍珠囊》中的"诸品药性主治指掌"（非韵语）、《用药法象》（多取李东垣之说）、《药性赋》（此赋分玉石、草、木、人、虫鱼、果品、米谷、蔬菜、禽兽等部类，录药406种，不著撰人，为示区别，暂称分部《药性赋》）。这就是此后传播甚广的《雷公药性赋》的蓝本。

罗必炜所辑后2卷为"医方捷径"，又收有两种《药性赋》，其中一种名《诸品药性赋》，载药歌183首。此外还收有《增补分门别类药性》（非韵语）。综上所载，罗必炜《太医院增补青囊药性赋直解》实际上含有四种不同形式的药性歌赋。该书前2卷又曾以《鼎刻京板太医院校正分类青囊药性赋》《珍珠囊补药性全赋》等名称单独刊行，题张元素撰，罗必炜校正。该书是明中期一部重要的药性歌诀集成之作。

此后万历间吴惟贞有《药性赋大全》12卷，国内未见。钱允治于天启二年（1622）将《东垣药性赋》（扩至320味）加注，厘为4卷本的《珍珠囊指掌补遗药性赋》。此书与经钱允治补辑的《（镌补）雷公炮制药性解》合刊，成为社会上最流行的中药入门读物。清代以后出现了前有"元山道人识"的《雷公药性赋》（卷首题《珍珠囊指掌补遗药性赋》），其年份不明，在内容上与钱允治所校之本无大改变。

明代后期流传较广的是龚廷贤《药性歌》和《药性歌括》。《药性歌》共录四言药性歌诀240首，是龚廷贤《万病回春》中的第1卷。此后明·邵达将此歌增入《明医指掌》；清·张仁锡又增注而成《药性蒙求》。龚廷贤《药性歌括》较《药性歌》多四言诗160首，共述药400种，原载于《寿世保元·本草门》，后有单行。

明末蒋仪（仪用）《药镜》（1641）共编撰344种药物的骈语。《四库全书》对它的评价并不高，说："其载药性，分温、热、平、寒为四部，各以俪语，括其主治。后附《拾遗》《疏原》《滋生》三赋，以补所未备。词句鄙浅，徒便记诵而已。"但四库馆臣张冠李戴，将本书作者蒋仪（浙江嘉善人）与正德九年（1514）进士蒋仪（直隶天津右卫人）混为一谈。

此外，明代还有多种含药性歌诀的本草，前述《本草蒙筌》即其中之一。又嘉靖年间许希周所撰《药性粗评》，共有骈语506联，涉及药物1000余种。各联骈语之下，注解该药有关内容。明末沈应旸《药性诗诀》，编成390种药物的歌括（今存于沈应旸《明医选要济世奇方》卷9）。又余应奎辑补的《太医院补遗本草歌诀雷公炮制》一书，虽然扉页也题作"李东垣先生辑《增补雷公炮制药性赋解》"，但与《雷公药性赋》完全不同。该书分上下两栏，各载不同的内容。上栏"药性诗歌便览"，共载七言诗750余首，每首介绍一味药的性味功治。下栏为"全补药性雷公炮制"（见下文"专题本草举要"）。这些书中的药性歌诀远不如前述四性《药性赋》和龚廷贤《药性歌括》那样流传广泛。

药性歌括的出现和大量翻印，为初学医道者提供了启蒙和习诵所需的读物。在此以前的《证类本草》虽然内容极为丰富，但却不便于广大临床医家实用。明·皇甫嵩对此有一段分析："《本草》一经，药品性味具备，补注训义亦详，诚济世之书也。第诸家辏集，各附见闻，其中治病之说，类多繁衍，每一品药，该疗诸病，多者十数证，少者三四证，漫无专治监治之法。俾用药者，莫知取裁。"这就是《证类本草》出现后节要本草和药性歌诀盛行的原因。但这股求简风又导致了另一种弊病，即皇甫嵩所说"近世方家，务求简便，乃舍《本经》，专读《药性赋》等歌括，托为东垣捷径之法"。若以此疗病则"未免略而弗详，局而弗备，往多谬误，殊庆经旨。至投剂无效，良由药性不用，制用未当也"。所以，万历以来，医家中的有识之士纷纷站出来扭转这一局面，撰写出了许多高质量的药学专著。

三、明代后期各具特色的本草著作

明代后期本草中的佼佼者有《本草纲目》《本草原始》《本草经疏》《本草汇言》《药品化义》等（专题本草另述）。

（一）《本草纲目》

《本草纲目》，48卷，由李时珍撰成于万历六年（1578），约初刊于1593年。

李时珍这样一位伟大的药学家出现在明后期的蕲州，是和当时此地发达的文化环境分不开的。本草知识的积累也是产生药学伟人的重要条件。李时珍撰《本草纲目》时，确定了搜罗药物"不厌详悉""虽冷僻不可遗"的原则。这是受陈藏器《本草拾遗》的影响而确定的，也是从"古今药物兴废"规律中总结出来的。因此，该书载药1892种（新增374种），"书考八百余家"，成为古代本草的渊薮。

与《证类本草》不同的是，《本草纲目》并不局限于汇积资料，其中更有价值的内容是李时珍个人的研究心得。李时珍在医学思想方面主要受张元素、李东垣的影响，谓"千古之下，窥其奥典而阐其微者，张洁古、李东垣二人而已"。同时，他也深受儒家格物穷理思想的影响，认为本草"虽曰医家药品，其考释性理，实吾儒格物之学"。这就是李时珍在药性理论和药品考辨方面取得巨大成功的思想基础。《本草纲目·序例》对《证类本草》的药学理论和金元医家的药理论说进行了系统的整理归并。李时珍在各药"发明"等项下，提出了许多新的医药见解，尤其是在品种考订方面，议论精详。自《本草图经》成书500年以来，独李时珍在药品种类考证方面取得了辉煌的成就。该书的药图是品种考订成就的一部分，我们在下文还将述及。

《本草纲目》的编写方式集中了前人众多的经验，既保留了标注文献出处等优良传统，又对古本草传统分类进行了变革。它采用了"不分三品，惟逐各部；物以类从，目随纲举"的多级分类法，以十六部为纲，六十类为目；各部又按"从微至巨""从贱至贵"排列。这体现了可贵的进化发展思想。各药之下，分8项主要内容，比《本草品汇精要》分24项更为简洁得体。李时珍的编写工作归纳起来就是16个字："剪繁去复，绳谬补遗，析族区类，振纲分目"。《本草纲目》以其博大精深的内涵赢得了世界科学工作者的敬仰。

受明代社会条件的影响和李时珍个人条件的限制，《本草纲目》也还存在着某些不足之处。例如，李时珍在引文方面的窜乱改易、对少数品种的误订，以及其未能见到若干明代出现的本草（如《本草品汇精要》《滇南本草》等多种），等等。但这些小疵不足以掩大瑜，这一本草巨著不仅对它以前的药物知识做了集大成式的总结，而且还开拓了其后本草发展的新局面。明末的许多本草，纷纷从该书汲取营养。明代的《本草纲目注释》（沈长庚撰）是其最早的注本。《本草正讹补遗》（徐昇泰撰）、《纲目博议》（卢复撰）亦为后续性著作，均佚。引用《本草纲目》资料的后世本草，不可胜数。近现代中外学者对此书进行研究而作的论著甚多，兹不引述。《本草纲目》是明代后期本草星空中一颗最亮的星，但这星空还闪烁着其他的星。

（二）《本草原始》

《本草原始》，12 卷。明·李中立（字正宇）辑撰于 1612 年。李中立是河南雍丘（今河南杞县）年轻有为的医药学家。他从《本草纲目》中摘取了 452 种药物的性味、功效、主治、炮制等资料，然后结合他的研究成果——对药材本始（基原）的考订，编成此书。他亲自绘制了 379 幅药材图，较好地反映了当时用药的实际品种。他还在药图之旁用简洁的文字指示鉴别特点，别具一格。该书汲取了众多的辨识药材的经验，是本草史上最富特色的药材经验鉴别专著。

（三）《本草经疏》

《本草经疏》，即《神农本草经疏》，30 卷。明·缪希雍（仲淳）撰。初稿拟刻于金陵，"未竟而遗焉。流传于知交者，西吴朱氏汝贤集而刻之，不及其半"，这就是现在存世的《读神农本草经疏》（1622）12 卷（实系《本草经疏》残刻本）。缪希雍命顾澄先检点存稿，校成《本草经疏》定本。该本刊于天启五年（1625），时缪希雍已殁。

该书虽名为《本草经疏》，但并不是《神农本草经》的辑注本。它收录了《证类本草》常用药及少数《证类本草》未载（或未详）的药物，共计 490 种。各论按《证类本草》原部类排列。总论（即"序例"2 卷）则完全摒弃《证类本草》原"序例"，也不像《本草纲目》那样类集金元医家之说，而是自撰"续序例"2 卷，有"药性差别论"等专论 33 篇及"诸病应忌药"7 门。缪希雍医学思想中最突出的一点，是鄙弃北宋、金元盛行的运气学说。他把凭五运六气治病"譬之指算法"，认为其"杂学混滥"，对其深恶痛绝。这与缪希雍个人经历不无关系。缪希雍自幼贫寒，长嗜方技，很少受儒理的影响。他注重医药实践，尤推崇《神农本草经》，这和当时务求简便、沿袭李东垣等金元医家的药性学说的状况大相径庭。正知谢观所说："明清人论本草之书，可分为二派。一宗宋以来洁古、海藏、东垣、丹溪诸家之说，在当时可称旧派……一以复古为主，唾弃宋以后诸家之论，在当时可称新派。"缪希雍即开新派风气之先者。他重视阐发《神农本草经》《名医别录》所载的功效主治，多从药物的生成时月与环境、性味阴阳、五行归经、实际疗效等角度，结合脏腑理论，推演药理。此书将每一药的解说分成"疏""主治参互""简误"三项，把疏解经文和临床配伍用药紧密结合，内容丰富。他的"尊经"思想对明末以后医家产生了很大的影响。《本草经疏》的成就侧重于临床药学及药性理论，其是明代仅次于《本草纲目》的一部重要本草。

（四）《本草汇言》

《本草汇言》，20 卷。明·倪朱谟（纯宇）约撰于天启四年（1624）。该书集常用药 581 种，分类多同《本草纲目》，但以草部为首排列。此书很少有倪朱谟自家见解，但是他"遍游遐方，登堂请教"，访问了万历年间各地通晓医药人士 148 人，并把这些采访对象的姓氏、字号、籍贯开列于卷首。倪朱谟从他们那里获得了大量的药学资料和言论，这种集取当代人药论的做法是独具一格的。这些资料丰富了临床用药和药性理论的内容，是考察明末药学发展的重要资料。该书附有药图 530 余幅，约有 180 余幅为药材图。各药之后还保存了大量医方。《本草汇言》的特色是不囿于古，注重当代用药实际，因此，其资料新颖，非一般寻章摘句者可比。有人认为《本草汇言》可与李时珍《本草纲目》、陈嘉谟《本草蒙筌》、缪希雍《本草经疏》"角立并峙"，或谓"《本草纲目》得其详，此得其要，可并埒云"，这反映了人们对此书的赞誉。

（五）《药品化义》

《药品化义》，13 卷。明·贾所学（九如）撰。该书是一部药理专著。贾所学提出了一个新的理论概念——药母。药母说是中药理论规范化的一种尝试，取法于"书有字母，诗有等韵，乐有音律"。他以体、色、气、味、形、性、能、力为八法，各法又分七项，并把它们与人之藏象、药之法象沟通联络。全书分 13 门，将各药隶属于气、血、肝、心、脾、肺、肾、痰、火、燥、风、湿、寒之下，形成一个较完整的理论体系。贾所学建立的药母理论是金元药理的再提高。该书门类简要，结构谨严，明·李延昰称它"区别发明，诚一世之指南"。贾所学所列八法辨药虽然并没有得到清代医家的普遍响应，但他的这部书从编排到内容都不失为一部本草佳作。

明末另一部侧重药理探讨的本草是卢之颐（子繇）所撰《本草乘雅》（1647），今仅存《本草乘雅半偈》12 卷。卢子颐受佛教影响，以佛理结合儒理，来阐释药理。书中各药原分覆、参、衍、断四项解说，故名书为"乘（四数为乘）雅"。全书议药 365 种，属《神农本草经》者仅 222 种，后世所出者 143 品，两者正凑足周天之数。卢子颐选药谨严，详于辨析药物功效主治，但在理论阐释方面，每循名索理，尤好以药物外形、生时生境等附会推衍，使之玄而又玄。该书虽比不上前述诸书，但毕竟有自己的特色，故附述于此。

以上所述，为明代后期一些最出色的本草著作。此外，这段时间也出现了一大批临床实用性的简要本草，今择其要，略述于下。

（1）《本草发明》：6卷。皇甫嵩撰于1578年。该书卷一相当于总论，择要列述金元药理学说。余卷分部议药600余种，独不取人部药。各药条设"发明"一项，分专治、监治两大法介绍功效及配伍，简明实用。

（2）《本草纂要至宝》：9卷。方谷（龙潭）撰于1565年。方谷为万历时钱塘医官，论方用药"必使补泻升降得宜，寒热温凉有准"。该书仅议药178种，另附"明经法制论""用药权宜论""药性赋"三篇。《明史》著录方谷《本草集要》12卷，倪朱谟引方谷《本草切要》10余方。从书名看，此二书亦为节要本草，疑为同书异名。

（3）《伤寒论条辨·本草抄》：方有执（中行）撰于1589年。"本草抄"只是《伤寒论条辨》中的一个附篇，并无单行。该书谓《伤寒论》只用了91种药，"旧本皆——注性味于各方药下，烦冗无义"，于是"具抄而附说"以便初学。这是对《伤寒论》用药进行研究的专篇，文字不多，每出新见。

（4）《本草真诠》：2卷6集。杨崇魁（调鼎）撰于1602年。他追随金元医家药理说，以运气、阴阳、经络统贯诸药的解释。该书集取《证类本草》《本草集要》《本草蒙筌》等书的资料，悉心编排，然别无新见。

（5）《医宗粹言》之"药性论""药性准绳"：罗周彦（德甫）撰于1612年。此二篇均为《医宗粹言》中的专卷。"药性论"为其卷4。本书将"本草总论"编为七言歌括；又编"药性纂"，用歌赋体介绍250余味药的性味功治。其后半部"制法备录"为炮制专篇，归纳了炮制十七法（《炮炙大法》讹为雷公炮炙十七法）、127味常用药材制法及50余种制剂，简明实用。"药性准绳"为《医宗粹言》卷5、卷6，以69种病证为目，罗列诸药，以别其功用。它们虽未单独成册，但自成一格，胜过寻常本草门径书。

（6）《芷园臆草题药》：卢复撰于1619年。其论药43种，采用笔记体裁记录作者研药心得。卢复推求药理，每因名求义，比类象形，故书中穿凿附会处甚多。

（7）李中梓三本草。李中梓（士材）为明末名医，其学平正而不偏颇。据其门人戴子来所云，李中梓在撰《本草通玄》之前，已刊两种本草，即《药性解》《本草征要》。《药性解》2卷，约撰于天启初。其分部议药323种，除简述性味、归经、主治之外，又在按语中注解用药要点，对金元本草药论多所辨正。天启二年钱允治为之增补，将《雷公炮炙论》若干条文散入有关药条下，更名为《镌补雷公炮制药性解》，厘为 6 卷。《本草征要》（1637）被收于《医宗必读》之中，述药361 种，讲述常用药物功能主治要义。《本草通玄》为李中梓晚年之作（约 1655）。李中梓认为前两种本草"未遑整阐其幽，悉简其误"，所以"用是复奋编纂，重严考订，扼要删繁，洞筋擢髓，成本草二卷，命曰《通玄》"。《本草通玄》述药 361种，论理切实，不尚浮词。其内多用药经验，多纠前人之谬。李中梓认为"古法制药如雷敦，失之太过；而四大家已抵和平，然更多可商者"，所以书中所载炮制法每变易古法。该书为李中梓力作，为明末临床实用本草中之出类拔萃者。

（8）《本草正》：2 卷。张介宾（号景岳）撰于 1624 年。此为《景岳全书》卷48、卷 49。该书选论常用药 300 种，着力辨析临证用药宜忌，处处体现了辨证用药思想，反映了作者丰富的临床经验和深厚的理论根基。张介宾以人参、熟地、附子、大黄为药中"四维"，抨击了当时"履芒硝、大黄为坦途，视参、附、熟地为蛇蝎"的喜凉忌温的偏向，见解卓然超群。此外，本书对药性比较、配伍、炮制等也多有议论。

（9）《分部本草妙用》：10 卷。顾逢伯（君升）约撰于 1630 年。顾逢伯议药，强调引经、补泻。此书前 5 卷按五脏分部，后 5 卷按效类药，各卷之中又分温补、寒补、温泻、热泻、性平五类，述药 560 余种。其分部仿兵书列阵之法，别出一格，然其少有新见。

（10）《轩岐救正论》卷 3 "药性微蕴"：萧京（万舆）撰于明末清初（1644年前后）。此卷论药不拘泥于以单味药为一单元，时或十多味药同时比较。其对药效、炮制，常折衷前人矛盾之说。此卷议论纵横，学验俱富，共有药论 43 条，涉及 100 余种常用药。

（11）《理虚元鉴·治虚药讹一十八辨》：汪绮石撰。此为虚劳药物专论（21味药），介绍治虚劳之宜用、忌用、酌用、不必用、审用、偶用、不可用的药，分析中肯，切于实用。

约撰成于明末的此类本草还有 10 余种，或佚失，或内容无甚特色，不一一罗列书名。从上述十几种临床实用本草来看，它们的质量较明代前中期有所提高，这表现在它们中的多数已不囿于辑录前人之说，而是更多地阐述临床用药的经验。

要之，衡量明代本草的发展，不能以一书为代表。出现了举世闻名的《本草纲目》，并不意味着整个明代本草达到了高水平。本文所述资料表明，在明代 276 年中，前 200 余年本草发展迟缓，水平很低，这 200 余年是历史上本草发展的低潮阶段。明代后期本草著作迅速发展，质量高、富有特色的药书不断涌现，本草学呈现出异乎寻常的繁荣局面。李时珍《本草纲目》就是在这样一种情势下成为本草发展的又一个高峰，为中国本草学写下了光辉的一页的。

四、专题本草举要

以上所述是综合性本草及临床实用性本草的发展状况。此外，明代的专题本草中也有一些杰出之作，今按类介绍如下。

（一）救荒植物类著作

这类书宋代已出现，至明代更盛。它们并不以药用为主要目的，只是介绍可供食用的野生植物。因此，农学和本草学都从各自角度汲取其中的知识。医药学者比较关注的是其中的植物鉴定和服用后的效应。《救荒本草》（朱橚撰于 1406 年）是此类书中最富有成就者。该书原为 2 卷（后有析为 4 卷、8 卷、14 卷者），收可食植物 414 种，每种植物下各附一图，并解说其产地、形态、性味良毒及食用方法。该书内容精炼充实，为某些药用植物的基原考订和用法提供了可靠的资料。该书东传日本，对彼邦的农学、植物学发展起了较大的作用。

周履靖（逸之）的《茹草编》成书于万历十年（1582）。此书茹草，并不为救荒。周履靖性甘淡嗜古，披览之余，作此以供消遣。此书共载植物 102 种，每种植物下各列一诗一图，余皆辑录有关植物的一些诗文典故。王磐（西楼）《野菜谱》采录救荒野菜 60 种，并附写生绘图；每种药附诗一首，诗之情调凄苦。鲍山（元则）《野菜博录》（1622）共 3 卷，收野菜 435 种，绘图记用，多参《救荒本草》及《野菜谱》，内多实际经验。明·姚可成将王磐《野菜谱》更名为《救荒野谱》，又补 60 种植物，撰成《救荒野谱补遗》。他亦仿王磐，于每物下列一诗一图。其图虽不精，但注有产地或形态。

（二）食疗类著作

明代以"食物本草"为名的书不可谓不多，但互相抄袭、沽名钓誉的现象十分严重。最常见的一种《食物本草》将药分为 8 类（水、谷、菜、果、禽、兽、鱼、味），载药 385 种。其每药下各出性味、功效，引有元代及明正统年间的本草资料。首载落花生、丝瓜等物，是其特征之一。此书与《学海类编》中题为元·贾铭撰的《饮食须知》相近，但元代尚无花生传入，且书中曾引陶节庵之言，是知此书为伪托之作。李时珍认为此书是卢和原撰，汪颖厘正，但李时珍未见到薛己《本草约言·食物本草》。该书系薛己"就本草中辑其日用不可缺者，分为二种，且别以类志约"而作，非冒名之作。《本草约言·食物本草》与《本草约言·药性本草》引文风格相同，伪题卢和、汪颖所作者则有节略。所以《本草约言·食物本草》是医家薛己所撰（约1520），而不是同时代的卢和、汪颖所撰。明·吴禄《食品集》（1537）载药342味，分7类。经核查，发现此书也是改编薛己《本草约言·食物本草》而成的。不过，它将味类散入谷、菜类，又补了一些附录（多取自《饮膳正要》）。

明万历以后，出现了几种食物本草。吴文炳汇编的《药性全备食物本草》4卷，载食物459种，附品100余种。该书因选择欠精，良莠杂集，兼刻写拙劣，而不被人看重。该书录有鸡㙡等《本草纲目》新增之品，似成书于17世纪初。与其同时的明·穆世锡《食物辑要》8卷，也只以简明为特点，其中新的内容并不太多。赵南星（梦白）《上医本草》（1620）载食物230余种，其资料来源于《本草纲目》。赵南星沉浮于宦海，此书乃其于病中所辑，并无新的发明。施永图（山公）所辑《山公医旨食物类》，今仅存明刻残卷（含鳞、介84种），难窥其全貌。据考，清·沈李龙《食物本草汇纂》即袭取了该书内容。明末最大的食物类本草，当推题为李东垣编、李时珍订的22卷《食物本草》。该书记有崇祯年间事，故李东垣、李时珍编订显系伪托。此书之前附姚可成《救荒野谱补遗》，可见此书系书贾合刊之书。但近现代多有指姚可成为本书作者者。本书产生于万历四十八年（1620）以前，钱允治序中提到他受太末翁氏之托乃"广为搜括，始克就绪"，故王重民曾疑钱允治为本书辑著者。此书各论共载食品1679种（号称2000余条）。其采集之广，在古代食物类本草中，可算空前绝后。此书记各地名泉654处，并一一辨其性用。书中的许多资料取自《本草纲目》。其对研究食品发展史具有很高的价值。

此外，明代多种养生类书也载有食疗专章，有的可独立成书。如周臣（在山）《厚生训纂》（1549）卷2"饮食"篇，辑录饮食宜忌有关内容（共184条）；韩奕（公望）《易牙遗意》（约成于16世纪末），虽主要阐述膳食制作，但其中"食药类"等篇也多与食疗有关；高濂（深甫）《遵生八笺》为明代药膳重要参考书，其中"饮馔服食笺"所载药膳种类丰富。这类书籍在明代较多见，不予详述。

（三）地方本草

明代地方本草虽不多见，但其中的《滇南本草》十分有名。该书为云南地方药物专著，一般认为系明·兰茂（字廷秀，号止庵）所撰。该书版本较多，且各版本收药数目不一，最多的达458种，可见该书在流传过程中有不少变动。《滇南本草》是我国现存内容最丰富的古代地方本草，收载了较多的民族药物，汲取了较多的民族用药经验，对云南植物药的品种考订很有参考价值。

（四）《神农本草经》辑注类著作

明代（尤其是后期）某些医药家对《神农本草经》十分推崇。《神农本经会通》（10卷，约成书于15—16世纪间）作者滕弘（号可斋），谓著书立言者，"无若神农氏《本经》一书"，故坐卧不离此书，至白首犹校雠不倦。但是他的书并不是单纯的《神农本草经》辑注本，还兼收了许多非《神农本草经》药物，故书名《神农本经会通》可说是名不副实。

明·缪希雍打起尊经的旗号，对《神农本草经》药条多加注疏。受他影响，明末清初出现了相当一批阐发《神农本草经》内容的本草。卢复辑成的《神农本经》（1616）为现存最早的《神农本草经》辑佚本。该书共辑药365种，以《本草纲目》所出《神农本草经》目录为序，因而招致日本丹波元坚等人的批评。此辑本虽存在不少问题，但其历史意义却不容抹杀。明末上海人乔在修（三余）撰《本经注疏》1册。此书未曾刊布，只有传抄本（曾被李中梓收藏，今佚）。今存的明代《神农本草经》辑注本虽然不多，但其已开辑注《神农本草经》风气之先。

（五）炮制类本草

明代本草中谈及炮制的比较多。《本草纲目》在许多药条下专列了"修治"一项，集录了前人和当时的丰富的炮制资料。从这方面的内容文字的量来说，该书已超过明代任何一部炮制专书。前面已提到：《本草品汇精要》各药下有"治""合治"等项，即炮制内容；《本草原始》摘引了《本草纲目》的炮制资料；《医宗粹言》卷4有"制法备录"专篇，内容充实；《本草通玄》的炮制法不同于古法处甚多；钱允治辑录《雷公炮炙论》佚文，并将其散入《药性解》各药条下，是为《镌补雷公炮制药性解》；《本草正》对炮制也多有议论。但这些都不是炮制专书。

万历初王文洁（冰鉴）撰《太乙仙制本草药性大全》8卷，托名"先师太乙仙人雷雷公炮制"。实际上该书是王文洁汇辑的一部综合性本草，既有药图，也有炮制内容，收药 768 种，且多数药物之下有"太乙曰"（即《雷公炮炙论》佚文），或《宝藏论》等书的炮制内容。吴武《雷公炮制便览》5 卷（未见存世）、俞汝溪《新刊雷公炮制便览》5 卷，从书名看似为炮制专书，但经检视发现，俞汝溪之书，其实不过是《证类本草》的节略本，间引《雷公炮炙论》条文而已。《新刊雷公炮制便览》载药 968 种，内容平庸无奇。真正的炮制专书应推缪希雍口述、庄继光（敛字）整理的《炮炙大法》（1622）。该书载药 439 种，引录了《雷公炮炙论》资料 172 条，补充了一些后世的制药法。该书也比较注意辨别药材真伪优劣，备载反恶畏忌。此外，其对成药运用及煎药法也有论述。此书为明代影响较大的炮制专著，但内容仍嫌单薄。明·余应奎补遗的《太医院补遗本草歌诀雷公炮制》一书，下栏述药 639 种，后附"雷公云"条文凡 232 条，是当时辑录《雷公炮制论》条文最多的一部书，但其编排形式，仍同《证类本草》，而不同于炮制专著。另，苏万民、苏绍德合撰的《炮制诸药性解》，今佚，不知其详。

综上所述，明代的炮制类著作多数水平低下，摘录若干《雷公炮炙论》佚文，就将书名冠以"雷公炮制"，其实很多是名不副实的。真正有价值的炮制内容，往往见于某些综合性本草中。

（六）图谱类本草

明代的本草图谱是历代最丰富的。许多综合性本草、救荒类书籍、食疗本草等都附有药图，专门的本草图谱反而少见。今依次简介如下（前已述及者不注明作者）。

《救荒本草》有墨线图 414 幅，其是朱橚"召画工绘之"而成的，写生对象是他园中种植的植物。其图精细平正，但欠生动，科学价值甚高。

《滇南本草》传本中有附图的，也有无图的，是否兰茂原绘，已无可考，从略。

《本草品汇精要》有彩色手绘药图 1358 幅，为我国现存古代最大的彩色本草图谱。绘图者为王世昌等 8 名宫廷画师，他们用工笔重彩勾画出这些极为精美的药物图，其中的 366 幅系新增图（《证类本草》原无图）。虽然这些彩图带匠气，也有极少数地方因缺乏医药知识绘错了，但整体看来，其具有较高的科学与艺术价值。现国内存该书明、清抄绘本残卷多种，共计有图 1250 幅（包括重复图形）。完整的原绘本及转绘本均流落海外。

《食物本草》4 卷，今存于中国国家图书馆，不著撰人，为明彩绘本。其文字内容同薛己《本草约言·食物本草》。该书有工笔彩图467幅，其风格与《本草品汇精要》彩图之风格相同，少数图形如出一手。该书一药有时可有数图（如李有21图、梨有7图、酒有16图等），且对栽培植物描绘尤精。书中少数药图有明显错误，恐系画工缺乏医药知识所致。该图谱也是现存本草彩图珍品。

《本草蒙筌》的明崇祯初万卷楼刻本有墨线图500余幅，自绘了30余幅药材图。其中绝大多数药图取自《证类本草》，无可称道。

《太乙仙制本草药性大全》有墨线图774幅。其图小而粗劣，舛误甚多，但皆系王文洁自绘。其中谷精草等图亦比较准确。

《本草纲目》的附图由其子李建元、李建木绘制。该书有1109幅墨线图，其中绝大多数为自绘写实图，少数转引自《证类本草》等书。图形粗糙简陋，但多数能显示鉴别特征。1640年钱蔚起重刊时，由陆喆改绘图形800余幅，总图数计1110幅。1885年张绍棠校刻时，又由许功甫改绘钱蔚起本图400余幅，总图数为1122幅。后两种虽较精美，但不能与初版图相提并论。

《茹草编》有写生植物图102幅，其图线条流畅，描绘精确。

《本草原始》载379幅药材图，其中有的还绘出了断面图。该书对不同品种、不同炮制方法的药材均比较绘图，富有特色。

《野菜博录》载野生菜蔬图435幅，但其图多抄袭《救荒本草》。

《本草汇言》有图530余幅，药材图约180余幅，由萧山庠士汤国华（太素）绘制，某些药图与《本草原始》相似，但果、菜、谷部图形较为精美。

《野菜谱》《救荒野谱补遗》各有野生草本植物60幅墨线图，但图小而粗疏，价值不太高。

《本草图绘》，2册，明末女画家周祜、周禧合绘。今存彩绘残稿本5册，计有图73幅。其图描画精细入微，据考亦源自《本草品汇精要》。

以上简述14种附图本草的特色。要之，3种彩绘本草的共同特点是工笔重彩，但气韵欠生动。墨线图约有4000余幅（其中有转录重复者），因明代雕版印刷不及宋代谨严，坊刻本尤其拙劣，故除《救荒本草》《本草原始》等少数本草之附图外，大多数本草之附图皆粗陋不精。

第八章　整理普及期

（清代，1644—1911）

清代的前半期，中国有过一段时间的繁荣，这就是所谓的康乾盛世。此后，封建社会这株朽木再也维持不了枝繁叶茂的局面，腐朽的制度促使它蹒跚着走向衰亡。1840 年鸦片战争爆发以后，中国沦为半殖民地半封建社会。辛亥革命结束了 2000 多年的封建统治，也翻完了中国科学技术在封建社会发展历史的最后一页。

清兵入关，渐次统一全国。这段时间内，大批有民族气节的汉族知识分子放弃仕途，降志于医。《药品化义》的校补者李延昰、《本草述》的作者刘若金就是这样的儒医。他们的加入使清初医药学活动更加活跃，使明末医药加速发展的势头得到保持，且使此时期产生了一些颇有影响的药学著作，如《本草汇》《本草述》《本草崇原》等。它们受《本草纲目》《本草经疏》等明代本草的影响甚大，进一步补充和发展了本草学。清中期文化思想的禁锢，迫使相当一批文人皓首穷经，乾嘉时期的考据学因此取得了很大的进展。仕途失意的儒士们在当"良相"的美梦破灭之后，转向比较实际的当"良医"之路，他们成为儒、医联系的纽带。这表现在本草学上，就是出现了辑注《神农本草经》的热潮。如果要列举清代本草的成就异于前代之处，那么，可以说在返璞归真、尊经复古思潮影响下，对《神农本草经》的整理研究是最突出的一点。它使药物研究更趋于深化。

由于清代距今较近，因此，得以著录和存世的本草著作甚多（近 400 部）。清代本草在数量上是空前的。其中普及性本草占大多数。药学家们从本草各个方面进行整理，所以大型综合性本草绝少出现。像《神农本草经》《本草经集注》《新修本草》《证类本草》《本草纲目》之类具有划时代意义的杰出作品，在清代还难以找到。清代中后期，相当多的本草书处于低水平重复状态。入门便读风行海内，《药性赋》成为启蒙教材。这虽然有利于药学知识的普及，却也反映了清代本草整体水平的下降。其势头虽肇始于元、明，但至清代已然泛滥。这种现象与当时人口激增，医生队伍膨胀、素质下降不无关系。同时，这也是传统本草缺乏新思想、新方法的必然表现。

鸦片战争（1840）以后，西学东渐的速度加快，西方药物输入日益增多，并逐渐在中国独立存在。传统本草再也无法像过去那样，将外来药物尽情囊括同化于其中。中、西药物开始互相竞争，互相渗透，中国药物学从此进入一个重要的具有转折性的历史时期。

清代本草中相当一部分是明代本草的后续性著作，侧重于临床药学内容。学术价值较高的一类本草是注释阐发《神农本草经》的著作。普及性本草、各专科本草不仅数量众多，形式也多样化。西方药物的传入，对传统本草产生了一定的影响。

一、明代本草的后续性著作

在中国本草史上，每一部总结性的本草问世之后，往往都会有众多的后续性著作出现。其或增补，或拾遗，或节纂，或改编，或注释，不一而足。《本草纲目》产生之后，其后续性著作之多，是任何一部本草所不可比拟的。它丰富的内容、广泛的题材、出色的见解，都使得后世医药学家为之倾倒。他们从不同的角度发扬光大《本草纲目》的成就，使此书的内容更易于普及和深入人心。

（一）拾遗方面

此方面，成就最大的莫过于《本草纲目拾遗》（赵学敏撰）。从历史的角度来看，该书的学术价值是很高的，因为它为本草学增补了大量的新鲜内容。赵学敏以个人之力，收集了《本草纲目》未载之药716种，这个数字超过了古代任何一部本草新增的药物数。这些药物中虽然也有一些名贵药，但大多数为民间草药，因而这部书的内容并没有得到古代广大医药人员的重视。《本草纲目拾遗》中有着相当丰富的资料，也有作者的调查和考证成果，且还含有很多自然科学史料。作为《本草纲目》的续编，它为中国药学宝库增添了财富，受到近现代医药史学者和药学人员的高度赞扬。

与赵学敏同时代的汪君怀，编有《草药纲目》一书，此书的规模据说可与《本草纲目》相埒。从书名及规模来看，这是一部试图羽翼《本草纲目》的草药巨著，可惜今已失传。该书反映了清代药学者试图从草药发掘角度补《本草纲目》所遗的想法。这一时期出现了许多草药专著，单《本草纲目拾遗》中引用的就有好几部。

《植物名实图考》（吴其濬撰）虽然是一部植物专著，但是受《本草纲目》的影响是十分明显的。这表现在该书从资料到分类都较多地参考了《本草纲目》。该书共收植物 1714 种，较《本草纲目》的植物药多 519 种。对植物品种的考订和精美的附图，使它成为连结传统本草植物药和现代植物学之间的桥梁。它脱胎于本草，又转过来为本草考订服务。因此，此书一直受近现代药物学者的高度重视。把它看成《本草纲目》植物部分的后续性专著也未尝不可。

（二）节纂改编方面

此方面的有关著作最多。其共同特点是以《本草纲目》的资料为主要依托，按各自特定目的予以节纂改编。清初顾元交《本草汇笺》（1660）就是删《本草纲目》之浩繁，取《本草经疏》之精要而成的。其注重临床药性功治。沈穆的《本草洞诠》（1661）也是就《本草纲目》"采英撷粹，兼罗历代名贤所著，益以经史禅官"等有关资料编纂而成的。这类著作中影响较大的是刘若金的《本草述》（1664）。其载药 501 种，分类编排悉仿《本草纲目》。此书不列总论，以论述具体药物为要。其主体资料采自《本草纲目》。此外，它还兼收金元医家药论及明代的缪希雍、卢之颐、李中梓等名家的见解。其中各药的讨论重心是药效及药理，"其旨以药物生成之时，度五气五味五色，以明阴阳之升降，实欲贯串（金元）四家，联成一线。惜文辞蔓衍，读者几莫测其所归"（邹澍评）。此书的主导思想、编排资料都和《本草纲目》有密切关系。书成以后，因文辞冗沓，又续有苏廷琬《药义明辨》、张琦《本草述录》（蒋溶又加补辑）、杨时泰《本草述钩元》等书为之节要，以广其传。

在现存清代节要本草中，几乎找不到没有参考过《本草纲目》的作品。它们很少顾及李时珍在品种考订方面的成就，每每着眼于其中的药性理论与药效功治等临床药学内容，以适应多数临床医生的要求。郭佩兰《本草汇》（1655）"专明药性"，所以从《本草纲目》中采录了用药式、病机主治等大量资料。各单味药之下，也是以《本草纲目》资料为主，辅以缪希雍《本草经疏》、李中梓《本草通玄》，附以验方。王翃《握灵本草》（1682）虽号称历时 26 年，四易其稿，但检视其内容，发现其亦不过是节取《本草纲目》之要编成的简明入门读物而已。王逊《药性纂要》（1686）是纂《本草纲目》之要，略增数药，并续补一些家传经验验方而成的。与《握灵本草》相比，该书的学术价值更高一些。

汪昂《本草备要》是清代影响最大的普及本草。它从《本草纲目》等书中萃取精要药物 400 余味，简明扼要地介绍了药物的形色气味、主治功效、采产炮制等内容，繁简得当，内容全面，故书成之后，风靡海内，沿用至今而不衰。吴仪洛《本草从新》（1757）又改订增补《本草备要》，增收了若干药物及内容，流传亦广。此外，《医略六书·药性切用》（题为徐大椿撰），又参上述二书，再加编排，更趋简要，然别无新义。严西亭等三人合著之《得配本草》（1761），虽分部析类以《本草纲目》为准绳，但阐述药物配伍独具一格，可助临床医者触类旁通、灵活用药。这样的书又非单纯节抄汇纂之书可比。

龙柏《脉药联珠药性考》（1795）也是《本草纲目》的增补改编本。"凡例"云其"宗李濒湖《本草纲目》正条，删繁辑要，去误存实"，以"明其性味功用"为首务。该书与其姊妹篇《脉药联珠食物考》，号称收药 4254 种，实际上这里的计数方法与其他本草计数方法不同（以一药不同部位各自独立计入）。该书除新增的291 种药之外，其余药物并未超出《本草纲目》的收药范围。它虽然取材于《本草纲目》，但不是摘引节抄《本草纲目》内容，而是将有关内容统统编为四言歌诀，以浮、迟、沉、数四主脉为大纲，草、木、金、石等为部类，以达到"脉药联珠"的目的。可以说在《本草纲目》后续性著作中，此书的编排是比较特殊的，但其实际效果并不见得好。

此类著作还有一些，如鲁永斌《法古录》（1780）、林玉友《本草辑要》（1790）、吴钢《类经证治本草》（1827）、何本立《务中药性》（1844）、黄彝邕《药性粗评全注》（1896）等。其都以《本草纲目》为主要资料来源，或兼参其他本草，或编以歌括，以求简明易诵。至于节取《本草纲目》某一部分内容，辑为专书者（如炮制、食疗等），本章将于下文"各专题本草"处予以介绍。

（三）节录方面

此类著作系《本草纲目》节录本。它们一般很少像前述节纂改编类著作那样，只是以《本草纲目》为资料主体，兼参他书，或在书籍形式上改变甚大。此类著作往往拘守《本草纲目》，摘要类编，因而少有新意。蒋居祉《本草择要纲目》（1679）于各药下仅立气味、主治两项；何镇《本草纲目类纂必读》（1672），设主治、功效、药论、附方等项，载药 612 种；莫熺《本草纲目摘要》（1669），录药 457 种，多摘原书各药的集解、气味、主治、发明四项内容。这些书所收的药物数量不多，且其内容皆偏于临床。其他如徐用笙《读本草纲目摘录》（1883）、戴葆元《本草纲目易知录》（1885）等书，也多类此。此外，也有将《本草纲目》分药物异名辑成专书的，如佚名氏《本草释名类聚》等，其实用价值甚微。

除《本草纲目》之外，明代其他几种较有名气的药学专书也各有后续性著作，但其数量无法与《本草纲目》的后续性著作的数量相比拟。明代惟一的官修药书《本草品汇精要》，藏于深宫。至清康熙年间，医官王道纯又补撰了《本草品汇精要续集》。其资料主体仍然是《本草纲目》内容，不过是按《本草品汇精要》原书体例重加编排而已。这部《本草品汇精要续集》也算是清代惟一的一部官修本草了，但其水平之低劣，又更甚于明代官修本草。中国古代的官修本草自唐代肇始，到清代前期终结。千余年中，其有高潮（北宋），但至清代已是强弩之末，难穿鲁缟。

缪希雍《本草经疏》对清代本草的影响也很大，但此书不是资料性的，而是论说体，所载药品数量也有限，所以引用其说者多，很少有人用此书作为节纂改编对象。惟一的一本《本草经疏辑要》（吴世铠辑于 1809 年），是其节要本。该书"以《经疏》之义，药味之要，皆删取其半，庶几简明，且适于用"。明末贾所学《药品化义》，颇有知音。李延昰为之校补，尤乘亦对其加以增订（更名《药品辨义》）。这两位名家的鉴赏，扩大了该书的影响。此外，明代李中梓《本草通玄》、卢之颐《本草乘雅半偈》等书在清代医药人员中也有些市场，不过还很少有后续其作之人。

二、对《神农本草经》等古本草的研究

宋明以来，在儒家理学"格物致知"等思想影响下，中药理论有了长足的发展。但是，明末清初在药理探讨方式上出现了新的观点，本草之学又为之一变。这种变更中最主要的一点是加强了对《神农本草经》的研究，着力阐发《神农本草经》药物产生疗效的机制。在研究《神农本草经》时，他们所执的具体方法有所不同，但其研究对象基本上是统一的。谢观将这些学者称为新派人物，其时旧、新派之争，颇类似于医方研究中的时方与经方派之争。谢观所谓新派，实际上更加尊经复古。明·缪希雍开此风气之先，至清代则此风气愈演愈烈。

清·张志聪、高世栻致力于古典医著研究，醉心于以经解经，对《素问》《神农本草经》研究甚深。他们不满于那种"但言某药治某病，某病须某药"的药书，认为那只不过是介绍"药用"，而不是讨论"药性"，只有"知其性而用之"，才能"用之有本，神变无方"。张志聪、高世栻在《本草崇原》中论药，基本上摒弃了金元医家的俗套，不论药之气味厚薄升降、引经报使，多从其生成、性味形色及与病因病机之间的关系入手分析药理。这比套用金元医家旧说更细腻、更贴合用药实际。但在作者尊经思想影响下，其中也有不少矫饰附会之处。李东垣的某些药论，在此书中遭到了批评，该书指责他"好为臆说""不参经义，不体物性"。下此以往，金元药理说及其崇信者（如李时珍）不断地遭到尊经派的非议。

比张志聪稍晚一些的苏州名医张璐，也是一名儒医。他很欣赏缪希雍"开凿经义"的做法，视《神农本草经》主治为药学本源。他认为唐以前的一些著名方书才真正是按《神农本草经》主治用药的，因此，张志聪在结合古方配伍以讲求药性方面做了一些初步的工作。张璐《本经逢原》虽然强调"疏本经之大义"，但却不曾贬斥后世对药学的发展。其书从药品、分类到部分内容，多本于《本草纲目》。用张璐自己的话来说，这叫作"并采诸家治法"，通过厚古不薄今的论药法，使后来之学人"左右逢源"。因此，张璐的药学思想应是介于旧派与新派之间的。

所著药书广为流行，但世人不知其功的是清代中期的姚球。姚球是位《易经》学先生，因《易经》悟医，撰《本草经解要》。但是因为销路问题，书商们将此书托名叶天士撰，姚球之名反倒被湮没。姚球书中药物，《神农本草经》所出者占多数。其论药重在使"药与疾相应"。其把药之气味、功效与人体脏腑功能紧密结合，不厌其烦地为《神农本草经》主治圆说。至于厚薄阴阳、升降浮沉诸说，该书则置而不顾。因此，其主旨与张志聪《本草崇原》是一致的。

乾隆间名医徐大椿崇古尊经的倾向非常强烈。他认为张仲景用药"与《本经》吻合无间"，此后医生对《神农本草经》的尊崇每况愈下，至宋元已是"师心自用，谬误相仍"。因此，他在《神农本草经百种录》中，对《神农本草经》药物产生疗效的机制予以探究。徐大椿论药的角度是多样化的，其论述活泼，时出新见，所以《四库全书总目提要》说他"凡所笺释，多有精意。较李时珍《本草纲目》所载发明诸条，颇为简要"。但他的崇经思想限制了他论药的客观性，连《神农本草经》"久服轻身延年"之类的方士之说，他也一一为之曲解附会，因而招致四库馆臣的诟评。

同样具有崇古尊经思想的医家黄元御，撰有 2 本药书。其一为《长沙药解》，取张仲景方药笺疏之。其二为《玉楸药解》，专论张仲景医书未载之品。两书在写作风格上不尽相同。前者名为解药，实近论方，其长处在于方药结合，但其理论敷演过于造作，反致虚玄。《玉楸药解》则不然，其针砭时弊，观点鲜明，颇多新见。然而在学术讨论中，黄元御采用攻击谩骂的方法，直云"后之作者，谁复知医解药；诸家本草，率皆孟浪之谈"。这种"高自位置，欲驾千古而上之"的狂悖做法，实有损黄元御一代名医的形象。黄元御之书，虽然并不是专为研究《神农本草经》而撰的，但他对张仲景用药法的研究给后世研究本草者以启迪。

陈修园对《神农本草经》的崇尚又高于他的前辈学者。其所撰《神农本草经读》，对后世涌现的药物，"多置而弗论"。他注解《神农本草经》，自诩"俱遵原文，逐字疏发。经中不遗一字，经外不溢一辞"。他论药时经常结合《伤寒论》《金匮要略》用药法，细加辨析，高见迭出。陈修园用药经验丰富，极力纠正时俗误用、滥用药物的陋习宿弊。他的学术思想与张志聪、叶天士（实即姚球）的学术思想一脉相承，但又有所发展。他认为张志聪专言运气，立论多失于蹈虚；叶天士（实即姚球）囿于时好，立论多失于肤浅。事实上，陈修园《神农本草经读》所论的确比他尊崇的两位前辈的论述更切实际，更加深刻。所惜的是陈修园不能正确处理古今关系，崇古蔑今，甚至鼓吹要把《本草纲目》之类的书焚去，"方可与言医道"，狂悖已极。

《神农本草经三家合注》（郭汝聪辑）将张志聪、叶天士（实即姚球）、陈修园所撰本草集成一书，又附刻徐大椿《神农本草经百种录》，可以说是这一派药学论述的精华所在。虽然他们的观点有些偏颇，但其对药物理论的探讨较前代更深一层，此殊为可贵。在当时本草整体水平日渐下降的情况下，这些著作在减慢其下降速度、力纠颓风方面仍有较重要的历史作用。

尊经复古，是清代本草乃至整个医学界的一股思潮，它有积极的一面，也有消极的一面。为了阐发《神农本草经》的奥义，儒医们绞尽脑汁，用各种说理法自圆其说，如运用五运六气、象形比类、推名衍义、产采生成、气味形色、五行生克等法，甚至运用迷信、臆测等。在这种时候，黄宫绣《本草求真》超然立世。黄宫绣指责张璐极力尊崇《神农本草经》，"多有强为组合之心，仍非尊崇本意"。他反对那种附会虚玄之说，强调"本草药性，最宜就实讲明，不可一毫牵引"。因此，《本草求真》论药，"总以药之气味形质四字推勘而出"，尤重临床疗效的检验。他不迷信《神农本草经》，不欣赏专力注解《神农本草经》的做法，主张论药"每从实处追求，既不泥古以薄今，复不厚今以废古。惟求理与病符，药与病对"。黄宫绣的这些见解对医治尊经复古派的某些悖谬无疑是一剂良药。

对《神农本草经》研究有素，而又谦逊朴实的清代本草学者，当推邹澍。他撰有《本经疏证》《本经续疏》《本经序疏要》（统称《本经疏证》）。此3种书既论张仲景所用药，又论后世常用之品。其以经典本草为经，经典医方为纬，结合个人医疗经验，把药、方、病结合起来，"以是篇中每缘论药，竟直论方，并成论病"。邹氏对《神农本草经》药物主治、张仲景用药法的研究十分深入。因此，谢观将邹澍之书与缪希雍《本草经疏》并提，盛赞其精博。

以上所述诸家，为清代药性研究中卓有成效者。此外，还有一些医家儒士，致力于《神农本草经》文字考校和内容整理。如叶志诜《神农本草经赞》、汪宏《注解神农本草经》、姜国伊《神农本经经释》、莫文泉《神农本草经校注》、戈颂平《神农本草经指归》等，都局限于《神农本草经》整理，少有学术上的发挥。至清代后期，从《神农本草经》辑佚、注释、条理等方面下功夫者较多，而疏解《神农本草经》、探讨有关药物性用者少（此方面的实际成效当以清代前期较为突出）。

清代药物研究的另一途径是以张仲景所用药物为研究对象，这当然也是一种崇古的表现。将张仲景用药与《神农本草经》药性糅合起来研究，是比较符合客观历史用药事实的。前述徐大椿《神农本草经百种录》、黄元御《长沙药解》、陈修园《本草经读》、邹澍《本经疏证》都取得了一些成功的经验。此外，清代末期吴槐绶《南阳药证汇解》、周岩《本草思辨录》以及田伯良《神农本草经原文药性增解》也都着眼于对张仲景用药法的研究，且各有成绩。

三、《神农本草经》等古本草的辑佚

《神农本草经》辑佚始于南宋，今存最早的辑本为卢复《神农本草》。清代《神农本草经》辑本最多，成就也大。康熙年间过孟起辑本仍停留在简单的辑录条文水平，别无考证。嘉庆年间经学家孙星衍以其余力，致力于《神农本草经》辑复。其突出之点是参考了《太平御览》所引《神农本草经》佚文体例，确定了《神农本草经》中原有药物生长环境这一内容。此外，他又增补了《吴普本草》《名医别录》及药物文献考校资料。此本资料翔实，考据精博，为清代《神农本草经》辑本中水平最高者。此后顾观光辑本（1844）续有考证，但取《本草纲目》所列《神农本草经》目录作为编排次序依据，是其失策处。黄奭辑本（1865）在孙星衍辑本基础上再补辑22条文字，颇有剽窃之嫌。光绪十一年（1885）王闿运又辑《神农本草经》，自称得长安明代翻刻宋嘉祐年间《神农本草经》，令人生疑。无独有偶，汪宏所辑《注解神农本草经》（1885），也号称以宋嘉祐年间掌禹锡校正的《神农本草经》为底本。然而据盛红考证，其目录及部分内容也是从《本草纲目》而来的。此后，姜国伊所辑《神农本经经释》也是依据《本草纲目》辑成的，但姜国伊并没隐晦他的辑佚本原，这比王闿运、汪宏又诚实得多。当然，打出用宋代刻本为底本的招牌毕竟是诱人的，所以，1942年刘复就以王闿运本为主体，拼拼凑凑，刊行了《神农本草》。不过，倘若王闿运、汪宏二人真的见到了宋本《神农本草经》，那么，他们就不应该将自己的名字作为辑者署上，他们最多只能算是翻刻校正者。要知道早在陶弘景之时，就已见不到一种《神农本草经》的定本了，宋代掌禹锡又从哪里能得到完整的《神农本草经》原书呢？即便宋本《神农本草经》确有存在，恐怕它也只是一种辑本。依王闿运、汪宏所录来看，这种辑本的考校功夫并不见得高明。事实上这种宋本恐怕是子虚乌有的事。清末辑佚《神农本草经》的学术态度由此可见一斑了。

四、歌括便读等普及性本草

此类本草数量甚多。若论学术水平，其中大多是无可称道的。但这些本草在精选常用药学内容、采用各种易记易用的编书方式上也下了一些功夫。它们或歌或赋，或集专病用药，或别出心裁分类药物，形式多样，短小精悍，赢得了初学者或文化水平较低的一些临床医生的青睐。其中若干种匠心独具、雅俗共赏的普及本草，如《本草备要》等，很受欢迎。本章在明代后续性本草一节中已附带谈及了几种普及本草，此处依其写作形式再略予介绍。

（一）药性歌赋

明代的几种药性歌括（如《珍珠囊补药性赋》等）在清代依然很有市场。清代本草歌括虽然很多，但广为流传的却如凤毛麟角。其中部头最大的诗歌体本草当推龙柏《脉药联珠药性考》和《脉药联珠食物考》，但它们已失去记诵便利的优势。对于这样一部内容繁复、药物众多的本草来说，采用诗歌体裁反而束缚自己，无补他人。朱钥的《本草诗笺》（1739）不蔓不枝，流畅脱俗，因而得以几次翻刻。黄钰《本经便读》为普及《神农本草经》而撰，但内容、诗句都欠清新。不过其因被收入坊间《陈修园医书》，而流传较广。论质量，张秉成《本草便读》（1887）在清代同类本草中可算上乘。他汲取各家之长，集常用药近600种，于每药下以一二联或三四联对语简介主要功治，不像用四言、七言诗那样易于以辞害意，但又不似《药性赋》那样简略空洞。其对语之中，夹有注文，以述临床用药要点。该书以取材精审、便于记诵成为一种常用中医药入门读物。张仁锡《药性蒙求》（1856）也采用诗、注结合的形式，不过他是参照明·皇甫中《明医指掌·药性歌》之后，续予补订而成此书的。此书要言不繁，切于实用，但流传不广。类似此种情况的还有何岩《药性赋》。何家世代业医，这是他们家传的一种启蒙读物，脱胎于明代的《珍珠囊补药性赋》，亦分温、热、寒、平四性。其因未被刊行，而少有流传。其他单行的药性歌括有岳昶《药性集要便览》、谈鸿鋈《药要便蒙》等，都不太出名，今略。

本草歌括中，有一类附见于综合性医书。它们作为其中的一卷（或一篇），内容十分简要，收药也很有限。此类歌括便于诵读，但其中别无新意者居多，如蒋示吉《医宗说约》卷1"药性炮制歌"、史树骏《经方衍义》卷5"本草挈要"、屯子《纂修医学入门》卷3"药性赋"、何梦瑶《乐知堂人子须知韵语》卷3及卷4"本草药性"、廖云溪《医学五则》2集"药性简要"等。

顺便一提，清代许多综合性医书中都附有本草专卷，其中有的并没有采用歌诀体裁，而是罗列常用中药的主要功用，但有新见者极少，故附述于此。其余在分类或内容上比较特殊的普及性本草，详见下述。

（二）分经本草

药物归经学说兴起于金元，在明代最为盛行，但将药物所归脏腑经络作为本草分类的一种方式，却以清代最为多见。在此以前，只有明代顾逢伯《分部本草妙用》采用这种分类法。

清代较早出现的岳含珍《分经本草》、唐千顷《本草分经分治》、吴应玑《本草分经》、盛壮《药性分经》等均已佚失。现存的此类本草多产生于清代后半期。陈仲卿《寿世医窍》（1838）以十二经，及冲、任、督三经，和营、卫等分纲，类列药物，简注药性。包诚《十剂表》（1840），首创用表格形式介绍药物。其以纵为十二经，横为十剂，实际上采用的是分经与性能交叉的一种分类形式，即将沈金鳌《要药分剂》的十剂分类与经络分类结合起来的方法。作者用心良苦，但却未必能达到原定的易于省览的目的。姚澜《本草分经》（1840）影响较大。他以十二经及命门、奇经为纲，又设不循经络药品一节，类列诸药，且于各经之下又分补、和、攻、散、寒、热六类，颇为简要。更有意义的是，为了方便一般人检索，他又设"总药便览"（相当于检索系统），按草、木、虫、鱼等 14 类备载药名，下注归经，这就为熟悉草、木、虫、鱼分类的读者提供了索引。

夏翼增《引经便览》也按十二经分类，附以督、带、任、冲四脉。此书的特点是将分经与歌括相结合。尤为有趣的是其于各经之后设"引经药诀"一项，将此经所有药名括为一首七言诗。背出了此诗，也就掌握了该经所有的药名，真可谓用心良苦。此后张学醇《医学辨正》，仅选药 160 余种，并将之分阴阳五味列于十二经脉之后，无可称道。张节《本草分经》分十二经、三焦、命门、奇经八脉、营卫等项归并药物 936 种。从分类名目来看，其颇为齐全，但其内容极简，几乎相当于分经药名录，很难付诸临床运用。

分脏腑类药，以江涵暾《笔花医镜》为滥觞。吴古年《本草分队》，按五脏六腑将药物分作十一类，各类又分补、泻、凉、温四小类。每类药品又有猛将、次将之分。这种分类法也可见于文晟《药性摘录》（《六种新编》之一）中的"常用药物"一篇，不过他并未以五脏六腑为纲，而是采用分经封将，即各经设猛将、次将的方法。凌奂《本草害利》是以吴古年《本草分队》为基础编成的。凌奂不过"补入药之害于病者"（即药物毒副作用及误用之遗害）而已。

用脏腑经络归类药物的最大缺陷，大概要数无特异性这一点了。归经入脏是人为总结出来的，一药可入数经，一经可有多药，这就不可避免地出现药和经重复交叉出现的现象。临床用药按功效检索药品者多，而求诸经络脏腑者少。因此，分经列脏类药从使用实践来看，并不是一种好办法。按这种分类法编成的本草仅在清代流行了一阵子，现在已很少有人问津。它在本草发展的长河中，就像被激起的一片浪花，迅即消失。

（三）专科本草

这是将主治某一类疾病的药物集中讨论的一类本草。如果追溯此类本草的源起，那可以上溯到 2000 年前。张仲景提到的《胎胪药录》就是一种专科本草。明清之时，痘疹为害酷烈，痘科书大量涌现，其专门药物著作也应运而生。冯兆张《冯氏锦囊秘录痘疹全集》中收有痘疹药性赋五篇，系统地对痘科用药予以提要。

孙丰年《治痘药性说要》为痘科药物专著最有特色者。其所论多源于个人实际经验，绝少抄袭陈说。书中对痘科饮食物介绍尤多。在天花已被消灭的今天，该书的用药经验仍有价值。另，清代末期牛凤诏撰《痘疹药性》，已佚失考。

小儿科药物专著较少。夏鼎《幼科铁镜》后有《药性赋幼科摘要》1 卷，其录药百余味，分寒、热、温、平四赋，并于各赋之后依次专论大黄、附子、黄芪、人参，有些独到心得。文学家蒲松龄，善作俚曲，热衷医药，常将医药知识撰为诗赋剧本，《伤寒药性赋》即其中一种。此篇将张仲景 113 方，"用药总八十九味"，逐一括为歌赋。此外，王铨的《本草因病分类歌》（《医学家桢》之一）可以说是杂病用药专辑。

清代的普及性本草远不止以上简介所列种类，但有不少此类本草仅停留在摘抄类编的较低水平上，故不赘述。

五、各专题本草

清代本草数量众多，高水平者稀见，种类却十分齐全。今按其数量多寡分述各专题本草。

（一）食疗类著作

清代食疗本草中，有几种不无掠美之嫌。如朱本中《饮食须知》，即卢和、汪颖《食物本草》之增删本。广为流行的题为费伯雄撰的《食鉴本草》，据盛红考证，其辗转易名源流是：尤乘《寿世青编》所载"食鉴本草""病后调理服食法"两部分内容，被附刊于《士材三书》之后；康熙年间，扬州石成金对其加以修订，以《食鉴本草》《食愈方》为名将之收入《石成金医书六种》中；所谓费伯雄《食鉴本草》的前后两部分，即将石成金二书合并，并略加校订而成的，乃窃名之作。又乾隆年间柴裔《食鉴本草》，是从明代《食物本草》等书中择取内容而编成的。此后屠道和又在柴裔所撰本草基础上，节编成《日用菜物》。如此互相抄掠，其实际内容都很平淡，算不上传世之作。

这一时期较好的食疗著作大致有以下几部。①沈李龙《食物本草会纂》。此书载食品 600 余种，主要取材于《本草纲目》，少数内容来自采访所得。书中每品分味、治、附方三项，简述其作用。其虽名"会纂"，但实不过一寻常普及性食物本草而已。据考，其也多袭取明·施永图《山公医旨食物类》一书的内容。②龙柏

《脉药联珠食物考》。其以四言歌诀的形式述食物 1202 种。书中眉批、脚注中增入了许多服用方法和龙柏的个人经验，此弥足珍贵。其对若干食物作用机制，间或予以阐述，亦多新见。惜此书识者不多，流传范围不是很广。③鄱阳名医章穆，撰《调疾饮食辩》，论药 653 种。其中涉及的食物的作用等内容，一般节抄自《本草纲目》。章穆个人见解则侧重于食物评论，针砭当时在饮食调疾方面的一些俗弊，立论新颖，不袭陈说。此外，该书还记有一些地方用药品种及用药经验，兼述与食物相关的一些外围知识。其卷末有"诸方针线"一篇，相当于方剂索引。④清末名医王孟英，于穷困潦倒之时，撰成载食物 300 余种的《随息居饮食谱》。王孟英此举，颇类画饼充饥，但他在穷困之中，不忘食疗，利用他丰富的临床经验，写出这样一部切于实用的高水平食疗专著，是值得后人敬仰的。此书"每物求其实验，不为前人臆说所惑"，故所载多为经验之谈。除了上述数书之外，清末还有吴汝纪《每日食物却病考》（1896）、张宝书《卫生食表》（1910）等，其皆内容平平。

古代在对书进行分类时，经常将膳食方面的书和医药书放在一起，且也确有些食谱与食疗、食忌有关。直到现代的《全国中医图书联合目录》还保持这一做法。朱彝尊《食宪鸿秘》、李化楠《醒园录》、袁枚《随园食单》、顾仲《养小录》、曾懿《中馈录》等，都在中国中医科学院线装书库本草类收藏着。本书根据《全国中医图书联合目录》收载情况，也对它们做了一些介绍。但是，在中医书目和中医部门馆藏之外的膳食书恐怕更多，本书是无法容纳这许多内容的。

（二）单味药专著

带有神奇色彩或具有特效的药物是写成专著的对象，自古皆然。清代人口增加，药材需求量很大，药业帮会盛极一时。有些中药（如人参、鹿茸）发展成为专门的一行。有清一代人参专著较多。陆烜《人参谱》（1766）、唐秉钧《人参考》（1778）、郑昂《人参图说》（1802）、黄叔灿《参谱》（1808）各有千秋，但其共同的特点是在记述药材规格鉴别及销售相关的内容上，都有一定的深度。此外，罗健亨撰有《附子辨》，但未见该书存世。清末从国外传入一种洋虫（九龙虫），被视为神验之物，好事者编为小册子，以冀推广。时间的推移证明这种洋虫并无大用，有关书册也成为历史上的陈迹。

（三）图谱类本草

清代距今不远，印刷、绘图的技术比前代应该有所发展，但很遗憾，除了进入近代以后才出现的《植物名实图考》之外，清代基本上没有什么值得赞扬的本草图谱。顾元交《本草汇笺》也是《本草纲目》的后续性著作，书前所附药图，皆转绘自《本草纲目》，无足深论。郭佩兰《本草汇》存图 208 幅，以药材图居多，刻绘俱粗，价值不大。沈李龙《食物本草会纂》的 367 幅图，亦多转绘自《本草纲目》，其仅增绘水部 6 图、火部 4 图，由此可知其拙。汪昂《本草备要》，也有附图版本。其图多抄自《本草纲目》，且每每失真，故不如不附。黄宫绣《本草求真》的 477 幅图的来源也同《本草备要》一样，不值一提。可以说清代前、中期近 200 年间，几乎见不到一部较好的有价值的本草图谱。此时药性本草占主要地位，附图只不过是点缀。

道光七年（1827），德丰辑《集验简易良方》，命莫树蕃为之校订。莫树蕃深入民间，采访草药，编为《草药图经》。此书仅载药 60 种，每药一图。该书文简图拙，但毕竟是实践所得，较之转绘他书之图的书要好些。四川合阳人刘善述，编绘《草木便方》（1870）。此书为川东地方本草，收药 508 种，每药一图。该书广集民间药物土名及用药经验，学术价值较高。1887 年，高承炳在先世高锦龙《本草图经》基础上，编成《本草简明图说》。其药图有写生者，有根据传闻绘制者，也有引采西方植物图绘者。单纯从图形来看，尚称精细，但其来源太杂，臆测承误者难免，很难凭信。

清代本草，也可以说在整个封建时期内，墨条药图最精细的传统本草当推吴其濬《植物名实图考》（1841—1846）。此书存图 1805 幅，其中只有 300 多幅图是转绘自《救荒本草》《本草图经》《本草纲目》等书的，其余都来自写生，这诚为可贵。写生图以突出植物特征为主旨，能按原植株比例绘图，结构严谨，气韵生动，精细入微，具有很高的学术价值，故该书为中外本草及植物学者瞩目。《植物名实图考》，为清代的本草图谱增添了荣誉。它的出现，就像在一幅冷色调风景画的地平线处，涂上了一抹金亮的橙红，为整个画面增添光辉，使人为之振奋。

（四）地方本草

何谏《生草药性备要》是广东的地方本草，所收新药较多。前面提到的莫树蕃《草药图经》，似属福建地方本草。至于刘善述《草木便方》，一般认为是四川地方本草。此外，见于著录的还有孙兆惠《一隅本草》。据载，其为云南地区药物资料的汇辑本，今佚。李苣《东瓯本草》，从书名推测，似为浙江温州地区的药学专著，书佚不可考。

（五）药材鉴别类著作

清代药材鉴别的知识日渐丰富，不少药性本草也间或议及药材鉴别，但有关专著却不多见。万后贤《贮香小品》卷4"尝草分笺"载有日常贵重中药的鉴别法。此后少有专篇或专著出现。郑肖岩《伪药条辨》，为生药鉴别专著。此书内容均为作者行医识药的经验。此书乃药材真伪优劣鉴别方面的不可多得的好书，后经曹炳章增订，铅印出版。

（六）索引类本草

药物的增加带来检索的不便，因此，清代出现了附在本草后的索引，这是本草书的又一个进步。较早的索引著作是蔡烈先《本草万方针线》。它是《本草纲目》中方剂的索引，以"针线"为名，形象生动。在此书影响下，又出现了其他的方书索引。黄宫绣《本草求真》所列"卷后目录"，也是一种索引。该书正文按功效分类，"卷后目录"则以草、木、果、谷等分类法归并药名，下注正文各药序号，如此则增加了检索途径。此外，姚澜《本草分经》中的"总药便览"，也是一种索引，其作用与黄宫绣所设"卷后目录"一致。

（七）炮制与制剂类本草

清代的炮制技术已经比较成熟，但很不相称的是缺乏总结这些经验的专书。张光斗《增补药性雷公炮制》（1809）虽然打着雷公炮制的招牌，但和明代同类本草一样，也只不过是一种综合性节要本草。此书所载1000余种药物中，只有少数药物条下附有"雷公云"条文。如果像这样的书也算炮制著作的话，那么《证类本草》也应该被归入其中了。

张叡《修事指南》是一部真正的炮制专著（1704）。其有总论（炮炙论），有各论。其将200余种药物的炮制方法一一条列，然而其内容绝大多数辑自《本草纲目》，并无新意。就是这样一部炮制书，近代也以《制药指南》《国医制药学》等新名称予以翻版，可见清代此类著作之贫乏。此外，还有一介绍了28种制品（如黄瓜霜、腌藕节等）制法的《备用药物》（佚名氏撰），其所载药物数量虽少，却很有特色。

六、西方药学文献的传入及其影响

外来药物传入中国的历史已十分久远，但早期传入的外来药物很快被吸收融化于传统本草中。中世纪以前，天然药物是东西方药学中共同的主体。明代以来，西风东渐，西方药物内容和制剂的进步，使之在中国打开了市场。赵学敏在《本草纲目拾遗》中，第一次引用了西方药学文献——《本草补》。据考证该书是墨西哥传教士石振铎所撰。范行准《明季西洋传入之医学》介绍，仁和赵魏（晋斋）《竹崦庵传抄书目》中曾载有该书1卷，仅26页，今佚。它的部分内容可见于《本草纲目拾遗》。其中仍以天然药物居多，但也有日精油、保心石等可能是化学制品的药物。西方药学文献传入这一事情本身，已不同于单纯的药品输入。伴随着它的是药学理论思想等内容的输入，因而西方药学也影响着传统的本草学。

明代接受西方科技知识的科学家已不乏其人（如徐光启等）。清代中西文化交流日渐频繁，受西方文化影响的人越来越多。清初王宏翰信天主教，又通理学，因而常采西学，揉入性理。据载王宏翰有《本草性能纲目》40卷，惜其未传世，很难了解其中有无西方药物知识。清中叶以后，尤其是鸦片战争以后，西方药物蜂拥而入，西医医院和学校相继建立，且随之出现了西方药物学译著及西医药刊物。清代外国医生或传教士致力于翻译西方医药书籍的有英国医生合信（1816—1873，Benjamin Hobson）、美国传教士嘉约翰（John Glasgow Kerr）、英国人傅兰雅（John Fryer）等。其中嘉约翰等译的《西药略释》4卷，载常用西药100余种，流传甚广。尽管当时西药的水平依然不高，但其中士的宁、颠茄、吗啡等药的效果确使西药在中国站定了脚跟。在清末改良主义运动和洋务运动的影响下，外国医药书籍译成中文的速度不断加快。我国学者也纷纷向国人介绍外来医药。赵元益与傅兰雅合作，译成《西药大成》10卷。此书是当时最完备的西药书，且介绍了药理实验方法。此外，《泰西本草撮要》《西药大成药品中西名目表》，及《万国药方》（美国洪士提反译）等，也介绍了不少西药。丁福保则主要致力于编译日本医药书籍。《丁氏医学丛书》中就有《家庭新本草》《食物新本草》《化学实验新本草》《药学纲要》《普通药物学》等药学书籍多种，在光绪末年广泛流传。丁福保的这些译著，不同于单纯的翻译作品。他在中西医药学方面的造诣甚深，因而能结合中国文化特点，引进国外药学知识，并初步地运用近代药物学解释传统药学，针砭时弊。尽管从现在来看，丁福保的工作还是比较粗糙的，有些言论也不尽正确，但他在中西医药汇通方面付出的心血及所取得的成绩，仍然是值得称赞的。

西方医药理论知识也逐渐渗入中国传统药学中。广东人陈珍阁所撰《医纲总枢·新订本草大略》（1890）选常用中药328种，论述功治悉从传统本草，然阐释机制则融贯中西，独具一格，较易被中医人员接受。清末著名中西医汇通医家唐宗海，和张伯龙相与问答，撰成《本草问答》（1893）。此书不是临床药性书，针对中医药理某些共性问题发问，兼带比较中西药学的不同。当然，唐宗海的立意在于宣讲中药理论的高明，且其尤对气化论津津乐道。唐宗海对西药的了解是比较肤浅的，书中也很少以西药理论附会中药。他仍然采用中医传统释药法，但在反畏、引经等问题上，每多新见。

随着时代的发展，有些中医人员对传统药理也提出了一些质疑。陈周《药性论》，对中药取类比象学说予以批评。章穆《调疾饮食辩》对五色归五脏等理论提出了异议。中国传统本草在封建社会行将终结的时刻，遇到了一系列的问题，这预示着中药的发展将面临一场变革。

第九章　近现代中药文献述要

（1911 年以后）

　　虽然本草学的发展在鸦片战争之后有了一些变化，但在清朝覆亡以前，传统本草仍然居主导地位。因此，本书近现代中药文献将从 1911 年开始讨论。一般说来，从这时开始，传统本草的主导地位受到了猛烈地冲击，中国药学文献的内容和编排形式都有了很大的变化。由于西医、西药的传布，以本草为名的传统药物学的内容逐渐改变。现代科学的渗入，使得在以中药为研究对象的领域形成了许多新的学科，如药用动、植物学，生药学，中药鉴定学，中药药理学等。传统的本草学逐渐解体，被更加细致、广泛的多种中药学科所取代。因此，我们在本章不再袭用"本草"一词，而选用中药文献这一概念。

一、近代中药文献

（一）传统本草的余韵

　　清亡之初，国外药学文献的译编虽然不断增多，但对传统本草的影响还不够大。受传统教育的医药人员对西方药学的认识是不平衡的，因此，保持原来本草风格及内容的药书还在继续出现。女医生陆咏媞（字珮玢，为江苏吴县名医陆晋笙之女），辑《要药选》（1920）。该书分气血、阴阳、脏腑身形、病证等门（138门），并于各门下述诸药应用。其兄弟陆循一（字培良），撰《用药禁忌书》2 卷

（1920）。该书内容相当丰富，汇集了众多用药、保养、调理及饮食起居之禁忌，甚切临床实用。谢佩玉（字清舫，号石禅居士）撰《药性分类择要》（1920）。此书收药400余种，并将其按功效分成14类。该书各药下内容较全面，简明实用。上述三书结合临床所需，从不同角度归纳药学内容，质量比清末一般药书要高一些。

另外，在清代药材行业（包括炮制方面）很少有高质量的专著出现，因此近代若干有识之士相继做了一些补救工作。曹瀛宾辑《药味别名录》（1919），别出心裁，按药名首字分类，以便于药业人员查索。此后虞哲夫《药名汇考》（1932）进一步依《辞源》笔画检索体例排列药物，比曹瀛宾之作又进一步。在炮制方面，杨熙龄撰《著园药物学》（1919）。此书涉及炮制、鉴别及用药等内容，而其中炮制制剂内容最有价值。其子杨叔澄，继承家业，对中药传统炮制制剂经验进行整理，著有《中国制药学》（1938）。此书内容全面实用，为近代制药学佳作。另，王一仁撰《饮片新参》（1935），以饮片为研究对象，亲自尝验，以定形色性用。该书虽然内容仍嫌单薄，但毕竟是饮片专著。从原植物到原药材，再到饮片，反映了药学著作研究对象的层次在不断深化。

在传统药学受到西方药学冲击的情势下，一部分人希望变革，因而尝试着用中西汇通的办法编写药书；另一部分人对西药及其理论不屑一顾，力图保存国粹，因而对古代经典药学著作倍加重视，极力阐扬。孙子云《神农本草经注论》（1929），不拘于随文衍义，而是结合用药进行阐释。该书删去《神农本草经》中的夸张言词，仅收药300余种。吴保神（江苏海门人）《本经集义》（1932），是一种内容较为丰富的《神农本草经》集注本，汇辑了明清药家精论。此书很得蔡陆仙赏识，蔡陆仙《中国医药汇海》的《神农本草经》即以吴保神之作为基础，再补入王一仁等《神农本草经新注》内容而成的。《中国医药汇海》资料丰富，侧重于药性药效的探讨。必须看到的是，该书虽然旨在宣扬传统本草之经典，但也吸收了一些西医药知识为之注解，这反映了当时风行的中西汇通思潮的深刻影响。

这段时期中药的传统方法研究也有一些新的进展。如张骥《内经药瀹》，对《黄帝内经》中有关药学理论的论述汇辑类编，别具一格。金元医家虽然皆依据《黄帝内经》阐发药理，但未像张骥这样系统整理其中有关药理的内容。张文元《中医十八反之检讨》（1936），可说是对此专题有关文献进行系统整理的著作。张骥另有《雷公炮炙论》辑本。此书收药200余种，并不很全面，但毕竟是当时惟一的《雷公炮炙论》辑本。此外，何舒《研药指南》虽无大发明，但对《本经疏证》

的要义甚有研究，提要钩玄，将之编为歌括，是一部较好的传统本草普及读物。

（二）中药讲义

在中西医论争中，中医深切地认识到要发扬光大传统医药学，不能抱残守缺，必须加强中医教育和对中医药知识的整理。因此，20世纪30年代前后，中医药学校纷纷建立。中药学是必修课，故随之出现了一大批中药方面的教材。作为教材，它要内容全面简明，而不能像论著那样可以随心阐一家之独见，因此，衡量其质量往往不是单纯着眼于它补充了多少新知识，更重要的是看它对当时的药学知识归纳得如何。前述杨叔澄《中国制药学》，就是20世纪30代北京中药讲习所制药学讲义，在新内容与编排两方面都值得赞扬。这一时期出现的中药讲义主要有：何仲皋《药性骊珠》（四川高等国医学校，1915）、冯性之《药物学讲义》（1925）、林天定《台湾汉药学》（台湾中药学讲习会，1918）、何廉臣《实验药物学》（浙江中医专门学校，1924）、杨则民《药物概论》（浙江中医专门学校，1925）、秦伯未《药物学讲义》（上海中医专门学校，中国医学院，1930）、罗绍祥《药物学讲义》（广州中医学校，约1936）、天津国医专修学院函授部《新国医讲义教材——药物学》（约1936）、张锡纯《药物讲义》（天津国医函授学院，1924）、卢朋《药物学》（广东中医药专门学校、广东光汉中医学校，1935）、黄悌君《药物学》（广东省立国医学院，1935）、佚名氏《药物学讲义》（1935）、尉稼谦《药物学》（天津国医函授学院，1937）、余鸿仁《药物讲义》（上海中医学院，1931）、邓炳煌《药物学讲义》（广东保元国医学校，1948）等。

民国期间各种公私中医药学校甚多，但办学时间大多很短，只有少数学校得以坚持。各校均有中药讲义，但存世者少。从现存此类讲义来看，有一些仍仿古本草部类，在内容上略加精简；还有一些则采用章节体例，兼收少量西药知识，在质量上还处于较低水平。然正是这些讲义，为中华人民共和国成立后中医学院教材的编写打下了基础。

（三）药学辞典、药典及其他工具书

药学工具书的编纂兴起于近代。其中影响最大的当推陈存仁《中国药学大辞典》（1935）。该书收词目约4300条，汇集古今有关论说，资料性较强。由于时代条件等限制，该书还存在不少谬误，但作为中药发展史上第一部大型工具书，出现这些缺点并不奇怪。在此前后，还有多种主要以中药为词目的字典、词典，如上海卫生报馆《中药大辞典》（1930）、江忍庵《中国药物新字典》（1931）、吴克潜《药性字典》（1933）、吴克潜《药性词典》（1934）、吴卫尔《中华新药物学大辞典》（1934）、陈景岐《国药字典》（1935）、潘杏初《标准药性大字典》（1935）、胡安邦《实用药性辞典》（1936，一名《药性大辞典》）、冯伯贤《药性辞典》（1937）、张公让《中西药典》（1943）。

此外，谢观《中国医学大辞典》（1921）中也收有不少药物条目。

这些词典精粗不一，风格各异，但几乎都收载了与中药有关的现代研究内容。只有佚名氏《辞典本草》（1931）全为传统本草内容，但其分部及内容，全同一般本草书，徒有辞典虚名而已。

1930 年 5 月，我国出版颁布了近代第一部药典——《中华药典》。这部药典的完成，主要依靠一些热心的药学家。总编纂刘瑞恒，编纂者严智钟、孟目的、于达望、薛宜琪、陈璞、朱恒璧、赵燏黄等 9 人。该书以《美国药典》为蓝本，而编纂者又多为西药人员，所以，忽视了中药的收载，缺乏中国药典应有的特色。

（四）中西药汇通著述

清末以来，中西医汇通在中医界兴盛了一段时间。在药学方面其也有所反映。"中学为体，西学为用"的口号最容易被多数中医接受。这表现在中药著作里，则是吸取近代研究成果（如植物分类、成分、药理等），而以传统本草的性味功治为主，达到所谓"衷中参西"的目的。周雪樵《本草新诠》、袁焯（桂生）《本草会通》等为早期此类著作[①]。20 世纪 20—30 年代，中西药汇通著作渐次增多。蒋玉伯《药物学类纂》（1922）及《中国药物学集成》（1934）、赵贤齐《中国实用药物学》（1923）、力嘉禾《力氏灵验本草》（1930）、周禹锡《药物约编》（1938）等书，虽在主体内容上仍不离传统本草，但在编书形式及某些项目上也兼参了西药书籍。

近代有几部颇有特色的中药文献，它们能部分地反映当时中药的出产、种类、使用等实际情况，并注意吸收近代植物学知识和某些西药知识。萧步丹《岭南采药录》（1932）相当于一部岭南地方本草。在分类方式上，其仿萧炳《四声本草》，即用药名首字的平、上、去、入归类药物，谈不上先进。但关于植物基原，其参考了近代植物学著作。陈仁山《药物出产辨》（1930），记药物产地最详，其中多数

---

① 江华鸣. 中西医汇通著述琐谈. 中华医史杂志，1985，15（4）：213.

为广东药品,且包括几十味西药。张拯滋(字若霞)《草药新纂》(1917)也是汇参中西的产物。书中既有采访所得的民间用药经验,又兼西医药理。杨华亭《药物图考》(1935),既从传统本草中大量摘引资料,又附有近代动植物基原图形。

在近代出版的中药学讲义和普及性读物中,中西药汇通者更多。如陆观虎《食用本草学》(1935)在应用、禁忌两项中,均使用传统本草内容,而在形性、成分中则多采近代科学研究成果。

(五)中药的科学研究文献

在近代西药倾销于我国、传统药业受到巨大冲击的危难时刻,一大批爱国的药学工作者,除致力于自力更生发展中国的化学药品研究和生产之外,还从研究传统药物入手,试图发展具有中国特色的近代药学。他们运用各种近代科学方法,调查中药资源,考订品种,分析化学成分,提取活性物质,研究药理作用,等等,获得了可观的成绩,撰写了许多论著和学术报道。这些文献已不再立足于古代本草所载。它们与古本草根本的相同点只是研究对象均为中药,研究目的均为发展中国药学而已,在理论、方法上则相差较大。

植物学、生药学工作者在确定中药品种、调查资源分布方面做了大量的工作。赵燏黄在这方面贡献尤大。他的《中国新本草图志》(1930)逐药研究其分类学等问题。

《祁州药志》(1935)则是实地调查资料品种的成果。与此相近的还有《本草药品实地之观察(华北之部)》、《蒙古本草药之原植物》(1941)等书及《蒙疆所产本草药材关于其原植物之考察》等论文。赵燏黄不仅在学术上卓有贡献,更主要的是,他倡导的研究中药的一些方法是行之有效的。注重实地考察,突出中国药品特色是赵燏黄治学的可贵之处。从近代植物学角度整理研究中药的著述较多,如王遹声《药用植物图考》(1922)、钟观光《本草疏证》、温敬修《汇症药用植物学》、中国医药研究社《中国药物标本图影》(1935)、刘宝善和周太炎《经济药用植物学》(1945)、李承祜《药用植物学》(1949)、刘宝善《医药植物学》、沐绍良《中国北部之药草》等。药用植物栽培方面有镇江江苏省立医政学院附设药物试植场编《药物试植报告》(1936)、周太炎《药用植物实验栽培法》(1944)等。生药学著作则有赵燏黄、徐伯鋆《现代本草生药学》(1934),叶三多《生药学》(1937),顾学裘《生药学》(1947)等。

此外,许多药学工作者致力于中药的化学及药理学研究,这在中药研究中是一个全新的课题。当时还不可能产生系统的、资料充实的中药药理学专著，多见的是单味药的药理研究报道。陈克恢对麻黄素的研究卓有贡献。与此同时的经利彬、朱恒璧、赵承嘏、张昌绍等药学家也做了大量的工作。有关资料，可参薛愚主编的《中国药学史料》（人民卫生出版社，1984）。

在 20 世纪前半期，医药事业的发展步履维艰，中药科学研究受到很大的限制。正是许多爱国的、具有强烈事业心的药学界前辈的奋斗，开拓了中药现代研究的新局面，为新中国药物学的发展奠定了基础。

二、现代中药文献

中华人民共和国成立以来，中药研究从整体上看是向前发展的。这种发展又是呈波浪式的。从中药文献的数量来看，可以将现代中药文献发展大致划分三个阶段，即 1949—1968 年、1969—1976 年、1976 年以后。以下分别讨论这三个阶段的中药文献发展概况。

（一）1949—1968 年

中华人民共和国成立后到 1954 年期间，出版的中药著作多为关于中药科学研究的，对传统中药的重视还不够。于达望《国药提要》在中华人民共和国成立前已经完成，1950 年正式得以出版。同类书籍还有：西安军政委员会卫生部编《中药的科学研究》（1951）、药学生活社编辑《国药研究》（1951）、朱中德《科学的民间药草》（1951）、张昌绍《现代的中药研究》（1951）、黄兰荪《中国药物的科学研究》（1952）、东北医学图书出版社编《中药研究汇编》（1952）、范凤源《中医药物化学及其生理作用》（1952）、牟鸿彝《国药的药理学》（1952）、徐国钧《药用植物学》及《生药学》（1953）、楼之岑《生药学》（1953）、丘晨波《中药新编（中药科学研究提要）》（1954）、王筠默《中药药理学》（1954）、朱颜《中药的药理与应用》（1954）、胡光慈《实用中医药理学》（1955）等。在中华人民共和国成立之前没有条件系统整理中药研究经验的药学家们纷纷著书立说，这些专家对此后药学研究人员的培养和中药全面科学的研究发挥了巨大的作用。

1954 年党和人民政府发出了加强学习、研究中医药的指示，祖国医药学的教育和研究被提到议事日程上来。第一批中医院校的建立，促进了中药学教材的编写。不过当时各院校还是各自为战，自编自教，积累经验。它们通过地方中草药资源的调查和药材品种鉴别经验的总结，写出了一些有质量的著作，如《辽宁省生产药材技术手册》（1955），周太炎、丁志遵《南京民间药草》（1956）、曾育麟等《中药形性经验鉴别法》（附《云南产十六种药材的加工法》，1957）等。一些普及中药的小册子也相继出版。

1958 年，毛泽东同志做出"中国医药学是一个伟大的宝库，应当努力发掘，加以提高"的批示，这体现了党和人民政府对中医药的关怀。随着重视中医药政策的实施，各地掀起了整理发掘中草药宝库的高潮。各种地方药材手册、草药手册、中药志如雨后春笋般破土而出。中华人民共和国成立后掀起的第一个群众性中药调查研究运动在 1959 年达到高潮。这几类著作大多由地方政府所属的卫生、商业、农业等部门组织编撰，立足于本地资源。1960—1962 年，国家处于三年严重困难时期，这几类著作又逐年减少，至 1962 年已处在低潮。今列举这段时间出现的药材手册、草药手册名称如下。

药材及中药手册类：陕西省农业展览会《陕西药材介绍》、河北省保定药材分公司《保定地区土产药物手册》、河南省农业厅《河南药材》、安徽省卫生厅《安徽药材》、青海省药材公司《青海药材》（以上均为 1958 年出版）；张廉贤《吉林药用植物调查志要》、河北省卫生厅等《河北药材》、河南省药物检验所《河南中药手册》、河南医药专科学校《河南中药》、江西省中医药研究所《江西中药》、江苏省中医研究所等《江苏中药名实考》、甘肃卫生厅《甘肃中药手册》、山东省卫生干部进修学院《山东中药》、黑龙江省祖国医药研究所《黑龙江中药》、浙江省卫生厅《浙江中药手册》（以上均为 1959 年出版）；广西壮族自治区《广西药材》、湖北省卫生厅《湖北中药手册》（以上均为 1960 年出版）；内蒙古自治区药检所《内蒙古药材》（1961 年出版）；重庆卫生局《重庆中药》（1962 年出版）；广州市药物检验所等《广东中药》（1963 年出版）等。

草药手册类：福建省中医研究所《福建民间草药》（1958 年出版）；江西省中医药研究所《江西民间草药》、高铭功《黑龙江民间中药》、贵阳市卫生局《贵阳民间药草》（以上均为 1959 年出版）；重庆市卫生局《重庆草药》（1960 年出版）；福建省中医研究所等《福建常用草药》（1961 年出版）；泉州市卫生局《泉州本草》（1963 年出版）；广西壮族自治区中医药研究所《广西民间常用草药》（1964 年出版）等。

以上多为地方中草药书。从其类型与数量来看，这次群众性中草药调查研究运动主要调查研究中药与药材，而较少调查研究民间草药。除此以外，这段时间还陆续产生了一些省级的中药志、药用植物志以及全国性的中药著作。其质量较高，图文并茂。1962—1965 年，小型的地方药物手册之类的著作相继减少，而大型的中药著作则不断产生，水平不断提高。三年严重困难时期，虽然中草药文献出版的速度减缓了，印刷质量（主要是纸张）降低了，但中草药的调查和研究的深度和广度却一直在稳步发展。这一时期出版的省级中药志主要有：广西壮族自治区《广西中药志》（1959）、中国科学院四川分院中医中药研究所《四川中药志》（1960）、山西省卫生厅《山西中药志》（1960）、广东省中医药研究所等《岭南草药志》（1961）、中国医学科学院陕西分院中医研究所《陕西中药志》（1962）、湖南中医药研究所《湖南药物志》（1962）、南京药学院《江苏药材志》（1965）。

与此同时，主要由植物工作者编纂的各种药用植物志也陆续出版。中华人民共和国成立之初出版了裴鉴、周太炎《中国药用植物志》（1953）。各地在 1959 年后加速编纂了许多药用植物著作。其中肖培根《东北植物药图志》（1959）、中国科学院华南植物研究所《野生药用植物图说》（1959）、南京中山植物园《江苏省植物药材志》（1959）、刘慎谔等《东北药用植物志》（1959）、第二军医大学药学系生药学教研室《中国药用植物图鉴》（1960）、沈阳药学院《东北药用植物原色图志》（1963）、陈焕镛等《海南植物志》（1964）、浙江省卫生厅《浙江天目山药用植物志》（1965）等，都达到了较高水平。这些著作源于扎实的实际调查，由植物学、医药学等方面的专家精心编撰，为此后中药研究发展打下坚实的基础。

全国性的中药著作集中反映了这一时期整理研究祖国医药学的水平。更为重要的是，在多层次、多途径发动群众整理研究中草药基础上，20 世纪 60 年代初产生了《中华人民共和国药典（一部）》。在此前后，还出现了其他一些质量较高的中药专著，今按时间先后略举其要。

《中药鉴定参考资料》：中国药学会中药研究委员会编，1958 年人民卫生出版社出版第 1 集。该书是资料汇编，虽然还没有系统化，但使此后中药鉴定的发展有了一个好的开端。

《中药材手册》：卫生部药政管理局编，1959 年人民卫生出版社出版。该书在向老药工调查研究的基础上，系统总结了中药材的产地、加工、性状鉴别、品质优劣及贮藏等方面的实际经验，十分可贵。全书载药 517 种，按根及根茎、种子果实、草、叶、花、皮、藤木、树脂、动物、矿物、加工及其他分为 12 类。其所附插图 200 余幅，虽嫌粗糙，但均为实际写生所得。

《药材资料汇编》：中国药学会上海分会、上海市药材公司合编，1959 年上海科学技卫生出版社出版。此书以道地药材主要集散地（或产地）分类，对中药材规格质量记载尤详，且其中所载药物鉴别经验也很丰富。

《药材学》：南京药学院药材学教研组编，1960 年人民卫生出版社出版。该书载药 634 种，附注 160 余种。该书内容系统全面，注意将传统中药知识与现代科学研究成果相结合，对药材品种质量检验记载尤详，比某些《生药学》更具有中国特色。编写此书时动员的人力甚多，这为此后大型中药著作的编撰积累了经验。

《中药志》：中国医学科学院药物研究所等编，1959—1961 年陆续出版。该书共 4 册，依次为根与根茎类，种子、果实类，花、叶、皮、藤木、全草及其他类，动、矿物类。此书共载药 500 余种，注重基原和药材鉴定，兼述效用及本草考证等，附有精美墨线图和少量彩图、照片，代表了我国 20 世纪 50 年代中药整理的最高水平。1979 年又出版了其修订本，该本进一步完善和补充了中药的现代科学研究内容，在某种意义上可与《中华人民共和国药典》相辅而行，为中药发展发挥了较大作用。再版时此书已由原 4 册扩为 6 册。

《中华人民共和国药典（一部）》：卫生部药典委员会主编。1953 年初版，未专载中药。1963 年版以后，《中华人民共和国药典》分一部、二部。一部为传统药物（中药材与中成药），二部为西药。1963 年版载药材 446 种，中成药 197 种。此后的 1977 年版、1985 年版均沿袭此例，不断修订，这为中药的标准化、规范化提供了保证。《中华人民共和国药典（一部）》专载中药，是中国药学史上的大事，产生于 20 世纪 50 年代末 60 年代初大规模的中药整理的热潮中，具有坚实的实践基础。

《中药研究文献摘要（1820—1961）》：刘寿山主编，1963 年科学出版社出版。该书是我国第一部大型中药文摘，精选了 142 年间国内外 390 余种期刊上的中药文献 4000 余篇，涉及中药 500 余种。其内容极为广泛，检索性强，深受读者欢迎。因此，科学出版社在 1979 年又出版续集《中药研究文献摘要（1962—1974）》，其从 700 余种文献中遴选了 3300 余篇论文，涉及的药物也比之前增加了 200 多种。

《中药材品种论述（上）》：谢宗万编著，1964 年上海科学技术出版社出版。该书为中药材混淆品种鉴别专著，上册收药 100 组，将易混淆品种从原植物到本草考订逐一比较，资料丰富，包含有不少个人实际调查研究成果。该书中册 1978 年定稿，1984 年印行。中册仅收 50 组中草药，但因内容增多，篇幅与上册相仿佛。其另增加 301 幅原植物图，又增设"本草考证"一项，从而进一步提高了药材品种考订的科学性和实用性。

除以上几部影响较大的著作之外，还有许多中药生产（栽培、驯养）、中药炮制、中成药制剂等方面的著作，其也大多为各地卫生、农业等部门组织人员所撰，水平高低不一。其中于1959年出版的《药用植物栽培技术》（农业部经济作物生产局编）、《药用植物栽培》（中国医学科学院药物研究所）、《四川中药材生产技术》（中国科学院四川分院中医中药研究所）为中药生产方面较有影响的著作。20世纪50年代后期至60年代初，上海、北京、湖北、四川等地相继制定了中药饮片炮制规范。专门的炮制书有张炳鑫、朱晟《中药炮炙经验介绍》（1957），南京中医学院中药方剂教研组《中药炮制学》（1961）等。

在这一时期内，成立了中国中医研究院（1955）和一批中医学院，各地也纷纷办起了中医进修学校、培训班等。一批中药学讲义和概论随之产生。与前面谈到的中药鉴定、生产方面的著作不同的是，这批讲义主要讲中药的临床运用。20世纪50年代影响较大的此类著作为南京中医学院《中药学概论》，其于1958年由人民卫生出版社出版。其他院校编的讲义多为自编自印，影响面小，如中国中医研究院《本草概要》（1956）、上海中医学院《中药讲义》（1956）、苏文海《中药学讲义》（1956）、天津中医学院《本草学》（1958）、邢诵华《药物学》（1958）、南京中医学院《本草纲要》（1956，"西医学习中医"教材）、山西省中医学校《本草讲义》（1959）、南京中医学院等《中药学》（1959）、北京中医学院《中药学讲义》（1959）、辽宁中医学院《中药学讲义》（1959）、浙江医科大学中医学院函授部《本草讲义》（1960）、南京军区后勤部卫生部《本草讲义》（1960）、上海中医学院《中药学讲义》（1960）、长春中医学院《中药学讲义》（1960）、成都中医学院《中药学讲义》（1960）及《中药学中级讲义》（1961）、中国中医研究院《中药学简编》（1960）、上海第一医学院《中药学讲义》（1961）、天津中医学院《本草讲义》、李相中《中药学概论》（1964，中等医药学校试用教科书）等。

中医院校自编教材的散乱局面在20世纪60年代有了一个改观。1960年出版了中医学院试用教材。经3年多的实践，卫生部（现中华人民共和国卫生健康委员会）于1963年5—6月在江西庐山召开全国中医教材会议，进一步确定了继续保持"既全面，又简明"的特点，增强中医理论的系统性的编写方向，编成了著名的二版中医院校教材。《中药学讲义》是这次修订的教材之一，由成都中医学院主编，且于1964年由上海科学技术出版社出版。书分上篇（总论）、下篇（各论）。上篇四章，介绍中药的产地、采集与保存，炮制和制剂，性能，用法。下篇按解表、涌吐、泻下等功效分成19章，共载药物420种。各药主体内容为性味、归经、功效、临证应用、用量、禁忌，且另附文献摘要，补充古代医家对药理及用药法度的记述。此书除了在药物来源方面汲取了现代动植矿物学分类内容外，全部按传统中药内容写成，不夹成分及药理等内容。就突出中医药特点来说，二版教材是有贡献的。该书选材精审，简明实用。长时间的实践证明，它深受广大中医人员的喜爱。

侧重于临床应用方面的中药著作还有叶橘泉《现代实用中药》（1951）、张赞臣《（科学注解）本草概要》（1953）、时逸人《中国药物学》（1953）、陈邦贤《新本草备要》（1955）、俞慎初《新编中药学讲义》（1955）、熊梦《实用中药学》（1958）、夏禹甸《临床常用中药手册》（1962）、王药雨《实用中药学》（1962）等。

此时期对古代本草的整理研究也有一些进展。人民卫生出版社影印或排印了一大批中药古籍。北京中医学院组织 1957 年中药进修班学员编写了《中药简史》（1960），这是我国近现代较有影响的中药历史专著。对李时珍的研究在这段时间有一个较大的发展。张慧剑《李时珍》（1954）、王吉民《李时珍文献展览会特刊》（1954）、李涛《伟大的药学家李时珍》（1955）、王嘉荫《本草纲目的矿物史料》（1956）等专著相继出版。尚志钧辑成的《补辑新修本草》（1962）、《吴普本草》（1963）也油印成册，在国内流传。在书目方面，有龙伯坚《现存本草书录》（1957）。此书共载本草 275 种，简述版本、收藏，且偶有说明，为近现代第一部专门中药书目。

在药学期刊方面，专门的中药杂志只有《中药通报》，但《药学学报》《药学通报》及其他中医刊物也都经常刊载中药研究文章。

综上所述，在中华人民共和国成立后至 1960 年，中药文献有了长足的发展。尽管 1958 年的中药材整理研究受到一些的影响，不无草率之作，但整体看来，其依然具有较高的学术水平。三年严重困难时期，中药的发展并没有中断，当国民经济逐渐恢复发展之后，中药研究的高质量作品相继问世。南京等地的医药、植物工作者在这一时期最为活跃。中药材品种基原的鉴定取得的成绩最为突出。此时为中国药学积蓄力量，将要有一个更大飞跃的时刻。1966—1968 年，是现代中药发展史上的荒漠地带，此期中药几乎无所发展。医药人员虽然仍旧在为保证人民的健康而不懈地工作，但无法总结新的中药研究成果。

（二）1969—1976 年

此时期中国的科学文化受到了严重的摧残。为什么在众花凋残的时候，中草药书籍的编纂在进入 20 世纪 70 年代以后却有一个高峰时期呢？笔者认为，这与当时的政治环境，以及毛泽东同志对中医药发展的一些指示得到贯彻有关。20世纪70年代初，江西等地掀起了"群众性中草药运动"的热潮。"一根针，一把草，能把病治好"，因此，针灸和中草药被认为是最适合备战便民的治疗手段。业务创造欲被压抑了几年的医药卫生人员，将满腔热情投入了发掘中草药的运动中。短短的几年中，全国大多数省、自治区、直辖市都组织人员编写了本地的草药手册。江西、云南、湖北等省的许多县也纷纷编写当地的小型草药手册。小型草药手册几乎到了泛滥的地步。这种现象是受特定历史阶段政治形势影响而产生的。由于编写人员的众多和杂乱，一些水平较低的草药手册，存在着辗转抄袭、夸大功效的现象。但是，我们也应该看到，大多数的草药手册在调查了解当地中草药资源、总结民间用药经验方面仍然是成果斐然的。尤其是省级草药手册，基本上是抽调专门业务人员编纂的，一般来说科学性比较强，因为由专门研究机构和院校编写的有关书籍的质量更高一些。与20世纪50年代相比，此阶段一般中草药书籍的内容侧重于草药（而不是中药材），涉及的地区更多，而其质量则参差不齐。我们已很难收集齐全当时所产生的各种草药手册，也不准备罗列它们的名称，仅略述其要。

1969年，江西的南昌、丰城、吉水、铅山、宜春、万安等地铅印了当地的草药汇编，成都中医学院编写了《常用草药治疗手册》，浙江省革命委员会生产指挥组卫生办公室编写了《浙江民间常用草药》（由浙江人民出版社分集出版），从而掀开了草药整理热潮的序幕。1970—1972年，大量同类书籍陆续出版或自行印刷。地区、县级草药手册数量继续增长，且此类书籍级别升高（省级）、部头增大、内容也日渐丰富。据不完全统计，江西、上海、福建、吉林、广东、广西、河北、河南、贵州、陕西、云南、湖南、天津、山东、青海、湖北、甘肃、宁夏、四川、新疆、西藏、山西、内蒙古、辽宁、安徽等地都编有本地的中草药书籍。中草药已成为当时的时髦名词。解放军某些军区（如北京、沈阳、兰州、新疆、昆明、南京、广州等部队）卫生部门也积极参与编写中草药书。他们或立足于本区编写中草药书，或联合起来编写大区域的中草药书（如《北方常用中草药手册》《东北常用中草药手册》《陕甘宁青中草药选》等）。这些书中绝大多数是讨论植物药的，只有极少数是动物药专著，如吉林医科大学第四临床学院所编《东北动物药》（1972）。可以说，世界历史上还没有哪一个国家能像中国这样，在短短的20多年（1949—1976）间出现这么多丰富的地方药物著作。不仅如此，像《滇南本草》这样著名的古代地方本草也在这段时间被整理刊行。

这些著作中也有不少学术水平较高的作品。如江西省卫生局革命委员会《江西草药》（1970，江西新华书店印）有精美的彩色药图，超过了 20 世纪 50—60 年代的水平。江西药科学校连续编写了《草药手册》（1970）、《中草药学》（1971）两部 100 万字以上、图文并茂的中草药书。这两部书由植物、生药、中医等方面专业人员密切协作编成，其编写和印刷速度之快，都是值得称道的。20 世纪 60 年代末 70 年代初中医药事业的处境是微妙的：一边是中草药、针灸、新医疗法等被作为"具有无限生命力的新事物"而受到推崇，一边是中医院校被纷纷撤并或停办。"创造中国统一的新医学、新药学"似乎指日可待，似乎通过行政命令将中西院校捏合到一起就能实现。然而不管处于何种境地，具有强烈事业心的中国医药及有关学科的工作者，始终在竭尽全力，发展中国的传统药物。

锦上添花的是，台湾学者许鸿源（曾编写过《常用中药之研究》《台湾地区中药研究文献摘要》等书）的《台湾地区出产中药材图鉴》于 1972 年出版了。这本图鉴收集了台湾地区中药铺使用的药材，采用传统本草的性味功治，分科属类列药物，并附以图形。平心而论，此书的质量（尤其是药图）的确无法同大陆当时同类书中较高水平者相比，但是，我们却可以因此而说：在 20 世纪 70 年代中，中国各地都完成了本地区中药书籍的编写。

可以肯定的是，香港学者庄兆祥、李宁汉编写《香港中草药》是受了中草药运动的影响。该书分集出版，从 1978 年开始陆续印行（至今已出 5 集）。该书每册载药 100 种，文字简练，拍摄的植物彩照别具一格。此书采用中英对照，对宣传中草药出力不少。1982 年，香港学者江润祥等撰《中国本草入门》，此书与台湾学者那琦的《本草学》分别为香港、台湾地区有影响的本草史专著。

1972 年以后，"群众性卫生运动"的热潮冷却下来，许多中医院校和研究机构逐步开始恢复。中草药书籍在数量上减少了，但在质量上却不断提高。1969—1976 年，个人署名的学术著作几乎绝迹，以行政机构或编写小组等方式署名的书籍比比皆是。这种局面是不利于学术发展的，尤其不利于理论或新领域的探索。但是，这对本来就必须依靠集体力量编纂的一些大型资料性书籍却影响不大。因此，在这段时间，产生了像《全国中草药汇编》和《中药大辞典》这样的一些巨著，今择要简介如下。

《全国中草药汇编》：《全国中草药汇编》编写组编，1973 年完稿，1975（上册）、1978（下册）年由人民卫生出版社出版。此书共收药物 2202 种，介绍各药的别名、来源、形态特征、生境分布、栽培（或饲养）、采集加工、炮制、化学成分、药理作用、性味功能、主治用法、附方、制剂等。该书是全国许多专家，在各地草药手册及以往研究资料的基础上汇总而成的。其中绘有精细的墨线图。与此同时，还出版了《全国中草药汇编彩色图谱》。书中有图 1152 幅，且每图都颇为精美。

《中药鉴别手册》：北京药品生物制品检定所、中国科学院植物研究所编。1972 年科学出版社出版第一册，以后又出了第二册，后未见再出。该书每册载常用药 100 种，附原植物与药材图，简介药物使用情况（地区与品种）及鉴别法，质量甚高。

《中药大辞典》：江苏新医学院编，1975 年成书，1977 年至 1982 年由上海科学技术出版社出版（分上、下册及附编）。该书尽可能多地汇集了古今中外有关中药的文献资料，并对其进行了初步的综合整理，门类齐全，资料丰富，药品众多（5767 味，4870 种）。书中附有原植物或原药材图（约 5000 幅）。其附编有 7 个索引，以方便检索。当时产生这样高质量的《中药大辞典》是难能可贵的，国外学者也为之惊奇。据该辞典前言介绍，此书 1958—1965 年已着手撰写初稿，至 1972 年才正式编撰。因此，它实际上是在中华人民共和国成立以来整个中药事业发展的基础上产生的，并不完全是中草药群众运动的产物。楚半客《〈中药大辞典〉编纂琐记》（《辞书研究》1984 年第 2 期）介绍说，"两位长年奋斗在江苏医疗教育战线的领导干部盛立、张克威同志，鼎力承担了编纂任务，组织动员了具有多年教学、科研和撰写能力的作者队伍"，与编辑们通力合作，历时 3 年，编撰完毕。令人感叹的是，"他们在这部辞典上甚至没有留下一个以笔画为序的姓氏，留下的只有他们为祖国文化事业和医学事业辛勤劳动的汗水"。

20 世纪 70 年代初陆续开始招生的医药院校使用的教材又出现纷乱，自编中药教材的单位很多。1973 年，全国中医学院教育革命经验交流学习班协定，再次由北京、上海、成都、广东、湖北、辽宁、江西各中医学院和江苏新医学院等 22 所院校分工协作编写教材。这次编写的中药教材有：《中药学》（成都中医学院等，1977）、《中药鉴定学》（成都中医学院等，1974、1977 年出版）、《药用植物学》（江西中医学院，1974）。另各院校还编写了《中药鉴定学》《中草药学》《中草药药理学》《中草药成分化学》《中药炮制学》《中药制剂学》等教材。南京药学院所编《中草药学》（1975）因资料丰富，有一定深度，影响较大（分上、中、下册）。中国中医研究院中药研究所《历代中药炮制资料辑要》（1973）从 167 部古医书中摘录了有关药物炮制的资料，颇有参考价值。

与中药生产相关的著作不太多，其中有中国医学科学院药物研究所《常用中草药栽培手册》（1971）、吉林省中医中药研究所等《吉林省中草药栽培与制剂》（1973）、浙江中药材栽培技术白术编写组《白术》（1973）、浙江省《药材病虫害防治》编绘组《药材病虫害防治》（1974）、抚松县第一参场《人参栽培与加工》（1974）、上海市农业科学院园艺研究所《银耳栽培技术》（1975）、商业部医药局《中药材商品养护》（1975）等。单味药的专著则有《罗布麻药用研究资料汇编》（1972）、《灵芝》（1973）、《天麻》（1973）、《春砂仁》（1973）等。

综上所述，1969—1976年，曾有过一阵编纂地方草药书的热潮，产生了诸如《中药大辞典》《全国中草药汇编》这样集大成性质的中草药巨著。集体编书是这段时间中的特殊现象。书籍种类单调，内容重复者多，缺乏理论探索是这一时期中药书籍中多见的弊病。直到1976年，中药学学术研究才出现另一番生动活泼的景象。

（三）1976年以后

全国科学大会的召开，预示着科学春天的到来。这一阶段中药文献总的发展趋势是多样化、向纵深发展。各地中草药发掘整理工作还在继续进行，但再也不是一哄而上。各中医院校使用的统一教材进入第三阶段。1982年南京中医教材编审会决定编写32门学科的教材，其中涉及中药的有《中药学》《药用植物学》《中药鉴定学》《中药炮制学》《中药药剂学》《中药化学》《中药药理学》。此次编写采用主编负责制。

此时期已出版的一些重要中药著作中，有一部分是20世纪60年代及20世纪70年代前半期工作的继续。如《四川中药志》（1979）就是1975年开始重新编写的，该书收录了3000余种川产药的彩色图谱。《中华人民共和国药典》分别在1977、1985年进行了两次修订。《中药志》在1979、1981、1984年分别出版了前3册。谢宗万《中药材品种论述》中册出版（1984）。刘寿山《中药研究文献摘要》（1962—1974）也于1979年问世。南京药学院出版了《中草药学》（1976）。其他如《福建药物志》（1979）、《湖北中草药志》（1978、1982）、《南海海洋药用生物》（1978）等也相继印行。

这些新出的药物著作内容比较广泛，除涉及植物学外，还重视动物药、民族药。卫生部药品生物制品检定所（现中国食品药品检定研究院）等17个单位合编的《中国民族药志》（1984），整理出第一批民族药1200多种。此书既富有民族特色，又有现代研究成果。《彝药志》（云南楚雄彝族自治州卫生局药品检验所，

1983）载有 103 种药物的一般内容，且还介绍了彝药的应用经验和发掘经过。曹春林《中药制剂汇编》（1983）、刘德仪《中药成药学》（1984）、王孝涛《中药炮制手册》（1983）等，为中药炮制制剂的新总结。范崔生等《中药采集收购鉴别手册》（1985）、林乾良《中药》（1981）、彭铭泉《中国药膳学》（1985）、王广津等《疮疡外用本草》也都从不同角度对传统本草进行了整理研究。运用植物化学、药理学研究中草药的著作也纷纷问世。随着人民生活水平的提高，食疗、药膳之类的普及性小册子应运而生。临床用药专著及歌括便读也陆续版行。

1982 年以来，人民卫生出版社与日本雄浑出版社共同出版《原色中国本草图鉴》。全书 25 册，收植物 5000 种，均为彩色图谱，蔚为大观。该书虽以本草图鉴为名，但实际上是药用植物图谱。近代以来，"本草" 2 字的使用已经扩大化了。有些以西药知识为主或以记载植物为主的书籍也均用"本草" 2 字，而实际上它们与传统本草相去已远。

中药工具书的数量渐次增加。其中以吴贻谷等 9 人为主要编写人员的《中医大辞典·中药分册》于 1980 年出版（人民卫生出版社）。该书收词目 6995 条（正条 2149，副条 4846），虽不如《中药大辞典》资料丰富，但取材精审，简明实用。此外，中药文献查找方面的小册子也有多种行世。

自 1980 年以来，卫生部古籍整理办公室统一确定了一批需要整理的本草要籍。《神农本草经》辑校注释工作已经开始。《本草蒙筌》等本草名著的校点工作也相继进行。人民卫生出版社在 1975—1981 年出版了《本草纲目》校点本（刘衡如校点）。亡佚本草的整复工作卓有成效。正式出版的有《唐·新修本草》（尚志钧辑，1981）、《名医别录》（尚志钧辑，1986）、《神农本草经校点》（尚志钧辑，1981）、《食疗本草》（谢海洲等辑，1981）。台湾学者那琦、谢文全的《重辑名医别录》已公开刊行。尚志钧辑校标点的《雷公炮炙论》《药性论》《本草拾遗》《日华子本草》《海药本草》《本草图经》等均已被油印，以供内部交流之用。

本草史研究进展迅速。正式出版的有薛愚等《中国药学史料》（1984）；油印或铅印的非正式出版药史书有朱晟《中药简史》、陈重明《本草著作发展简史及本草考证》（1979）、俞慎初《中国药学史纲》（1981）等。台湾学者那琦的《本草学》于 1976 年出版。1984 年纪念李时珍逝世 390 周年时，中国药史学会出版了论文集《李时珍研究论文集》（1985），湖北中医药研究院出版了《李时珍研究》（1985）。

此外，中药报刊除《中药通报》恢复出刊外，又于上海创办《中成药研究》、广州创办《中药材科技》（今改名《中药材》）、湖南创办《中草药通讯》、重庆创办《中药报》，进一步加强了中药研究信息沟通。1983 年《中医年鉴》也开始出版。有关中药的文摘、简报也增长得很快。中国传统药物的研究已经进入了一个新的时期，将会以更大的步伐向前迈进。

中篇　本草要籍

邪气，人身为破积使聚。主愈疾病者，本应下经。

药应轻上，以养命以应天，无毒，多丽，主养正。药者，应天本上，欲迢中药补赢，为臣，久服

气，勿春，主毒者，应其本地宜，多过病不可久服。

第一章　南北朝以前

(581 年以前)

一、《神农本草经》

〔释名〕　　本草是具有中国特色的传统药物学的特称，并常被用来命名中药书籍（参上篇"'本草'一词的出现"）。该书是早期用本草为名的药书之一。

神农是远古传说中的农业和医药的发明者。一说即炎帝。《淮南子·修务训》云："神农乃始教民播种五谷，相土地宜燥润肥饶高下。尝百草之滋味，水泉之甘苦，令民知所避就。当此之时，一日而遇七十毒。"因此，农书和药书多有托名神农者。这种托名之风在西汉早已有之，所以刘安说："世俗之人，多尊古而贱今。故为道者，必托之神农、黄帝，而后始能入说。"（《淮南子·修务训》）

古代专述某一事物、某一技艺之书可称为经（如《山海经》《茶经》），作为典范的书也称为经（如《十三经》、佛经）。本草而以"经"为名，两种含义均有。尤其是作为典范这一含义，在后世更为突出。现存的《神农本草经》一直是中国药学的经典之作。

该书又简称《本经》《本草经》《神农本经》。其中《本经》在某些本草中，又常代称其所依据的某一本草书，非特指《神农本草经》而言。另，明清有些书名带有"本经"字样（如《本经疏证》《本经逢原》等），但其所释药物并不局限于《神农本草经》，非《神农本草经》辑注本。

〔著录〕　《汉书·艺文志》未载本草书。《隋书·经籍志》及此前的梁·阮孝绪《七录》中，载五种《神农本草》，九种《本草经》。宋以后史志再无该书原帙的记载了。现存《神农本草经》内容，多经陶弘景整理。关于陶弘景所用的本子，"梁·陶隐居序"称："今之所存，有此四卷。"韩保昇解释说："《神农本草》上中下，并序录合四卷"。这与《隋书·经籍志》著录的雷公集注《神农本草》4卷的卷数一致。

〔作者·成书〕　历来对此存有争议。该书不可能产生于未有简册的神农时期，毋庸多辩。

后世有些学者根据目录学及《神农本草经》所出地名，推断该书于东汉时撰成。如清·姚际恒《古今伪书考》认为："书中有后汉郡县地名，以为东汉人作也。"梁启超《中国历史研究法》亦云："今所称《神农本草》，《汉书艺文志》无其目，知刘向时决未有此书……此书不惟非出神农，即西汉以前人参预者尚少，殆可断言。"

对整理《神农本草经》厥功甚伟的陶弘景认为："至于药性所主，当以识识相因，不尔何由得闻。至于桐、雷，乃著在于编简。此书应与《素问》同类，但后人多更修饰之尔……所出郡县，乃后汉时制，疑仲景、元化等所记。"这段话把《神农本草经》成书划分为几个阶段：初期通过识识相因、口口相传，将用药经验留传下来；而至桐君、雷公之时，在编简有所记载。它和《黄帝内经》相似，非一时一人之功，而是经过后人不断充实修饰而成的。其中所记东汉郡县名称，陶弘景怀疑是东汉末张仲景、华佗等名医增记。也就是说，《神农本草经》的内容渊源久远，但供陶弘景整理的《神农本草经》，有可能是东汉末才定形的。不只是地名，药学内容也有由东汉人增补的，如葡萄、薏苡仁、胡麻、葈耳等（见尚志钧辑《神农本草经校点》）。

我们认为，《神农本草经》并非成书于一时，它经历了口头经验传播、著成文字、形成粗坯、纂为全书的过程。该书所记药物几遍全国，因此，它的主体的形成似当在秦汉一统之后，约在西汉时期，而其在袞为全书时则又经东汉医药家"修饰"。张仲景《伤寒杂病论》及《汉书·艺文志》等汉代文献不著《神农本草经》书名，从一个方面说明了该书的形成确有一个渐进的过程，至少在汉代它还没有发展到成为本草权威著作、为医药家熟知的程度。

〔药数〕　现在习称的载药365种的《神农本草经》是经陶弘景整理过的。陶弘景曰:"今辄苞综诸经,研括烦省,以《神农本经》三品合三百六十五种为主。"所谓"诸经",是指多种经过饰润的《神农本草经》传本,故陶弘景曰:"魏晋已来,吴普、李当之等更复损益,或五百九十五种,或四百四十一,或三百一十九……"可见当时并无统一、准确的药数,陶弘景厘定《神农本草经》药数,恐与其深受当时道家等思想影响有关。宋·郑樵解释说:"经有三品,合三百六十五种,以法天三百六十五度。"

《证类本草》今存《神农本草经》药367种,多出2种,这是后世将《神农本草经》药加以分条的缘故。如日本冈西为人认为"青蘘"是"胡麻"的分条(《本草概说》32页)。《神农本草经》365种具体药名在各辑本中并不一致。正是由于《神农本草经》药物历来存在合并与分条问题,该书全部原出药名很难确定。但有一点是可以肯定的,《神农本草经》药物之间并无重复。

〔药目〕 现存各种《神农本草经》辑本的目录形形色色,如何排列《神农本草经》药物至今争论不休。李时珍《本草纲目》载"《神农本草经》目录",但未注明出处。后世有人认为此目录"章章可考",十分正确;也有人指出这目录不过是从《证类本草》中整理出来的。陶弘景时《神农本草经》已然"三品混糅,冷热舛错,草石不分,虫兽无辨"。这是手抄笔录时代的常见现象。要想寻求《神农本草经》原帙的正确目录,不仅在现在是不可能的,就是在汉代也是不可能的,因为当时《神农本草经》并无定本。

〔分类〕 《神农本草经》创三品分类法,依据的是药物良毒、药性及主治。原书分类宗旨是:"上药一百二十种,为君,主养命以应天。无毒,多服久服不伤人。欲轻身益气、不老延年者,本上经。中药一百二十种,为臣,主养性以应人。无毒、有毒,斟酌其宜。欲遏病补虚羸者,本中经。下药一百二十五种,为佐使,主治病以应地。多毒,不可久服。欲除寒热邪气、破积聚、愈疾者,本下经。"

〔内容·体例〕 陶弘景将《神农本草经》厘为3卷。卷上"序药性之源本,论病名之形诊;题记品录,详览施用";卷中述"玉石草木三品";卷下述"虫兽果菜米食三品,有名未用三品"。(《证类本草》卷1)

卷上实际上相当于今之总论,共有原文13条。其内容包括药物三品分类原则、君臣佐使配合、七情、四气(寒、热、温、凉)、五味(酸苦辛甘咸)、采造时月、真伪陈新、药性调剂宜忌、用药察源、毒药用法、用药大法、服药时间、大病之主等。这些原则,对后世本草理论发展影响甚大。

卷中、卷下相当于各论。《证类本草》白字《神农本草经》药条,于药名下首叙性味，次列主治功效、别名等。例如，"猪苓，味甘，平。主痎疟，解毒、蛊疰不祥，利水道，久服轻身耐老。一名猳猪屎"（《大观本草》卷13）。

其中未涉及生长环境，这与"序例"中提到的"生熟土地所出"缺少呼应。吐鲁番出土的《本草经集注》朱书《神农本草经》，仍有产地生境内容，《新修本草》（敦煌残卷）已将产地改为墨书。但《太平御览》所引"《本草经》曰"仍有产地生境内容，故清·孙星衍等辑本、日本森立之辑本，都在各药条中将"生山谷""生川泽"等资料补入。吐鲁番出土的《本草经集注》残简中，各药性味之下称"主治"某某；《新修本草》为避唐高宗李治讳，删去"治"字；《证类本草》等皆沿袭唐制。此外，有些药物之下，还记有性能、炮制、动物生长环境等，与其他药略有差异。

《神农本草经》以记载各药功效主治为主，是早期临床药学经验的总结。其所载365种药物中，有200余味至今仍在运用。多数药效确切可靠。如水银治疥、麻黄止喘、大黄泻下、海藻治瘿、常山截疟、黄连止痢等。书中涉及内科、外科、妇科等多方面的疾病名称。

〔价值〕　《神农本草经》是现存最古的本草专著，为我国本草发展的基础，具有重要的历史价值。该书所载药物大部分为中医常用药，疗效确实。其词简而旨深，又有着重要的实用价值。这两方面的意义使后世奉此书为经典。

书中也有不少"久服延年神仙"之类的记载，可能与当时方士及服食风气有关，这是受时代条件所限的缘故。

〔流传·辑本〕　该书原书早佚，内容则通过有关书籍保存下来（参见上篇"图1　宋代本草主流形成结构示意图"）。

自南宋以后，开始有《神农本草经》辑佚本。《神农本草经》辑佚本，至少应包括《神农本草经》全部的药物条文（或略加增补及注疏）。按此原则，《神农本草经》有以下辑本。

（1）南宋·王炎辑《本草正经》3卷（约1217）。

（2）明·卢复辑《神农本经》（1616）。

（3）清·过孟起辑《本草经》3卷（康熙年间，约1687）。

（4）清·孙星衍、清·孙冯翼合辑《神农本草经》3卷（1799）。

（5）清·顾观光辑《神农本草经》4卷（1844）。

（6）清·黄奭辑《神农本草经》3卷（1865）。

（7）清·王闿运辑《神农本草》4卷（1885）。

（8）清·汪宏辑《注解神农本草经》9卷（1885）。

（9）清·姜国伊辑《神农本经》（1892）。

（10）近代田伯良辑刊《神农本草经原文药性增解》1卷。

（11）吴保神集注《本经集义》6卷（1932）。

（12）蔡陆仙辑注《神农本草经》3卷（1936）。

（13）刘复辑刊《神农古本草经》3卷（1942）。

（14）尚志钧辑校《神农本草经校点》（1983）。

以上诸本（1932年以前），本书上、下篇均有介绍，可通过查人名索引寻得。

二、《桐君采药录》

〔著录·著时〕　　桐君与雷公，是传说中的我国医药的创始人之二。陶弘景云："至于桐、雷，乃著在于编简。"可见陶弘景把桐君、雷公作为我国最早用文字记录药性者。桐君相传为"黄帝时臣"。《吴普本草》中可见引自"桐君"之论，因此，桐君这个人名至少出现在汉以前。《汉书艺文志拾补》著录《桐君药录》（即《桐君采药录》），故本书亦将其系于1—2世纪。

陶弘景云："又有《桐君采药录》，说其华叶形色。"这是关于该书最早的介绍。《隋书·经籍志》《旧唐书·经籍志》《新唐书·艺文志》《通志·艺文略》《玉海》等书志，均记作《桐君药录》。《汉书艺文志拾补》将该书目收入，并云《太平御览》卷867也引有《桐君采药录》佚文。此外，《东医宝鉴·历代医方》录桐君所著《采药对》《采药别录》二书之目。

该书卷数或作3卷，或作2卷，其中记为3卷者居多。

〔佚文·内容〕　　陶弘景《本草经集注》，明确地引《桐君采药录》文字于"天冬""续断""苦菜""占斯"等条下。从佚文可知，《桐君采药录》的确是一部药用植物专著。它介绍了植物的根、茎、叶、花、实的形态颜色，花期果期，并且注意到某些植物具有叶有刺、根有汁、花从叶出、皮纹理一纵一横等特点，这说明其作者观察入微，描述详细。在汉代出现水平这样高的药用植物辨识专书，是难能可贵的。

另外《医心方》所引"桐君"佚文为一首方剂，《吴普本草》所引"桐君曰"佚文（40余处）以讨论药性为主。这些佚文是否出于《桐君采药录》，尚难臆测。

三、《雷公药对》

〔**释名**〕 雷公为传说中的上古医学人物。该书以论述药性为主。据徐之才《药对》佚文所说"（处方增减）但据体性冷热，的相主对，聊叙增损之一隅"（《政和本草》卷1），则"对"指"主对"。结合本书内容，"药对"实际是说"药性主对"。

〔**著录·著时**〕 陶弘景《本草经集注·序》称："《药对》四卷，论其佐使相须。"陶弘景《药总诀·序》则进一步指出："其后雷公、桐君，更增演本草。二家《药对》，广其主治，繁其类族。"（转引自《宋以前医籍考》）这段话指出，雷公、桐君各有《药对》。但雷公、桐君都是传说中的医学创始人，题以雷公、桐君之名，不过是后人伪托，毋庸赘考。

陶弘景将此书作为最古老的医书之一，但将其排在《神农本草经》之后，吴普、李当之本草之前。因此，其成书时代大约为汉代，今暂附系于1—2世纪。

梁·阮孝绪《七录》载《药性》《药对》各2卷。《旧唐书·经籍志》首次著录《雷公药对》（2卷）。《新唐书·艺文志》作"徐之才《雷公药对》二卷"，说明此时《雷公药对》已然经徐之才订补，但在唐代《雷公药对》这一名称已经固定下来，并有传本行世。而桐君《药对》却未见于书志记载。宋以后书志所载《雷公药对》基本上都是徐之才增饰过的，已非陶弘景所载"《药对》"。本条以讨论陶弘景所称"《药对》"为主。

〔**内容**〕 现存注明出自《雷公药对》的文字，基本上是《嘉祐本草》所引的徐之才《药对》之文字。其中有可能含有古本《雷公药对》的内容，但现在无法甄别开来。有没有古本《雷公药对》的内容存世呢？

日本本草学家冈西为人认为，在《新修本草》中，一类夹在本文（药物正条，大字）和陶弘景注文之间的文字，如"（甘草）术、乾漆、苦参为之使；恶远志；反大戟、芫花、甘遂、海藻四物"，是早于陶弘景的古注。这一类注文集中收载于"序录"中（《政和本草》卷2）。其前有陶弘景叙，谓："《神农本经》相使正各一种，兼以《药对》参之，乃有两三，于事亦无嫌。其有云相得共疗某病者，既非妨避之禁，不复疏出。"由此可知这些注文是以《雷公药对》内容为主的。所以，冈西为人认为，在《神农本草经》正文之后的这类古注（述七情配伍），可能是陶弘景以前的某个人从《雷公药对》中引载于《神农本草经》条文之下，而成为题作"雷公集注"的《神农本草》的内容的。

冈西为人所说的集录药物畏恶等内容的这部分序例，国内尚志钧等本草学者一般简称之为"七情表"。冈西为人的见解是言之成理的。由此我们可以得知：古本《药对》，主要介绍药物相互之间的畏恶反忌等，并有"相得共疗某病"（即配合某些药治疗某病）的内容。后者因与畏恶无关，故"七情表"中省略了此类配伍资料，但其在具体药物条文中仍有残留。

李时珍认为《吴普本草》所引"雷公云"即本书。据尚志钧统计，《吴普本草》中有80多种药引用了"雷公"所说的药性（尚志钧《吴普本草》辑本）。这些"雷公"佚文多载药物性、味、有毒无毒，与陶弘景"七情表"的内容无交叉，故很难明确地判断二者是否出于同书。二者均为早期托名雷公的药学著作，且内容又都偏重于药性，故的确很有可能出于同一著作。

附：徐之才《药对》

〔著录·作者〕　《新唐书·艺文志》著录"徐之才《雷公药对》二卷"。此后宋代书志多数注明系徐之才撰《药对》2卷。

《嘉祐本草》首次明确地介绍此书："《药对》：北齐尚书令西阳王徐之才撰。以众药名品、君臣佐使、性毒相反，及所主疾病，分类而记之。凡二卷。旧本草多引以为据。其言治病用药最详。"

徐之才生活的年代晚于陶弘景，故陶弘景所引《药对》绝不是徐之才所著。而《新唐书·艺文志》载徐之才之书也叫《雷公药对》，故自李时珍以下，一般认为徐之才《药对》是在古本《雷公药对》基础上增修而成的。

徐之才（505—572），字士茂，寄籍丹阳（今江苏南京）；家中数代业医，精于医学。武平二年（571）他被封为西阳郡王，故又称徐王。他有医药著作多种，为南北朝著名医家。

〔佚文〕　该书佚文主要由宋·掌禹锡《嘉祐本草》引录，存于该书"序例"篇中。该篇"诸病通用药"之下有117处引录《药对》，"七情表"引佚文2条，各论引佚文12条。佚文涉及药名、药性、君臣佐使、功效主治等。《嘉祐本草》称此书"言治病用药最详"，大概是指该书今存于"诸病通用药"中的那部分内容。作为南北朝时著名的临床药学专著，该书仍有它一定的历史地位。

四、《李当之本草》《李当之药录》

〔作者〕 李当之，一作谙之，魏晋时人。《蜀本草》注："华佗弟子。修神农旧经，而世少行。"陶弘景云："魏晋已来，吴普、李当之等，更复损益（《本草经》）。"是知李当之确修撰过《神农本草经》。《隋书·经籍志》著录《李谙之本草经》1卷、《李谙之药录》6卷。《新唐书·艺文志》《旧唐书·经籍志》著录《李氏本草》3卷。《补三国艺文志》则记有《李谙之药录》3卷。原书今佚，难知其全。其成书年代约在魏初，同为华佗弟子的吴普，至魏明帝（227—240）时尚存，则李当之撰书年代亦当附系于220—230年。

〔佚文·内容〕 一般认为《李当之本草》和《李当之药录》是两种书。但现存佚文有时难以判别出自何种。

《李当之药录》和《李当之本草》在《证类本草》中的佚文较多，或称《李氏本草》，或简作"李云"（"李"字又或误作"季氏"）。这些佚文是通过多种本草陆续摘引下来的。据马继兴《古佚丛书》（稿本）统计，《吴普本草》引其佚文53条，陶弘景引16条，《新修本草》注引6条，《蜀本草》注引2条，苏颂《本草图经》引2条。这些条文或有重复。

《吴普本草》所引"李氏"（或作"季氏"）条文，绝大多数与药性有关。陶弘景所引多为《李当之药录》内容。其内容较广泛，主要是有关药物基原的讨论，且其记有一些药物的别名，并有些关于药物形态的叙述。《新修本草》所引也有几条与药物品种相关。但其所引也有关于药品优劣、采收季节及配伍宜忌等的记载，见鲍鱼、伏翼、茯苓等药下。此外，《太平御览》引《李当之药录》2条。《说郭》有《李当之药录》1卷，记药名11味；另有5条服食内容的佚文。其中"槟榔，一名宾门"与《太平御览》所载相同。

从以上佚文分布来看，陶弘景，及《太平御览》《说郭》所录多题为"《李当之药录》"；《新修本草》所引题作"《李氏本草》"；《吴普本草》则仅注"李氏"。这些佚文有一些相同点，但是否为异名同书所出，尚难臆定。

五、《吴普本草》

〔作者·成书〕 吴普，广陵（今江苏江都）人，三国时名医华佗的弟子。

《后汉书·华佗传》附述其事。

尚志钧考证吴普90岁时，接近239年。即吴普约生活于150—239年。他撰写本草的时间为208—239年。

〔著录·流传〕　梁·阮孝绪（497—536）《七录》载"华佗弟子《吴普本草》六卷"，《旧唐书·经籍志》记作"《吴氏本草因》六卷，吴普撰"（《新唐书·艺文志》同此），《通志·艺文略》亦记"《吴普本草》六卷"。下此以往的书志则未记载此书。

梁·陶弘景《本草经集注·序》中首次提到："魏晋已来，吴普、李当之等，更复损益。或五百九十五，或四百四十一（即吴普书药数），或三百一十九。"这段话除表明《吴普本草》当时已有流传外，还大致介绍了当时同类书在分类、内容上的一些粗略散乱情况。北魏·贾思勰《齐民要术》（533—544）"龙眼"条引有该书内容。

唐代一些类书也开始摘引该书资料。欧阳询《艺文类聚》、徐坚《初学记》都引有该书条文。北宋初《太平御览》引用此书条文最多，尚志钧从中辑《吴普本草》药物193种，剔除重复后亦有191种。日本冈西为人仅辑得169条，剔去重复，合药164种（《宋以前医籍考》）。据尚志钧考证，《太平御览》所引《吴普本草》的药物，既不是从唐代类书中转引的，也不是完全抄袭《修文殿御览》旧文，其中可能有一部分是参阅《吴普本草》原书增补而成的。

本草著作中，《蜀本草》"假苏"条引有《吴普本草》内容，且注云"《吴氏本草》一卷"。引用该书最多的是《嘉祐本草》（40余条）。《本草图经》引《吴普本草》药6种。《嘉祐本草》首次予以解题："《吴氏本草》，魏广陵人吴普撰。普，华佗弟子，修《神农本草》成四百四十一种。唐经籍志尚存六卷。今广内不复有，惟诸子书多见引据。其说药性寒温五味，最为详悉。"其后唐慎微《证类本草》大枣、梅实二药下还引有《吴普本草》。可见此书散佚的时间大概是在宋代。

〔佚文·内容〕　原书6卷。今尚志钧辑本得药200余种。排比佚文，可以略窥该书原貌。该书述药有一个大致的次序，即药名→别名→性味类集→产地及生长环境→形态→采集时间→加工→主治→畏恶等。其所载别名和药性类集比较丰富。类集诸家药性，又是该书最突出的特点。该书介绍药性，不像《神农本草经》《名医别录》等书只收一家之言。它在药性介绍中一共引证了9家的意见，这9家是：神农、黄帝、岐伯、雷公、桐君、扁鹊、季氏（或作李氏，一般认为即李当之）、医和、《一经》。每一家的药性，都在很多药物中出现。如"神农"药性在120余种药物下出现。其中有一些性味与《神农本草经》所载不同，这就提示，吴普所引"神农"很可能是其他托名神农所撰的本草，或《神农本草经》的不同传本。通过吴普的引述，我们了解到在魏晋以前还有多种多样的本草著作。它们虽然有的托名神话中的人物，但实际上从一个侧面反映了我国早期本草发展的蓬勃局面，补充了古代书志的缺漏。类似情况还可见于该书"狗脊"条，吴普引《岐伯经》云："茎无节，叶端员、青赤，皮白有赤脉。"由此可知古代还有《岐伯经》这样的医药书记载了药物的形态。《吴普本草》在药性方面可以说是汇总了魏以前的研究成果，倍受后世重视。

与《神农本草经》相比，《吴普本草》在产地及生态方面记载得更为详细具体，大量引用了具体的地名。《吴普本草》对药物形态有了简洁的描述，并记有一些采造时月及加工方法，而《神农本草经》主要介绍药名、异名、性味、主治功用及生长环境，对药性类比、具体产地、药物形态、采造时月则基本上没有涉及。《吴普本草》所记功效主治较简略，且其中很难见到类似"神仙不老"之语。例如，"矾石"条，《神农本草经》云"坚骨齿，轻身不老增年"，而《吴普本草》则说"久服伤人骨"。这些差别似乎表明，作为一名医药家的吴普，更注重药物的实际效果，而较少被神仙方士之说所束缚。该书所载药441种，比一般认为的《神农本草经》365种要多，表明当时药物较汉代又有了新的发展。

〔辑本〕　清·焦循辑《吴氏本草》（1793），上海图书馆藏其手校稿本。此书共收药168种。

孙星衍等辑的《神农本草经》中，也收录了《吴普本草》的内容，附于《神农本草经》药条下。但其将《神农本草经》署名"魏·吴普等述"，并不妥帖。

尚志钧于1961年辑成《吴普本草》（芜湖医学专科学校油印），以供国内交流之用。该辑本采用《太平御览》及《政和本草》（晦明轩本）为主要资料来源，兼参他书。其收药200余种，按玉石、草木、虫兽、果、菜、米食分类，不设卷次。书后附"《吴普本草》的研究"一文，就《吴普本草》著述年代、著录、流传、散失时间、内容及与《神农本草经》的区别等问题展开讨论。

六、《名医别录》

〔释名〕　《新唐书·于志宁传》云："《别录》者，魏晋以来吴普、李当之所记……附经为说，故弘景合而录之。"这部分"附经（指《本经》）"之说，陶弘景称之为"名医副品"。据此可知,《名医别录》乃因记录了魏晋名医的药学论说而得名的。

〔作者〕 《隋书·经籍志》首次著录时题为"陶氏撰",无名字。李时珍直将"陶氏"认作陶弘景。因此,《本草纲目》时常将《名医别录》与《本草经集注》的内容混引。但李时珍之误,恐还是源于南宋·郑樵。《通志·艺文略》曰:"《名医别录》三卷,陶隐居集。"矛盾的是,同书《通志·校雠略·书有名亡实不亡论》又说:"《名医别录》虽亡,陶隐居已收入本草。"这又否定了陶弘景撰《名医别录》。近代学者对此续有考证,然众说纷纭,莫衷一是。我们认为,《名医别录》"附经为说"的内容是魏晋以来许多名医增录的,不是陶弘景所撰。因此,像李时珍那样引用《名医别录》之文却冠以"弘景曰"是不对的。从情理上来说,陶弘景自己不会用"名医"来命名自己的著述。陶弘景将《名医别录》资料辑入《本草经集注》时,明确指出这是"名医副品"。《本草经集注》中的陶弘景注文经常对《名医别录》内容予以评述,甚至从中可以看出陶弘景对《名医别录》的一些记载并不理解或持有异议(见"夏台"等条)。不仅如此,陶弘景还批评了《名医别录》的一些记载(见"勒草"等条)。故陶弘景非《名医别录》原书条文的初撰者已属无疑。

有争议的是使该书最后定型的整理者是不是陶弘景。尚志钧在《中华医史杂志》(1985年2期)发表"《名医别录》作者的讨论"一文,认为"《名医别录》在陶弘景作《集注》前,泛指《本草经》内名医增录资料。待陶氏《集注》完成之后,陶弘景才把《本草经》内名医增录的资料汇集成《名医别录》一本书"。因此,尚志钧将陶弘景作为使《名医别录》最后定型的整理者。

日本冈西为人根据女萎萎蕤、雷丸、茵陈蒿、芒硝、玄石、前胡等药中的陶弘景注文,推测"在弘景之前就有称作《名医别录》的书存在,弘景可能是从中择要,仿《本经》之文撰成黑大字"(《本草概说》36页)。因为以上药条的陶弘景注已提到了《名医别录》一名,并对《名医别录》内容提出了质疑。

以上二说的详尽依据本文不赘引。概言之,《名医别录》的原著者为魏晋名医。其是否经陶弘景整理定型尚有争议。然今存于《证类本草》的黑大字《名医别录》内容属陶弘景摘编当属无疑。

〔成书年代〕 一般认为该书的主体内容形成于魏晋。《名医别录》所记郡县名称均为东汉以前地名(马继兴《中医文献学基础》),这也提示它的形成年代不会早于东汉。在传抄的过程中,其中有可能掺入了后世的内容(见"藕节"条)。

在手抄书籍的时代，这种现象是常见的。今依其书主要内容，将该书成书年代系于魏晋间（约3世纪）。

〔卷·药〕 3卷。《名医别录》补充了《神农本草经》药的许多新功效、新用途。陶弘景又择取了其中新增药365种（以符周天之数），将之与《神农本草经》365种药（条文中有《别录》附补内容）同载入《本草经集注》。但陶弘景并没有将《名医别录》新增内容全部收容。唐·苏敬《新修本草》又引《名医别录》43条、李珣《海药本草》引3条、李善《文选》注引2条、萧炳《四声本草》引1条、杨上善《黄帝内经太素》注引1条、孙思邈《千金要方》引1条、陈藏器《本草拾遗》引1条、宋《太平御览》引10条（见马继兴《中医文献学基础》）。去其重复或自《本草经集注》转引者，可知《名医别录》议药已超出730种。尚志钧辑得《名医别录》药745种。

〔体例〕 见于《本草经集注》的《名医别录》药条，在书写形式上同《神农本草经》，即以药物正名、性味、主治功用、异名、产地、生长环境、采集加工为序叙述药物。这一格式与《太平御览》所引《神农本草经》条文并不相同。《太平御览》引文中药条的叙述顺序依次为药物正名、异名、性味、生长环境、主治功用、产地（可比较"升麻"条）。《太平御览》所引《神农本草经》药条内容，在《证类本草》中有的是标为《名医别录》药的（共10处）。二者格式不一样，表明现存《证类本草》所引的《名医别录》条文均经陶弘景改编过。据推测，《名医别录》可能采用了朱墨分书或小字注的形式，使后人能将它与《神农本草经》文字区别开来。

〔内容〕 《新唐书·于志宁传》谓《名医别录》"言华叶形色，佐使相须"，但现存该书内容中偏偏缺少了"华叶形色"。现存《名医别录》的内容可分为两种形式，一是完善或补充《神农本草经》，二是另增新药。它在《神农本草经》基础，增补了药物的性味良毒、功效主治，及药物别名。它进一步丰富了《神农本草经》内容。在填补空白方面，其记载了药物的具体产地的郡县名称、采集时月及加工方式。这两部分内容可称得上是《名医别录》的特殊之处。地名的众多和涉及地域的广泛，说明该书所集药物资料的范围十分广阔，也表明当时药物已经在很大的区域内流通。

《名医别录》所记的药物的采集时月、药用部分及加工都是十分简单的。尤其是药物加工，多数仅记"暴干""阴干""蒸干"，这属于产地原药材加工。至于进一步的炮制资料，其记载的极少。其中少数药物略载基原形态及优劣标准（见

"雀翘"条）。

该书补充的药效较之《神农本草经》更切实用，且其中神仙不老之说较少。该书发展了《神农本草经》的药效内容，如甘草、橘柚止咳，枣仁止汗安眠，陈皮、半夏止吐，桑螵蛸止遗溺遗精，薏苡仁利肠胃消水肿，川楝子驱蛔虫等。此外，《名医别录》还增添了近 400 种药。其中虽有相当一部分为今人所不识，但有近 100 种药为现在所常用。例如，桂枝发汗，百部、枇杷叶止咳等。《名医别录》以其丰富的内容在本草史上占有重要的地位，被作为仅次于《神农本草经》的早期药学经典而受到后世的重视。

〔流传〕　该书在隋唐流传较广，唐代的《新修本草》等多种医药书及类书都予以摘引。日本冈西为人从《新修本草》摘引《名医别录》40 余条，且从所摘多为虫兽部药物这一角度分析，认为可能在唐代已无该书完本。宋代多种官修本草均未引录该书，故宋代有无此书存世不详。

清·姚振宗还误以《名医录》（可能是甘伯宗《历代名医录》的简称）作《名医别录》（《隋书经籍志考证》）。

〔辑佚〕　1964 年尚志钧辑《名医别录》3 卷。1966 年后原稿遭劫失落。1970 年后尚志钧又整理一简化稿。此稿由皖南医学院于 1977 年油印，并在国内发行。1986 年人民卫生出版社铅印之。台湾学者那琦、谢文全亦有《重辑名医别录》刊行。

另，清·陈修园《医书五十种》刊有黄钰编的《名医别录》。这是一种同名之书，其内容与古《名医别录》大异，详参下篇"《本经便读》（附《名医别录》一卷）"。

七、《本草经集注》

〔作者〕　陶弘景（456—536），字通明。因避讳，其名又作宏景。其为丹阳秣陵（今江苏南京）人，为南北朝时期著名医药学家；好读书，"一事不知，深以为耻"。他精天文历算、山川地理及医术本草。永明十年（492）陶弘景辞官隐居句曲山（即茅山，南京东南），号华阳隐居，人称陶隐居。其谥为贞（正）白先生，故后世又称其陶贞白。他著述甚富，有《本草经集注》《补阙肘后百一方》等数十种。其著述与本草有关者详见本书下篇。

〔成书〕　《本草经集注》的成书年代无明确记载。其"序录"云："余自投缨宅岭……又补葛氏《肘后方》三卷。"据此则其成书时间当在《补阙肘后百一方》之后。但《补阙肘后百一方·序》又说："太岁庚辰（500），隐居曰：余宅身幽岭，迄将十载……凡如上诸法，皆已具载在余所撰本草上卷中。"如此则《本草经集注》又可能在500年之前。参二说，可知陶弘景隐居（492）之后，即着手编写医药书籍。此二书的撰写可能同时进行，故二者可互见。今据此将该书成书年代附于500年。

〔组成〕　该书以《神农本草经》为基础，又补入"名医副品"，加上陶弘景自家的解说而成。全书由"序录"（类似总论性质）和药物部分（相当于各论）两部分。"序录"除注释《神农本草经·序录》文之外，还创制了"合药分剂料理法""诸病通用药""解百药毒""服药食忌例""凡药不宜入汤酒者""七情表"等（原书无标题，为研究方便，暂拟以上题目）。药物部分则分类叙述各药（详见下项）。陶弘景首创的这一本草编写范例为后世大多数本草沿用。

〔卷·类·药〕　7卷。该书"序录"中记有："右三卷（指《本经》一编者注）。其中下二卷药，合七百三十种。各别有目录，并朱墨杂书，并子注。今大书分为七卷。"这表明原书是7卷本。该书由梁·阮孝绪《七录》（520—527）著录。《隋书·经籍志》等书转载之，亦均作7卷。

陶弘景创造了按自然属性来分类药物的方法（简称自然分类法）。从该书"七情表"（有关药物七情畏恶的一类资料），可以看出该书分药物为玉石、草木、虫兽、果、菜、米食六类，又把有些基原不明或已不用的药物归入有名无用类（可见《新修本草》辑录）。后一类实际上是附设的，与前六类有性质上的区别。

该书的自然分类法较之《神农本草经》的三品分类是一个具有突破意义的进步。它按药物本身的种类、形态来归类，说明了各药不仅只在药效方面大致相似，而且在形体上有联系。当然，这种分类还是相当粗略的，所以《新修本草》批评陶弘景"岂使草木同品、虫兽共条，披览既难，图绘非易"。陶弘景虽然创立了新的分类方法，但其中仍然带有旧三品分类的痕迹。即在各类之中（有名无用类除外）又分上、中、下三品，仍然保留《神农本草经》三品分类内容。从文献意义上说，他在不影响自然分类的前提下，保存了古本草的素朴面貌。

在药品数目方面，本书乃合《神农本草经》《名医别录》而成，共得药730种。这些药物在《新修本草》及宋代诸本草引录时，曾有一些被合并或分条。《新修本草》虽明文记载在《本草经集注》基础上增药114种（合计844种），而现今经实际统计得知《新修本草》收药850种，这种现象就是药物分条造成的。

〔体例〕　该书由《神农本草经》《名医别录》，以及陶弘景注三大部分组成。

为了保存文献原意，陶弘景创用朱墨分书、大小结合的原则。即大字书写药条正文，小字注出疏解内容；用朱（红字）写《神农本草经》、墨（黑字）写《名医别录》。陶弘景自家注文则用小字。另，夹在陶弘景注与大字正文中间的小字"七情表"注文，据考主要是《雷公药对》的内容，详参"《雷公药对》"条。这一区别文献出处的方法，在当时印刷术未发明、药物资料不多的情况下，使各文献出处简易明了。

今存该书的吐鲁番残简及《新修本草》敦煌残卷，从二者中都可以窥见当日朱墨分书的旧貌。

〔内容·意义〕　《本草经集注》是我国药史上一部划时代的专著。它既系统整理了南北朝以前散乱的药学资料，又建立了新的分类和编写体例，并对药物基原进行了第一次广泛而深入地探求。该书承上启下，开拓了延续数百年的以药物基原为重点的药学发展局面。我国医史学家范行准将该书作为第一部药典；日本本草学家冈西为人也认为，从中国后世本草都以该书为基干编成这一点来说，它是中国药局方事实上的第一版（《本草概说》51页）。

就学术内容而言，该书突出贡献有二：一是充实发展了《神农本草经》药学理论及原则，二是开展了系统的药物基原的考察。前者集中反映在"序录"，后者则散见于各药条下。

"序录"中陶弘景个人新增资料甚多，大致可分成对《神农本草经·序录》的阐释及本草各专题集论两大部分。针对《神农本草经》十三条理论论述，陶弘景逐条疏解，并结合处方用药实际，表明了他自己的见解，这为我国中药理论增添了重要内容，对指导临床用药有十分重要的意义。

其次，陶弘景补充了大量的相当于现在制剂学、炮制学、中药鉴定学等方面的理论和实际操作原则。陶弘景揭示了当时存在的药物作伪现象，对药物采集的时月、古秤分量折合、丸散汤膏的制法要点、煎汤合药注意事项、药物炮制、制剂方法及原则等，均有详细论述。

"诸病通用药"为陶弘景首创，是一种为方便临床用药而设的专篇。它以病为纲，类列药物，注出药性。这部分内容经宋代诸本草学家增补，到《本草纲目》时已大成，发挥了类似临床用药手册的作用。在这一篇中，陶弘景又开以病类药之先。"解百药及金石等毒例"是本草中最早的解药毒专篇。受此影响，后世本草、医方书中多设此专题。其他如"服药食忌例""凡药不宜入汤酒者"及"七情表"，分别记载了药物服用及配伍方面的资料。

117

应该提出的是，在该书"序"及"序录"中，陶弘景提供了许多可靠的医药发展史料，这也是该书的价值所在的一个方面。

各论中陶弘景补充的资料的涉及面也很广泛，但其重点是对药物品种和产地的讨论。用陶弘景自己的话来说，即"分别科条，区畛物类；兼注铭时用土地所出，及仙经道术所需"。该书不仅解释了古地名所在，还介绍了当时的药物产地、药物生长环境。该书还评述了药物优劣真伪，描述了药物形态及其与相似品种的鉴别要点，并交代了药物不同品种对服用效果的影响。陶弘景记载了很多他本人及当时医药学家的实际辨药经验（见常山等药下）。

陶弘景及其本草著作对我国药学发展影响深远。他虽然把药学起源仍归于神农，但却认为要取得药学新知，必须注重"田舍试验之法，殊域异识之术"。"藕皮散血，起自庖丁；牵牛逐水，近出野老"，他已认识到具有丰富实际经验的劳动人民是新的药学知识的发明者。但是由于陶弘景所处地域、历史条件，以及他个人思想方法的限制，《本草经集注》还存在不少缺点。陶弘景信奉道家思想，故其书多录方士、神仙之言，讲究服食、辟谷等。《新修本草·孔志约序》中批评此书"时钟鼎峙，闻见阙于殊方；事非金议，诠释拘于独学"，并继而列举了该书中品种混淆的情况，指出了陶弘景失误的原因。

〔著录·实存〕 《隋书·经籍志》《旧唐书·经籍志》《新唐书·艺文志》等均予著录。唐《新修本草》即以该书为基础修成。《新修本草》一经颁行，《本草经集注》就渐次隐没。《太平御览》引有不少该书的佚文。

《新修本草》以该书为蓝本，因此其内容被囊括进去了。《新修本草》各论部分的小字注文（《证类本草》用"陶隐居云"表示）则系该书内容。《新修本草·序例》中的黑大字也是陶弘景所增。现可据《证类本草》查阅其有关内容。

近代发现了该书的断简残编，现简介如下。

其一，吐鲁番出土的残简一片，上载燕矢、天鼠矢、鼺鼠三药条文及豚卵一药的部分注文。该残简朱墨杂书，不避唐讳，可见是唐以前的抄本，是如实反映《本草经集注》原式的珍贵文物资料。该残简现藏于德国普鲁士学院。1933 年日本黑田源次从该院取得照片并予以介绍。万斯年《唐代文献丛考》（附译黑田源次考证文）及罗福颐《西陲古方技书残卷汇编》曾影抄该残卷，使之得以传世。

其二，敦煌出土的卷轴本残卷。此残卷为该书"序录"1 卷，卷首缺 3 行，余皆完具。卷末有"开元六年九月十一日尉迟卢麟于都写本草一卷，辰时写了记"字样，这说明此残卷是开元六年（718）的写本。文首有朱点，无朱墨杂书。日本冈西为人介绍："（此卷）是橘瑞超师于明治四十一年（1908）受大谷光瑞师之命，往中亚细亚探险，从敦煌石室带来的。"（《本草概说》53 页）而这种"探险"实际上是掠夺。这一"序录"残卷在民国年间由罗振玉影印，收入《吉石盦丛书》，题名为《开元写本本草集注序录残卷》。1955 年上海群联出版社又影印《吉石盦丛书》本。故其馆藏甚众。

〔辑佚〕 现知有两种辑本，一是日本森立之等人所辑《重辑神农本草经集注》7 卷，一是国人尚志钧辑《本草经集注》。森立之本现有稿本 2 部。嘉永二年（1849）完成的第一稿藏于日本国立国会图书馆。嘉永四年（1851）誊清者，为第二稿，原系罗振玉藏本。该书第一册已根据《顿医抄》《医心方》校勘过，第二册（卷 2）以下还未校。冈西为人认为，此书恐怕是继小岛宝素（1848 年殁）复原《新修本草》之后续辑而成的，可能是以森立之辑复《神农本草经》的工作为基础而辑成的（《本草概说》52—53 页）。

尚志钧本完成于 1961 年，由芜湖医学专科学校油印，在国内学术界流传。该本尽量以最早资料为底本，如"序录"取敦煌出土者为底本，校以《证类本草》。凡《新修本草》残卷述及的玉石、木、兽禽、果、菜、米谷、有名无用等内容，即以之为底本，余则求助于《证类本草》。

附：《药总诀》

〔著录〕 宋《嘉祐本草·补注所引书传》介绍："《药总诀》，梁·陶隐居撰。论次药品五味、寒热之性，主疗疾病，及采畜时日之法。凡二卷。一本题云《药像敦诀》。不著撰人名氏，文字并相类。"（此据《政和本草》）《药像敦诀》，《大观本草》引作《药像口诀》；《嘉祐本草》在引用时则简作《药诀》。

《崇文总目辑释》《通志·艺文略》均著录《药总诀》1 卷，不著撰人。《通志·艺文略》另有陶隐居《集药诀》一书，丹波元胤《医籍考》疑其重复录载。《宋史·艺文志》有《制药总诀》1 卷，《宋以前医籍考》亦将其归于"《药总诀》"条下，书佚失考。《药总诀》成书年代附系于《本草经集注》成书年代。

〔佚文·内容〕 《陶贞白文集》载《药总诀序》。这是一篇十分重要的早期药学发展史料。其介绍了作者对本草著作起源发展的看法，也叙述了作者撰《药总诀》的主旨。作者把古本草归于神农（《神农本草经》）、雷公（《药对》）、桐君（《药对》）三大家。由于其年代久远，传写遗误，造成了使用上的困难，陶弘景集而为《药总诀》。

从该书序言可知，其重心在与临床用药相关的项目上，即《嘉祐本草》所说的"论次药品五味、寒热之性，主疗疾病，及采著时日之法"。此书与《本草经集注》主要讨论药物基原产地不同，二书相辅而行，相映成趣，表现了一代本草学家陶弘景的深思熟虑。惜原书无存，今有若干佚文可见于《证类本草》中（《嘉祐本草》原引）。

八、《雷公炮炙论》

〔作者〕 雷公，指雷敩，非指上古传说中的名医。雷敩生平无考，其生活时代亦有争议。

〔成书年代〕 近人众说纷纭，莫衷一是。大致有四说：①刘宋（420—479）；②隋（581—618）；③五代后梁（907—923）；④北宋（960—1127）。古代也有不同的记载。苏颂说："雷敩虽隋人，观其书，乃有言唐以后药名者，或是后人增损之欤。"（《证类本草》"滑石"条）苏颂以博古著称于时。他认为雷敩是隋人，或有所本。南宋·赵希弁《郡斋读书后志》载："雷公炮炙三卷。古宋·雷敩撰，胡洽重定。述百药性味炮煮熬炙之方。其论多本之乾宁晏先生。敩称内究守国安正公，当是官名。未详。"根据这一段记载，后人推测出了不同的结论。

认为该书成于刘宋者，系依据赵希弁文中所记的"古宋""胡洽"。古宋即刘宋。与赵希弁同朝代的晁公武的《郡斋读书志》卷15也认为该书由"古宋·雷敩撰"。丹波元胤《医籍考》云："胡洽名见于刘敬叔《异苑》，彼加重定，则当为宋人矣。"胡洽原名道洽，因避齐太祖萧道成讳，剔除"道"字。胡洽为刘宋时人，刘敬叔《异苑》云："胡道洽者，自云广陵人，好音乐医术之事。"他著有《百病方》2卷（《隋书·经籍志》）。《肘后方》亦引胡洽方。根据这些理由，现在将该书作为南北朝刘宋时所撰的意见比较通行。

李时珍据赵希弁所说"其论多本之乾宁晏先生"，将"乾宁"作为唐末昭宗年号（894—898），这与李时珍同意雷敩为刘宋人是矛盾的。尚志钧经考证认为《雷公炮炙论·序》是唐以后的托名之作，是参考陈藏器《本草拾遗·序》及其他书撰写而成的。由于这两书均引有《乾宁记》，而《本草拾遗》成书（739）早于唐末乾宁年间，所以"乾宁"并不一定是年号。

《雷公炮炙论》在手抄流传过程中，很有可能掺入了唐代以后的药物和资料，因此据书中有唐以后的内容并不能断定其最早成书于唐代或五代。敦煌出土的唐以前医书《五脏论》载："雷公妙典，咸述炮炙之宜。"朝鲜《医方类聚》卷4转引的《五脏论》云："雷公妙典，略述炮炙之宜；弘景奇方，备说根茎之用。"结合宋代学者的记述，则该书的最早成书时间似应为刘宋，最晚也不会在隋以后。至于其序言或某些药物资料，有可能是后人掺杂于其中的。

〔**卷·药**〕　该书序文之末云："某不量短见，直录炮熬煮炙，列药制方，分为上、中、下三卷，有三百件名，具陈于后。"据尚志钧所辑佚文，此书有药288种。经核查发现，唐慎微援引"雷公曰"药物271种，其中《神农本草经》药167种，《名医别录》药45种，《新修本草》药27种，《开宝本草》药28种，《嘉祐本草》药2种，《证类本草》药2种。该书所出《新修本草》及其以后的59种药中，有一些可能是后人掺杂补充进去的。

〔**内容·特点**〕　从现存该书佚文中，可见其除引用《乾宁记》一书外，未转录他书资料。各药内容以实际炮制操作为主。书名"炮炙"，但其文多称制药为"修""修事""修合""修治""使"等。所记制药方法大致有：①净选，计有净拣、去甲土、上粗皮、去节并沫、揩、拭、刷、刮、削、剥等；②粉碎切制，计有切、剉、擘、搥、舂、捣、碾、杵、研、磨、水飞等；③干燥，计有拭干、阴干、风干、晒干、焙干、炙干、蒸干等；④水、火制，计有浸、煮、煎、炼、炒、熬、炙、焙、炮、煅等；⑤加辅料制，如苦酒浸、蜜涂炙、同糯米炒、酥炒、麻油煮、糯泔浸、加各种草药制等。

该书在叙述药物炮制之前，经常先说明炮制药品的特征及其与混淆品的区别。例如，"黄精，凡使，勿用钩吻，真似黄精，只是叶有毛钩子二个，是别认处。若误服害人。黄精叶似竹叶"。但是该书提出的部分混淆品的名称及形态，在其他古本草中很少见到，故难以对其进行鉴定。炮制药物首先鉴别真伪，是一种良好的做法。这一传统自《雷公炮炙论》肇始，一直为药业人员所重视和承继。存于此书的这部分药材鉴别经验，是中药鉴定时的重要参考资料。

对于炮制所起的作用，本书有较多的介绍（见"白垩""半夏"等条）。在药材部位的修治净选方面，本书有许多特殊要求。其中对后世影响甚大的有人参去芦，当归分头、身、尾等。

《雷公炮炙论》中的许多方法过于烦琐而不切实用，甚至带有浓厚的道家色彩（见"磁石"等条）。故后世制药直接沿用《雷公炮炙论》所载方法的并不太多。但该书对操作要求、辅料数量、修制时间等均有精确的记载（包括数据），这一点对后世的影响是不可忽视的。《雷公炮炙论》作为我国第一部系统的炮制专书，受到古今药业人员的尊崇。书中的若干制药方法和选药要求至今仍可产生实际影响。

〔**版本·流传**〕 《五脏论》已提到了该书，但唐代其他的方书（如《千金方》《外台秘要》等书）并未记录之，这说明它的流传还不广。五代《蜀本草》引有本书书名（见"钩吻"条）。北宋嘉祐年间《本草图经》明确提到该书的作者。宋代的晁公武《郡斋读书志》、赵希弁《郡斋读书后志》著录了此书。沈括、洪迈也都曾提到《雷公炮炙论》。直到唐慎微《证类本草》，才第一次大量引述该书（计242条，涉及药名277个）。后世多种本草所引《雷公炮炙论》，都是转引自《证类本草》。

明清以后，有多种书将"雷公炮制"嵌入他们的书名之中。如钱允治增补的《雷公炮制药性解》（见下篇"《雷公炮制药性解》"条）、余应奎《太医院补遗本草歌诀雷公炮制》（见下篇"《太医院补遗本草歌诀雷公炮制》"条）、俞汝溪《新刊雷公炮制便览》（见下篇"《新刊雷公炮制便览》"条），都曾将《雷公炮炙论》条文摘引于其书各药正文之后。但它们都不以《雷公炮炙论》条文为正条及主体，并不能算该书的辑本或辑注本。最早的真正意义上的该书辑本是近代张骥所辑《雷公炮炙论》，但此辑本所辑佚文仅180余条，并不全面。今有尚志钧辑《雷公炮炙论》（皖南医学院科研科油印，1983），其辑录资料全面，并附有校注及文献研究论文数篇。

第二章　隋唐五代

（581—960）

一、《药性论》

〔命名〕　　该书以讨论药物性能为主，故名。

〔作者〕　　《药性论》现存佚文皆为北宋时《嘉祐本草》所引录。《嘉祐本草·补注所引书传》载："《药性论》：不著撰人名氏。集众药品类，分其性味君臣主病之效。凡四卷。一本题曰陶隐居撰，然所记药性功状，与本草有相戾者，疑非隐居所为。"然而李时珍《本草纲目》曰："《药性论》，即《药性本草》，乃唐·甄权所著也。权扶沟（今属河南）人。仕隋为秘书省正字。唐太宗时，年百二十岁。帝幸其第，访以药性，因上此书。授朝散大夫，其书论主治亦详。"李时珍此说流传甚广，引用的人多，现一般均采此说。

对李时珍此说首先表示怀疑的是日本的丹波元胤。他说："按《隋志》所载《甄氏本草》，与立言《本草药性》，疑是同书。若《药性论》，亦岂一书欤。至李时珍说，恐难信据。"（《中国医籍考》卷12）近人范行准则考证此书为五代后周·孟贯著，其主要依据五代·陶谷《清异录》和日本的源顺《倭名类聚抄》所引而定。

尚志钧在《辑校〈药性论〉序》中也怀疑此书系甄权所撰，理由是其中有唐代中期出现的药物。如骨碎补至开元年间（713—741）皇帝始予命名；元和十二年（817）始有"补骨脂"传入的记载等。在此问题没有得到进一步的考证之前，本书仍从旧说，暂将作者题为唐·甄权（541—643），将成书年代附于627年（即唐太宗贞观元年）。

〔卷·药·内容〕　4卷。原书已佚。北宋·掌禹锡撰《嘉祐本草》时，共引该书资料419条。其中"药物畏恶有相制相使"条例，引录47条；各卷药物以《药性论》资料作注文的有370条。另，"玄明粉""马牙硝"两条被掌禹锡收作正条。除去少数重复内容，《嘉祐本草》实有404条该书资料。这部分资料现存于《证类本草》中。明·李时珍又加转引，但多对其进行窜切或化裁（注以"药性""甄权""权曰"等）。

该书列述药物正名、性味、君臣佐使、禁忌、功效主治、炮制制剂及附方等。其对君臣佐使及禁忌较为关注。该书标明君药76种，臣药72种，使药108种。其中有些药物下还注明了单用或配伍宜忌等。关于服药时的饮食宜忌，此书也有不少记载，如云麝香禁食大蒜，乌头、天雄忌豉汁，桂心忌生葱，茯苓忌米醋等。在20余种有饮食禁忌的药物中，以忌羊血者最多（如硇砂、阳起石、钟乳石、半夏等7种）。故尚志钧推测此书真正的作者可能是北方人。该书少数药物下有归经络或脏腑等的记载，如龙胆归心，蓼实归鼻，蓝实治络中结气，牛蒡达十二经脉等。

对于药物良毒，该书有一些新的认识。如丹砂，《神农本草经》云"无毒"，《日华子本草》云"微毒"，该书作"有大毒"，且云："《本经》以丹砂为无毒，故多炼冶服食，鲜有不为药患者。"在当时这种认识是有其先进性的。此外，该书在叙述药物功效主治时，有一些新的补充。如其指出"藕节捣汁，主吐血不止，口鼻并皆出血"；补充了羌活的功效，谓此药可"治贼风失音不语，多痒，血癫，手足不遂，口面㖞斜，遍身瘫痪"等。

该书各药下多附有方剂（如石灰、葑茹、大麻子，蓼实、苏子等），这些附方多为《本草纲目》所转录。在若干药物下，记有炮制（如连翘去心等）制剂（如蟾蜍取眉脂以朱砂、麝香为丸等）方法。该书专于论药性功治，简明详备。该书作为我国本草史上早期的药性专论，对后世有较大的影响。

〔辑本〕　1982年尚志钧辑校《药性论》（4卷，404药）；次年皖南医学院科研科将其油印以使之行于世。

二、《新修本草》

〔命名〕 一名《唐本草》，为唐代政府组织编修的一部药学著作。该书以《本草经集注》为基础重新校修，故名。

〔作者〕 显庆二年（657），苏敬上书倡修本草。孔志约云："朝议郎右监门府长史骑都尉臣苏敬，摭陶氏之乖违，辨俗用之纰紊，遂表请修定。"（《新修本草·序》）。《唐会要》《旧唐书》等史书所载略同。苏敬既是该书的倡修者，又是编撰的实际负责人，故历代书志均著录苏敬为该书撰者代表人。宋代因避宋太祖祖父（赵敬）名讳，改苏敬为苏恭。

此外，有的书志也将孔志约（《宋史·艺文志》）、李勣（《通志·艺文略》）作为该书编撰者代表人。孔志约为《新修本草》撰序，李勣为编撰后期领衔者，但他们的作用实不及苏敬。参与编书的实际有 23 人（但孔志约序只说 22 人），《新唐书》卷 59（官职名称简略）及日本重抚的卷子本《新修本草》（姓名抄写多讹）皆有记载。参与编书者有李勣、长孙无忌、辛茂将、许敬宗、孔志约、许孝崇、胡子家、蒋季璋、蔺复珪、许弘直、巢孝俭、蒋季瑜、吴嗣宗、蒋义方、蒋季琬、许弘、蒋茂昌、吕才、贾文通、李淳风、吴师哲、颜仁楚、苏敬。据孔志约序可知，最初是以长孙无忌、许孝崇为本书编撰代表者的。但后来长孙无忌因谋反一事夺官，故《唐会要》记载由司空李勣总定（中尾万三考定，转引自《本草概说》）。李勣（即李世勣）被封为英国公，故后世又或称该书为《英公本草》。李勣曾著《本草药疏》，书今佚。

在以上撰者之外，还有于志宁。据《新唐书》卷 104 "本传"载，他也参与了编修。于志宁，字仲谧，京兆高陵（今属陕西）人。其"与司空李勣修定《本草》并图，合五十四篇"。《新唐书》还载有于志宁回答唐高宗的关于本草发展的一大段议论。为什么于志宁没有作为撰者之一在《新修本草》中署名，尚无可考。

长孙无忌、李勣不过是领衔画诺之人，编书的实际工作是诸儒臣、名医所做。苏敬虽然实际为该书主编，但史书却无其传。唐代《三家脚气论》中，苏敬就是其中的一家。《外台秘要》《医心方》中均引有苏敬的论脚气的条文（《宋以前医籍考》867 页）。可知苏敬是一位具有丰富医疗经验的学者。

〔成书〕 该书的编修宗旨，可见于孔志约序。其序指出了陶弘景《本草经集注》在药品辨别及分类上的若干失误，谓后世"承疑行妄，曾无有觉。疾瘵多殆，良深慨叹"。为了保证用药的安全有效，在苏敬上言之后，政府组织了一个22人（现知实有23人）的编撰班子。

这次编修的中心任务，可由孔志约序得知，其云："窃以动植形生，因方舛性；春秋节变，感气殊功。离其本土，则质同而效异；乖于采摘，乃物是而时非。名实既爽，寒温多谬。用之凡庶，其欺已甚；施之君父，逆莫大焉。于是上禀神规，下询众议，普颁天下，营求药物。羽、毛、鳞、介，无远不臻；根、茎、花、实，有名咸萃。遂乃详探秘要，博综方术。《本经》虽阙，有验必书；《别录》虽存，无稽必正。考其同异，择其去取。铅翰昭章，定群言之得失；丹青绮焕，备庶物之形容。"

这一段话表明该书的重点是解决的药物"名实"问题，明确药物品种基原，考实它的产地和采收时节。围绕这一中心，编撰者采取文献考察和实际调查齐头并进的方法。对古代药学文献，编撰者考其异同，结合当时医家的意见，决定去取。更有意义的是为编写此书，我国进行了历史上第一次大规模的药物普查，这也是世界历史上第一次大规模的药物普查。经"普颁天下，营求药物"，该书所收载的药物在分布面上更广泛，在种类数量上更丰富。关于征集资料的方式和涉及的地域，将于以下所附"唐本《药图》"条和"唐本《图经》"条中予以介绍，兹不赘述。

《新修本草》从显庆二年（657）始修，至显庆四年（659）正月十七日完成（《唐会要》）。宋·苏颂《本草图经·序》中说"唐永徽中删定本草""本用永徽故事"，似将《新修本草》修撰时间定作永徽年间（650—655）。但《嘉祐本草·序》及《嘉祐本草·补注所引书传》都记作显庆（656—661）中撰，与《唐会要》所载相同，今以《唐会要》为准。

〔卷数〕 总54卷，一说53卷，乃计算方法上的差异所致。《新修本草》由三部分组成：一是正文，即通常所称《新修本草》20卷（狭义）、目录1卷；二是《药图》（又称《新修本草药图》或唐本《药图》）25卷、目录1卷；三是《图经》7卷，或著录为《本草图经》，近人为将此与宋代《本草图经》相区别，又称该部分为《新修本草图经》或唐本《图经》。

唐本《药图》、唐本《图经》在北宋就已无存，正文至今仍有残卷存世。此处重在讨论正文部分。

〔药品·分类〕 《新修本草》是在陶弘景《本草经集注》基础上扩充整编而成的，因而在卷数、药数及分类上较之均有所增加。实际统计，《新修本草》收药850种。也有将其药数记作844种者，此是将《本草经集注》原有的730种，加上

《新修本草》新增的 114 种而成的。其实苏敬等编修该书时，曾将陶弘景书中某些药合并或分条，因而其所引《本草经集注》实际药数为 736 种。此加上新增之 114 种，成 850 之数。尚志钧辑复该书时，辑入《千金翼方》所载北荇华、领灰二物，但将二药分别附于封华、并苦之后，又将石蜜（蜂蜜）与另用牛乳加蔗糖熬成的石蜜（系同名异物）分为 2 种，故尚志钧辑本存药 851 种。

该书分为玉石、草、木、禽兽、虫鱼、果、菜、米、有名无用 9 类。其将《本草经集注》的草木、虫兽各分为二；将其"序录"也一分为二。其中有名无用类（宋代本草称为"有名未用"）汇集的是前代本草中淘汰的或不识的一群药物。

《新修本草》除照录《本草经集注》原有该类药外，又把当时已经不识的《本草经集注》中的药物 20 种，退入有名无用类（原出《神农本草经》者 6 种，《名医别录》14 种）。这次所退《神农本草经》6 药未注明药物自然本身类别和三品所归，因此明清学者在辑复《神农本草经》时，对这 6 种《神农本草经》药的处理分歧很大。

〔体例·内容〕 该书把陶弘景《本草经集注》卷 1 "序录"析为 2 卷。该书卷 1、卷 2 之内容几全为《本草经集注》原有。除此之外，其仅增加了 3 条简短注文。卷 3 至卷 20 为各论，基本保持了原《本草经集注》内容及体例（即朱字为《神农本草经》、墨字为《名医别录》，小字注为陶弘景云）。该书新增的 114 种药物正文用黑大字，末尾注"新附"；新增的注文亦用小字，前冠以"谨案"。

在各论中，苏敬等纠正了陶弘景及其后医家在药物品种、产地、采集方面的错谬之处。这些错谬之处有陶弘景的"重建平之防己，弃槐里之半夏。秋采榆人，冬收云实。谬粱米之黄、白，混荆子之牡、蔓；异繁蒌于鸡肠，合由跋与鸢尾。防葵、狼毒，妄曰同根；钩吻、黄精，引为连类。铅、锡莫辨，橙、柚不分"等，及其后某些医药家的"采杜蘅于及已，求忍冬于络石；舍阽厘而取菵藤，退飞廉而用马蓟"等。在大多数药条下，该书还补充了药物的形态、产地、功效、别名等，以使这些药物的采认和使用有所依凭。

唐代开国之后，国力日趋强盛，中外文化交流频繁，域外药物陆续传入。新增加的药中，有不少是外来药，如龙脑、安息香、蓌香、诃子、姜黄、苏方木、无食子、阿魏、郁金、胡椒、底野迦等。像郁金、胡椒、诃子等，直到现在仍为常用药品。

新增品条文的撰写大致仿《神农本草经》《名医别录》，次第介绍药物的味、性、良毒、主治、用法、别名、产地等，并在其下以小字略述药物之形态。其不同于前人之处主要是正文中列有用药法。

《新修本草》的内容和体例于北宋初被保存在《开宝本草》中，后又辗转录存于《证类本草》中。其中"新附"2 字被换成"唐本先附"；"谨案"被换成"唐本注"。

〔价值〕 《新修本草》是政府编修并颁布的药学专著。该书并没有完全符合现代药典的要求，但学术界一部分人仍将它视为古代世界最早的药典，称它比世界上有名的纽伦堡药典要早近 900 年。该书以其较多的药物基原考证和较丰富的临床用药经验，赢得了中外医药者的尊崇。

〔流传〕 该书自问世（659）以来，流传了近 400 年，至《开宝本草》（973—974）修成，才逐渐被其取代。该书流传海外的时间也比较早，日本存有江户末期的古抄本残卷。其中有一抄本署曰"天平三年岁次辛未七月十七日书生田边史"，这表明最迟在 731 年该书已传入日本。《旧唐书·职官志》记载该书在我国是医学生的必修书。日本律令《延喜式》载："凡医生皆读苏敬《新修本草》。"又云："凡读医经者，《太素经》限四百六十日，《新修本草》三百一十日。"由此可见该书对日本药学的影响。

《新修本草》是我国唐代本草的代表作。唐·陈藏器《本草拾遗》就是以该书为补遗解纷的对象的。后蜀·韩保昇以《新修本草》和唐本《图经》相参校，撰成了以之为核心的《重广英公本草》（即《蜀本草》）。

〔实存〕 原帙无存，仅有残卷遗留于世。关于其残卷发现、刊布的源流，日本冈西为人《本草概说》介绍甚详，今摘译并补述如下。

日本相继发现的江户末期古抄本残卷计有 10 卷，即卷 4、卷 5、卷 12、卷 13、卷 14、卷 15、卷 17、卷 18、卷 19、卷 20。关于该残卷的发现及誊录诸事，中尾万三博士及森鹿三博士有考证。他们将这些残卷分作三部分，简述如下。

其一，卷 15（仅 1 卷）。天保三年（1832）狩谷棭斋誊录京都名医福井家藏本，并将其副本赠予浅井紫山和小岛宝素。该卷末记有"天平三年岁次辛未七月十七日书生田边史"。天平三年（731）距显庆四年只有 72 年，可知此书在完成后很快就传到了日本。现在原卷存否不明，但赠给浅井紫山的副本现藏于名古屋的德川黎明会，1937 年本草图书刊行会影印刊行之。

其二，卷 4、卷 5、卷 12、卷 17、卷 19（共 5 卷）。天保五年（1834）名古屋的医官浅井紫山派遣门人塚原修节抄录京都仁和寺的古抄卷子本，小岛宝素也传录此帙。原卷现藏于日本京都仁和寺，1936 年本草图书刊行会影印刊行之，且影印之书中附有中尾万三博士的解说。

其三，卷13、卷14、卷18、卷20（共4卷）。天保十三年（1842）此4卷誊录于京都，原卷所在不明。

光绪十五年（1889）清朝武官傅云龙在日本得到一部《新修本草》残卷，又将小岛宝素仿古钞本复原的卷3并入其中（合计11卷），作为《纂喜庐丛书》之二影印刊行。现在其重刊本广为流行。又据说小岛宝素除卷3之外，还复原了卷6、卷7、卷8、卷9、卷10、卷11诸卷，然其稿本不存。

以上是日本所存残卷。又，敦煌藏有该书3种古抄断简，从中可窥该书古貌。

其一现藏于英国国家博物馆，由断简2片组成。一片从卷17果部"芰实"条注文的末段至"梅实"条注文，另一片从卷18菜部"蕺"条的后半到卷19米部"胡麻"条。两片均朱墨杂书。

其二现藏于法国国家图书馆，为卷10草部下品之上的残卷，从"桔梗"条注文的末段至"白蔹"条正文中段，是用纸写成的。其文字拙劣，但朱墨杂书。

其三为卷1断简，收有《新修本草·序》及陶弘景序的全文。虽然其有些缺损，但由此能窥见卷1卷首的形式。

以上3种敦煌残卷，前2种分别被英国的斯坦因（Aurel Stein）、法国的伯希和（Paul Pelliot）掠走，后1种被国人李盛铎从劫余的敦煌卷子中利用职权谋归私有，后转卖给日本人。这些珍贵的资料现均流落海外。1952年，罗福颐根据敦煌出土残卷的胶片，摹写后，将其收入《西陲古方技书残卷汇编》中。

〔辑复〕　清末长沙李梦莹曾做过补辑《新修本草》的工作，稿本存于中国中医科学院图书馆。国人范行准，日本人小岛宝素、中尾万三也都曾致力于此，但均未竟全功。

今传世的完整辑本有二，现简介如下。

（1）日本的冈西为人《重辑新修本草》。该本参照前述实存资料以及敦煌《本草经集注·序录》、《真本千金方》《千金翼方》《本草和名》《医心方》《太平御览》《大观本草》《政和本草》及《本草经集注》辑本整复而成。原稿朱墨分书，先后由台湾"中国医药研究所"（1964）及日本学术图书刊行会影印（1973）。后者系朱墨二色套印精装，力图还原古本旧貌。

（2）尚志钧《唐·新修本草》。该书初成于1962年，油印成册。又经近20年的不断修润，其于1981年由安徽科学技术出版社正式出版。该本将原朱书部分用黑体字排印，全文标点。它除参考既知的直接引录《新修本草》的资料和该书残卷外，还广泛考求明清有关材料，与冈西为人辑本各有特色。

附：《药图》（即唐本《药图》）

25 卷，目录 1 卷。《唐会要》介绍《新修本草》时说："征天下郡县所出药物，并书图之。"《新修本草·孔志约序》也说："普颁天下，营求药物……丹青绮焕，备庶物之形容。"可知该书之内容是彩色药图，其资料来自全国各地。这是我国唐代及以前有记载的卷帙最多、药品来源最丰富的彩色药物图谱。

这些药物的产地，据马继兴推断，可见于《千金翼方》卷 1 "药出州土"篇中。此篇之篇首小引有"进御""故不繁录"等字样，因而马继兴认为其是唐本《图经》的佚文（《中医文献学基础》）。唐本《图经》与唐本《药图》相辅而行，故该篇所记 13 个道（唐行政区）和 133 个州名，也可反映唐本《药图》中药品的来源。

该书因系彩绘，流传极不易。苏颂《本草图经·序》提到该书与唐本《图经》，云："图以载其形色，经以释其异同……失传且久，散落殆尽。虽鸿都秘府，亦无其本。"这说明唐本《药图》至少在北宋已不可得见。日本的中尾万三认为，收有唐代珍宝的正仓院御物目录《东大寺献物帐》所记"古样本草画屏风一具，两叠十二扇，一高五尺二寸，一高五尺三寸"可以反映唐本《药图》的风貌，但此屏风现已无存（转引《本草概说》64 页）。据文字记载，只能了解本草画屏风的尺寸，至于唐本《药图》是否也同此大小，不可得知。从中国图绘和书籍发展进程来看，唐代还没有出现类似现代的书册式的小幅天然物彩图。《千金翼方》提到的经络图（《明堂人形图》），近似于今之教学挂图，那么本草图会不会也类似今之挂图呢？如果其原图较大，那么 25 卷药图虽然在卷数上超过了正文，但在药物数量上并无多于正文的可能。

附：《本草图经》（即唐本《图经》）

〔佚文〕7 卷。《新修本草》的组成部分之一。苏颂在《本草图经·序》中云"《经》以释其同异"，表明该书是以辨别药物基原为主的。掌禹锡《嘉祐本草·补注所引书传》中提到："伪蜀翰林学士韩保昇等，与诸医士，取《唐本草》并《图经》，相参校正。更加校定，稍增注释……今谓之《蜀本草》。"由此可知《蜀本草》曾参引过唐本《图经》。

《证类本草》，存掌禹锡所引"蜀本云"326条，其中注明"蜀本《图经》云"者186条。据日本冈西为人统计，将这些条文分布于《证类本草》各卷的情况列表（表2）如下。（《中国医书本草考》330—332页）

表2　"蜀本云""蜀本《图经》云"在《证类本草》各卷的分布

卷次	引"蜀本"次数	引"蜀本《图经》"次数
1	7	
2	50	
3	3	
4	7	
5	5	
6	2	
7	33	33
8	3	
9	3	
10	29	27
11	43	40
12	21	17
13	7	3
14	5	2
15	2	
16	4	
17	6	
18	2	
19	2	
20	12	11
21	12	9
22	24	15
23	11	9
24	1	1
25	4	
26		
27	5	5
28	7	6
29	11	8
30	5	
总计	326	186

注：马继兴《中医文献学基础》统计卷20、卷21所引"蜀本《图经》云"有10条（包括"乌贼鱼骨"条的"又云"），经复核确认其属实。

〔**考证**〕　李时珍《本草纲目》否定《蜀本草》所引《图经》系唐本《图经》，说："韩保昇等……别为《图经》……其图说药物形状，颇详于陶、苏也。"因此，《本草纲目》常把唐本《图经》内容误注为"韩保昇曰"（见"商陆"条）。对此，冈西为人详予驳正。他除了从《嘉祐本草·补注所引书传》进行字面上的辨析外，还列举了一些例证。例如，"蚱蝉"条云："臣禹锡等谨按，蜀本《图经》云：此鸣蝉也，六月七月收，蒸干之。陶云：是痖蝉，不能鸣者雌蝉也。二说既相矛盾。今据《玉篇》……""白瓜子"条云："臣禹锡等谨按，蜀本注：苏云是甘瓜子也。《图经》云：别有胡瓜，黄赤无味。今据此两说，俱不可凭矣。"

冈西为人认为，这些条文都指责"《图经》"之说不可凭，如果此"《图经》"原属《蜀本草》所有，则断不会自我否定的。类似的例证还可见于其他条。这些事实均可证明此"《图经》"条文并非韩保昇所撰（《中国医书本草考》329 页）。

冈西为人还认为，从《蜀本草》引用"《图经》"条文情况来看，玉石部、兽部未引，草部卷 6、卷 8、卷 9 也未引用，故可推测在《蜀本草》编成之时，"《图经》"大概已无完帙。

马继兴认为，《千金翼方》卷 1 的"采药时节"和"药出州土"，都是唐本《图经》佚文。前者篇首小引云："（采药）其法虽具《大经》（《外台秘要》卷 31 引此作'《本经》'），学者寻览，造次难得，是以甄别，即日可知。"马继兴谓《大经》就是唐本《图经》。后者篇中所列地名均为唐代地名，篇首又有"进御""故不繁录"字样，故马继兴认为此二篇均属唐本《图经》佚文（《中医文献学基础》）。但近来有人通过考证，认为"采药时节"乃孙思邈从《新修本草》钩稽并加辑补而成的。

此外，在所谓"唐本余"（唐慎微所引）佚文中，也引有唐本《图经》佚文 3 条（见"格注草""大黄""芋"条）。同书不自引，《新修本草》无引唐本《图经》之例。据郑金生考证，"唐本余"指《蜀本草》，因此这些唐本《图经》佚文仍属《蜀本草》所引。

历史上直接引用唐本《图经》者除《蜀本草》外，还有陈藏器《本草拾遗》。

三、《食疗本草》

〔**作者**〕　据《嘉祐本草·补注所引书传》载，该书为"唐同州刺史孟诜撰，张鼎又补其不足"。

　　孟诜（621—713），汝州梁县（今河南汝州）人；幼好方术，上元元年（674）师事名医孙思邈。孟诜曾任同州刺史等职，故或称孟同州。他80余岁时退居伊阳山养老，研究医药及食疗。其著有《必效方》3卷（一作10卷）、《补养方》3卷（《旧唐书·经籍志》）。

　　张鼎，道号膳玄子。据考，其可能是开元年间（713—741）的道士，兼通医术。现一般认为，张鼎将孟诜《补养方》改编增补而成《食疗本草》3卷。故该书约成于713—741年之间。

　　〔**药品·体例**〕　　孟诜原书经张鼎补充89种后，药条总数为227条（《嘉祐本草·补注所引书传》）。

　　据现存该书残卷所示，原书采用朱墨二色分书。如药名、各方前的"又""又方"及分隔句段所用的圈点皆用朱色书写。王国维认为："其药名皆朱书。余所见唐写本《周易》释文之卦名，《唐韵》之部首皆然。但用以与余文识别，更无它义。"

　　具体药条形式为：药名下先注药性（温、平、寒、冷），不注药味；次载功效、禁忌及单方等，其间或夹有药物形态、修治、产地等论述。有一些药条的内容被"案"或"案经"字样分作前后两部分。"案经"的"经"字所指何书，今无所考，但其中每引神仙家言。残卷中的"案经"，在《证类本草》刊本中均作"谨按"，其下的文字一般认为是张鼎增补的。《医心方》中的"膳玄子张《食经》"或"膳玄子张"之下的内容原属"案经"所括。

　　该书敦煌残卷存26种药，以瓜果菜蔬为主（夹有石蜜、沙糖），无米谷及禽兽虫鱼，可知原书药物是以物类为序排列的。

　　〔**内容·特色**〕　　该书的内容丰富，大多切合实用。它是我国唐代较全面的营养学和食疗专著，收载了不少唐代初期本草书中所无的食药，如鳜鱼（桂鱼）、鲈鱼、石首鱼（黄花鱼）、雍菜（空心菜）、菠薐、莙荙、白苣、胡荽、绿豆、荞麦等。其较多地记载了动物脏器疗法和藻菌类的食疗作用。其所录波斯石蜜、高昌榆白皮等均反映了亚洲中部地区使用食疗品的情况。其还充分注意到食疗法的地区性（见"醋""覆盆子"等条）。它提出了妊、产妇饮食宜忌和小儿食品要求，指出了由于过食、久食某些食品而产生的副作用，且比较重视食品卫生防护。限于时代条件及作者的思想方法，本书不免夹有某些宗教迷信的内容和错误论述。

　　〔**实存·辑本**〕　　残卷：1907年英人斯坦因（Aurel Stein）从我国甘肃敦煌莫高窟中窃去该书残卷。残卷原件背面有陈鲁俦牒，记有"长兴五年（934）正月一

日行首 陈鲁佾牒"字样。其存药 26 种（首、尾两条不全，故或计为 24 种）。校勘表明，该残卷虽仍有某些讹误及脱漏处，但却部分保存了该书的原始形状。残卷原件现存于英国国家博物馆，编号为 S.76，日本狩野直喜首先抄录此件。罗振玉《敦煌石室碎金》（1924）中所载残卷即转录自狩野直喜抄本。

佚文：唐《本草拾遗》首先引录（见"假苏"等条）；日本《医心方》引"孟诜《食经》云"（16 条）、"孟诜云"（62 条）、"晤玄子张（《食经》）云"（13 条）；北宋《嘉祐本草》引"孟诜云"（160 条）、"新补见孟诜"（22 条）等；北宋·唐慎微《证类本草》引"《食疗》云"（176 条）、"《食疗》余"（8 条）等。此外，苏颂《本草图经》、寇宗奭《本草衍义》等书亦引有零星佚文。

辑本：1930 年日本中尾万三撰《〈食疗本草〉之考察》一书，探讨该书残卷的发现等问题。全书分两编，第一编为"敦煌石室发现《食疗本草》残卷考"；第二编为"《食疗本草》佚文"，载药 241 种，是近代最早的一种《食疗本草》辑本。1931 年，范凤源删去中尾万三辑本的校注及旁注假名，录取正文，以《敦煌石室古本草》名之，并将之交由大东书局铅印。

在中尾万三辑本基础上，谢海洲等重新考求《食疗本草》的流传及佚文，辑复该书。其辑复之本收药 260 种，分 3 卷，归并同类条文、校注疑误，由人民卫生出版社刊于 1984 年。

四、《本草拾遗》

〔命名〕 该书拾取《新修本草》之遗漏，故以"拾遗"名书。一名《陈藏器本草》。

〔作者〕 陈藏器，四明（今浙江宁波）人。《嘉祐本草》记："陈藏器，唐开元（713—741）中京兆府三原县尉。"

〔成书〕 《政和本草》卷 11"骨碎补"条引陈藏器云："开元皇帝以其主伤折，补骨碎，故作此名耳。"宋·钱易《南部新书·辛集》载："开元二十七年（739），明州人，陈藏器撰《本草拾遗》。"故其成书于 739 年。

〔卷次·组成〕 10 卷。原本早佚，《嘉祐本草》载："（陈藏器）以《神农本草经》虽有陶、苏补集之说，然遗逸尚多，故为序例一卷，拾遗六卷，解纷三卷。总曰《本草拾遗》，共十卷。"是知该书实由三部分内容组成。

〔内容〕 "序例"部分：现存有唐慎微引录于《证类本草》象牙、牡鼠、五加皮、甜瓜、五倍子、竹叶、肉苁蓉、消石、延胡9种药下的序言佚文。这些佚文在内容主旨上与《雷公炮炙论》词异义同。如"竹叶"条，陈藏器云"久渴心烦，服竹沥"，而《雷公炮炙论》则作"久渴心烦，宜设竹沥"。

"序例"部分已佚。据考证，"序例"部分现存有"十剂"的说明及五方之气致病的原因。过去多认为"十剂"为北宋·徐之才总结出来的（李时珍《本草纲目》持此说）；现凌一揆等经考证发现，存于《嘉祐本草·序例》的"十剂"内容实为陈藏器所归纳（《中医杂志》，1962）。"十剂"自从陈藏器归纳以后，经常被作为重要药学理论之一而收入后世本草中，引起了一些学术讨论。

"拾遗"部分：6卷，专于拾《新修本草》遗逸。尚志钧据《证类本草》等文献辑得《本草拾遗》药物692种。从这些药条佚文可窥原书分类方式（见"独自草""兰草""千金藤""鲗鱼""乳穴中水"等条），可知其分类与《新修本草》药物分类是一致的。

陈藏器以一人之力，收集了《新修本草》不载之药692种，这是对各类文献及民间药物的一次大总结。虽然这些新增药中常用品很少，但从中可见作者涉猎之广博。据尚志钧统计，《本草拾遗》引用了经史百家书籍116种。与陈藏器几乎是同时代的作品（如《崔知悌方》《食疗本草》等）也及时地被采录。

由于各药资料来源不一，《本草拾遗》在书写体例上殊不一致。一般说来，其主要介绍各药的性味、功效主治、用法、别名、形态、生长环境、产地，及其与混淆品种的鉴别等内容。

"解纷"部分：为解除旧本草药物品种纷乱而设。此部分所辨之药物大多是《新修本草》中的品种，其指出了《新修本草》中的某些错误。除考证品种之外，其对性味功能也有辨析（见"姜黄""接骨木"等条）。

由于"拾遗"与"解纷"部分的药物彼此之间有时会有某些联系，所以这两部分可能会兼论同一药物。如荜拨，不见于《新修本草》，被收录在该书"拾遗"部分中；但荜拨和蒟酱相联系，而蒟酱是《新修本草》新增药，所以该书"解纷"部分又以荜拨为辨释蒟酱的注文。"解纷"部分是为了纠谬解纷而作的，有很多新的见解。

〔价值·评价〕　《本草拾遗》是唐代仅次于《新修本草》的一部重要本草。该书新增的药物（692种）为《新修本草》新增药（114种）的六倍。尽管其中有很多是冷僻甚至是荒诞的药物，但是从辑录药物资料角度来看，该书确有比较重要的历史价值。李时珍说："藏器著述，博极群书，精核物类，订绳谬误，搜罗幽隐。

自本草以来，一人而已。"这充分肯定了该书资料广博、考订精细的两大优点。该书对药学理论及用药实际均较重视，对资料汇辑和药品考订都能兼而顾之，其编述方式和治学方法对李时珍编《本草纲目》产生了直接的影响。

但是，陈藏器在选择"拾遗"材料时欠精。该书记载的人肉疗亲对此后中国的一些忠臣孝子影响甚大，使社会上形成一种很愚昧的割股疗亲的风气，招致后世诟评。李时珍则认为人肉疗亲在陈藏器之前就已有记载，但陈藏器在将此物收入本草时未能"立言破惑"（即指出其中错误），对促进谬误的流传是有一定的责任的。

该书收有博物学的一些内容，如其中记录了有关石油的发现、鸵鸟传入我国的时间等的史料。其中关于物理、化学现象及实验的记载也有很多。

〔流传·今存〕 该书被多种医药书引用。日本《医心方》（985）共援引本书76次，引药68种。北宋《开宝本草》从该书遴选了一批药物。《嘉祐本草》援引了《本草拾遗》59条。苏颂《本草图经》也载有该书的佚文。唐慎微引用该书资料最多。该书的大部分佚文均被保存在《政和本草》中。此外《海药本草》《和名类聚钞》《太平御览》等书都引用了该书。

《本草拾遗》原书不存。今有尚志钧辑校本《本草拾遗》。其于1983年由皖南医学院科研科油印流传。各地多藏有此本。

五、《海药本草》

〔命名〕 本书所载药物，多数来自海外，也有自海外移植于南方者。李德裕云"花木以海为名者，悉从海外来"（《酉阳杂俎》引），故名"海药"。

〔作者〕 李珣，字德润。其先祖为波斯人，随僖宗入蜀（《茅亭客话》卷2），故何光远《鉴诚录》称他为"蜀中土生波斯也"。吴任臣《十国春秋》卷44有传，称他为"梓州人"，即今四川三台县人。其约生于885年，善作小辞。其词今存17首，多述南方动植物。

李珣的弟弟李玹以鬻香药为业，且好摄养。《海药本草》记载的大量外来药（其中有不少香药）以及一些炼丹内容，与其家业香药及李玹的炼丹活动是有联系的。

《海药本草》成书的确切年代不明，大约是前蜀时（907—925）。

〔辨疑〕 该书有争议处为：①李珣是不是唐肃宗、唐代宗时人；②《海药本草》与《南海药谱》是不是同一本书。

李时珍《本草纲目》云："珣，盖肃、代时人。"唐肃宗、唐代宗在位之时间为756—779年。本书"象牙"条引有《酉阳杂俎》（853年成书）内容，为李珣非唐肃宗、唐代宗时人的内证。

李时珍又谓："《南海药谱》即《海药本草》也，凡六卷，唐人李珣所撰。"后世沿袭此说者颇多。但丹波元胤、尚志钧等均认为《海药本草》与《南海药谱》是两部书。理由是：两书之名各见于《崇文总目》《通志·艺文略》。掌禹锡《嘉祐本草》只引了《南海药谱》内容；唐慎微《证类本草》仅录《海药本草》内容。在槟榔、龙脑、象牙三药中，两书被掌禹锡、唐慎微分别引用，而其内容无交叉重复。

尚志钧认为李时珍之所以视二书为一，"可能与前代人对这两个书名互用有关"（《海药本草》尚志钧辑本，1983油印）。据考，郑樵《通志·昆虫草木略》、陈敬《香谱》、周守忠《养生类纂》等书所引《南海药谱》的文字都和《证类本草》转录的《海药本草》条文相同。李时珍《本草纲目》将此二书混引之处更多。现代有的研究者也持有与李时珍相同的观点。

〔卷·药〕　6卷。尚志钧辑佚本辑得佚文124条。其中《证类本草》所引"《海药》余"16条，"《海药》云"（作注文）107条；南宋·傅肱《蟹谱》所引1条。《南海药谱》佚文不在其内。

〔内容〕　该书以引述有关来自海外的药物的文献为特点。今存佚文首先引用前人文献，以说明其产地；次述药物形态、真伪优劣、性味主治、附方、服法、制法、禁忌畏恶等。有些条文还记载了一些药名的解释。

该书所记药物产地40余处，其中以中国南方（如岭南、广州等）及海外地名（如波斯国、大秦国、新罗国等）为多，少数是中国内地州县名。海外并不限于南洋、西域，也包括东方国家。由于该书已佚，仅凭唐慎微转引的条文还不足以说明全部问题。

书中所引资料较多，约有50余种，以地方志为多。其所引资料在本草方面，以引自陈藏器《本草拾遗》者最多。日本冈西为人注意到李珣的有些引文是难以据信的。如龙脑香是《新修本草》新增药，李珣却引作"陶弘景云生西海律国"（这实际上是《新修本草》的注文）。另，鲛鱼皮、珂也都是《新修本草》的新增药，但《海药本草》均引作《名医别录》药，恐有讹误（《本草概说》）。

今存《海药本草》佚文涉及药物124种，其中有40种见于《新修本草》，54种见于陈藏器《本草拾遗》，15种见于其他本草（如《药性论》《食疗本草》等）。

其中 16 种新增药，后被《证类本草》收录为正品药（即所谓"《海药》余"）。

〔传存〕　唐慎微《证类本草》首次摘引该书，此后傅肱《蟹谱》、洪刍《香谱》及刘昉《幼幼新书》均引用本书，是南宋时此书犹存。下此以往，未见传世。

今之尚志钧辑《海药本草》（1983 年皖南医学院油印），以《大观本草》（柯逢时本）和《政和本草》（人民卫生出版社影晦明轩本）为底本，以《本草纲目》为核校本。其分 6 卷，载药 124 种。此书中各辑文出处详明。

附：《南海药谱》

〔著录〕　《嘉祐本草·补注所引书传》说："不著撰人名氏。杂记南方药所产郡县及疗疾之验，颇无伦次。似唐末人所作。凡二卷。"《崇文总目辑释》首次著录之，云："《南海药谱》一卷。"此后《通志·艺文略》记作"七卷"、《宋史·艺文志》作"一卷"。

据掌禹锡《嘉祐本草》所记，该书的卷数与内容都与《海药本草》的不合。《南海药谱》记载的"南方药"包括我国南部数省，以及现在为东南亚的一些国家的药物，而《海药本草》的药物却包括来自西域、新罗的药物。这也是二书命名有异之原因所在。尽管南宋时郑樵等混引这两书的文字，但这并不足以说明这二书实为一体，故本书分列之。

〔内容〕　今存《南海药谱》佚文 6 条，见于《证类本草》的"阳起石"条、"桃花石"条、"芦荟"条、"槟榔"条、"龙脑"条、"象牙"条之下。

这些药物多为南方所产，"阳起石"条注明了其所出之中原地名。《南海药谱》对药物基原性状亦有所记载（见《证类本草》的"桃花石"条）。此外，其还记载了药物的性味功治及附方。

六、《食性本草》

〔作者〕　陈仕良（或作士良），南唐时（937—975）人。《嘉祐本草》云："《食性本草》，伪唐陪戎副尉剑州（今福建南平）医学助教陈士良撰"。

〔成书〕　"伪唐"，即南唐，历时 39 年，鼎盛时期在 937—957 年间，定都金陵，在五代十国时期是文化最发达的地区。陈仕良著《食性本草》，似在 937—957 年。

陈仕良"以古有食医之官，因食养以治百病，故取《神农本经》，泊陶隐居、苏恭（敬）、孟诜、陈藏器诸药关于饮食者类之，附以己说。又载食医诸方及五时调养脏腑之术。集贤殿学士徐锴为之序"（《嘉祐本草·补注所引书传》）。

〔内容〕 原书已佚。其内容散见于《证类本草》中。《嘉祐本草》新补药中有 13 味曾参考本书；另有 36 味药之下引本书资料作注。

本书汇集了《神农本草经》《名医别录》《本草经集注》《新修本草》《食疗本草》《本草拾遗》等书中有关食用的药物，增加了陈仕良个人见解，又附以食医诸方及脏腑调养术，是一部本草、医方合编的食疗专著。《通志·艺文略》和《宋史·艺文志》著录"陈士良《食性本草》十卷"。

从佚文可以看出该书补记了众多食物的性味，较多地记述了食物宜忌，还记载了若干药物的性状鉴别，见"璚珸""栗""荆芥""林檎"等条。此外，其对多种食品的食法也或有简介，见"燕覆子""仲思枣""藕实""庵罗果""陈仓米"等条。

该书以摘引资料为主，个人见解不多，故对后世影响不大。李时珍评曰："《食性本草》，书凡十卷，总集旧说，无甚新义。"

七、《蜀本草》

〔命名〕 该书是五代后蜀时根据《新修本草》（或称《英公本草》）重广补注而成的。原名《重广英公本草》或《蜀重广英公本草》，简称《蜀本草》。

〔作者·成书〕 《嘉祐本草·嘉祐补注总叙》云："伪蜀孟昶亦尝命其学士韩保昇等，以《唐本》《图经》，参比为书，稍或增广，世谓之《蜀本草》。"又《嘉祐本草·补注所引书传》载："伪蜀翰林学士韩保昇等与诸医工取《唐本草》并《图经》相参校，更加删定，稍增注释。孟昶自为序，凡二十卷，今谓之《蜀本草》。"孟昶935—964 年在位，广政初始亲政事，故《蜀本草》当成书于广政年间（938—964）。

〔内容〕 该书内容包括三部分：《新修本草》全文、唐本《图经》部分内容、韩保昇等增广内容。但明·李时珍《本草纲目·历代诸家本草》却说："韩保昇等与诸医士，取《唐本草》参校增补注释，别为《图经》。"所谓"别为《图经》"，实属误解，这可以从现存《蜀本草》注文中得到证明。如"白瓜子"条云："苏云是甘瓜子也。《图经》云：别有胡瓜，黄赤无味。今据此两说，俱不可凭矣。"这些注文在引用"《图经》"时用的都是转引他书的语气。

此外，《蜀本草》凡引有"《图经》"内容的药物，几乎全部是《新修本草》收录的药物，而《蜀本草》新增的药物（如铛墨、续随子、威灵仙、金樱子、丁香、蝎、马齿苋等），均未引"《图经》"。这些依据均说明《蜀本草》并没有另撰《图经》。

《蜀本草》增补的资料很丰富。如《蜀本草·序》载："《唐英公进本草表》云：勒成《本草》二十卷，目录一卷，《药图》二十五卷，《图经》七卷，凡五十三卷。又英公序云……二说不同，今并注之。"类似注文有多条，均为重要的史料。

《蜀本草》新增的注文主要被宋·掌禹锡收入《嘉祐本草》。掌禹锡引用的该书资料涉及药物276种，并以"蜀本""蜀本注""蜀本《图经》"为标记。其中冠以"蜀本"的有66种，冠以"蜀本注"的有35种，冠以"蜀本《图经》"的有159种。另有15种既引"蜀本"，又引"《图经》"。从这些资料来看，《蜀本草》增加的内容除所引唐本《图经》内容之外，还有药条正文和注文两类文字。这类条文与《新修本草》体例形制完同，连用"主"不用"治"（避讳）、"谨案"也仿《新修本草》；但在内容上，经常表述作者自己的观点，如茯苓、茯神、蜂子等许多药下都记有作者增补的药性。该书之正文或注文多介绍药性、功能、七情畏恶等。此外，其对药味、药物炮制和鉴别亦有补充。

该书统计和整理了前人本草中涉及的药物七情畏恶资料，韩保昇注《神农本草经·序例》曰："凡三百六十五种，单行者七十一种，相须者十三种，相使者九十种，相畏者七十八种，相恶者六十种，相反者十八种，相杀者三十六种。凡此七情，合和视之。"后世常说的"十八反"，即源于此。

该书的新增药物有14种。掌禹锡引有6种（见前文）；唐慎微引有7种（即辟虺雷、地不容、胡黄连、留军待、独用将军、山胡椒、灯笼草），且这7种新增药均冠有"唐本余"；《证类本草》"麹"条下引有"蜀本云"，此亦算作1种。据考，"唐本余"指《蜀本草》。

〔"唐本余"考〕 《证类本草》引"唐本余"条文之处共45处（包括该书7味新增药）。"唐本余"引用了唐本《图经》，且其新增药并非《新修本草》所有，故"唐本余"并非《新修本草》。《蜀本草》可以被视为《新修本草》的一个补注本，因此，此书的重广部分用"唐本余"来代称是可以理解的。唐慎微有条件直接参考引用《蜀本草》，且"唐本余"新增药有四川特产或分布于西南一带者，故据此推断，"唐本余"指《蜀本草》。

《证类本草》"麹"条中引有"蜀本云"，但此三字位置在方书之后，这不合乎唐慎微引书体例，应是大观年间艾晟所增。①

〔流传〕　该书手抄流传。北宋初《开宝本草》大量引用的"别本注"，有可能指此书，但这有待进一步证实。掌禹锡大量引录此书，此后唐慎微又以"唐本余"为标题，再次补充40余处资料。要之，《蜀本草》原书早佚，其部分内容保存在《证类本草》之中。

八、《日华子本草》

〔作者·成书〕　《嘉祐本草》云："国初开宝中四明人撰。不著姓氏，但云日华子大明序。"即该书作者是四明（今浙江宁波）人，姓氏不明。日华子大明撰序。北宋开宝年间（968—975），四明尚属五代吴越国（895—978）辖下，因此，范行准等认为日华子是五代吴越人②。尚志钧进一步认为，日本源顺《和名类聚钞》卷10"蒒蕍"条引《日华子》"水蓼：味辛，冷。无毒"，而《和名类聚钞》约成于日本醍醐天皇时期，即中国后唐同光年间（923—924），则该书成书年代应早于此，约为吴越天宝年间（908—923）。

明清时期的一些记载使本来已然明了的问题复杂化。《古今医统大全》将明代人伪托的《鸿飞集论》的作者与《日华子本草》作者混作一谈。李时珍《本草纲目》说"按千家姓，大姓出东莱，日华子盖姓大名明也。或云其姓田，未审然否"，且把该书简称《大明本草》，后世多沿用之。但李时珍只根据"大明"推测其姓名，本已牵强；又说可能姓田，更不知有何依据。李时珍没有见到该书原书，仅凭臆测，故其说难以据信。

明清有些书误把日华子与陈藏器作为一人，而谬称日华子为唐开元时人，或将日华子与南宋四川总领陈晔（字日华）混淆，此皆无足深论。

〔卷次·内容〕　《嘉祐本草》介绍："集诸家本草、近世所用药，各以寒温性味、华（花）实虫兽为类。其言近用功状甚悉。凡二十卷。"

原书载药数目不明。近尚志钧辑得该书药物618种。《嘉祐本草》称赞该书

---

① 郑金生.《证类本草》中"唐本余"的考证. 浙江中医杂志，1984，19（6）：282－283.

② 范行准. 两汉三国南北朝隋唐医方简录. 中华书局上海编辑所. 中华文史论丛：第6辑. 上海：中华书局上海编辑所，1965：340.

"言近用功状甚悉"，可见其是一部实用性较强的临床药书。

该书所论药性有不少新的发展。诸药之下，记有凉、冷、温、暖、热、平6类药性。书中凉性药的记载最多（53种），为此前诸家本草所无。同一药，部位不同，药性亦异，该书记有：茅性平，茅针性凉；李子温，李树根凉，李树叶平等。该书还记载了因不同炮制法引起的药性变化。例如，干地黄，日干者平，火干者温等。书中有些药性记载与前人本草所载有较大的不同。对于药物气味，该书也有一些新的说法，如癞（白及）、涩（槟榔）、滑（苎根）等，丰富了药味的内容。

该书以药物的功效主治与附方为主要内容，简单实用。这些内容与唐代主要本草所载功治有很多不同之处，这大概就是所谓的"近用功状"。这表明该书反映了当时的用药情况。木通下乳、藕节消瘀治产后血晕等，均为后世沿用。

此外，对药物相互间的畏恶反忌及炮制方法，该书记载甚详。其所载炮制方法，多简便实用。例如，厚朴去粗皮姜汁炙用，卷柏生用破血、炙用止血等，对后世均有影响。

本书另一重要内容即有关药物形态基原的记载，其中有一些是前人本草所无的（见"空青"条）。作者对药材的产地、优劣鉴别也有许多实际经验，如其所云"（牛膝）怀州者长白，近道、苏州者色紫"等，为后世药物鉴别提供了资料。诸如药物产地、采收时月等内容，该书也时有记载。

《日华子本草》总结了唐末及五代时期的某些药物成就。它收载的很多药物不见于唐代本草。宋《开宝本草》中的延胡索、自然铜、仙茅、谷精草、盐肤子等药均先见于该书。《嘉祐本草》也将此书的绿矾、蓬砂等收作正品。其内容广泛而丰富，具有较高的学术价值，尤其对于临床药学有重要的参考意义。

〔流传·佚文〕 日本早期医药著作《和名类聚钞》《香要钞》等，均引有该书。引用该书内容最多的是宋《嘉祐本草》，引证次数（包括"序例"等）达643次。《本草纲目》多转引《证类本草》中的《日华子本草》的资料。

现今该书惟有尚志钧辑佚本。该本20卷，收药618种。尚志钧以《大观本草》《政和本草》为底本，《本草纲目》为核校本，详加校勘。该本今有皖南医学院油印本（1983），在国内流传。

第三章　宋　代

（960—1279）

一、《开宝本草》

〔释名〕　以纂书年号（开宝）命名。《开宝本草》实际上包括《开宝新详定本草》《开宝重定本草》，侧重指《开宝重定本草》。

〔编修者·成书〕　掌禹锡云："《开宝新详定本草》开宝六年（973），诏尚药奉御刘翰，道士马志，翰林医官翟煦、张素、王从蕴、吴复圭、王光祐、陈昭遇、安自良等九人，详校诸本。仍取陈藏器《拾遗》诸书相参，颇有刊正别名及增益品目。马志为之注解。仍命左司员外郎知制诰扈蒙，翰林学士卢多逊等刊定，凡二十卷。御制序，镂版于国子监。"

"《开宝重定本草》开宝七年，诏以《新定本草》所释药类，或有未允，又命刘翰、马志等重详定，颇有增损。仍命翰林学士李昉，知制诰王祐、扈蒙等重看详。凡《神农》所说以白字别之，《名医》所传即以墨字，并目录共二十一卷。"（《证类本草·补注所引书传》）

据此可知，《开宝重定本草》首先以白黑字代替了朱墨分书，在内容上更为精细。以儒臣与医药学家合作整理书籍，继承了唐政府编修医书的优良传统。

〔内容·贡献〕　《开宝本草》是在《新修本草》的基础上进行校定增补而成

的，故其卷次分类皆与《新修本草》同。其主要贡献有三，简介如下。

（1）完成了《新修本草》的校定。该书针对《新修本草》"尽考传误，刊为定本"（《开宝本草·开宝重定序》），从而使之在历时 400 年的传抄之后，第一次有了补注刊本。

关于《开宝本草》所做的校订工作，《开宝本草·开宝重定序》说："类例非允，从而革焉。至如笔头灰，兔毫也，而在草部，今移附兔头骨之下；半天河、地浆，皆水也，亦在草部，今移附土石类之间；败鼓皮移附于兽皮，胡桐泪改从于木类；紫矿亦木也，自玉石部而取焉；伏翼实禽也，由虫鱼部而移焉；橘柚附于果实，食盐附于光盐；生姜、干姜，同归一说。至于鸡肠、蘩蒌，陆英、蒴藋，以类相似，从而附之。"可见此书修订了《新修本草》中一些分类欠妥的药条。此外，其还对"诸病通用药"的药性予以校补。据称，《新修本草》该节"以朱点为热，墨点为冷，无点为平"示药性，而"今于逐药之下，依《本经》《别录》而注焉"。

（2）拟定了旨在保持前代本草面貌的体例。该书最显著的改进是首次采用白字（阴文）、黑字（阳文）来表示旧抄朱、墨二色所代表的内容，即白字为《神农本草经》文，黑字为《名医别录》文。其又以简称注明出处，如以"唐附"表示《新修本草》新增药，以"今附"表示《开宝本草》续添之品。书中小字补注之文常冠以"今按""今注"，所谓"详其解释，审其形性，证谬误而辨之者，署为'今注'；考文记而述之者，又为'今按'"。在本草典籍由传写转向版刻的关键时期，该书在体例上做出了一些新的规定，以适应雕版印刷，这为保存古本草做出了重大贡献。

（3）增附药物及注文。该书续增药物 134 种，合《新修本草》原载药，共载药 984 种。续增药物中有约近 100 种皆转录自前代本草，如蛤蚧（《雷公炮炙论》）、莪术（《药性论》）、郁金香（《本草拾遗》）、仙茅（《海药本草》）等。可以说这是北宋初期对前代诸家本草进行的第一次筛选。其中丁香、乌药、天麻、延胡索、没药、五灵脂等，一直沿用至今。书中真正属前人漏载的新药并不多，有30 余种。如使君子、白豆蔻、山豆根等，皆首见于该书。

刘翰、马志等还增加了一些注文，这些注文属"今按"者 189 条，"今注"者83 条。"今按"之下引录 8 种文献，其中以《本草拾遗》分量最大（184 条），其次为"别本注"（62 条）。"今注"条文，主要注解药物形性、纠正前人记述错误，内容单薄，且时有谬误（见"河豚"条）。

〔流传〕 该书仅流行于宋代，在《崇文总目辑释》《通志·艺文略》《玉海》等书中皆有著录。原书不存，但其内容可见于《证类本草》中。

二、《嘉祐本草》

〔释名〕 该书是在《开宝本草》基础上采拾补注药品功状而成的。其成于嘉祐年间，宋仁宗赐名《嘉祐补注神农本草》，简称《嘉祐本草》。

〔编者·成书〕 嘉祐二年（1057）八月，集贤院成立校正医书局。同月，校正医书局即奉诏校修本草。主事者有太常少卿直集贤院掌禹锡、职方员外郎秘阁校理林亿、殿中丞秘阁校理张洞、殿中丞馆阁校理苏颂，另有医官秦宗古、朱有章协同编修。嘉祐四年（1059）九月，太子中舍陈检同校正此书。嘉祐五年（1060）八月书成后，又差光禄寺丞高保衡覆校。掌禹锡（990—1066），字唐卿，许州郾城（今属河南）人；官至光禄卿直秘阁；学问渊博，兼善地理。他除主修《嘉祐本草》外，还曾参与编修《皇祐方域图志》等多种地理书。

在该书编写已历1年时，掌禹锡等又奏请仿唐代《新修本草》的方式，编修《本草图经》，"所冀与今《本草经》并行"。因此，这二书同时进行，各有分工，互相呼应。《嘉祐本草》采用了为编《本草图经》而征集的素材。这一点可从狼把草、葫芦巴注文中得到证明。因此，《嘉祐本草》与《本草图经》应被视为统筹规划下撰成的姊妹篇。①

〔凡例·卷·药〕 该书旨在补前代本草之漏略，尤其注重保持《开宝本草》旧貌，"立例无所刊削"。为此，该书制定了严谨的凡例15则。

（1）"凡名本草者非一家，今以《开宝重定本》为正，其分布卷类、经注杂糅、间以朱墨，并从旧例，不复厘改。"这表明该书亦为20卷，目录1卷。

（2）"凡补注并据诸书所说，其意义与旧文相参者，则从删削，以避重复。其旧已著见而意有未完，后书复言，亦具存之，欲详而易晓。仍每条并以朱书其端，云臣（禹锡）等谨按某书云某事。其别立条者，则解于其末，云见某书。"

（3）"凡所引书，以唐、蜀二本草为先，他书则以所著先后为次第。"

（4）"凡书旧名《本草》者，今所引用，但著其所作人名曰某人，惟唐、蜀本则曰唐本云、蜀本云。"

（5）"凡字朱、墨之别，所谓《神农本经》者以朱字；《名医》因《神农》旧条而有增补者以墨字间于朱字。余所增者皆别立条，并以墨字。""别立条"在

---

① 郑金生. 宋代本草史（提要）. 中华医史杂志，1982，12（4）：204－208.

《证类本草》作"新分条"，共 36 种。

（6）"凡陶隐居所进者，谓之《名医别录》，并以其注附于末。"

（7）"凡显庆①所增者，亦注其末，曰唐本先附。"

（8）"凡开宝所增者，亦注其末，曰今附。"

（9）"凡今所增补，旧经未有者，于逐条后开列，云新补。"

（10）"凡药旧分上中下三品，今之新补，难于详辨，但以类附见。如绿矾次于矾石，山姜花次于豆蔻，扶栘次于水杨之类是也。"

（11）"凡药有功用，《本经》未见而旧注已曾引据，今之所增，但涉相类，更不立条，并附本注之末，曰续注。如地衣附于垣衣，燕覆附于通草，马尾藻附于海藻之类是也。"

（12）"凡旧注出于陶氏者，曰陶隐居云；出于显庆者，曰唐本注；出于开宝者，曰今注；其开宝考据传记者，别曰今按、今详、又按，皆以朱字别于其端。"

（13）"凡药名《本经》已见而功用未备，今有所益者，亦附于本注之末。"

（14）"凡药有今世已尝用而诸书未见，无所辨证者，如葫芦巴、海带之类，则请从太医众论参议，别立为条，曰新定。"

（15）"旧药九百八十三种；新补八十二种，附于注者不预焉；新定一十七种。总新、旧一千八十二条，皆随类粗释。"经实际统计，该书有 1084 条。

〔特色〕　此书文献价值甚高，为后世研究本草发展及辑佚古本草的重要参考书。其价值具体表现在以下三个方面。

（1）体例严谨，标记明晰（已见"凡例"项）。

（2）引文广博，取材精审。《嘉祐本草·嘉祐补注总叙》云："应诸家医书、药谱所载物品功用，并从采掇。惟名近迂僻，类乎怪诞，则所不取。自余经史百家，虽非方饵之急，其间或有参说药验，较然可据者，亦兼收载，务从该洽。"据统计，该书引用文献 50 余种，其中本草文献 16 种。比较重要的有《吴普本草》《蜀本草》《药对》《药性论》《食疗本草》《日华子本草》《南海药谱》等。其虽对引用文献有所删节，但能忠实地保留其旨意，为后世研究古本草提供了宝贵的资料。该书收有经史百家中的药物资料，对唐慎微编《证类本草》有直接影响。

此外，该书"序例"中还载有徐之才《药对》、孙思邈《千金方》、陈藏器《本草拾遗·序例》的部分内容。该书"序例下"对"诸病通用药""七情表"等

---

① 指显庆四年编撰的《新修本草》。

项内容进行了增补。

（3）开本草书中列要籍解题之先河。该书"补注所引书传"一节，扼要地介绍了 16 种本草的名称、卷数、成书年代、作者、内容特色、流传等，成为研究本草的珍贵史料。这一创举为南宋·陈衍《宝庆本草折衷》和明·李时珍《本草纲目》等书所仿效。

至于掌禹锡等自家注说，仅有 11 条，多局限于讨论药物分类位置及前代本草编修中的某些问题。因此，李时珍指责说："其书虽有校修，无大发明。"但如果考虑到该书与《本草图经》互相辅翼，各有侧重，则李时珍之评不免失之于苛求。

〔流传〕 该书初刊于嘉祐六年（1061）。为广流传，绍圣元年（1094）又刊行小字本①，小字本今则失传。宋元间的目录书《通志·艺文略》《直斋书录解题》《郡斋读书后志》《玉海》《文献通考》《宋史·艺文志》等皆著录此书。其完整内容存于《证类本草》中。

三、《本草图经》

〔释名〕 "图经"一般指针对绘图而作的解说。该书图文合一，仍以"本草图经"名之，或称《图经本草》。

〔成书〕 嘉祐三年（1058），掌禹锡、苏颂、张洞在编修《嘉祐本草》时提议撰写《本草图经》。丞相文彦博也曾谏言修此书。在宋代，唐本《药图》及唐本《图经》已丧失殆尽，但唐代"取诸般药品，绘画成图，及别撰《图经》等，辨别诸药，最为详备"的做法给北宋校正医书局以启发。经奏请朝廷，"本用永徽故事"，北宋朝廷拟定了一套向全国征集药图和标本的办法："下诸路州县应系产药去处，并令识别人仔细辨认根、茎、苗、叶、花、实、形色、大小，并虫鱼、鸟兽、玉石等堪入药用者，逐件画图，并一一开说著花结实、收采时月、所用功效。其番夷所产药，即令询问榷场市舶客商，亦依此供析，并取逐味各一二两，或一二枚，封角，因入京人差赍，送当所投纳，以凭照证，画成本草图，并别撰《图经》。"（《嘉祐本草·嘉祐补注本草奏敕》）

掌禹锡等认为"考正群书，资众见则其功易就；论著文字，出异手则其体不一"，故《嘉祐本草》由多人编写，广资众见；《本草图经》则由一人执笔，不出

---

① 晋·王叔和. 脉经真本：卷首. 成都：黄氏茹古书局，1892：4.

异手。因苏颂"向尝刻意此书，于是建言奏请，俾专撰述"。此书成于嘉祐六年（1061）10 月，经时 3 载。次年 12 月该书镂版颁行。

〔作者〕　苏颂（1019—1101），字子容，泉州南安（今福建南安）人；庆历二年（1042）进士；皇祐五年（1053）累迁太常博士充集贤校理；嘉祐二年（1057）任职于校正医书局。编修《本草图经》时，他才 39 岁。苏颂是我国历史上著名的科学家，在天文历算等方面颇多建树，在医药方面的造诣很深。他编述《本草图经》时，采"天宝（唐《天宝单方药图》）之例"，合辨药与用药于一书以"叙物真滥，使人易知；原诊处方，有所依据"，为宋代本草开辟出一种新的风格式样。

〔卷·药〕　总 20 卷，目录 1 卷。

原书无序例（总论）。卷 1 为玉石上品，其卷 1 至卷 18，大致对应于《嘉祐本草》的卷 3 至卷 20，可由"花蕊石"条考得。

据《本草图经·序》知，该书卷 19、卷 20 应为外草类和外木蔓类。

《证类本草》所引"《图经》曰"药条计 780 条，其中新增草药 103 种。该书在 635 种药名之下，附本草图 933 幅。这些药图是我国现存最早的版刻本草图谱，为药物基原考订发挥了巨大的作用。从药图名称中的地名来看，这些药图分别来自150 个州军[①]，是从当时各地所上"绘事千名"中遴选出来的。

〔内容〕　《本草图经·序》中提到苏颂所做的工作，大致有以下几项。①辨析药物名实及本原；②补充药物产地资料；③添加采收时月及药用部位记载；④注意收录外国或少数民族药物；⑤增附单方；⑥新增民间草药。苏颂治学严谨，将实际调查与文献考证结合起来运用。各药解说，统而述之，一般首叙产地、生长环境，次辨形状真伪及采制，末论药性并附单方。文中屡见"土人云""今医家""彼胡人云"等内容，可见该书十分重视民间及异族他邦的用药经验。

全书内容广泛而充实，科学性强，尤其是在辨药方面成就卓著。该书将医、药紧密结合，引用方书 51 部，间或在附方时解释方义、引用验案，使之成为临床药学的重要参考书。苏颂极力反对服石，对古代常用于服食的金石药，一一列举其害。苏颂引用文献 200 余种（如《吴普本草》《李当之本草》等），整理材料颇有章法，使之融成一体而又层次清晰。

---

①　150 这个数字是据《政和本草》药图名计算的。若据《绍兴本草》（残本）计，则少筠、吉、威、资、荣州及天台山 6 处。

本书附图是今存最早的药物图。尽管各地所上药图风格或异、精粗不一，但绝大多数是较高水平的实地写生科学绘图。这些药图在尽可能表现药物基原全貌（如植物的根、茎、叶、花、果）的前提下，着重表现药用部分。其中也有少数药图比例失调，甚至带有示意或想象的成分。

李时珍曾批评该书说："图与说异，两不相应。或有图而无文，或有文而无图。"这种现象的确存在，但是，其原因在于苏颂以一人之力是难以核查繁杂的地区用药品种的。苏颂既无法复核，又不肯随意猜测附会，还要尽可能汇集各地所上药图，因此书中就出现了少数图文脱节之处。

该书存在少数药品重复、考订错误之处，李时珍曾予指出："如江州菝葜乃仙遗粮，滁州青木香乃兜铃根，俱混列图；棠毬子即赤爪木，天花粉即栝楼根，乃重出条之类。"（《本草纲目》卷1）这些缺陷后被陈承、寇宗奭弥补了一部分。

〔评价〕　该书以本草史上第二次全国药物普查的资料为基础，又补充了大量文献资料，集中反映了北宋本草发展的实际情况，是宋代本草的精华。日本学者宫下三郎称赞："北宋苏颂《图经本草》达到了世界（药学）的最高水平。"① 薮内清还指出："《本草图经》已经远远超越了它作为《补注本草》的补充附图的意义。"②

〔实存〕　该书初刊于嘉祐七年（1062），绍圣三年（1096）刊行小字本，2种刊本均佚。其内容见于《证类本草》所附药图及"《图经》曰"以下的小字注文。现存的《证类本草》主要版本系中，名传本所附药图数量不一。其中《大观本草》存图922幅，《政和本草》存图932幅，《绍兴本草》（残本）存图801幅，以《政和本草》（晦明轩本）药图最佳。各本药图时有差异，可对照参阅。今有尚志钧辑校本《本草图经》。

四、《重广补注神农本草并图经》

〔命名〕　该书合《嘉祐本草》及《本草图经》二书为一，扩充补注而成，故名。

①　［日］宫下三郎. 本草の図そつんて：上册. 东京：春阳堂.
②　［日］薮内清. 宋元时代のすける科学技术の展开. 京都大学人文科学研究所. 宋元时代の科学技术史. 北海道：中村印刷株式会社. 1967：9.

〔作者·成书〕　　陈承，为北宋名医，以用凉药著称，时有"陈承箧里一盘冰"的谚语。据考，陈承为宋初丞相陈尧佐重孙，祖籍四川阆中。① 林希序介绍说，陈承"少孤，奉其母江淮间"。其约生活于 11—12 世纪，他的医学活动主要在浙江杭州一带。

陈承考虑到《嘉祐补注神农本草》与《本草图经》分别成书，"传者不博，而学者不兼有"，合此二书为一，加以自己的注说，纂成《重广补注神农本草并图经》。据林希作序于元祐七年（1092），可知该书当亦成于此时。

〔卷·内容〕　　23 卷。其当是在《嘉祐本草》20 卷基础上，加上《本草图经》外草类、外木蔓类 2 卷及目录 1 卷而成的。

原书已佚，其体例可见于南宋·陈衍所述："（陈承）尝编《神农本草》与《图经》二书，并聚为一。发明余蕴，以古今论说与己所见闻，立为议论一篇，篇端冠以谨按两字，间列《图经》之后。"这些"谨按"以下的文字，经艾晟摘引附入《大观本草》的有 44 条。虽然这 44 条并非原书全部新增条文，但从中亦可窥见该书之一斑。

陈承医药兼通，注重实际调查，敢发前人之未发。他斥责当时滥用砒霜之弊和用天灵盖治传尸之谬，纠正了前人用药的某些错误，并进行了药学理论的探索。陈承对杭浙所产所销药物比较熟悉，补充了一些有关药物来源鉴别、采收栽培、贸易交流等方面的内容。

艾晟摘引该书条文，均冠以"别说云"（故李时珍称此书为《本草别说》），以作为出处标记。他称赞陈承"其言皆可稽据不妄"，肯定了作者良好的学风和科学态度。然而李时珍却将此书与《绍兴本草》相提并论，且云"皆浅俚无高论"，此乃不实之言。

该书的另一个优点是图文对照，方便阅读，所谓"书著其说，图见其形，一启秩而两得之"。其创本草正文与图经部分（包括药图部分）合一的先例。

〔流传〕　　元祐七年（1092）初刊，迅速传至日本。日本《香要钞》（1156）引有该书图文。该书今无传本，所遗 44 条佚文见于《证类本草》中。

五、《证类本草》

〔命名〕　　全称为《经史证类备急本草》。其广辑经史百家药物资料，以证其

---

① 郑金生. 陈承的籍贯生平及其对医药学的贡献. 浙江中医杂志，1982（11、12）：529-530.

类，故以"经史证类"名书。简称《证类本草》。

〔作者〕　唐慎微（或因避讳作唐谨微），字审元①，蜀州晋原（今四川崇庆）人，元祐年间（1086—1090）师事李端伯，迁居成都。其家世为医，精于经方，医术高明，医德高尚②。"其为士人疗病，不取一钱，但以名方秘录为请，以此士人尤喜之。每于经史诸书得一药名、一方论，必录以告。"唐慎微用这种方法搜集了大量的药物资料。

〔成书年代〕　关于该书成书年代，长期以来，众说纷纭，主要有以下三说。①成于大观二年（1108），见王继先《绍兴本草》。李时珍《本草纲目》乃误把首刊年当作成书年。②元祐年间成书，见清·钱大昕《养新录》卷14。日本中尾万三进而考证，认为该书成于元祐六年至元祐八年（1091—1093）③。③成于绍圣四年至大观二年（1097—1108），其依据是书中引有《养生必用方》（书前有绍圣四年序）等④。以上三说，以后者比较可靠。马继兴据宇文虚中跋文及原书引用书籍的刊行年代，认为该书在元丰五年（1082）前后已写成初稿，经陆续增补，于1097—1108年之间定稿⑤。

〔卷次·分类〕　《证类本草》以《嘉祐本草》为基础，加以扩充、调整，而《嘉祐本草》悉遵《新修本草》分类，故《证类本草》与《新修本草》编排亦相类，现将其比较列表（表3）如下。

表3　《证类本草》与《新修本草》分类比较

新修	卷数	2	3	6	3	1			1	1	1	1	1		20
	分类	序例	玉石	草	木	禽兽			虫鱼	果	菜	米谷	有名未用		合计
证类	分类	序例	玉石	草	木	人	兽	禽	虫鱼	果	米谷	菜	有名未用	外类	合计
	卷数	2	3	6	3	1	3	1	3	1	3	3	1	1	31

注：此表以《大观本草》系统的版本为比较本。

该书除了分部稍细、卷数增多、类别次序略有调整外，在分类方法上没有太大的进步。

---

① 见《政和本草》宋·宇文虚中跋文。

② 见《学海类编》本宋·赵与音《宾退录》卷3第15页。

③ ［日］中尾万三.《绍兴校定本草》解题. 南宋·王继先等. 绍兴校定经史证类备急本草. 春阳堂影印大森文库本，1933.

④ ［日］冈西为人. 中国医书本草考. 大阪：南大阪印刷センター，1974：405.

⑤ 马继兴. 中医文献学基础. 医史文献室油印本，1980：103.

〔**组成·体例**〕 《证类本草》以《嘉祐本草》为框架，将《本草图经》并入其中，再加增补。因此，大部分《嘉祐本草》原有的药物内容，在《证类本草》中大体上由三部分组成，其顺序标记如书影（图3）所示。

其中药图与"《图经》曰"以下的小字为《本草图经》内容。这两者之间的文字系《嘉祐本草》原文。墨盖（◥◣）以下内容系唐慎微续添的。唐慎微引文均以大字标明出处，以小字书其文于下。

除此以外，唐慎微还增补了以下内容。

（1）该书"序例"部分：卷1增"雷公炮炙序"；卷2"诸病通用药"部分增加了一些药名和病名，仍以墨盖为分界标志。

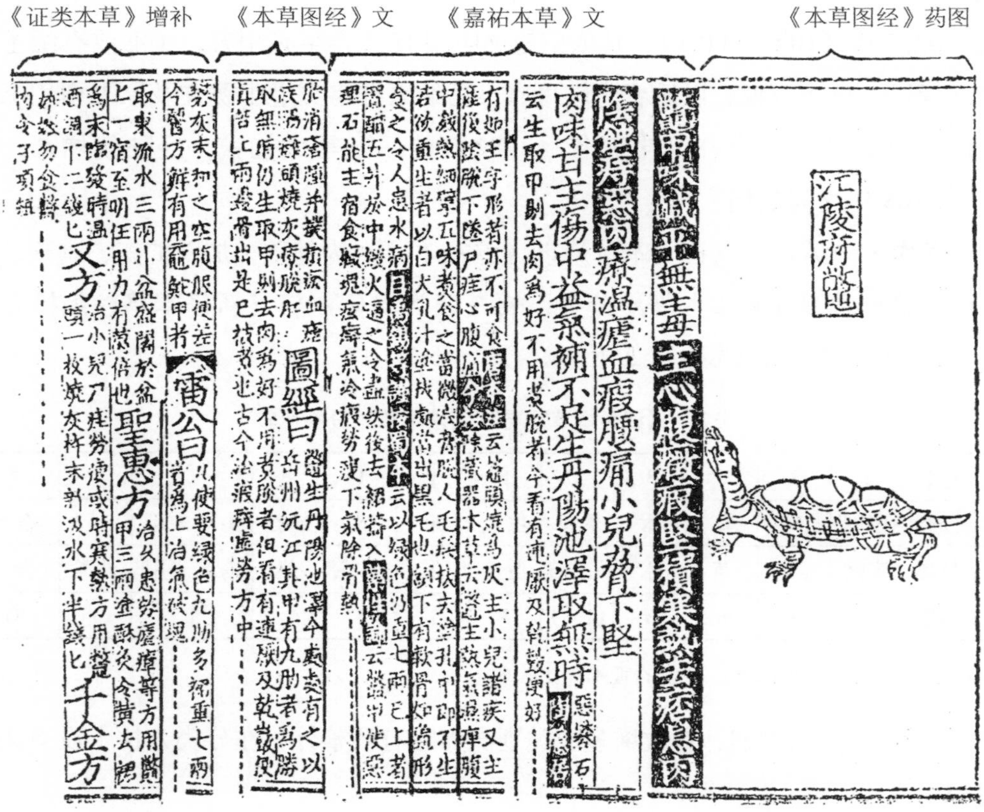

《证类本草》增补　　《本草图经》文　　《嘉祐本草》文　　　　　　　　《本草图经》药图

图3　《证类本草》与《嘉祐本草》《本草图经》内容

（2）该书各论部分：经唐慎微增补的内容有以下类型。

唐慎微新增的药物有8种。其以药名之上有墨盖（◥◣）为标记，散见于有关卷帙中。

唐慎微续添的前代本草遗余药品见于各卷之末。其条文之前有"××种××

余"（如"26 种陈藏器余"）字样。其中有"陈藏器余"488 种、"唐本余"7 种、《海药》余"16 种、《食疗》余"8 种、《图经》余"5 种。

此外，唐慎微将《本草图经》外草类、外木蔓类（98 种）缀于书后，自成 1 卷。

《证类本草》体例比较复杂，可参前述各种本草在该书中的标示法。

〔**药数**〕 由于计数着眼点及所用《证类本草》版本不同，得出的该书总药数亦有出入，有 1518、1558、1455、1746 等多种。今参日本冈西为人《本草概说》中所制表，并以原书所载药做统计，列表（表 4）如下。

表 4 《证类本草》传本系统各本药数

引书/药数/主要本草	《本经》	《别录》	唐附	《开宝》今附	《嘉祐》新补	《嘉祐》新定	唐本余	《食疗》余	陈藏器余	《海药》余	《图经》外类	新分条	唐慎微续添	合计
《本草经集注》	365	365												730
《新修本草》	367	369	114											850
《开宝本草》	367	369	114	134	82	17								983
《嘉祐本草》	367	369	114	134	82	17								1083
《证类本草》《大观本草》	367	369	114	134	82	17	7	8	488	16	98	36	8	1744
《证类本草》《政和本草》	367	369	114	134	82	17	7	8	488	16	103	36	8	1748

由表可知，虽然《证类本草》较《嘉祐本草》多收药 526 种（不计《本草图经》），但其中只有 8 种是唐慎微新增加的药，其余都是前代本草原来记载的。由于已经过北宋《开宝本草》《嘉祐本草》两次筛选，所以唐慎微拾掇的这些遗余之物中，常用效佳者很少。但是，这些遗佚品可以反映原出诸书的药品全貌，对了解唐及五代本草发展的脉络，有重要的文献价值。同时，也有少部分疗效较好的药物（如辟虺雷等）借此得以流传。

〔**内容·价值**〕 《证类本草》在我国现存的内容完整的本草书中是年代最早的一部。它几乎囊括了我国北宋以前的本草精华。其特色如下。

（1）资料丰富。其除了转录《嘉祐本草》《本草图经》的全部内容外，还搜罗了众多宋代及其以前的本草、方书、经史、笔记、地志、诗赋、佛书、道藏等的部分内容。《政和本草》（晦明轩本）之前所列"《证类本草》所出经史方书"计有

247 种，可见其资料之丰富。然而这 247 种书名中有一些是误列的，且还有一些书虽被引用但未被列入该目录。经实际统计，《证类本草》所引书有 243 种左右。在这些资料中，最重要的是一些本草书和医方书。所引本草书资料中以引自《雷公炮炙论》《本草拾遗》《食疗本草》《海药本草》《食医心镜》等者为最多。其引用方书 80 余种，补充了方剂数千首，且其中不少方书今已佚散。李时珍对此给予高度的评价："使诸家本草及各药单方，垂之千古，不致沦没，皆其功也。"

（2）内容广泛。除了药学理论仍比较薄弱之外，该书在药物形态、产地、采收、性味、功能、主治、附方、炮制等方面，都有丰富的记载。在唐慎微之前的综合性本草中关于炮制方法的内容不多。唐慎微补入《雷公炮炙论》（涉及药物 288 种），使这部分内容更全面。该书使附方部分得到了充实，进一步发挥了以方证药、医药结合的优势，使之更好地为临床服务。此外，《证类本草》补载了许多食疗药物和有关食疗的内容。

（3）体例绵密而适时。《证类本草》体例严谨，出处明确。唐慎微保持《嘉祐本草》原体例，又以墨盖（▰）作续添内容标记，采用大字标出处、小字写注文，或文字说明（如"××种××余"）等办法，明确而清晰地展现了历代主要本草发展的脉络。

《证类本草》对长期以来的手抄本草资料进行了历史上最后一次大规模的整理，成为北宋以前本草渊薮。唐慎微采用的编写方式与他所处的时代及其集大成的宗旨十分贴合。在这部书中，历代本草呈层层包裹状态，然而代代相传的严谨体例，又使各个层次界限分明，先后有序（如图 4）。

也正因为如此，《证类本草》成为我们今天考察古本草发展，辑佚古医方、本草书，丰富和发展中国医药学的重要文献来源。

《证类本草》还有其他一些成就（如药品众多等，见前述）。它把宋代本草推向了高峰，在本草史上占有极为重要的承前启后的历史地位。J. Needham（李约瑟）博士在《中国科学技术史》一书中称赞该书的某些版本"要比 15 和 16 世纪早期欧洲的植物学著作高明得多"。明代伟大的药物学巨著《本草纲

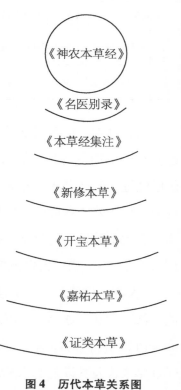

图 4　历代本草关系图

目》即以此书为蓝本。

唐慎微作为卓越的本草学家，只注意保存前人的经验，而极少直接表述自己的学术见解、用药心得及辨药经验等，这不能不说是美中不足之处。故王继先说："慎微《证类》又不过备录诸家异同，亦不能断其是非。"

〔版本沿革〕 《证类本草》成书后，在当时条件下，唐慎微本人是无法刊刻的，故"其书不传，世罕言焉"。没有任何文献依据表明该书在1108年以前曾经刊刻过。

《证类本草》初刊于大观二年（1108），属地方官刊，后世称作《经史证类大观本草》（简称《大观本草》）。政和六年（1116）朝廷命医官校正《证类本草》，刊为《政和新修经史证类备用本草》（简称《政和本草》）。绍兴二十九年（1159），王继先等奉诏再校《大观本草》，增补而成《绍兴校定经史证类备急本草》（简称《绍兴本草》）。

《绍兴本草》流传极少，世无刊本。今所存《证类本草》都是《大观本草》《政和本草》派生出来的版本。由于大观年间、政和年间2次校刊本在名称、卷数、编排顺序、内容等方面都与唐慎微原书有些差异，所以，拟将此二书分别予以介绍。

附：《大观本草》

〔命名〕 全称《经史证类大观本草》，因初刊于大观二年（1108），故名。简称《大观本草》。

〔刊刻过程〕 大观初，"集贤孙公"命"通仕郎行杭州仁和县尉管句学事"艾晟校正《证类本草》。此本首刊于大观二年（1108），属地方官刊本。明·梅鷟《南雍经籍志》载，"集贤孙公"乃孙觌，毗陵人。艾晟（江苏仪征人）刊《大观本草》的地点在毗陵。故冈西为人曰："宋真州即今仪征县，距武进（毗陵）不远。从其籍贯、官历、年纪、爱好诸点看来，似乎艾晟与孙觌是早年同学之好。"（《中国医书本草考》）

〔内容〕 31卷，目录1卷。书前有艾晟序。该书与《政和本草》都为《证类本草》的刊本，但它与《证类本草》《政和本草》又各有区别。

其与《证类本草》的最主要的不同是艾晟增补了一些内容。

据《大观本草》"丹砂"条艾晟注，可知艾晟曾以陈承《重广补注神农本草并图经》作为参校本。至今柯逢时影刻的《大观本草》卷 30 之末还刻有"《重广补注图经神农本草》卷第三十"字样，此即当年用陈承书校《证类本草》的痕迹。艾晟摘取了陈承的议论 44 条，均将其冠以"别说"，入于逐药之末。

此外，艾晟还增补了自家的注说与单方，将其附在墨盖之下的引文最末（见"络石"条）。

唐慎微引文是以书名或人名作大字标题，而艾晟引文主要以病名为题。以此类推，《大观本草》中有 11 处附方当为艾晟所加（见冈西为人《本草概说》）。此外，"麹"条所引"蜀本云"，不符合按时代先后排比资料的规律，恐也是艾晟所加的。元·张存惠重刻时，误将艾晟所列治病标题作为书名。

该书与《政和本草》的异同见下"附：《政和本草》"条。

〔版本〕　《大观本草》主要在南宋流行，元、明两代很少翻印。以下据冈西为人《本草概说》及《全国中医图书联合目录》所载，简介其版本情况。

（1）大观二年（1108）毗陵郡斋刊本，即初刊本。今不存，清·柯逢时影印本可见其大体面貌。

（2）绍兴二十七年（1157）国子监刊本。《玉海》载此本由王继先校定。《四库全书总目》据此认为："则南宋且有官本，然皆未见其原刊。"也有把此书作《绍兴本草》者。今未见传世。

（3）淳熙十二年（1185）江南西路转运司刊本。原本有淳熙十二年张谓跋，其称此本系取毗陵原刊，与《嘉祐本草》和《重广补注神农本草并图经》相校正。陶湘《涉园所见宋板书影》载："《证类本草》淳熙十二年刻海源阁杨氏藏。"据与此本同时合刻的《本草衍义》的刊记等，可知此本为江南西路转运司刊行。今未见。

（4）庆元元年（1195）刊本。即前一刊本的重刊本。陶湘《涉园所见宋板书影》（第二辑）载其刊记。冈西为人谓日本枫山文库有旧藏本，且其现存于图书寮。该本与《本草衍义》合刻。文政六年（1823）多纪元胤影印此本，版式略小。

（5）嘉定四年（1211）本，藏于中国国家图书馆。

（6）贞祐二年（1214）嵩州夏氏刊本。瞿镛《铁琴铜剑楼藏书目录》著录为《经史证类大观本草》附《本草衍义》。此本墨图记《经史证类大全本草》，《大全本草》一名自此始见。渡边幸三认为这是为避南宋年号而改的，并在《京师图书馆善本书目》著录该书（残存卷 12、卷 13）。此本与宗文书院刊本相同，都是大版。国内未见。

（7）大德六年（1302）宗文书院刊本。据贞祐二年（1214）本重刊（与《本草衍义》合刻）。北京大学有该本抄配本。

（8）元大德中环溪书院刊本。其著录于《经籍访古志》，版式与宗文书院本相似。《本草概说》记载，渡边氏据《留真谱》所载，认为该本为白口。国内未见此本，但中国国家图书馆藏元刻本（附《本草衍义》），不明其刊年及刻者。

（9）明嘉靖年间刻本。旧藏于思补斋。

（10）万历五年（1577）重刻元大德本。今藏于南京图书馆等处。

（11）朝鲜翻刻本。《日本访书志》谓此本"一依宗文（书院）本，不增改一字，较明人为谨饬焉"。三木荣考其刊年在李朝初期（《朝鲜医书志》，1956年，今转引自《本草概说》）。

（12）日本望月三英刊本。《全国中医图书联合目录》著录了明和六年和安永四年两种日刊本。但据冈西为人介绍，望月三英（鹿门）有感于当时偏重《本草纲目》而不顾及古本草，乃覆刻朝鲜本，故日本刊行的惟一的《证类本草》，完成于安永四年（1775）。（《本草概说》127页）。此本日本多藏。我国上海图书馆、辽宁省图书馆、南京中医学院亦收藏之。

（13）柯逢时光绪三十年（1904）影刻本。该本附《大观本草校勘札记》2卷，《本草衍义》20卷。该书底本不详。或认为是杨守敬影摹所谓明代重修本（恐是杨氏从日本持归），参《本草概说》126页。该书所附校记，用功甚勤。此本自刊行以来，流传甚广，全国数十处有藏，是现在最常使用的《大观本草》。近年来台湾省影印了此书（四合一）。

《证类本草》的版本系统主要包括《大观本草》和《政和本草》。但日本冈西为人则专列"《政和》《大观》合并本"一节，介绍了明代多见的将《大观本草》《政和本草》合并刊行的一类俗本。渡边幸三将这些俗本又分作两个系统（以下摘译《本草概说》这部分内容，并介绍各本在我国收藏的情况）。

（1）《重修政和经史证类备用大观本草》系统。此类刊本据成化四年《政和本草》缩刻，版心刻作《大观本草》，30卷。

1）正德十四年（1519）刘氏日新堂刊本。书贾刘氏据成化四年本重刻，日本有藏。

2）万历六年（1578）杨先春归仁斋刊本。封面大书《大观本草纲目》，旁刻"谨依山东原版图经证治、江右鼎新重梓"。渡边幸三认为此书应在万历三十一年（1603）夏良心重刻《本草纲目》之后，大概是书贾们模仿富春堂本的封面，仅刻一封面附于归仁斋本而成的。中国中医科学院有藏。

3）万历九年（1581）富春堂刊本。封面作"《全补图经证治大观本草》"，中间小字记"万历辛巳春金陵唐氏对溪梓"，上方横书"谨依山东原版"。书前晦明轩刊记之末刻有"富春堂刊"，版心下部刻有"富春堂梓"字样，无归仁斋刊记。但据推测，其是据归仁斋本刊成的。此本脱讹甚多，今中国国家图书馆、中国医学科学院图书馆有藏。

（2）《重刊经史证类大全本草》系统。该系统刊本的主要特征：有 31 卷；除《政和本草》诸序、跋外，还载有艾晟序和宗文书院刊记；内容与《政和本草》一致，附有《本草衍义》之文，卷末刻有莲碑。

1）万历五年（1577）尚义堂刊本。书首有万历五年（1577）梅守德序。卷末有同年王大献后序。该本乃王秋（安徽省宣城义民）捐资刊行，以其家藏《大观本草》为底本，校以成化初原杰刻《政和本草》，附《本草衍义》内容。今中国中医科学院、北京市中医学校、重庆图书馆等处有藏。

2）万历二十八年（1600）籍山书院刻本。朱朝望重梓于籍山书院。今国内中国国家图书馆、上海图书馆等 4 处有藏，题作《宣郡重刊经史证类大观本草》。

3）万历三十八年（1610）籍山书院重刊本。此本增载万历三十八年（1610）彭端吾序及金励序。据考，此本可能是改刻万历二十八年（1600）本的不良部分，加彭端吾、金励二序而成的。国内重庆图书馆有藏。

4）顺治十四年（1657）杨必达补刻本。此本在上一本基础上，增载顺治十四年（1657）南陵知事杨必达序及邑举人秦凤仪序，由杨必达重梓。卷末有"顺治丁酉岁夏月，重镌于籍山书院"莲牌。杨必达序谓因籍山书院旧刻欠版甚多，其于顺治十三年（1656）以纂修县志之余力补该书之欠略，凡三阅月而告成。今国内中国医学科学院、北京大学、中国中医科学院、上海图书馆等 6 处有藏。

附：《政和本草》

〔命名〕　全称《政和新修经史证类备用本草》。因在北宋政和年间重修，故以年号名书。

〔校修者〕　由曹孝忠领衔校勘。曹孝忠为政和年间医官，担负着为宋徽宗编类《圣济经》的任务。参与校勘本书的还有编类《圣济经》所点对方书官 6 人，即龚璧、丁阜、许瑊、杜润夫、朱永弼、谢惇。刘植也参与了检阅。该书成于政和六年（1116）。

这次校修主要是进行校勘，别无增补。曹孝忠序云：“谨奉明诏，钦帅官联，朝夕讲究，删繁缉紊，务底厥理。诸有援引误谬，则断以经传；字画鄙俚，则正以字说。余或讹戾毂互，缮录之不当者，又复随笔刊正，无虑数千。遂完然为成书。凡六十余万言，请目以《政和新修经史证类备用本草》云。”该书并无发凡起例之举，名为“新修”，不免言过其实。

〔卷·药·内容〕 30卷。其以《大观本草》为底本，参考《嘉祐本草》《本草图经》原书。该书与《大观本草》之间，仍存在不少差异。日本冈西为人归纳了10条主要不同处（《本草概说》113页），现简介如下。

①《政和本草》将《大观本草》的卷30与卷31合并而成为30卷，且二者有名未用类和本经外类的顺序有些不同。②《政和本草》每卷之首有分目录，《大观本草》无。③《政和本草》药图小，且大多药物下数图合为一图。④《政和本草》卷4增加石蛇、黑羊石、白羊石（全是《本草图经》药），卷30增金灯、天仙藤（同是《本草图经》药），共增5药。但《政和本草》卷15脱“人口中涎其唾”（新分条），故实际比《大观本草》多了4药。⑤《本草图经》之文与唐慎微新注，在《大观本草》中分别提行，而在《政和本草》中则依次连书。⑥《大观本草》卷末载有“《嘉祐本草》奏敕”，而《政和本草》卷30末有“《图经本草》奏敕”，且把林希序往前移了。⑦药品的次序在两书之间有若干不同，特别是虫鱼部、果部、菜部等处表现得尤为明显。⑧《政和本草》卷10在“由跋”及“鸢尾”两条中注云：“右由跋一种，古本所有，政和监本脱漏不载。今照依嘉祐监本，补之于此。”这是《政和本草》新修时脱漏的，恐怕是解人庞氏本为之补入的。⑨《政和本草》卷1之后附载有“《本草衍义》序例”，其各论中亦收录了《本草衍义》的内容，但这些都是晦明轩本所增加的。⑩《政和本草》曹孝忠序之后为“《证类本草》所出经史方书”，其列有247家书名，这也是晦明轩本所增的。以上仅是较大的差异，小差异不胜枚举，但两书没有根本上的不同。查找时可兼而顾之。

《政和本草》（晦明轩本）存药图931幅，《大观本草》存图922幅（参本章“《本草图经》”条），二者各有特色。其余内容及体例见“《证类本草》”条。

〔流传·版本〕 原有政和监本，然因书成之时，遭靖康之变，金国人将此书版掳去，使其在北地流行，而不为南宋医家所知。该书主要盛行于明代，为李时珍撰《本草纲目》的蓝本。关于其版本情况，现参考《本草概说》及《全国中医图书联合目录》予以简介。

（1）宋政和本。政和六年（1116）初刊，今不存。

（2）金解人庞氏本。麻革（信之）序中提及，今佚。

（3）张存惠（晦明轩）本。张存惠，字魏卿，平水（今山西临汾）人，堂号晦明轩。张存惠取解人庞氏本予以重刊，其时在"泰和甲子下己酉"。据考己酉即元太宗窝阔台称制之年（1249），此时金国已亡，而元朝尚未建立年号。此本前有晦明轩牌记，麻革（信之）序；卷末有宇文虚中"书《证类本草》后"（1143）、刘祈跋。此本名为《重修政和经史证类备用本草》。

该本是《政和本草》现存各种版本的祖本。其在翻刻前经精心校正，为《证类本草》现存最好的刊本。该本与《政和本草》原本的主要不同处在于该本将《本草衍义》逐条散入书中，合二书为一。另外，该本还在书前增辑了"《证类本草》所出经史方书"（计247种书名）。该本今存于上海图书馆、中国国家图书馆等处。1957年人民卫生出版社影印了季氏所藏该本，1983年再予重印。

（4）大德十年（1306）平水许宅刊本。其牌记有"大德丙午岁仲冬望日平水许宅印"字样。

（5）成化四年（1468）山东臬司刊本。此本为平水许宅本之重刻本，由山东茂彪、原杰等官员六七人，命工锓梓，前有商辂序。中国国家图书馆、中国科学院、中国医学科学院及中国中医科学院等8处藏此刊本。

（6）正德十四年（1519）马质夫刊本。其卷首载正德十四年刘春"重庆翻刻本草序"。刊行者马质夫任渝郡（重庆）郡守。此本据成化本而刻，故二者版式相同。日本存有2部。

（7）嘉靖二年（1523）山东臬司陈凤梧本。此本增山东巡抚陈凤梧"重刊《证类本草》叙"。此本据成化旧本重刻而成。北京大学、中国中医科学院、上海图书馆等处有藏。

（8）嘉靖十六年（1537）楚府崇本书院刊本。今中国医学科学院有藏。日本《杏雨书目》著录。

（9）嘉靖三十一年（1552）山东臬司周琰本。此本据嘉靖二年本重刻，前有山东巡抚王积序、项廷吉序、马三才序。国内中国国家图书馆等8处有藏。日本《杏雨书目》著录2部。

（10）隆庆四年（1570）浙江巡抚署谷中虚刊本。此本据成化本校雠刊行。此本有二种，一署隆庆三年（1569）重刻，一署隆庆四年（1570）刊。前者藏于辽宁省图书馆，后者藏于中国医学科学院及北京大学。冈西为人推测该本于隆庆三年

（1569）开雕至次年完工。

（11）隆庆六年（1572）山东布政使施笃臣刊本。这是同类刊本中有所校正增补的刊本之一。其以嘉靖三十一年（1552）本为底本。今辽宁省图书馆、四川省图书馆、云南中医学院有藏。

（12）万历五年（1577）蜀府陈瑛校梓本。其以嘉靖三十一年（1552）本为底本。今中国医学科学院存之。

（13）万历六年（1578）杨先春重刻本。今存于中国中医科学院。

（14）万历十五年（1587）经厂重刻本。该本较复杂，《全国中医图书联合目录》载其扉页作《大观本草纲目全书》，书口作《大观本草》，首行又间作《重修经史证类备用大观本草》。冈西为人称此本为敕版本，认为此本各书虽各有序跋脱落，但均有御制序或御制跋，为大版大字。今中国医学科学院、中国中医科学院、上海图书馆、南京图书馆均藏，未及逐一核查。

（15）天启四年（1624）胡馴、陈新校刻本。其以陈凤梧本为底本，参校他书。今藏于中国中医科学院。

（16）《四库全书》本（书名作《证类本草》）。今藏于中国国家图书馆（文津阁本）、辽宁省图书馆（文溯阁本）。

近代出了两种影印本。

其一是1921—1929年商务印书馆《四部丛刊》初编本。该本既不以平水许宅本为底本，更不以晦明轩为底本。冈西为人经比较考证，认为其以成化四年本为据。

其二是1957年人民卫生出版社据扬州季范董氏藏晦明轩本影印之本。此本又分两种，一种是线装（原大）本，一种是平装四页合一页本。影印时四页合一页本少许字词有校改。此本1983年再次印行。

附：《绍兴本草》

〔命名〕　全称《绍兴校定经史证类备急本草》，成书于南宋绍兴年间，简称《绍兴本草》。

〔作者〕　该书由南宋时医官王继先，太医局教授高绍功、柴源、张孝直等奉诏编撰。

王继先是南宋初有名的佞臣，以医得幸，与秦桧等专权恃宠。王继先曾以"黑虎"为市招（广告标记），人称"黑虎王医师"。其有相当的临床实践经验。但他在政治、道德上的劣行影响到该书的流传和后世对它的评价。

〔成书·卷数〕　关于该书成书年代及卷数，尚有一些矛盾的记载。如宋·王应麟《玉海》记："绍兴二十七年（1157）八月十五日，王继先上《校定大观证类本草》32卷，《释音》1卷，诏秘书省修润，付胄监镂版行之。"而南宋·陈振孙《直斋书录解题》则记曰："《绍兴校定本草》二十二卷，医官王继先等奉诏撰。绍兴二十九年（1159）上之。刻版修内司。"

据现存该书原序知，此书成于1159年。原书卷数当是31卷（《大观本草》的卷数），目录1卷。传世者皆为22卷节略本，明·陈第《世善堂藏书目录》和毛晋《汲古阁毛氏藏书目录》等书，皆著录该书为22（或23）卷，未见31卷本存世。对这些问题，日本学者中尾万三[1]和冈西为人[2]都做出了一些解释。如冈西为人认为王继先于1157年校定《大观本草》（作为该书的一个版本），交由国子监刊行；继而于1159年奉诏再校《大观本草》，加上注解，名之为《绍兴校定经史证类备急本草》。原书未刊，由修内司将其新注和药图节略为22卷刊行。这些说法仍属推测，有待进一步考证。

现存该书只有日本多种抄本，以19卷或5卷本居多。各抄本均以药图为主，文字甚少。在药品排列、药图形式（彩色或白描）及数量等方面，各抄本互有差异。其药物类别相当于《大观本草》卷3至卷14、卷16至卷27所列药物类别，即除外原序例、人部、菜部中品及下品、本经外类、有名未用。

〔内容〕　现在我国大陆所存日本春阳堂1933年影印的5卷本，图少文略。今据北京大学藏日本神谷克桢抄本（1836年抄）介绍其内容。

神谷克桢抄本分19卷，药物按《本草纲目》编排顺序重新组合；共存墨线图801幅，文字6万余。各药正文部分节引自《大观本草》，且351种药物下有"绍兴校定"（即王继先添加的注文）。其另有6种新出药，标以"绍兴新添"，即炉甘石、锡蔺脂、豌豆、胡萝卜、香菜、银杏6种。

从现存的"绍兴校定"中可以了解到该书的重点是校定药物的寒热补泻、有

---

① ［日］中尾万三.《绍兴校定本草》解题. 南宋·王继先等. 绍兴校定经史证类备急本草. 春阳堂影印大森文库本，1933.

② ［日］冈西为人.《绍兴本草》解题. 南宋·王继先等. 绍兴校定经史证类备急本草. 春阳堂影印龙谷大学本，1977.

毒无毒，并叙述当时用药的实际情况。其指出许多旧本草中的增寿神仙、服饵良药之物"非起疾之物"，归纳了一些常用药的功治用法，对"物性寒热补泻、有毒无毒，或理之倒置，义之相反者，辨其指归，务从至当"。

新增药内容涉及性味良毒、功治采制、产地等。惜该书草、木部有一些药无文字叙述，无法知其全貌。

王继先序中提到："考名方五百余首，证舛错八千余字。"可见其曾对某些附方做过一些调整。除校勘之外，该书的重点在于根据当时的用药实际，全面订补药性。其主要讨论了常用药物的使用，从临床药学方面对《大观本草》进行了一次重要的校补。

《绍兴本草》的药图大体上以《大观本草》药图为主体（王继先序云"形象本于旧绘"）。今存《绍兴本草》药图较《大观本草》药图少菜部（中、下品）及本经外类。其绘制较为精细，较今柯逢时本《大观本草》更能体现原植物特征，但其中有些药图经过了润饰甚至可能是重绘的。一般来说，本书大多数药图可以更好地表达《大观本草》原版的旨趣，对本草考证有较高的参考价值。

该书在古代很少流传。其作者是一名奸臣，这每每影响到他人对该书的成就的评论。宋·陈振孙《直斋书录解题》评曰："每药为数语，辨说浅俚，无高论。"李时珍虽未见过该书，但亦附和陈振孙之说。郑金生认为："《绍兴本草》在调查考证药物的来源以及搜寻汇集有关文献资料方面，远不如苏颂《本草图经》、唐慎微《证类本草》及寇宗奭《本草衍义》。但它也有它的特点。在它之前的宋代本草书很少对药性及疗效加以全面考订，而《绍兴本草》却以此为主要目标，既大胆地否定了一些在宗教影响下被神化的药物（如某些金石药），又突出了当时常用有效的药物，这对指导临床用药应该是有帮助的。"①

〔流传·版本〕　此书明代尚有刊本存世。除见于私家书目著录之外，《永乐大典》亦摘引了该书内容，可资证明。今传世的只是多种日本残抄本。

日本中尾万三"《绍兴校定本草》解题"记残抄本14种，其中大森文库5册本已被影印，流传较广。② 日本冈西为人"《绍兴本草》解题"中又记有9种残抄

①　郑金生等. 神谷本《绍兴本草》的初步研究. 中医杂志，1981，（2）：59.

②　［日］中尾万三.《绍兴校定本草》解题. 南宋·王继先等. 绍兴校定经史证类备急本草. 春阳堂影印大森文库本，1933.

本。① 另，我国北京大学藏神谷克桢抄本；台湾学者那琦在《本草学》中提到，台北故宫博物院图书文献馆藏杨守敬从日本持归的该书日本残抄本。据这些报道，该书存于中、日两国的残抄本达 26 种（不包括藏于美国等处的抄本）。国内以日本春阳堂影印的 5 册本为易得。中国国家图书馆、上海图书馆等七八处均藏有此书，而以神谷克桢抄本为最好。

附：《新编类要图注本草》

〔卷·类·内容〕　序例 5 卷，各论 42 卷。其分部顺序与《大观本草》相同，惟卷数分析更细。其药物品种及条文内容均未出《大观本草》及《本草衍义》范围，但其对药物及药图数目已进行删减，对条文也大加删节。故此书实为《大观本草》与《本草衍义》的合编删节本。被删去的药多数是所谓"余"药，其中又以标有"陈藏器余"的药物删除得最多。

各药条文已打乱了《大观本草》原来的顺序，几乎重新编排。其一般是按药图、大字药条正文（畏恶内容也多改用大字）、《本草图经》及诸家注说（每有删节，大部分单方被删除）、《本草衍义》条文的顺序进行编排的。全书文字虽大大减少，但其类例反而不清，并没有很好地达到"类要"的目的。

该书主要在南宋流行。其特殊之处在于将《大观本草》与《本草衍义》合编。然由于"编纂无例，标注不明"，该书颇遭后世诟评。清·彭元瑞等认为这是由该书编纂方式的失误所致的，"盖当时局医所撰，未经秘省儒臣厘定也"。② 其实是否经局医之手，尚有疑问。

〔编者考订〕　卷首原题"通直郎添差充收买药材所辨验药材官寇宗奭编撰，敕授太医助教差充行在和剂辨验药材官许洪校正"。目次之首又刻"桃溪儒医刘信甫校正"。

寇宗奭（参本章"《本草衍义》"条）著有《本草衍义》。《本草衍义》是以《嘉祐本草》《本草图经》为主体加以订补而成的。寇宗奭根本未参考过《大观本草》，因而说寇宗奭编撰了《新编类要图注本草》是没有根据的。该书牌记题词，

---

① ［日］冈西为人.《绍兴本草》解题. 南宋·王继先等. 绍兴校定经史证类备急本草. 春阳堂影印龙谷大学本，1977.

② 清·彭元瑞等. 天禄琳琅书目后编：卷15. 光绪甲申长沙王氏刊.

乃是书商做广告所用。

日本冈西为人认为："此书是以营利为目的的书贾削减《大观本草》、增入《本草衍义》而成的俗本。由于没有许洪、刘信甫的序跋，所以他们是否真正参与了此书的编撰还有疑问。"[①] 这一怀疑是有理由的。

〔版本·影响〕 该书与张存惠所刊《政和本草》的共同之处是将《本草衍义》条文散入《证类本草》。"然存惠之书，于《政和》原文，无所节略；信甫之书，则颇加芟汰，二书体裁自异。"（日本丹波元胤《医籍考》卷11）由于编述不得法，该书刊行次数不多。今所知刊本可分以下4种。

（1）《新编类要图注（一作经）本草》。南宋建安余彦国励贤堂刊。日本涩江全善、森立之《经籍访古志·补遗》著录有聿修堂藏本。日本冈西为人《本草概说》认为此本即金泽文库旧藏。

（2）《新编证类图注本草》。清·彭元瑞等《天禄琳琅书目后编》著录，无刘信甫校正字样。彭元瑞认为："此本衔内有行在字样，亦南渡后刻。"中国国家图书馆存元刻本残卷39卷；故宫博物院存元建阳坊刻本残卷（卷710、卷1214）。

（3）《类编图经集注衍义本草》。曾由《经籍访古志·补遗》著录，为聿修堂藏元刊本，并谓此即"《类要图注本草》而妄改题目者"。日本丹波元胤云："又有元山医普明真济大师赐紫僧慧昌校正《类编图经集注衍义本草》，其卷数版式，一与信甫之书［即上述第（1）种刊本］相同。"中国中医科学院藏此刊本残帙2册（目录1卷，序例5卷），其除题寇宗奭编、许洪校之外，增题"山医普明真济大师赐紫僧慧昌校正"。

（4）《图经衍义本草》。该书收于明《正统道藏·洞真部·灵图类》中，乃明人所刻。今以上海涵芬楼（1924）及台湾艺文印书馆影印本流传较广，藏馆甚多。

以上4种刊本，从分卷及节取内容来看，实出同一祖本。《道藏》本《图经衍义本草》较宋元诸本节略尤多（艾晟序及"《嘉祐本草》奏敕"等亦被删去），药名不分朱墨。此本舛错窜漏、混淆图名、改变图形之处甚众。因其流传较广，又改动得几失原貌，故近人或为之迷惑。如日本中尾万三将此认作"有图的《本草衍义》"；张山雷甚至说"然则《道藏》此本，即是寇氏衍义之真本"（《道藏》本寇宗奭"《本草衍义》校勘记"）。也有人认为该本药图与《大观本草》《政和本草》之药图并不相同，"当必另有来历"，并怀疑其和陈承的《重广补注神农本草并图

---

① ［日］冈西为人. 本草概说. 东京：创元社，1977：153.

经》颇有些瓜葛。但从此书版本源流及明人刻书的俗弊来看，《图经衍义本草》并无可称道之处。如果说它的祖本《新编类要图注本草》只不过是书贾所为的俗本，那么明代的《图经衍义本草》则只能说是俗本中的劣本而已。

六、《本草衍义》

〔命名〕 该书旨在推衍《嘉祐本草》《本草图经》未尽之义，故名。据《郡斋读书后志》及《文献通考》所载，此书又名《本草广义》。柯逢时《影刻〈本草衍义〉跋》云："疑宣和所刊，当名广义，迨庆元时，避宁宗讳，乃改广为衍。"

〔作者·成书〕 寇宗奭，北宋末人，里贯不详。日本河田羆《静嘉堂秘籍志》卷7"《本草衍义》"条云："宗奭，莱公曾孙。著有《莱公勋烈》1卷，见《郡斋读书后志》。""莱公"，即寇准，华州下邽（陕西渭南）人。河田羆所载是否确实，有待进一步考证。

寇宗奭尝官至承直郎澧州（湖南澧县）司户曹事（"付寇宗奭剳"）。在此之前，他"从宦南北"，留意医药。该书"序例"称："（经）十有余年，采拾众善，诊疗疾苦。和合收蓄之功，率皆周尽。"他针对《嘉祐本草》《本草图经》中的疏误，撰成《本草衍义》20卷。政和六年（1116），此书被"申尚书省投纳后，批送太医学看详"，且"博士李康等状：上件寇宗奭所献《本草衍义》，委是用心研究，意义可采"。经申报皇帝，同年12月28日，"奉圣旨，寇宗奭特与转壹官。依条施行，添差充收买药材所辨验药材（约相当于今药检机构官员）"。

〔卷·类·药〕 20卷。前3卷为"序例"（总论）；后17卷为药物，载药470种。其药物分类均依《嘉祐本草》。因不收"有名未用"药，故各论较《嘉祐本草》少1卷。但因"序例"3卷，较前书多1卷，故仍作20卷。该书取材原则是"内有名未用及意义已尽者，更不编入"，因而其内容与《嘉祐本草》并无重复。

〔内容·贡献〕 该书在医学、药学方面都有许多新的内容，尤其是在医药理论上卓有成就。

寇宗奭本人医药兼通，他认为："疾病所可凭者医也，医可据者方也，方可恃者药也。"他主张治病必须"知病之虚实，方之可否"，必须"达药性之良毒，辨方宜之早晚"，不可"真伪相乱，新陈相错"。在这一医药结合思想主导下，寇宗奭在书中将辨药论理与临床紧密相连，使之成为临床及药学工作者的重要参考书。

（1）医药理论方面。寇宗奭在"序例"中强调"不治已病治未病""善服药，不若善保养"。他提出治病要先明八要（虚、实、冷、热、邪、正、内、外），继而望、闻、问、切，这实质上是后世四诊八纲的较早的归纳。

对传统的"四气"（寒、热、温、凉），寇宗奭改订为"四性"，且云"凡称气者，即是香臭之气"。他的改气味为性味的主张已普遍为后世承认。寇宗奭将《黄帝内经》中的基础理论融入本草，结合个人临床实践，对张仲景医方进行理论分析，开方论之先。他对具体药物的理论辨析比较中肯，指出了很多用药的时弊。他从医学经典著作中寻求用药理论的做法，对金元医家有很大的影响。清·杨守敬评曰："寇氏辨正药品……发明良多。盖翻性味之说，而立气味之论。东垣、丹溪之徒，多尊信之。本草之学，自此一变。"（《日本访书志》）日本冈西为人认为寇宗奭"在开拓解释药效这一新的领域中独著先鞭"。尽管"寇宗奭的药学理论还只是片断，未经组织化"，但是其"在以《素问》和张仲景书作为基础这一点上，和金元药理是相通的"。（《本草概说》15页）

（2）药学方面。该书论药，采用了类似笔记的形式，主要补充旧本草未备之言。对于每个具体药物来说，其内容并非面面俱到；但从全书来看，其讨论的范围则甚广，涉及药物产地、形态、采收、鉴别、炮制、制剂、性味、功效、主治、禁忌等。其中有关药物鉴别的见解尤其引人注目，常能纠正前人之非。这是寇宗奭深入实际，注重调查和实验的结果。古代方士谓以水银能制成不死之药，并鼓吹服石，寇宗奭则在书中列举了一系列服石的恶果（见"丹砂""水银""石硫黄"等条），极力反对此陋习。此外，该书对中药炮制、制剂也有许多论述，记录了用升华法精制砒霜、用结晶法精制芒硝等。

《本草衍义》的科学成就和它对医药的巨大贡献，使之在本草史上占有比较重要的地位。元·朱丹溪作《本草衍义补遗》，就是受该书的影响。该书在北宋与金元药学发展过程中，起着一定的纽带作用。

在北宋末运气学说流行之时，作者的思想也不免受到一定的影响，这表现在其对有些药物效果的解释还带有一些虚玄成分上（见"丹雄鸡"等条）。其对少数药物的考释也有失误之处，李时珍评曰："但以兰花为兰草，卷丹为百合，是其误也。"但李时珍又高度评价了该书的主要内容，谓其"参考事实，核其情理。爰引辨证，发明良多"。

〔流传·版本〕　本书由寇宗奭侄子寇约刊于宣和元年（1119），在金地和南宋均广为流传。南宋时题为寇宗奭编撰，许洪、刘信甫校正的《新编类要图注本草》就已将《本草衍义》与《大观本草》合编（参本章"附:《新编类要图注本草》"条）。张存惠于 1249 年刻的《政和本草》，也将《本草衍义》的内容逐条散入其相应药物项下（参本章"《政和本草》"条）。明代以降，以张存惠刻本翻刻者甚众，《本草衍义》单行本反而少见。该书在清初也无单行本，故《四库全书》未予著录。

光绪三年（1877）归安陆心源，以所藏南宋麻沙本重梓，使该书又得以单行本流传。宣统二年（1910）武昌柯逢时，用杨惺吾从日本所获南宋椠本影印，并将之附刊于《大观本草》之末。自此该书单行本始广为流传。其收藏情况参前"《大观本草》"及"《政和本草》"二条的"版本"项。

七、《履巉岩本草》

〔**释名**〕 序称："山中有堂，曰履巉岩，故以之名书。"

〔**作者**〕 南宋·王介，字圣与，号默庵，为知名画家。元·夏文彦《图绘宝鉴》云："王介，号默庵。庆元间内官太尉。善作人物山水，似马远、夏珪；亦能梅兰。"《履巉岩本草》序后署"嘉定庚辰孟夏望日琅琊默庵书"，且自称"老夫"。据此，可知王介约生活于宋孝宗至宋宁宗年间（1162—1224）。《式古堂书画汇考》载其所作画名若干。宋·周密《志雅堂杂钞》记王介尝辑《对苑》一书。由此可知王介长于植物绘图。

〔**成书**〕 其在自序中称，"切思产类万殊，风土异化，岂能足历而目周之，况真伪相杂，卒难辨析"，遂调查住地周围的药草，发现"其间草可药者极多，能辨其名及用者，仅二百件"，于是将之编绘成书。他还参以单方，以期"药不旁求，方以单用"。该书成于嘉定十三年（1220）。

〔**地方考证**〕 该书为局部地区的民间药草图谱。王介虽祖籍琅琊（今属山东），但活动于南宋行在（今浙江杭州）一带，这可以从他官太尉和周密对他的了解（周密为《武林旧事》作者）大致推测。王介在该书序中提到"老夫有山梯慈云之西，扪萝成径，疏土得岩"，此"慈云"似指临安皇城西北郊"慈云岭"。岭下时多寺院，为士人归隐之地。逐药考订该书名称、品种及分布，可知其俱为浙江一带植物，其中尚有杭州特有的药物。如千年润，不见于宋以前本草，独存于乾道、咸淳《临安志·药之品》。其中有些药名带有浓厚的浙江方音，如穿心佛指（珠）、护花（火）草等。该书另记有茶叶在浙中作伪情况。综合王介的活动地区及书中药品考订，可知该书为杭州地区的小区域地方本草。

〔卷·药〕 3卷，不分类。收药206种（实存202种），图202幅。其中以山地植物药为多。

〔内容·特色〕 一药一图（彩绘），先图后文。

文字部分：主要记载药物性味、功能、单方及别名等，无植物形态描述。全书仅2万余字，其内容或取自《大观本草》，或采自民间经验。

药图部分：该书药图多为就地取材写生之图，作者又系画家，故药图描绘精美，尤以大花植物为精致。王介还将马远、夏珪的山水画法化裁应用于本草图，截取局部表现全体，按比例绘制在小幅书页之上。这样更有利于突出植物的鉴别特征。据药图可考订其大部分药物来源。据考书中有新增品22种①，如曼陀罗、虎耳草、醉鱼草、山黄杨等。其图线条流畅，气韵生动，故赵燏黄曰："本图朱砂矿绿，历久如真；铁画银钩，古朴有力。宋以后之本草墨迹，以余所见，惟有明画家赵文淑所绘者可以并驾。"

由于作者医药水平所限，书中尚有若干图文不符、名实不符之处。有20余味药名下仅注以"入炉火药"，这恐与作者受道家影响有关。

该书为本草史少见的小区域地方本草，也是现存的最古的彩色药谱。其药图之精美，亦属稀见。

〔流传·抄本〕 据考证，明·胡濙的《卫生易简方》，录有与本书药名、主治、用量及用法均同的单方106条。从胡濙引述时将本书单方连贯而书，且药之先后次序亦与本书一致等多方面的证据可知，这些单方转录自《履巉岩本草》。这表明该书在明初时即有流传。

明·李时珍《本草纲目》所引《卫生易简方》中的有些内容原出《履巉岩本草》。李时珍的某些新增药，如曼陀罗、虎耳草、醉鱼草等，原载于王介之本草中。因此，《履巉岩本草》的复出，为考证《本草纲目》若干有名未用药的基原提供了证据。如前引天仙莲，据彩图可考为八角莲，而《本草纲目》卷21却列此草于有名未用类。

《履巉岩本草》抄绘本原为北京市顺义区张化民所藏，后于1950年售与文禄堂书贾王文进（晋卿）。王文进跋云"原藏者张翁化民，自称顺义县世医家。困难来京，不忘祖传所宝。先人有言：乾隆时谋此进呈者，以三庄之田不易也。"王文进

---

① 郑金生.《履巉岩本草》初考. 浙江中医杂志, 1980, (8)：338 - 341.

初以此书为宋本，视如和璧，对王介有一些考证。后其捐此书给中国国家图书馆特藏部。经鉴定，确定为明抄绘本。赵燏黄曾请人摹绘一部，气韵不及原抄。赵燏黄殁，其后人捐此转绘本于中国中医科学院中国医史文献研究所。

八、《纂类本草》

〔**解题**〕　原书佚，南宋·陈衍《宝庆本草折衷·诸贤著述年辰》有解题："《纂类本草》：乾道（1165—1173）中有缙云先生，不著姓氏，取《本草》药物削冗举要，混合经注。各条以名、体、性、用四字而类之。依嘉祐之本，编排部品。中间以一种药析为二条、为三条者多矣。外各立条例，以记名字之节重，德味之单复，及炮炙反恶、升合分两诸说，冠之卷首。此书约而易守，炳而易见，真得论述之法。鹤溪道人为序。序谓：鹤溪俾犹子编括。按《三因方》鹤溪乃陈言无择之道号，即其所居地名也，属缙云郡，故题此书曰缙云焉。"

〔**编者考证**〕　陈衍称编者为缙云先生，不知姓氏。但南宋著名医家陈言为此书作序，并称编者是"鹤溪俾犹子"。所以，不管"俾犹子"三字的含义是什么，至少陈言熟知此书此人是可以肯定的。

据陈言著《三因方》的时代和其籍贯，可知陈言与《纂类本草》的作者同时同里。陈言作序而不言此书编者姓氏，所以可能他本人就是作者，"鹤溪俾犹子"可能是他的道号。

陈言在《三因方》中表述的学术见解与《纂类本草》的内容是一致的。这体现在以名、体、性、用四字为目，分项提要解说药物方面。如《三因方·五科凡例》说："凡古书所诠，不出脉、病、证、治四科。而撰述家有不知此，多致显晦，文义重复。要当以四字类明之。四字者，即名、体、性、用也……如治，药桂则为名，出处形色为体，德味备缺为性，汗下补吐为用。以此推之，读《脉经》、看病源、推方证、节本草，皆用此法，无余蕴矣。"可见，以名、体、性、用来"节本草"，是陈言的创见。《纂类本草》卷首的"德味""炮炙反恶""升合分两"等内容，亦可见于《三因方》。结合陈言序中"鹤溪（陈言居地）俾犹子"一说推测，似乎他很可能是该书的实际编纂者。

〔**特色·影响**〕　《纂类本草》一反北宋主要本草层层加注的传统著书方式，将前人本草"削冗举要，混合经注"，抓住药名、产地形态、性味、用法四项，提纲挈领，这是本草编述方式上的重大进步。此后明代《本草品汇精要》《本草纲目》等都采用了分项解说的形式，《纂类本草》实为其嚆矢。

在总论编述方面，该书废去罗列序例的形式，"各立条例"，在卷首集中介绍药名、性味、炮制、剂量。该书在本草编纂方式上的重大改革，让陈衍推崇备至，陈衍赞其"约而易守，炳而易见，真得论述之法"。

此外，该书在北宋·初虞世《养生必用方》基础上，立"名义条例"一篇，罗列名异实同、名同实异的药物，后陈衍又在此基础上予以扩充。由于《纂类本草》"凡经注所记性味……皆集而不遗"，陈衍以其作为考订药性的重要参考书。

该书所依据的底本是《嘉祐本草》，而非《证类本草》，因而今存于《宝庆本草折衷》的众多佚文亦可供校勘北宋以前的本草之用。

九、《宝庆本草折衷》

〔命名〕 该书初成于宝庆丁亥（1227），故名。"折衷"，意即取正。作者"笃志诠评"诸家本草，取其精华，故以之名书。简称《宝庆本草》或《本草折衷》。

〔作者·成书〕 陈衍，字万卿，自号丹丘隐者，人称陈隐君或冰翁。据考其为浙江黄岩人，生活于宋光宗至宋理宗之时（1190—1264）。据称，陈衍"饱经史而能文"，尤精于医，且医德高尚。该书成书经过，陈衍跋中叙述最详，云："《宝庆本草折衷》一编，乃衍考古验今，权是订非，遴选要剂，而为之论说也。宝庆丁亥（1227）维莫之春，属稿已成，题曰《本草精华》。是时家运蹇否，用力于丛艰剧困中，以故率多厖舛。洎逾十稔，更读所未见书，历阅愈远，采摭尤切。投老林塘，宅心物外，始获朝夕是编。意有未足，随削随补，今又十稔矣。改正之笔，尚未韬也。自顾景薄崦嵫，志罢神耗，于是学讵有再进之望，遂定为书，不复洿易。因以折衷革精华之名。然而冠以宝庆年号者，盖不忘其初云。"可见该书乃陈衍毕生心血之所在。该书初成于1227年，定稿于1248年。

〔卷·类·药〕 20卷。卷1至卷3相当于总论。其中前2卷总题为"序例萃英"。其下分11个专题："叙本草之传"（本草发展及要籍介绍）、"叙业医之道"（医德）、"叙得养之理""叙辨药之论""叙制剂之法""叙服食禀受之土""叙女人之科""叙解药食忌之方""又述服药食忌"（以上卷1）、"叙名异实同之说""叙名同实异之分"（卷2）。此后又列"逢原记略"一专篇，分24项论用药大法（如"治病当究原""用药当审虚实""用药当通变"等）。

卷3分"名医传赞"和"释例外论"2篇。前者记述了11位医家（8位是宋人），后者介绍了拟定该书凡例的理由和该书的资料来源。

卷 4 至卷 20 为各论。其分类及药物排列顺序与《证类本草》相近，分玉石、草、木、人、兽、禽、虫鱼、果、米谷、菜部及外草、木蔓类。各药名之下均有白字序号，该书共载药 789 种（实存 523 种）。其正文节取自前人本草。其后所附"续说"，则系作者自家见解及增补资料。今实存"续说" 209 条。

第 20 卷之末所附"群贤著述年辰"，为宋代本草著作解题。其共介绍了 12 部宋本草，其中有 5 部南宋本草（不包括《绍兴本草》和《宝庆本草折衷》）。这是除《嘉祐本草·补注所引书传》之外的又一种重要的本草史资料。

〔体例·内容〕 该书体例严谨，编写得法，与北宋主要本草相比，有很多进步之处。它打破了北宋本草堆积诸家序例作为全书总论的旧法，采用按药学专题内容分门别类择取诸家论说的方式，集中地阐发了本草学中的一些重要论题。此法条理清晰，切合实用。

各论部分也打破了《证类本草》层层加注、不断是非的旧格式。各药名下注序号，或标出君、臣、使。药名下还以小字注出别名、产地、采收、其他药用部分等内容。正文大字，不分朱墨。书中药物性味功效多摘取自《神农本草经》《名医别录》，但如果后世诸家有精要之论，也抄作大字。该书还兼论药物炮制、形态鉴别及应用。其资料多取自前人，且标明出处。其内容简捷，避免了说法矛盾、莫衷一是的局面。为此，作者在药性方面做一番很深的研究。所谓"味则参缪云（见《纂类本草》编者注）之所集，而其性乃验隐居之所评，更权衡以仲景之方法，然后求其与主治相合者，订为定论焉。"（《宝庆本草折衷》卷 3）。

陈衍在正文和"续说"中，补充了大量的药物资料。他所引的一些南宋医书本草，有不少已经佚散。因此，该书有比较高的文献价值。该书还征引了艾原甫、张松、陈日行、王梦龙、许洪、刘信甫、吴斑、陈晔、徐兆、李知先、姚耆寅、杨邦光、许叔微、陈言等的论述，补充了许多用药经验。

根据此书述例，凡注明"新分" 2 字的药物，是将《本草图经》附论之药单独分条叙述的药物；《证类本草》未载之药则注云"新增"。今存该书 523 种药中，就有 13 种新增药，53 种新分药。书中大部分药物是临床实用之品。

《宝庆本草折衷》现仅存内容虽不足原书的 3/4，但仍可反映宋代（尤其是南宋）药物学的成就和本草发展趋势。例如，在药品鉴别方面，书前列举了数十条名实异同之例。陈衍本人也具有辨药的丰富经验。他首次将紫矿和麒麟竭分作 2 条，又指出"以紫草茸以胶物，贯以木枝，伪此为矿"的现象。该书多次揭示了药品作伪情况（如花梨木充降真香、海柏伪沉香、鸭跖草作淡竹叶等）。

我国医药化学的重大成就——从人尿中制取秋石（纯净的性激素结晶），在北宋已有明确记载。但其作为一味药正式被载入本草，则首见于该书。陈衍还最早在本草书中记载了樟脑的产地、来源、性味功用等。此外，他还引述了《纂类本草》中的以猪胆合为牛黄的文字等。

该书在用药方面的作用也很重要。除了卷 2 "逢原纪略" 类集用药原则外，各论在药物性能及理论解释方面均较前人大大前进了一步。薄荷性凉，是由陈衍最早提出来的。有关药物的归经入脏的记载也可零散见于该书。该书对陈衍个人用药经验也有所反映，如谓："欲以疗寸白诸虫，惟新摘生榧则可，经火则无力，止堪供果筵耳。"

《宝庆本草折衷》是南宋最有代表性的节要性本草。其内容丰富，体例严谨，切于实用。当然，该书也有美中不足之处。在 "撤图像例" 中，陈衍仅因有些药图失于泛滥，就不录药图，此未免因噎废食。

〔流传〕　该书约在宋末刊行，元代时曾在浙江一带流传（见《九灵山房集》）。明代《永乐大典》转引了该书条文。《文渊阁书目》著录《宝庆本草》云："一部一册完全。"《菉竹堂书目》记作 "六册"。今均未见。《内阁藏书目录》著录《宝庆本草折衷》云："五册不全。"国内未见此残本。今中国国家图书馆藏该书元刻本（亦可能是宋本），计 8 册，残留 14 卷（卷 1 至卷 3，卷 10 至卷 20）。

第四章　金元时期

（1115—1368）

一、《珍珠囊》

〔**作者**〕　张元素，字洁古，金代易州（今河北易县）人，人称易水先生，生活于12世纪。他倡言"运气不齐，古今异轨，古方新病不相能也"，自成家法，对药性理论的贡献甚大。名医李东垣即其弟子。他撰《珍珠囊》等书。该书的成书年代不明。现暂将其附于1200年。

〔**内容**〕　该书明代《医要集览》本内容依次为："药象阴阳""诸品药性阴阳论""药性浮沉补泻法""诸脏五欲""诸脏五苦""五臭凑五脏例""五行五色五味五走五脏主禁例""手足三阴三阳表里引经主治例""诸药泻诸经之火邪""诸药相反例""五脏补泻主治例"（多本《素问·脏气法时论》）、"用药凡例""诸品药性主治指掌""用药法象"。

其中"药象阴阳"，将时、卦、季节、用药集于一图。"诸品药性阴阳论"，多本《黄帝内经·阴阳应象大论》，略加发挥，如"清阳发腠理，浊阴走五脏。清中清者荣养于神，浊中浊者坚强骨髓"等。"药性升降浮沉补泻法"，依次列诸经性味补泻，如"足厥阴肝、足少阳胆：味辛补酸泻，气温补凉泻"等。"诸品药性主治指掌"，共载药90种。每药下皆简述性味、良毒、升降、阴阳、功效等。如，其云："羌活，味苦甘平，微温，无毒。升也，阴中之阳也。其用有四，散肌表八风之邪，利周身百节之痛，排阴阳肉腐之疽，除新旧风湿之证。乃手足太阳、表里引经药也。""用药法象"则简列天地阴阳与人身相应的关系。

张元素将《黄帝内经》中的有关气味阴阳厚薄的理论原则和具体药物结合起来，并进而将药物的性、味、臭、色等与脏腑相联系，按十二经络归类诸药性，将归经学说首次系统化、具体化。他除归类药物性味以外，又普遍将升降、浮沉（药物作用趋势）、补泻（性能）、阴阳（药性总括并分层次）等概念用于各药，作为药物的基本性能。这使中医药性理论比过去的性味臭色更为丰富，更有利于细致地辨析药性。

李时珍对张元素《珍珠囊》推崇备至，认为张元素"辨药性之气味阴阳厚薄、升降浮沉补泻，六气十二经，及随证用药之法，立为主治秘诀，心法要旨，谓之《珍珠囊》。大扬医理，《灵》《素》之下，一人而已。后人翻为韵语，以便记诵，谓之《东垣珍珠囊》，谬矣。惜乎止论百品，未及偏评"。李时珍在《本草纲目·序例》中，大量引录张元素之说，并受其启示，进一步将《素问》中的药学理论原则引入本草。明、清许多本草的总论，都经常引述该书的内容，该书影响甚大。另，元·王好古《汤液本草》亦摘引了该书的部分条文，以"珍曰"为标记。

〔版本·流传〕　张元素的药学论说还可见于《医学启源》等书中。《珍珠囊》只是其著作之一。今存以《珍珠囊》单独名书的刊本见于元·杜思敬《济生拔粹》（1315），其名《洁古珍珠囊》。经查其与本条所述迥然不同，非李时珍所见者。明刊《医要集览》所载《珍珠囊》，与《药性赋》合刊，各用本名。明代出现的多种合编类纂的同类本草，如《珍珠囊药性赋》《珍珠囊指掌补遗药性赋》等（均参下篇各条下），常节编此书的内容，甚至总题全书为金·张元素撰，实误。

附：《洁古珍珠囊》

〔内容〕　此书存于元·杜思敬《济生拔粹》（1315）中，系一节本，与《医要集览》所载《珍珠囊》截然不同。该本载药113种。各药首出药名，次列君臣佐使、归经、用药、疮毒用药法、制药、煎药、服药等。该书不立名目，杂乱无序，内容极简。书中各药体例及内容也与《医要集览》本不同，例如，"黄芪"，《济生拔粹》本为"黄芪，甘纯阳，益胃气，去肌热，止自汗，诸痛用之。与鳖甲相反"；《医要集览》本记作"黄芪，味甘，气温、无毒。阳也。其用有四，温分肉而实腠理，益元气而补三焦，内托阴证之疮疡，外固表虚之盗汗。"余皆类此。此书后罗列君、臣、佐、使诸药名，又述十二经引经药及诸症宜用之药，对炮制、煎药、服药法亦予简述。该书卷首题书名为《洁古老人珍珠囊》，书口简作《珍珠囊》。《济生拔粹》今有1938年涵芬楼影印延祐二年（1315）本，各地多藏。

二、《药类法象》《用药心法》

〔作者〕 李东垣（1180—1251），名杲，字明之，世居真定（今河北正定）。真定汉初为东垣国，故其晚号东垣老人，后世多称李东垣。他早年习儒，以母病为医误而死，遂携重金从张元素学医，数年后尽传其学。他提倡脾胃学说，为补土派创始人、金元四大家之一，著述甚众。

〔成书〕 李时珍云："《用药法象》，书凡一卷……祖《洁古珍珠囊》，增以用药凡例、诸经向导、纲要活法，著为此书。"《医籍考》引砚坚《试效方·序》，作《药象论》。

《汤液本草》引用了李东垣《药类法象》和《用药心法》两书。李时珍将此二书作为一书（《药类法象》）著录，这是不太合适的。为了更好地集中介绍李东垣药学思想，我们将此二书并列介绍。原书成书年代不明，今将其附于1251年。

〔内容〕 《药类法象》主要内容为：①"用药法象"，介绍天地阴阳、气味厚薄清浊等内容；②"药性要旨"，介绍药味与升降关系，并附"气味厚薄寒热阴阳升降图"；③"升降者天地之气交"，介绍气味厚薄阴阳与升降之关系；④"用药升降浮沉补泻法"，分脏腑归类气味补泻关系；⑤"药类法象"，按风升生、热浮长、湿化成、燥降收、寒沉藏五类，列药百味，各注性味；⑥"标本阴阳论"，论用药分标本；⑦"五方之正气味"。

《用药心法》主要内容为：①"随证治病药品"，按症选常用药，如"顶巅痛，须用藁本，去川芎"等；②"用药凡例"，据证立法，组合君佐之药，如"凡水泻，以茯苓、白术为君，芍药、甘草为佐"等；③"引经报使"，列各经引经报使药，附歌诀（七言）七联，列各经向导图12幅；④"制方之法"，本《素问》，议组成方剂之大法；⑤"用药各定分两"，即君多、臣少、佐次之；⑥"用药酒洗曝干"，叙炮制对药性影响；⑦"用药根梢身例"，用述类象形的方法区分不同药用部位的功效；⑧"用圆散药例"，论述不同剂型的用法及理论；⑨"升合分两"，考正度量衡；⑩"君臣佐使法"，提出"主病者为君"的药例；⑪"治法纲要"，阐述《素问》治法大要；⑫"药味专精"，举病例说明新陈用药之意义；⑬"汤药煎造"，述煎药法；⑭"古人服药活法"；⑮"古人服药有法"；⑯"察病轻重"。

以上二书的内容，比张元素《珍珠囊》之内容更广泛系统。其分各专题提出纲领性观点，简洁明了，通俗易懂，对后世用药产生了很深远的影响。

另，《汤液本草》中、下卷也引用了此二书的内容。其中"象云"代表《药类法象》，"心云"代表《用药心法》；前者的内容为各书所载总论，后者的内容为对具体药物的论述。今摘数条以明二书之体例及论药项目。

《汤液本草》云："防风，象云：治风通用，泻肺实，散头目中滞气，除上焦风邪之仙药也。误服泻人上焦元气。去芦并钗股用。"（在此条中，另引有"心云"及"东垣云"条文。类似条文有很多，这说明他们分别来自不同的书）"麻黄，心云：阳明经药。去表上之寒邪，甘热。去节，解少阴寒，散表寒，发浮热也。"

〔版本·流传〕 此二书部分内容存于《汤液本草》中。另李时珍《本草纲目·序例》亦转引其内容。其他明代本草也多引录其内容。

三、《汤液本草》

〔释名〕 作者以本草、汤液（经方）为医家之正学，其书乃以药物为正条，兼论汤方配合用药法，故名为《汤液本草》。

〔作者·成书〕 王好古，字进之，号海藏，赵州（今河北赵县）人。《汤液本草》成书年代尚有疑问。该书有自序3篇，末署戊戌、丙午、戊申三种干支纪年，但不记年号。一般认为王好古曾师事李东垣，而李东垣殁于元宪宗第一年（1251），又王好古《阴证略例》中有麻革（信之）序，而麻革生活在金、元相更替之时，则《汤液本草》与《阴证略例》的撰成时间可能比较接近。果如此，则书前的3篇序的写作时间当为1238年（戊戌）、1246年（丙午）、1248年（戊申）。此时金初亡，而元朝还没有建立年号，用干支纪年是顺理成章的。

无法回避的矛盾是，《汤液本草》"药味专精"项下存有至元十七年（1280）的病案，且王好古另一著作《此事难知》中又有至大改元（1308）序，这说明该书也有可能成书于13—14世纪间，即前述3篇序的写作时间或可定为1298年、1306年、1308年。此二说正相差一个甲子（60年）。倘取后一说，则古今有些文献中所称王好古也曾师事12世纪的张元素（洁古）一说就几乎不可能了。由于史料的混杂矛盾，该书成书年代尚难确定。

如果以李东垣另一及门弟子罗谦甫著《卫生宝鉴》的年代（1281—1283）作为参照物的话，则王好古撰此书年代应该与后一种说法接近，似以 13—14 世纪间较为可信，今将此书成书年代附系于 1298 年。

〔编排·卷·药〕　该书卷上首列"五脏苦欲补泻药味""脏腑泻火药"二节。此后分成三部分内容：①"东垣先生《药类法象》"（见前"《药类法象》《用药心法》"条）；②"东垣先生《用药心法》"（见前"《药类法象》《用药心法》"条）；③海藏老人《汤液本草》，分"五宜""五伤""五走""服药可慎""论药所生""天地生物有厚薄堪用不堪用""气味生成流布""七方""十剂"。

卷中分为草、木、果、菜、米谷部、玉石、禽、兽八部，载药228种。

〔内容〕　王好古曰："《本草》云：一物主十病，取其偏长为本。又当取洁古《珍珠囊》断例为准则。其中药之所主，不必多言，只一两句，多则不过三四句。非务简也，亦取其所主之偏长，故不为多也。"本此精神，该书论药亦比较简单。

在药学理论上，王好古个人发明很少，他只是汇集了金元诸大家的理论，而这些理论又是从《黄帝内经》中寻求依据的。对五运主岁、六化分治五味、五色所生、五脏所宜等，该书列表以明其相互关系，并进而推演司岁备物、药味专精、气味生成流布等。

各论的体例为：先述药名；次列气、味、良毒、归经；再引述诸家药论。注明"象云"者，出自《药类法象》；"心云"者，出自《用药心法》；"珍云"者，来自《珍珠囊》；"液云""海藏云"者，则为作者自述。此外，该书还引有《证类本草》有关用药的内容。《四库全书提要》认为："好古受业于洁古，而讲肄于东垣，故于二家用药，尤多征引焉。"该书主要介绍药物的功效、主治、用法、畏恶、炮制等，与临床用药密切相关。

王好古个人的解说主要涉及药理生成及用药要点。如"丁香"条云："液云：与五味子、广茂同用，亦治奔豚之气。能润肺，能补胃，大能疗肾。"此外，该书有时也讨论药物炮制。

该书虽节引《证类本草》若干条文，但在整体上并没有受到《证类本草》的束缚。《四库全书提要》评曰："《本经》所云主治，亦或古今性异，不尽可从。如黄连，今惟用清火解毒，而《经》云厚肠胃，医家有敢遵之者哉。好古此书所列，皆从名医试验而来，虽为数无多，而条例分明，简而有要，亦可适于实用之书矣。"

〔版本〕　《全国中医图书联合目录》载浙江图书馆藏后至元元年（1335）刊本。中国国家图书馆等处藏明嘉靖间梅南书屋刊本（《东垣十书》之一）。另，该书在明末被收入《古今医统正脉全书》。清《四库全书》收有该书（抄本）。此外，还有乾隆四十七年（1782）江阴朱文震校刊本、光绪七年（1881）广州云林阁刻本、肇经堂刻本、日本抄本及刻本等多种版本。近代以来又有多种石印本及铅印本。该书流传甚广。

四、《饮膳正要》

〔作者·成书〕 忽思慧序称："臣思慧自延祐（1314—1320）年间选充饮膳之职，于兹有年……日有余闲，与赵国公臣普兰奚，将累朝亲侍进用奇珍异馔、汤膏煎造及诸家本草、名医方术，并日所必用谷肉果菜，取其性味补益者，集成一书，名曰《饮膳正要》。"据此，该书似由忽思慧与普兰奚（或作常普兰奚）合编。然翰林学士虞集为该书所作序（1330）中却说："赵国公臣常普兰奚，以所领膳医臣忽思慧所撰《饮膳正要》以进。"可见此书实际撰者为忽思慧。忽思慧为饮膳太医，于天历三年（1330）三月三日进上此书。该书校正者有中奉大夫太医院使耿允谦及中政院使张金界奴、大都留守拜住。此书由集贤大学士银青荣禄大夫赵国公常普兰奚编集。

〔卷次·内容〕 3卷。卷1计有"三皇圣纪""养生避忌""妊娠食忌""乳母食忌""饮酒避忌"（以上相当于概论）、"聚珍异馔"6篇。其中"聚珍异馔"篇收有各式饮食名目94种，以及多种用动物和谷蔬调制成的日常饮食花色。这些膳食多数具有治疗作用。各条均简介功效、配料及制作法。

卷2继续罗列各种饮膳方，分"诸般汤煎"（收浆、汤、饼、煎、油、茶等56种）"诸水"（3种）、"神仙服饵"（24种，附"四时所宜""五味偏走"）、"食疗诸病"（列羹、粥、汤、酒等61种，附"食物利害""食物相反""食物中毒""禽兽变异"）。各条写法与卷1相同。这2卷主要介绍饮膳方（共计238种）。这些膳食不同于一般的食谱，几乎全为养生疗疾而设。这些膳食制方简便实用，用料多为寻常易得之物，带有浓郁的北方少数民族（以蒙古族为主）饮膳特色。

卷3的内容与形式和前2卷不同。它以单味食物为主线，介绍诸品的性味、良毒、功效主治、宜忌等。各物配有图绘。卷3各物分米谷、兽、禽、鱼、果、菜、料物诸品，合计230种。卷3附图168幅。

这230种物品中，主要为北方所产。该书还增收了不少当时多用的外域或少数民族习用的物品，如回回豆子、八担仁、必思答等。"酒"条记有"用好酒蒸熬取露成阿剌吉"，这是烧酒第一次（蒸馏酒）作为食品在本草书中单立条目。该书所附药图（据明刊本）较为精美，但因绝大多数是日常所食之品，对中药材鉴别的意义不是太大。

该书是元代重要的营养学专著，所载方与药至今仍有较高的参考价值。对于研究少数民族医药发展，该书是重点参考书之一。它从营养、治疗角度，介绍了许多食物的性质和膳食的烹饪技术，记载了病人的饮食卫生要求，尤其是其中较多地记录了蒙古族的卫生习惯、食物名称及饮膳术语，为研究我国古代营养学以及蒙古族医药状况提供了丰富的史料。它增收的一些物品被《本草品汇精要》《本草纲目》等书转载，丰富了本草的内容。

〔版本〕　中国中医科学院藏明经厂刊大字本（残存卷2）。1934年上海涵芬楼影印明景泰间刊本，扉页题"上海涵芬楼景印，中华学艺社借照，日本岩崎氏静嘉堂文库藏明刊本"。此本即《四部丛刊》之一，各地多有收藏。商务印书馆于1934年铅印该本，并将其收入国学基本丛书。1955年商务印书馆再次铅印之，并将之收入《万有文库》丛书，此铅印本藏馆亦较多。

五、《本草衍义补遗》

〔作者〕　朱丹溪（1281—1358），名震亨，字彦修，义乌（今属浙江）人，居于丹溪之畔，学者称其为丹溪先生。他早岁从许谦习理学，以母病去而学医。他四处访师，后受业于罗知悌之门，得传刘完素、张元素、李东垣之学。他深研医学经典，创滋阴降火之说，谓"阳常有余，阴常不足"，为金元四大家中滋阴派创始人。

〔成书〕　《丹溪心法附余·凡例》云："丹溪《本草衍义补遗》虽另成一书，然陕版、蜀版、闽版《丹溪心法》咸载之。程用光重订《丹溪心法》，而徽版乃削去之，反不美。今仍取载书首，使人获见丹溪用药之旨也。"今此本卷首题"休宁东山古庵方广约之类集"，是知其经方广编次，余无说明。姑将其成书年附于朱丹溪卒年（1358）之后。

〔药品·内容〕　该书不分卷，载药153种。各药叙说无定式。该书针对《本草衍义》而言的内容较多，似为研习《本草衍义》时写下的一种笔记形式的药书。诸药内容或详或简，或仅数字言其主治，或详论药理及药材鉴别。如"石膏"条，先归纳药品命名多以色、气、质、味、能为依据，再由此引出鉴别石膏与方解石的证据。

朱丹溪论药，除仍借助寻常性味以外，尤其重视各药的阴阳及五行属性，并以此推演药理。如"鲫鱼，诸鱼皆属火，惟鲫鱼属土，故能入阳明而有调胃实肠之功"等。关于药物归经、升降浮沉，该书虽偶或提及，但其并不居重要地位。因此，判断药物阴阳、五行属性，是朱丹溪论药的特点。

该书指出了《本草衍义》的少数欠缺之处（见犬肉、鸡、大黄、饴等药），介绍了若干药物的使用要点与宜忌，尤其反对服食金石品。然该书药仅100余种，字不足1万，虽然在元代可算得上是一种有特点的本草，但毕竟内容单薄。其中有些药物的品种记载也有错误。朱丹溪精于理学，在释药时也常寓以理学之法，故该书不无穿凿曲解之处。故李时珍评曰："此书盖因寇氏《衍义》之义而推衍之，近二百种，多所发明。但兰草之为兰花，胡粉之为锡粉，未免泥于旧说。而以诸药分属五行，失之牵强耳。"

另，该书各药正文中或以"〇"号隔开，分成两部分，后一部分多引用前人资料，或对朱丹溪药论予以评述。如"菊花"条有"丹溪所言苦者勿用语"、薏苡条有"丹溪先生详矣"等言。据此，可知"〇"号以后的内容非朱丹溪所出，乃后人增附的。是方广，抑或是朱丹溪弟子所补，尚无可考。

〔版本〕 该书原有单行本，今或附于《丹溪心法》及《丹溪心法附余》之中。北京大学藏万历二十九年（1597）闽书林刘氏乔山堂本《丹溪心法》。中国中医科学院藏1751年大文堂本《丹溪心法附余》（前有嘉靖十五年贾咏序）。浙江图书馆藏嘉靖十五年（1536）刻本。

第五章　明　代

（1368—1644）

一、《救荒本草》

〔**命名**〕　该书"疏其花实根干皮叶之可食者"，可供荒年充饥，故名《救荒本草》。

〔**作者**〕　朱橚（1362？—1425），明太祖朱元璋第五子；洪武三年（1370）封吴王，洪武十一年（1378）改封周王，洪武十四年（1381）就藩开封；建文中废徙云南，永乐中复爵；洪熙元年（1425）卒，谥定，故又称周定王。嘉靖三十四年（1555）陆柬在重刻序文中，误以为本书是周宪王所著。周宪王是朱橚长子朱有燉，著作甚多。当时出自对王族的尊重，"亲藩贵重，刊书皆不题名"。

〔**成书**〕　李濂序（1525）称："永乐间（1403—1424）周藩集录而刻之。"朱橚尝"购田夫野老得甲坼勾萌者四百余种，植于一圃，躬自阅视，俟其滋长成熟，乃召画工绘之为图，仍疏其花实根干皮叶之可食者，汇次为一帙，名曰《救荒本草》"。可知该书的植物图均来自实物写生。

〔**卷·药**〕　2 卷。在翻刻时，也有分为 4 卷、14 卷、8 卷者。初刊本收植物414 种，其中录自旧本草者 138 种，新增 276 种。该书分草、木、米谷、菜、果 5类，其中草类 245 种、木类 80 种、米谷类 20 种、果类 23 种、菜类 46 种。版本不同，卷、药的数目也或有不同。明·徐光启《农政全书》收录该书，改为 14 卷。

〔内容·价值〕 该书介绍各种可食植物。每物一图，文图对照。释文简述产地、形态，又介绍性味、有毒无毒的部位、食用的方法等。所以李濂序称："是书有图有说。图以肖其形，说以著其用。首言产生之壤，同异之名；次言寒热之性，甘苦之味；终言淘浸烹煮蒸晒调和之法……或遇荒岁，按图而求之，随地皆有，无艰得者，苟如法采食，可以活命，是书有助于民生大矣。"该书文字精练，内容充实切用。

本书除收载米谷、蔬菜、瓜果、豆类日常可供食用者外，还记载了一些日常不作食用的植物，甚至有毒的植物。对于有毒恶味的植物，该书"救饥"项，均记载了一些除恶味、去毒，使之可供食用，以备荒年充饥的加工处理方法。在药用方面，除来自旧本草的药注有"治病"项外，对新增植物，只个别注其药用情况。

该书图谱系写生绘制，出自专门的画工之手，因而图形精细，风格统一。与《履巉岩本草》《植物名实图考》等书的药图相比，该书所绘药图尚欠生动。但从科学绘图角度来看，其仍然具有很高的学术价值。这使该书成为我国 15 世纪一部著名的植物图谱。该书还展示了我国某些经济植物的分布概况。该书多取地方植物名称，讲究实物考察，对农学、植物学以及医药学的发展具有重要的影响。

该书也含有一些药用植物。临床药书一般很少引用本书，但侧重药物基原考订的本草书，则将此书视为重要参考资料。例如该书"刀尖儿苗"，即萝藦科徐长卿；徐长卿在《新修本草》中仅有文字叙述，但无相应的图形。本书"刀尖儿苗"，实为它现存最早的图像。因此，该书为现在本草考证的重要历史文献。

书中记载的若干有毒植物采食法，含有一定的科学道理。据宋之琪研究，其中白屈菜的加工方法实际上是创用了现代植物化学中的吸附分离法。[1] 正如李濂序中所说："苟如法采食，可以活命。是书也，有功于生民大矣。"

该书记载了可食的野生植物，对野生食用植物研究具有开创性作用。后来的周履靖《茹草编》、王磐《野菜谱》、姚可成《救荒野谱》、顾景星《野菜赞》都是受该书的影响而作的。此外，鲍山《野菜博录》实为该书的剽窃之作。

〔版本〕 永乐四年（1406）初刻于开封周王府，此本今不存。现存最早且影响甚大的版本是山西太原刻本。此本由毕昭、蔡天佑重刻于嘉靖四年（1525），前有李濂序。此本摹刻较精，是现今所存最早刊本。全书 2 卷，每卷又分前后，共 4 册，按元、亨、利、贞顺序排列。1959 年中华书局从郑振铎处得其所藏太原二版

---

[1] 宋之琪等. 救荒本草与我国古代对吸附分离法的应用. 药学通报, 1980, 15 (9), 403–405.

本影印刊行。

嘉靖三十四年（1555）晋（山西）人陆柬刊本，分书为4卷，另附《野菜谱》1卷。误周定王为周宪王者，即始自此本。

嘉靖四十一年（1562）四川胡乘刻本，删去他认为四川不产者200余种，仅取易得多见者112种。

万历十四年（1586）刻本，2卷，4册，收植物411种。

万历二十一年（1593）钱塘胡文焕刊《重刻救荒本草》2卷（收入《格致丛书》）。此本载物112种，以米谷（8种）、菜（11种）、果（13种）、木（19种）、草（61种）为序排列。草部品数最多，故集于后一卷，而将日常供食者放在书前一卷。同时，胡文焕还将明·王西楼《野菜谱》纳入本文，而非另附。

崇祯十二年（1639），徐光启将该书析为14卷收入《农政全书》的"荒政"部分（卷46至卷59），而将其序言列在卷45。此本间或附入徐光启的语言，故与原本稍异。其植物排列以野生姜为首，而不是以刺蓟菜为首。随着《农政全书》的广泛流传，《救荒本草》的影响也越来越大。其后有道光十七年（1837）《农政全书》本。

此外，还有咸丰六年（1856）来鹿堂刻本，1929年上海商务印书馆《万有文库》本，1959年中华书局影印本；1980年农业出版社影印本。

〔**流传**〕 《救荒本草》流传到日本后，对彼邦的农学、植物学产生了深远的影响。日本冈西为人《本草概说》等著作中均有介绍。国人罗桂环还专文谈及《救荒本草》在日本的传播。①

二、《滇南本草》

〔**命名**〕 该书为云南（滇）地方本草，故名。

〔**作者**〕 一般认为该书是兰茂所撰。兰茂，字廷秀，号止庵，晚号玄壶子、和光道人。其祖籍河南武陟（一作洛阳），后迁云南，为嵩明县杨林千户所石羊山人。其以授书行医为生。他自幼酷爱本草，因母病而"留心此技三十余年"，常在云南各地采药治病，采访当地各民族的用药经验，为民众所爱戴。兰茂约生于洪武三十年（1397），卒于成化十二年（1476）。后人在其故里杨林镇建有兰公祠及兰

---

① 罗桂环.《救荒本草》在日本的传播. 中华医史杂志，1985，15（1）：66-68.

公墓。兰茂著有《滇南本草》《医门擥要》诸书。

关于本书作者有一些不同意见，归纳起来有三种看法。

（1）非兰茂所著。经利彬等持此说。其谓《正德云南志》及李澄中《兰先生祠堂记》中均未提及兰茂著有《滇南本草》。又《昆明县志》载："《滇南本草》旧传兰茂作。考兰茂为明初人……而此书自序题为崇祯甲戌，其为依托可知矣。"《滇南本草》收有玉麦须（玉米须）、野烟等正统以后从国外引进之品，而相传兰茂此书最早的刊本为正统本。

（2）兰茂撰。于乃义等以吴其濬《植物名实图考》曾参引《滇南本草》的多种本子，而其中确有正统年间刊本，证明该书确是这一时期的作品，认为该书属兰茂所撰。

（3）兰茂原著，后人增补。该书版本较多，各本之间的排列、药数、内容、文字等均有差别。故本书虽系兰茂原著，但经过后人增补。有名可稽之增补者有明朝的范洪，清明的管瑄、王级三、杨慎等人。

以上诸说，以第三说较可靠，为多数人所接受。

〔著时〕　兰茂原著《滇南本草》，据记载有明正统本，则该书大约成书于正统年间（1436—1449）。或有将其时系于天顺三年（1459）者，未出示依据。[①]　于怀清家藏清康熙年间抄本跋曰："世传芷庵遗书《滇南本草》，传抄刊刻，家喻户晓，尚早于濒湖《纲目》。"据推算，该书大约比李时珍《本草纲目》早 100 多年。

〔流传·刊本〕　《滇南本草》在当地民间辗转抄传，流传不广，又经明、清两代医药家及抄传者增补和摘录，故今存诸本的内容互有出入。近代以来，该书传播范围不断扩大。尤其是中华人民共和国成立后经系统整理出版，该书广为流传。该书现存刊本简介如下。

（1）范行准藏嘉靖三十五年（1556）滇南范洪（守一子）抄录、康熙三十六年（1697）高宏业及乾隆三十八年（1773）朱景阳递抄本《滇南本草图说》卷 3 至卷 12。该本收药 274 种。

（2）宝翰轩收藏清代抄本《滇南本草》卷上 1 册。该本收药 134 种。

（3）于怀清家藏康熙十四年（1675）手抄本《滇南本草》2 卷。该本有于锡金光绪元年（1875）跋，收药 246 种。

（4）琴砚斋旧藏清代抄本《滇南本草》1 册。该本不分卷，收药 188 种。

---

① 高庆瑞. 明代滇中著名医药学家兰茂. 中华医史杂志，1985（1）：21.

（5）李继昌家藏清代抄本《滇南本草》卷下 1 册。该本收药 172 种。

（6）胡云龛家藏清代抄本 1 册。该本不分卷，收药 26 种。

（7）光绪十三年（1887）昆明务本堂刻《滇南草本》3 卷（卷 1 分上下）。该本收药 458 种。

（8）1914 年云南丛书本《滇南本草》3 卷。该本收药 280 种。

（9）1937 年上海世界书局据务本堂版《滇南草本》3 卷铅印，改名《滇南本草》。该本收药 258 种。

（10）1961 年陆良县永和书局存抄本。该本收药 142 种。

（11）1959 年云南人民出版社出版《滇南本草》。该本系汇集各种版本后的校订本，分 3 卷。该本于 1975 年再版，各地多藏。

（12）另外，中国药物研究所于 1945 年编成《滇南本草图谱》第 1 集。该本收药 26 种。

〔药数〕 以上版本，收药 26 至 458 种不等。其中务本堂本收药最多。该本卷上分"卷上"及"卷上之下"两部分。卷上载药 68 种，均附图；卷上之下系分类记载，均无图，包括果品类 36 种、园蔬类 27 种、鳞介类 11 种、禽兽类 9 种，共 83 种。卷中载药 134 种，卷下载药 174 种。卷中、卷下均无图，也没有分类排列。

〔体例·特色〕 各药之下次第叙述药名、性味、功效、主治、附方。个别药物下还论及有关生态、形态的内容。该书介绍本地区的具体实践经验，且其中有不少是少数民族经验方。

《滇南本草》最突出的特点，在于它是我国现存内容最丰富的古代地方本草，乡土气息非常浓郁。云南少数民族众多，该书收有较多的民族药物和用药经验，是研究民族药的珍贵材料。书中糅合了汉药的理论叙述和民族药的用药经验，这对于整理民族药学来说，是一种值得借鉴的尝试。

除每味药后面的附方外，全书之末还附有良方 5 首、单方 125 首。此外，该书还载有通治门的药物、方剂（16 首）。这些方、药既有地方性，又有民族性，从而使该书以地方性和民族性这两大特点著称于世。

〔附图〕 务本堂本序称："考滇南杨林兰先生者，于滇中所产之灵药百草，无不备极精研，区类辨性，绘为图形。"可知传本中有附图的《滇南本草》。今务本堂本卷上所载 68 种药物，均附有药图。

三、《本草集要》

〔命名〕　该书集取《证类本草》要旨而成，故名"集要"。

〔作者·成书〕　王纶（约1460—1537），字汝言，号节斋，慈溪（今浙江宁波）人，成化二十年（1484）进士。其"迁礼部郎中，历广参政湖广广西布政使。正德中，以副都御史巡抚湖广"（《明史·吴杰传》）。他精于医，为人治病，无不立效。弘治五年（1492），其公余取《证类本草》及李东垣、朱丹溪诸书，参互考订，删繁节要，历时4年，三易其稿，而成《本草集要》（1496）。

〔卷·部·药〕　3部，8卷。上部卷1为"总论"，辑录《神农本草经·序例》，陶弘景等论汤药丸散分两修制、药性气味法象、天地、阴阳、配合人身脏腑等（多出自《黄帝内经》及李东垣书），制方用药之法（多出自《内经》及《神农本草经》），随证、随经、随时用药法（出自《神农本草经》、李东垣书，附以己意）。

中部计5卷10类，以"本草各药莫多于草"，改变玉石类列于首的旧例，以草类为首；又以"人为万物之灵"，最后列人部。中部总计收药545种。

下部为"药性分类"2卷，列12门（治气、寒、血、热、痰、湿、风、燥、疮、毒、妇人、小儿）。各门又细分类。如治气门分补气清气凉药、行气散气降气药、温气快气辛热药、破气消积气药4类。各类列相应药物，以数字至二三十字简述药性（这部分内容尝被《本草真诠》袭取）。

〔内容·评价〕　各论每药之下，简述君臣、性味、阴阳、良毒、归经、反畏等；后列功效主治；低一格录单方（只收单方），以病名为标题；末为王纶按语，讨论药理、配伍运用等。按语之前的内容，多节取自前人之书。按语则常扼要地归纳用药要点。

由于该书对具体药物的内容补充得很少，所以李时珍评价说："别无增益，斤斤泥古者也。"（《本草纲目·序例》）然而该书的编写方式，实际上对李时珍《本草纲目》产生了影响。如"总论"集录金元医家论说并分专题进行讨论，把"无知之物"（草木金石）排在前、有知之物列于后而终以人部，诸方以病名为标题而不是旧式的以人名书名为标题，各药不分三品而"以类相从"等改进，都被《本草纲目》汲取并进一步完善。

〔版本〕　今存多种明刊本：正德五年（1510）本，藏于沈阳医学院、辽宁中医药大学；明刊黑口本（无序言），藏于中国中医科学院、上海中医药大学；嘉靖八年（1529）朱廷立刻本，藏于中国国家图书馆；万历三十年（1602）刘龙田刊本，藏于中华医学会上海分会图书馆等。

四、《本草品汇精要》

〔释名〕　该书汇集群书所载药品，择其精粹，分项述要，故以名书。

〔作者·成书〕　该书之领衔修撰者为明弘治年间承德郎太医院院判刘文泰。该书由刘文泰充任总裁，并由他署名进表。与刘文泰同任总裁的还有太医院院判王槃、御医高廷和。副总裁有太医院冠带医士崔鼎仪、医士卢志、冠带医士唐铉。该书总督是司设监太监张瑜。另中议大夫施钦、中宪大夫王玉因同掌太医院事，被委为该书"提调"。具体纂修者共 10 人，其中大多为太医院冠带医士，个别为中书科儒士，他们的姓名是：徐镇、夏英、钱宙、徐浦、徐昊、吴钺、郑通、王珑（儒士）、刘翠、张铎。该书又设催纂三人，其均为太医院院判。参与誊录的为中书科儒士和太医院医士，共 14 人。

该书还专设了"验药形质"官员，他们是奉议大夫通政使司右参议丘钰，奉议大夫太医院院使李宗周，修职郎太医院御医施鉴、刘珍，太医院惠民药局副使杨恒。此外，还设有绘制众多彩图的画师。这些画师在近代排印的该书之前并无记载。据日本冈西为人《本草概说》介绍，王世昌等 8 名画师参加了绘图。据傅再希考证①，该书编修人主要是刘文泰；将施钦作为主要编修的提法是不合适的。

沈德符《万历野获编》谓："刘文泰先任右通政，管太医院使，以投剂乖方，致殒宪宗，为给事中韩重、御史陈谷等交章公疏参劾。孝宗命降为院判。"该书记"文泰等于本业实懵然"，认为他之所以能屡次遭贬，又屡次升迁，全仗着与太监张瑜等的勾结。弘治十八年（1505），明孝宗病危，刘文泰获罪。近人戴蕃瑨对明孝宗病殒及文泰受审的有关史料有详细的考证。②

据近人研究，该书在组织编写班子的过程中，几经周折。①·②词臣（文官）和医官发生了矛盾，最后词臣不再参与此事，编撰全由太医院医官主持。刘文泰等人认为："大抵方技之书，何须义理渊微；治病之由，贵乎功能易晓。"文士、医士的分隔，给该书质量带来了一定的影响。如"序例"竟误以为掌禹锡撰《政和本

---

① 傅再希.《本草品汇精要》的评价问题. 江西中医药，1982（2）：8－11.

② 戴蕃瑨. 纂修《本草品汇精要》始末与定稿后的遭遇. 西南师范学院学报，1983（3）：68－77.

草》；文中标注时以"别录"代替一些唐宋药注，这造成了一些混乱。

该书自弘治十六年（1503）八月议纂，至弘治十八年（1505）三月初三日编完进呈，历时1年余。除了编写人员众多之外，全书注重改编，忽视了更多的新资料的收集及广泛的调查，这也是该书得以迅速脱稿的原因之一。用奸佞阉臣张瑜作该书的总督，只是明代奄寺政治的畸形现象之一。

〔**卷·类·药**〕 42卷，另目录1卷。该书共收载药物1815种，并将其分为10部（玉石、草、木、人、兽、禽、虫鱼、果、米谷、菜），基本上因袭了《证类本草》的分部方式及编排方式。其卷首亦同《证类本草》，注明药物来源及数目、体例。此外，该书又将各药按《皇极经世》分类，将草、木、谷、菜、果各部又分别细分为草、木、飞、走4类（如草部分为草之草、草之木、草之飞、草之走），禽、兽、虫鱼各部又别分羽、毛、鳞、甲、赢5类，每类又分胎、卵、湿、化。但这种分类没有体现在卷次上，仅被注于各药名下。

各具体药物的体例，则打破了《证类本草》层层加注的旧例，且割裂了其蓝本《证类本草》的原文，将原文分别归入24个项目之中。这24项名目是：名、苗、地、时、收、用、质、色、味、性、气、臭、主、行、助、反、制、治、合治、禁、代、忌、解、膺。该书涉及药物的鉴定、炮制、配伍使用以及药理等各个方面。这种药物分项解说的方法是一大进步，方便查阅，且使各有关内容集中在一起。这一体例可以说是本书的一大特色。

当然，该书在分项时也还存在不少问题，如子目过繁、界限不明等。其中类似把玉石、兽、禽的形态、制造统归于"地"，在"用"一栏中只言一般的入药部分而废弃余部等的疏漏颇多，故其亦遭到后世的诟评。①

该书新增的药品号称有48种，但其中沥青、大枫子、秋石、一枝箭、隔山消、九仙子、石瓜、苦只刺把都儿、孩儿茶、锦地罗等10药，只存在于目录中，并无专条。而其中重复的异名同物药也有10余种。据傅再希统计，该书增补的药不过22种，而且其中有16种出自忽思慧《饮膳正要》。② 因此，就增补的药物而言，该书实在是贫乏得可怜。

清代康熙年间，王道纯纂《本草品汇精要续集》（10卷），详见下篇。

〔**药图**〕 《本草品汇精要》是我国古代最大的一部彩色本草图谱，共收图

---

① 傅再希．《本草品汇精要》的评价问题．江西中医药，1982（2）：8–11.

② 戴蕃瑨．纂修《本草品汇精要》始末与定稿后的遭遇．西南师范学院学报，1983（3）：68–77.

1358 幅。据记载其中有 366 幅药图系新增图。《证类本草》中有名称、效用而没有形态者，刘文泰等经过一些考证，另行绘图。有的药物虽不见于《证类本草》，但他书有记载，该书也为之补绘。

检视该书现存于国内的残卷药图，可以了解到该书大多数药图是以《证类本草》中的墨线图敷色重绘的，但其中不少鱼类、介类等（如鲨、文蛤、拥剑、蚱蝉等）日常习见之品的彩图，显然是重新写生绘制过的，工笔重彩，极为精美。与《履巉岩本草》彩图相比，该书彩图神韵逊之，而精细则过之。虽然整体看来，此书药图不免带有一些匠气，但其仍不失为彩绘本草之珍品。

该书新增药图中，有少量制药图（如修治玄明粉等）。部分药图中，有一些表现药物生长环境的内容和与采收加工相关的内容（如"鹿茸"条有截浸鹿角图等）。该书的药图出自画工之手，精美自不待言，但药形和文字却未能处处贴合。如"薏苡"条有 2 幅图，其中"薏苡草"实际上是玉米图（见清抄绘图）。从药图中也可以看出，画工们的医药水平是有限的，这表现在极少数药图乃据前人描述想象绘制的，如将猕猴桃绘成红桃、及己绘成田字草形等。除药物基原图外，该书还有几种药材图（如龟上甲图、龟下甲图等）。国内尚无此书的全部药图，因此其有待深入研究。

目前国内残存的该书药图仅及原书药图的一半。笔者亲自检视的明抄残本存图 246 幅，清抄残本存图 520 幅，除去重复，二种抄本共有 728 幅药图。另据报道，国内还有 2 种抄本，一种有图 292 幅，另一种有图 192 种（参见该书"传本"项下）。这些药图都不是近现代转绘的，互相之间也有程度不同的差异，因而各残抄本之间不像是有直接转录关系的。原书存于日本杏雨书屋。但从国内多种残抄有关情况，可以推知明、清时民间曾流传着多种附有药图的《本草品汇精要》的抄本。

〔传本〕　　今存世的传抄本主要有以下几种。

（1）弘治原本：1923 年流出故宫，先归香港大学，1961 年前后转由杏雨书屋收藏。①

（2）安乐堂本：清康熙间摹绘，现藏于罗马国立中央图书馆。②

（3）清抄本：藏于柏林国家图书馆。据文树德报道，此书乃清乾隆后摹写弘

---

①　那琦. 本草学. 台北：大文印刷有限公司，1982：59，174.

②　冈西为人. 本草概说. 东京：创元社，1983：197－209.

治本而成。①

（4）清抄本：原藏于伦敦图书馆，1972 年被日本大塚恭男购得。

（5）明抄残本：藏于中国国家图书馆。该本存图 246 幅。

（6）明抄残本。藏于中国中医科学院中药研究所之本，据说乃明抄本，存图 192 幅。另，该所还有清抄本缩微胶片，此本存图 292 幅。

（7）清抄残本：藏于中国国家图书馆。该本存图 520 幅。

（8）乌丝栏朱墨精写本（无图），藏于故宫博物院。

（9）中国科学院藏近代传抄本（仅 26 卷），不分朱墨，亦无图。

（10）1936 年商务印书馆据故宫博物院旧抄本铅印，并附校勘记。1952—1957 年重印之。

另外，根据《本草品汇精要》摹绘的图谱有明·文淑《金石昆虫草木状》（见下篇“《金石昆虫草木状》”条）。另周祜、周禧《本草图绘》又是文淑画卷的摹写本（下篇“《本草图绘》”条）。

五、《本草蒙筌》

〔释名〕 筌，捕鱼用的竹器。蒙，童蒙。该书为本草启蒙读物，陈嘉谟云：“余之辑是书也，徒以觉悟童蒙……譬渔者之筌云尔。”意即本书为启蒙所需工具。

〔作者·成书〕 陈嘉谟（1486—1565?），字廷采，新安祁门（今安徽祁门）人，自号月朋子，人称陈月朋。他因体弱多病，遂留意医术。鉴于当时流行的《本草集要》《本草会编》，各有短长，其取诸家本草会通而折衷之，间附己意，编成《本草蒙筌》。自嘉靖三十八年（1559）至嘉靖四十四年（1565），历时 7 年。

〔卷·药〕 12 卷，卷首 1 卷。该书共载药 742 种，分草、木、谷、菜、果、石、兽、禽、虫鱼、人 10 部。

〔内容〕 卷首为历代名医图，取自熊宗立《医学源流》（1476）。其绘伏羲皇帝、神农炎帝、轩辕黄帝、天师岐伯、太乙雷公、神应王扁鹊、仓公淳于意、医圣张仲景、良医华佗、太医王叔和、皇甫谧、抱朴子葛洪、真人孙思邈、药王韦慈藏 14 人的画像，并各撰简介及图赞。

---

① P. U. Unschuld. Medicine in China：A History of Pharmaceutics. Berkeley：University of California Press，1986：128 - 145.

此后为总论，分"出产择地土""收采按时月""藏留防耗坏""贸易辨假真""咀片分根梢""制造资水火""治疗用气味""药剂别君臣""四气""五味""七情""七方""十剂""五用""修合条例""服饵先后""各经主治引使""用药法象"等专题。其中讨论了道地药材、野生家种、采收季节、最佳药用部位、贮藏保管、真伪优劣鉴别、炮制方法等许多方面的内容。尤其是"贸易辨假真"一节，引谚云"卖药者两只眼，用药者一只眼，服药者全无眼"，并列举了众多药品作伪之例，强调了真伪鉴别的重要性。这些专题设立后，后世本草多予以转载或补充。

各药内容大致分两大部分。前半部分为正文，后半部分为按语。正文依次述药物的性味、阴阳升降、良毒、反忌、归经、形态、炮制、功效、配伍方法等。其采用不甚规则的对语体裁，不像歌括那样合于韵辙，但比一般文体更易上口习诵。

正文之中，又夹有小字注文，以解释某些对语的意义。明崇祯初万卷楼刻本文末附图，一般是一药一图，有时增附药材图；共有图 559 幅，其中药材图 30 余幅。

在某些药物条文与药图之间，附载按语（标以"谟按"2 字）。这些按语重点讨论辨证用药，且对前人的一些观点结合实际，予以驳正。其也涉及许多医学理论问题，如于"人参"条下大谈虚火病机；于"黄芪"条中详释气药血药配伍关系。这些按语中每出新见，丰富了中药理论内容。因此，该书不是一般的药物启蒙读书，而是一部富有实用价值和理论价值专著。李时珍对他所见明代本草一般评价很低，但对《本草蒙筌》却甚加推崇。他说："（本草蒙筌）依王氏《集要》部次集成。每品具气味、产采、治疗、方法，创成对语，以便记诵。间附已意于后，颇有发明。便于初学，名曰《蒙筌》，诚称其实。"

〔版本〕 今存明刊本多种，刻于嘉靖至崇祯年间。年代明确的有嘉靖四十四年（1565）醉畊堂刻本（藏于上海图书馆、甘肃省图书馆等处）、崇祯元年（1628）金陵万卷楼刻本（该本始补绘名医图及药图）及宛陵香醉庵刻本（藏于中国国家图书馆、上海图书馆及中国中医科学院）。此外，安徽省图书馆、中国科学院图书馆等多处藏有明刊本，然《全国中医图书联合目录》所载若干版本似有疑混处，尚未查实。该书曾经陈嘉谟门生叶棐（鲍倚）、婿胡一贯、侄陈晨等校刊，后又经潭阳刘孔敦（若朴）增补。亦有题王肯堂校订者。清代以后罕有刻本。近年有校点本问世。

六、《本草约言》

〔命名〕 该书取其简约，故名。

〔作者〕 薛己（1487—1559），字新甫，号立斋，古吴（今江苏苏州）人。他殚精方书，于医术无所不通；于正德时（1506—1521）被选为御医，擢南京院判，嘉靖年间（1522—1566）进院使；著有《家居医录》16种，《本草约言》即其中之一。他"就本草中，辑其日用不可缺者，分为二种，且别以类志约也。韦编几绝，丹黄斑驳不复识"。因序后未署年号，不知成书之年。《全国中医图书联合目录》记其成书于1550年，但据本书考证（见此下所附"《食物本草》"条），其实际成书之年较此为早。今将其成书年代附于1520年。

〔组成〕 该书卷1、卷2为《药性本草》内容，卷3、卷4为《食物本草》内容。今于此条下分别介绍两书。

附：《药性本草》

〔卷·类·药〕 2卷。该书将所载药物分草、木、果、菜、米谷、金石、人、禽兽、虫鱼9部，共收药287种。

〔内容〕 各药不分项目，先列味、气、阴阳、升降、归经、功效主治，次引前贤药论，或加按语，叙说不繁。书中常有"发明云"《（本草）集要》"丹溪""汤液云""江云"《（药性）赋》云"等，可见其所引皆为元代及明初著名医家之论或著名本草著作之内容。书中薛己自家注说很少。全书主要讨论药性及用药法，对药物炮制也有较多的记载。但其多辑录前人言，少有发挥。

〔版本〕 参此下"附：《食物本草》"条。

附：《食物本草》

〔作者〕 经查核发现，与薛己《食物本草》相近似的书有以下几种（按所题年代排列）。

（1）元·贾铭《饮食须知》（《学海类编》本，1831年刊）。

（2）明·卢和《食物本草》[隆庆四年（1570）重刊]。

（3）明·汪颖《食物本草》[万历四十八年（1620）刊]。

（4）明·吴禄《食品集》（《医藏目录》著录，1537年刊）。

（5）明·佚名氏《食物本草》（中国国家图书馆藏彩绘本）。

（6）清·朱本中《饮食须知》[康熙十五年（1676）刊]。

以上各本中，吴禄《食品集》略变更目次，增补附录，但其成书年代较晚，主体内容多袭自前人，故吴禄乃补辑者。清·朱本中《饮食须知》，在内容上也略加变动，但大体未改。其成书时代更晚，显系沽名之作。

卢和、汪颖所撰，实为同一书。李时珍云："《食物本草》，正德时，九江知府江陵汪颖撰。东阳卢和字廉夫，尝取本草之系于食品者编次此书。颖得其稿，厘为二卷，分为水、谷、菜、果、禽、兽、鱼、味八类云。"《全国中医图书联合目录》将明隆庆庚午（1570）黄子进刻本及万历胡文焕刻本署为卢和撰，然检视原书，发现其并未写明作者，可知此署名是编《全国中医图书联合目录》者据李时珍所云而定。今存署名卢和著者，有明一乐堂刊行、清江王贵校本。

从时代来分析，元·贾铭《饮食须知》应该最早。但此书从未见有明人著录，到清代后期才出现，这本身就有疑问。和明代诸家《食物本草》相比，《饮食须知》已加节略。书中记有落花生，这是哥伦布从美洲大陆带出的植物，其时已在弘治五年（1492）。其辗转传入我国又要花时间，因此元代的贾铭是绝对不可能知道此物的。书中又引了陶节庵（明正统前后人）的话，这更可以作为《饮食须知》不是元代著作的佐证。因此，贾铭之作，是后人妄题，应可以肯定。

现在可以将该书作者的范围缩小到薛己（《本草约言》后2卷为《食物本草》，见中篇"《本草约言》"条）和汪颖了。两人生活于同时代，汪颖正德时（1506—1521）为九江知府；薛己正德时被选为御医，擢南京院判。薛己书中的"溪云""江云"，在汪颖书中都改作"又云"。薛己书所引"溪云""江云"，同样大量出现于《药性本草》，这说明二者引文来源相同。据此可以认为，《食物本草》实际上是对医学颇有研究的薛己所撰，而不是卢和、汪颖所撰。①

〔内容〕　2卷。该书将所载物品分为水、谷、菜、果、禽、兽、鱼、味8部，共载物品385种。

该书在每一物品下注明其性味功效，引用前人部分资料，并偶尔记载物品的形态和产地。如"白豆"条云："浙东一种，味甚胜，用以作腐作酱极佳。比之水白豆相侣而不及也。青、黄、班等豆，本草不著，大率相类，亦不及也。"该书首载丝瓜、落花生等，所记落花生的形态为"藤蔓茎叶似匾豆，开花落地，一花就地结

---

① 　此为笔者撰《历代中药文献精华》时之观点，有误。据考，薛己书为伪托，《食物本草》当为明初卢和原撰，汪颖增补改编而成。[张志斌. 明《食物本草》作者及成书考. 中医杂志，2012，3 (18)：1588－1591.]

一果，大如桃核。深秋取食之，味甘美异常，人所称羡"。书中所引朱丹溪之言尤多，且文字简练。该书所收多为日常食品，故书成后，托名重刊者甚多，流传甚广。该书有一种彩绘本，其与无彩绘之本文字内容几乎全同，本书将其作为另一书介绍（见下篇"《食物本草》"条）。

〔版本〕 中国中医科学院藏《本草约言》明刊本，无扉页，不署刊年及刻家名号。《全国中医图书联合目录》载日本万治三年（1660）田原二左卫门刊本，此本今存于中国医学科学院、北京大学及南京图书馆。

七、《太乙仙制本草药性大全》

〔作者·成书〕 该书书口作"仙制药性"，卷首题为"先师太乙仙人雷雷公炮制，后学江人冰鉴王文洁"，无序跋。王文洁，字冰鉴，号无为子，抚东人。据王文洁其他著作的成书年代推测，该书该约于万历元年（1573）成书。

〔卷·部·药〕 8卷。该书将所载药物分为草、果、米、谷、菜、人、金玉、石、水、兽、禽、虫、鱼等部，共载药768种，附药图774幅。

〔体例·内容〕 该书分上下两栏。上栏为"本草精义"，一般先附一药图，继而介绍药物的别名、形态、产地、品神、采集加工、反畏等内容。下栏为"仙制药性"，其中各药大致与上栏相对应。药名下注君臣、性味、阴阳、归经等；后接"赋云""主治""补注""太乙曰"等内容。其中"赋云"，为药性提要及功效；"主治"为药所治病；"补注"为所收集的一些单方，及补充的作者个人意见；"太乙曰"为炮制法。

该书药图小而粗劣，且错误甚多，不胜枚举。但这些图皆系作者自绘的。其中谷精草图是明以前诸本草中对此药描绘得最准确的图。

检视其内容，可知其资料多取自金元以前诸家论说。该书有时略加按语，以阐发对药物品种、配伍用法的意见，常有自家见解。该书还于"补注"一项中比较了近似药物的功效，但此类按语数量很少，新意不多。

该书的一个重要的内容是炮制，几乎每一常用药之下均有"太乙曰"（即《证类本草》中《雷公炮炙论》条文的节选）以简述制法。如该药无"太乙曰"内容，则有时以《宝藏论》等书之炮制法补入。这恐怕就是本书下栏"仙制药性"一名所指。书中药品绝大多数为《证类本草》原有品种，该书只增加了鸦片（哑芙蓉）等个别药物。

要之，该书为明代节要本草之一。它以《证类本草》为主体，混合经注，突出药物来源形态、功用主治及炮炙内容。由于作者并未参考《本草纲目》，且其有限的按语中仍有一定新见解，所以该书有一定的参考价值。

〔版本〕 《医籍考》卷 13 著录该书，虽注明"存"，但未介绍。今藏于中国中医科学院者，为明"书林积善堂少湖陈孙安"梓行，无刊年（馆藏者实为万历年间刊本），刻工甚劣。

八、《本草纲目》

〔命名〕 该书采用"目随纲举"的编写体例，因以"纲目"名书。

〔作者〕 李时珍（约 1518—1593），字东璧，晚号濒湖，湖北蕲州（今湖北蕲春）人。

李时珍是我国伟大的医药学家。关于他的生平的记载，主要见于其子李建元"进《本草纲目》疏"和顾景星《白茅堂集》卷 38。李建元言其父"幼多羸疾"，"耽嗜典籍"。顾景星云："李时珍，字东璧。祖某，父言闻。世孝友，以医为业。时珍生，白鹿入室，紫芝产庭。幼以神仙自命。年十四，补诸生，三试于乡不售。读书十年，不出户庭。博学无所弗窥。善医，即以医自居。富顺王嬖庶孽，欲废适子。会适子疾，时珍进药曰附子和气汤，王感悟，立适。楚王闻之，聘为奉祠，掌良医所事。世子暴厥，立活之。荐于朝，授太医院判。一岁归，著《本草纲目》。年七十六岁，预定死期，为遗表授其子建元。"但因史料语焉不详，李时珍生平还有不少不够明确或有争议的地方。如李时珍任太医院判一事在李建元"进《本草纲目》疏"和李时珍夫妇合墓碑上没有反映，因而有人对此持怀疑态度。李时珍何时被荐于朝，还有待深究。

李时珍著述甚富，除著《本草纲目》外，尚著有《濒湖脉学》（1564）、《奇经八脉考》（1572）等。

〔成书〕 李建元"进《本草纲目》疏"载："（李时珍）考古证今，奋发编摩；苦志辨疑订误，留心纂述诸书。伏念本草一书，关系颇重；注解群氏，谬误亦多。行年三十，力肆校雠；历岁七旬，功始成就。""甫及刻成，忽值数尽。"另《本草纲目·历代诸家本草》载："《本草纲目》：明楚府奉祠、敕封文林郎、蓬溪知县，蕲州李时珍东璧撰。搜罗百氏，访采四方，始于嘉靖壬子（1552），终于万历戊寅（1578），稿凡三易。"是知《本草纲目》费时 26 年（1552—1578），始成全稿；又经 10 多年修润谋梓，约于万历二十一年（1593）由金陵胡成龙刻成初版（即金陵版）。

据金陵版药图题名，可知其药图由李时珍的儿子李建中辑，李建元、李建木绘。

李时珍仿效唐·陈藏器《本草拾遗》，搜罗药物"不厌详悉"，取材广博。此外，他还强调辨物精审，立言破惑。他崇尚张元素、李东垣之说，兼受儒家性理学说影响，故其书注重格物穷理，对药理颇多发挥。

〔体例〕　该书总例为"不分三品，惟逐各部；物以类从，目随纲举"。李时珍在前人本草编写经验的基础上进行变革，创成了系统而完备的纲目体例。

该书各论以"部"为纲，以"类"为目（"一十六部为纲，六十类为目"）。

单味药则以"标名为纲，列事为目"，即"每药标一总名，正大纲也；大书气味主治，正小纲也。分注释名、集解，评其目也"。

同（基）原异位药，"但标其纲，而附列其目。如标龙为纲，而齿、角、骨、脑、胎、涎皆列为目；标梁为纲，而赤、黄粱米皆列为目"。

总论分专题类列资料，系统展示了中医药学理论体系，又结合临床，设立了"百病主治药"专篇，以方便用药。

《本草纲目》体例的特点有二：一是分部别类，详明科学；二是分项说药，简洁得体。各部类的排列"从微至巨""从贱至贵"体现了可贵的进化发展思想。其将许多同科属的植物药排列在一起，将各药内容分成 8 个项目，繁简适度，系统连贯。其还设"附方"一项，使药物体用结合。

此外，该书还继承了我国主要本草的优良传统，即注明资料出处和药物出典。全书采用文字标注出处，简洁易览。

〔卷·类·药〕　52 卷。其各论分 16 部，60 类。该书收药 1892 种，附图 1109 幅，载方 10000 多首。其分部类情况如下（括号内为类目）所示。

序例

百病主治药

水部（天水、地水）

火部

土部

金石部（金、玉、石、卤石）

草部（山草、芳草、隰草、毒草、蔓草、水草、石草、苔、杂草，有名未用）

谷部（麻麦稻、稷粟、菽豆、造酿）

菜部（荤辛，柔滑、蓏菜、水菜、芝栭）

果部（五果、山果、夷果、味、蓏、水果）

木部（香木、乔木、灌木、寓木、苞木、杂木）

服器部（服帛、器物）

虫部（卵生、化生、湿生）

鳞部（龙、蛇、鱼、无鳞鱼）

介部（龟鳖、蚌蛤）

禽部（水禽、原禽、林禽、山禽）

兽部（畜、兽、鼠、寓、怪）

人部

　　木刻版《本草纲目》所记药数为 1892 种，且这一数字比较通行。该书将《证类本草》药物剪繁去复后得药 1479 种，又录诸家本草药 39 种，新增药 374 种。

　　〔内容·价值〕　　《本草纲目》是集明以前大成的药物学巨著。它所收载的内容十分广泛，包含了极为丰富的动、植、矿物及其他自然科学知识，因而其又是一部博物学著作。据考证，英国生物学家达尔文将《本草纲目》称作"中国百科全书"。

　　该书"序例"相当总论，可分本草历史和药性理论两部分。卷 1 "历代诸家本草"介绍李时珍所知的明以前主要本草书 41 种，勾勒出了我国本草发展的大体轮廓。前 2 卷的大量篇幅被用于介绍药性理论（也包括方剂配伍等）。其分列标题，引述前人医书、本草中的有关内容，间或加以详注发挥。这些专题是："《神农本草经名例》""陶隐居《名医别录》合药分剂法则""采药分六气岁物""七方""十剂""气味阴阳""五味宜忌""五味偏胜""标本阴阳""升降浮沉""四时用药例""五运六淫用药式""六腑六脏用药气味补泻""五脏五味补泻""脏腑虚实标本用药式""引经报使"（以上卷 1）；"药名同异""相须相使相畏相恶诸药""相反诸药""服药食忌""妊娠禁忌""饮食禁忌""李东垣随证用药凡例""陈藏器诸虚用药凡例""张子和汗吐下三法""病有八要六失六不治""药对岁物药品"。这些论述又以金元诸家之言居多。药性理论原则在《本草纲目》前 2 卷中得到了系统的归纳。

　　卷 3、卷 4 "百病主治药"主要沿袭宋以前若干种本草之前的"诸病通用药"旧例。其以病原为纲罗列主治药（如"痉风"之下分风寒风湿、风热湿热及某些外治法类列药物用法），比旧本草单纯以病名主治为名目又深化了一步。其在罗列诸药时不只是列一药物，而且兼带介绍其功效用法。若某病主治药过多，又设"草部""谷菜"等小纲进行介绍。这2卷约有18万字，编排有序，自成体系，相当于一部临证用药手册。

卷5至卷52（共48卷）为各论，其分部别类已见前述。各药分项解说，现将各项内容简介如下。

"释名"：列举别名，解释命名意义。

"集解"：介绍有关出产地、品种及形态、采收等情况；辨疑、正误，对疑误之处，类集诸家之说，予以辨正。

"修治"：叙述炮制方法。

"气味"：介绍药之性、味，兼有毒无毒。

"主治"：介绍功效及主治疾病。

"发明"：重在药性理论的阐述及提示用药要点，且以李时珍个人见解为主。

"附方"：附列该药所治疾病，并于各病证下出示含有该药的方剂。

《本草纲目》取得的伟大成就是多方面的，兹择要介绍于下。

（1）药物学方面。该书收药众多，其内容之丰富和全面，在当时是空前的。它系统地整理了明以前的本草知识，其中既有资料，又有见解。该书是当今研究我国传统药物学的主要典籍。

李时珍在编写《本草纲目》过程中，"剪繁去复，绳谬补遗，析族区类，振纲分目"，在文献整理和本草考辨两方面取得了巨大的成功。其在文献整理方面的成就主要体现在药物资料的搜集和剪裁上，及能全面系统地反映药学体系和内容的"纲目"编写体例的运用上。其在本草考辨方面的主要成就则是主要通过实际考察和文献考据两途，对药物的基原、性能等进行辨析。

李时珍明确了许多药物的名实异同，较好地确定了它们的分类位置。由于注重"深加体审"，该书解决了许多药物的基原品种问题（如蘋、蓬蘽、三白草、凝水石等）。该书还通过文献校勘，订正了一些药名讹误。在李时珍新增的374种药物中，有若干药已为后世广泛应用（如三七等）。

在药性药效方面，该书有很多新的见解。李时珍科学地指出可以人为地对药性予以改造（如通过炮制、配伍等办法），并注意到人的脏腑禀赋各有所偏，因而服药后的效应也各有不同。他还指出了前人所论药性中的言过其实或言不副实之处，提出不能将消除某一症状作为推断药性的惟一标准，还应该考虑到症状得以消除的内在机制，结合整体效应来评定药性。该书补充了大量的通过采访和亲自历验所得的用药经验，并记载了一些在人体或小动体身上所进行的简单的药理实验。

此外，在药物栽培、炮制制剂以及药物在各科病证等方面，该书也有丰富的内容。

（2）医学方面。李时珍有着精深的医学理论素养和丰富的临床经验。他在论药时表达了许多医学见解。其对一些疾病的认识达到了相当精确的程度（如铅中毒、汞中毒、一氧化碳中毒；肝吸虫病、寄生虫病患者的癖嗜等）。该书记载了一些新的医疗技术，如蒸气消毒、冰敷退热、药物熏烟法防止传染病等。

金元医家张元素、李东垣的学术思想对李时珍有很大的影响。李时珍对脾胃学说十分重视，对《素问》等古典理论医籍颇多阐发。他在议药的同时，也兼论方剂，这些对方剂的论述体现了他在研究《伤寒论》等医方书方面的精深造诣。在解剖生理等基础理论方面，李时珍《本草纲目》也有许多创见。他认为脾即胰脏，又提出肾间命门说，指出命门与三焦是一体一用的关系。该书明确地指出"脑为元神之府"（"辛夷"条下），这是我国医学对大脑功能认识的一大进步。

《本草纲目》中的李时珍医案，更进一步反映了李时珍的各种学术见解。利用小续命汤升发被遏在下的阳气，借以治飧泄，是他重视脾胃气机的体现。该书的若干医案，曾被转录于清·魏之琇《续名医类案》中。

（3）其他自然科学方面。该书在分类上采用"从贱到贵""从微到巨"的排列方法，这大体上符合动物的进化规律。李时珍把具有明显相同特征的植物类群归并在一起（如水菜类相当于藻类，芝栭类相当于真菌门担子菌纲等），并对植物近似种做出精细的辨析（见"茺蔚""牛膝""黄蜀葵""凤仙""龙葵"等条）。《本草纲目》对植物形态的细致描述和对植物生长过程的深刻认识，具有相当高的科学性。李时珍在书中所述药物命名原则与现行动植物命名法基本吻合，其采用的是双名法（如桐，先分出属，再细分种）。

《本草纲目》记载了生物界许多极有意义的现象，其中对有关环境对生物的影响、遗传与相关变异现象的描述，具有重要的科学价值。该书对矿物做出了较科学的分类，对19种单质及数十种化合物的来源及化学性质也有较详细的介绍。虽然《本草纲目》是以药学著作面貌出现的，但它对研究植物、动物、矿物乃至天文、地理、物候、化学等学科都有着重要的参考价值。

〔蓝本·资料〕　《本草纲目》的蓝本是宋·唐慎微《证类本草》（常记作"旧本""古本"）。

李时珍为撰写该书，"渔猎群书，搜罗百氏，凡子史经传，声韵农圃，医卜星相，乐府诸家，稍有得处，辄著数言"，"书考八百余家"，所以该书参引的资料异常丰富。据《本草纲目·序例》介绍，除《证类本草》原有资料外，李时珍还引用了本草医书276种，非医学书籍（经史百家）440家，再加上其"序例"另作专题介绍的主要本草14种，共引书730种。与书中实际所出引书名相比，这个数字还不是很确切的，但这是李时珍自己的统计，姑仍其旧。

李时珍《本草纲目》所引诸书，为我们查找药学资料提供了大量的线索。但是李时珍在引用文献时，有进行窜改、杂糅的现象。

〔药图〕　《本草纲目》初刊本（金陵本）附有药图。关于这些药图完成的具体时间、原委，以及药图与李时珍是否有关，专家们曾有过一些不同意见。[1],[2]从《本草纲目》正文无一处提示可与药图相对照，且其内容有时与药图矛盾（如谷精草等），这表明李时珍在纂述文字时，并没有同时配合绘图。这些药图是由李时珍的子孙完成的，此可从金陵本图版署名中得到证实。

卷上云："阶文林郎蓬溪知县男李建中辑；府学生男李建元图；州学生孙李树宗校。"

卷下云："阶文林郎蓬溪知县男李建中辑；州学生男李建木图；州学生孙李树声校。"

因此，附图是李时珍子孙的工作成果。

《本草纲目》最初的绘图在后世的不断翻刻过程中，已被改动得几乎面目全非了。近年来本草学者深入的研究，发现历史上金陵本的药图曾有过两次大改动，第一次是1640年武林钱蔚起改动的，第二次是1885年合肥张绍棠改动的。[1]~[4]两次改动后的药图在线条和图形上更美观了，但在植物考证方面却有一些失真之处。张绍棠将《植物名实图考》的图嫁接在《本草纲目》之上，更是惑人。根据钱蔚起、张绍棠重刻时改动图版的情况，现一般将《本草纲目》版本划分为3个系统，其区别详见下面的"版本"项。

〔版本〕　近年许多学者的研究表明：《本草纲目》版本大致可分为"一祖三系"，即以（初刻）金陵本为祖本，下分江西本、钱本、张本3个系统（区别见表5）。[5]

① 官下三郎.《本草纲目附图》考. 丁文忠, 译. 国外医学（中医中药分册）. 1982（3）：50.

② 谢宗万.《本草纲目》附图价值的讨论. 中医杂志, 1982, 23（8）：72.

③ 邬家林, 郑金生.《本草纲目》图版的讨论. 中药通报, 1981, 6（4）：9.

④ 谢宗万.《本草纲目》图版考察. 中医杂志, 1984, 25（3）：72.

⑤ 马继兴, 胡乃长.《本草纲目》版刻简录. 中医杂志, 1984, 25（8）：57.

表5 《本草纲目》3个版本系统的区别

版本	主要序跋	药图	附刊医书	流行
金陵本	王世贞序	2卷，1109图，每半页4~6幅。大多数为自绘写实，李建元、李建木绘		明末
江西本系统	增李建元"进《本草纲目》疏"，张鼎思序、夏良心序	序2卷，1109图，余皆同上。	李时珍《濒湖脉学》《奇经八脉考》	明末清初
钱本系统	多钱蔚起小引，吴毓昌序、吴太冲序、吴本泰序	3卷，1110图，每半页4幅。据江西本改绘药图800幅。武林陆喆绘	同上。18世纪中期以后加蔡烈先《本草万方针钱》	清初、中期
张本系统	有张朝璘本、太和堂本诸序，增张绍棠序、赵学敏《本草纲目拾遗》小序	3卷，1122幅，每半页4图，据钱本改绘，部分药图取自《植物名实图考》，改绘400余幅。许功甫绘图	同上。增赵学敏《本草纲目拾遗》	清末以下

（1）祖本。①金陵本：胡成龙刊于金陵。该本为后世该书各种刊本的原始刻本。李建元说："甫及刻成，忽值数尽。"据此则该本可能刻成于1593年（李时珍卒年）。今中国中医科学院、上海图书馆各藏一部。日本内阁文库、狩野文库、伊藤笃太郎，美国国会图书馆亦有藏。旧载柏林国家图书馆收藏一部，后其毁于战火。②摄元堂本：崇祯十三年（1640），程嘉祥剜去金陵本"辑书姓氏"，改题"校书姓氏"，添上程嘉祥姓名及摄元堂字祥而成。其现藏于美国国会图书馆。

（2）江西本系统。①江西本：万历三十一年（1603）夏良心、张鼎思重刻于江西南昌。该本增李建元进"《本草纲目》"疏及夏良心序、张鼎思序。该本基本上保持了金陵本面貌，为明末清初《本草纲目》各版本的底本。②万历间翻刻本：刻者不明。③湖北本：万历三十四年（1606）薛三才、杨道全等刊于湖北。该本增杨道全序、董其昌序。④石渠阁本（梅墅烟萝阁本）：约刊于明末。该本将药图刻于各卷之首。⑤立达堂本：明末刊。⑥十竹斋本：崇祯年间胡正言、胡正心刻于南京。⑦宽永本：日本京都书店刻（1637），以石渠阁本为底本，有和文训点。⑧久寿堂本：1640年据万历中金陵刊小字本重刻。⑨张朝璘本：1658年刻于江西。该本增5篇序，由医官沈长庚校正，流传较广。⑩金闾本：1684年苏州绿荫堂、文雅堂刻。⑪五芝堂本：清初。⑫人民卫生出版社校点本：1977—1981年人民卫生出版社铅印之，由刘衡如校点。

（3）钱本系统。①钱本：1640年钱蔚起刻于杭州六有堂，又称武林钱衙本。该本改绘江西本药图，由陆喆绘药图。②日本承应二年（1653）本：野田弥次右卫门重刻。③太和堂本：1655年吴毓昌改修钱本；增补了3篇序。④日本万治二年（1659）本：江户野村砚斋加训。⑤日本宽文九年（1669）本：松下见林校刻。⑥日本宽文十二年（1672）重刻本。⑦日本宽文十二年（1672）贝元益轩增修本：加和文训点；附"傍训《本草纲目》品目""本草名物附录"。⑧本立堂本：1713年刻于苏州；1717年再刻。欧契、韩怡柳重订之。⑨日本正德四年（1714）含英豫章堂刻本：附稻若水《结毦居别集》、《本草图翼》。⑩日本享保十九年（1734）竹田氏近畿书肆刻本。⑪三乐斋本（1735）。⑫大字正误和刻本（18世纪初）。⑬文会堂本：18世纪中刻；药图周人工敷色。⑭《四库全书》本：乾隆年间翰林院据太和堂本抄。⑮书业堂本：1784年刻，后多次刊行。衣德堂本同此。⑯日本广大堂本（1796）。⑰芥子园巾箱本：清中叶刻于北京，1872年重刊。大德堂本据此重刻。⑱务本堂本：1826年刻，1835年重刻。⑲英德堂本：1826、1845、1850年分别刻印。⑳文光堂本：1845年刻。㉑翰苑阁本：1850年刻。㉒蔼照书屋本：1851年据芥子园本初刻，1867年重刻。㉓天德堂本：1867年。㉔善成堂本：1872。㉕春明堂本：1872。㉖经香阁本：1875年石印，后于1904、1909年重印。㉗连云阁本（约清中叶）：据此重刊者有福文堂、务本书局本等。㉘崇云阁本（约清中叶后）：扉页又记"学库山房藏版"。㉙拾芥园本（约清中叶后）。㉚三让睦记本（约清中后期）。㉛学源堂本（约清中后期）。㉜书蒙堂本（清后期）。㉝学库山房本（参㉘）。㉞衣德堂本（参⑮）。㉟天宝楼本。㊱敦化堂本。㊲福文堂本：据连云阁本重刻。㊳同文堂袖珍本。

（4）张本系统。①张绍棠本（味古斋本）：光绪十一年（1885）刻于南京。其文字参校江西本、钱本二系，药图则依钱本改绘（达400余幅）；附《本草纲目拾遗》。该本流传甚广，各地多藏。②鸿宝斋本：1888、1893、1907、1909、1912、1916年多次石印。③图书集成书局本：1894、1904、1908年铅印。④同文书局本：1904年石印。⑤萃珍书局本：1906年石印。⑥商务本：1908年石印，1908、1913、1914、1923、1929年重印。⑦章福记书局本：1912年石印。⑧日本半田屋本：1913年刻，1919年再版，题作《补注本草纲目》，附《汉药本别名共通索引》。⑨锦章书局本：1916年刊。⑩扫叶山房本：1925年刊。⑪万有文库本：1930年商务印书馆排印。⑫大东书局本：1936年排印。⑬世界书局本：1937年铜版影印，附索引。⑭商务印书馆重印本：1954—1955 排印，不附《本草纲目拾遗》，增四角号码索引。⑮台北文光本：1955 年文光图书有限公司铅印。⑯九龙求实出版社本（1957）。⑰人民卫生出版社影印本（1957）：附校勘表、药名索引表、释名索引表。⑱香港商务印书馆本（1965）。

九、《本草真诠》

〔**作者·成书**〕　杨崇魁，字调鼎，号搜真子，清漳人。其以儒闻世，然留意医药。他采集诸家本草（自《神农本草经》而至王节斋、方古庵），编成《本草真诠》（1602）。

〔**卷·集·药**〕　2 卷，6 集。

上卷第 1 集讨论运气；第 2 集分别经络；第 3 集仿王纶《本草集要·药性分类》，列 12 门，归类药品。各药名下以寥寥数语，简介功效。其共述药 1050 种（包括重复者）。

下卷第 1 集首列诸品药性阴阳论，继分温（86 种）、热、平、凉、寒五性类药；第 2 集为"食治门"，分米谷、菜蔬、果品、走兽、飞禽、虫鱼 6 类。第 3 集相当于总论，杂取前人本草序例中的内容，如"十二经水火分治歌""五脏苦欲补泻药味""贸易辨真假""咀片分根梢"等。

〔**内容**〕　该书对人体经络走向及药物归经的记载十分详细。卷上第 2 集附经络图，每药下都列补、泻、温、凉四类药名，及引使报使药（分上升、下行二类）。卷上第 3 集各门之后，又列主治各经病证之药名。

作者在药物的解释上，一味追求以运气、阴阳、经络统贯之，多引金元医家的论说。其于各论诸药下先简列味、气、阴阳、功效、主治、炮制、用法，随后阐释药理。据核查，该书大部分资料都取自《证类本草》《本草集要》《本草蒙筌》等书，作者在编排上煞费苦心，而在内容上却并无增益更新。

〔**版本**〕　今北京大学图书馆明万历三十年（1602）刊本，有"怡庆堂余苍泉梓"字样，且其序言旁注日本假名。

十、《本草原始》

〔**命名**〕　该书旨在推原药物之本始，故以名书。

〔作者·成书〕 李中立，字正宇，雍丘（今河南杞县）人。其少习儒，"博极秦汉诸书"，聪明多才。他因见当时有些医家"谬执臆见，误投药饵，本始之不原而憒憒"，遂"核其名实，考其性味，辨其形容，定其施治"，且"手自书而手自图之"，著成《本草原始》（1612）。或有将李中立与李中梓之兄（亦名李中立）混为一谈者，郑金生已正其非。

〔卷·部·药〕 12 卷。该书无总论，将药分为草、木、谷、菜、果、石、兽、禽、虫鱼、人 10 部，收药 452 种，载药图 379 幅。

〔内容·特色〕 该书于各药下简述药物之产地、基原形态、性味、主治，并于中间插入药图及解说，附以"修治"及方剂，叙述简明扼要。其中有关临床用药的内容绝大多数取自《本草纲目》。其药图及注说主要与药材学内容有关，是为该书之特色。

药图所绘基本是当时市售的药材。刘寄奴、石龙子、蛤蚧、狗脊等的图注直接说明其系市卖干品。在药图之旁有针对性地用文字指示鉴别特点，是该书的一个创造。书中只有极少数药图系转绘的（如谷精草）或画法欠严谨（如墓头回）。本书药图在历代本草药图中独树一格，不仅绘出了全药材，而且有的还绘出了断面，展示了维管束的样式。有时一药列数图，以列举不同品种、产地的药材形状。

图中注文十分简洁，汲取了许多药工的辨药经验及术语，形象地点出了药材真伪优劣、道地药材的鉴别特征。如云肉豆蔻"外有皱纹，内有斑缬，纹如槟榔。纹肉油色者佳"。其图名也很有特色，如蚕头当归、马尾当归、凤眼降香、云头术等等。该书还揭露了当时许多药品作伪的情况，述及许多道地药材鉴别特点，反映了当时一些地区用药习惯，并介绍了一些药材的规格（如生地分头条、中条等）。作者尤其注意区分不同品种、不同产地药材的效用，认为贝母之伪品土贝母"堪医马而已"、天麻之伪品羊角天麻"不堪用"、当归的一个品种蚕头当归"止宜入发散药"等。作者还注意搜集药材的炮制方法，并对若干理论进行总结。

该书最主要的成就在于它为中药鉴定、炮制等增添了新的内容。一般认为它是一部出色的药材学（或生药学）专著。

〔版本〕 浙江图书馆存万历四十年（1612）雍氏李氏原刊本，以有罗文英序、马应龙序为特征。崇祯十一年（1638）鹿城葛鼐（端调）校订，并与《纪效新书》合刊者，今存于中国中医科学院，仅有马应龙一人之序。此后清代约有 10 余种刊（抄）本，其都是以葛鼐本为底本的。其中内题书名为《本草原始合雷公炮制》者，系一种合刻本。1923 年锦章书局有石印本。此书各地多藏，较易查阅。

十一、《炮炙大法》

〔作者·成书〕　　缪希雍在《先醒斋医学广笔记》90 余种炮制品基础上扩充而成此书。该书由缪希雍口授，其弟子庄继光录校，成书于天启二年（1622）。

〔卷·类·内容〕　　不分卷。该书载药 439 种，分水、火、土、金、石、草、木、果、米谷、菜、人、兽、禽、虫鱼等部；后附"用药凡例"，叙制剂，煎、服药及宜忌等。

卷前列"雷公炮制十七法"，其似取自罗周彦《医宗粹言》炮制十七法。各药条文简要，主要介绍药物的性状鉴别、炮制方法、佐使畏恶等。该书编写法深受《雷公炮炙论》的影响，继承了前人制药须辨药材真伪优劣的优良传统，也沿袭了雷公制药附载畏恶等做法。

全书有 172 种药引用了《雷公炮炙论》的内容。其将原书不切实用的一些方法删去，补充了一些有后世制法的药物。但其在一部分药物条文中，却仅述药材性状、畏恶，而漏去制法（如芎䓖、葛根等），可谓粗疏；所述诸药炮制法内容亦比较单薄，与《本草纲目》"修治"项下的内容相比，逊色得多。我国炮制专书并不多见，明代炮制专著惟此影响较大。

书末"用药凡例"，相当于总论，其中常有缪希雍独家见解。其对煎药方法，辨析尤详，实用价值较大。

〔版本〕　　该书有明·庄继光刊本；另有崇祯十五年（1642）刊本附于《先醒斋广笔记》之后。1956 年人民卫生出版社影印庄继光本，各地有藏。

十二、《神农本草经疏》

〔命名〕　　该书"据经（《神农本草经》）以疏义"，故名。简称《本草经疏》。

〔作者〕　　缪希雍（1546—1627），字仲淳（或作"醇"），号慕台；东吴海虞（今江苏常熟）人，侨居长兴，终老金坛。其少多病，长嗜方技；不事王侯，惟精研医药，尤长于本草。其生平好游，常与樵叟村竖交往，搜罗秘方甚富。其著述甚多，有《先醒斋笔记》《先醒斋广笔记》《本草经疏》《本草单方》等存世。门人李杨（季虬），传其学。

〔成书〕　　"梓行本草经疏题辞"云："检讨《图经》，求其本意。积累既久，恍焉有会心处，辄劄记之。历三十余年，遂成此书。"书成后由门人李杨参录，新安吴康虞氏刻之金陵，但书未刻成，稿反而遗散流传。西吴朱氏曾集刻此书，然其内容却不及原书的一半，且次序错乱，药品残缺。该本今亦存世，名《读神农本草经疏》（12 卷），见下篇"《读神农本草经疏》"条。缪希雍遂命顾澄先检其存稿若干卷，按部选类，重汇复校，以成定本。该本初刊于天启五年（1625）。今姑将其书成书之年附于 1623 年。

〔卷·药·体例〕　30 卷。该书目录次序，悉从《证类本草》目录。该书未袭用原《证类本草·序例》，另撰"续序例" 2 卷。上卷为药学理论文章 33 篇，下卷为"诸病应忌药" 7 门，即阴阳表里虚实、五脏六腑虚实、六淫、杂证、妇人、小儿、外科。卷 3 至卷 29，则择取《证类本草》若干药物（不限于《神农本草经》药）疏其要。卷 30 收《证类本草》未载（或未详）之药。该书总计论药 490 种。

各药主治，多择取《神农本草经》《名医别录》所载，如有未尽者，则参以诸家主治。正文各药下分三项。一为"疏"，阐发药性、主治之所以然；二为"主治参互"，列述配伍及其所治病证，引录诸家单验方；三为"简误"，备注药物品种、适应证之容易混误者，"有证同而药不宜同者，每条后详书其害"。

〔内容〕　该书重点阐发了药学理论，且还介绍了用药经验，辨析了药物的名实种类。

"续序例上"为药论，各示标题，如"药性差别论""论治吐血三要""论痰饮药宜分治""论五运六气之谬"等。这些专题多依据《黄帝内经》《神农本草经》及前人精论而述，但时出新见，如指出"气之毒者必热，味之毒者必辛"；指出吐血三要即"宜降气不宜降火，宜行血不宜止血，宜补肝不宜伐肝"；指五运六气为"杂学混滥"，并称"予见今之医师，学无原本，不明所自。侈口而谈，莫不动云五运六气。将以施之治病，譬之指算法之精微，谓事物之实有，岂不误哉"。

在具体药物的理论阐发方面，该书则多据该药的生成、性味、阴阳、五行、归经、疗效等予以推衍。

缪希雍从性味入手，结合脏腑理论等阐释药物主治之所以然，有其独到之处。因其尊经的思想比较严重，故该书也有曲为附会、隔一隔二之论。缪希雍在"主治参互"及"简误"项下，每结合其丰富的经验，予以详述细辨，这对临床用药不无小补。

〔评价〕　《本草经疏》以它雄辩的论说、丰富的经验，赢得了众多后世医家的崇信。缪希雍打出尊经的旗帜，对《神农本草经》等古代经典本草进行理论阐释，客观上是对当时医家"学无本原"的一次冲击。他和李时珍同时，两位本草大家从不同角度对古典本草进行整理，都取得了巨大成功。缪希雍本草的成就与《本草纲目》的相比，显然逊色得多。但在临床药学方面，缪希雍之说的影响范围相对来说要广于李时珍之说的影响范围。

近人谢观在《中国医学源流论》中说缪希雍等"以复古为主，唾弃宋后诸家之论，在当时可称新派"，并称赞《本草经疏》"最为精博"，可谓明论。明末至清代众多以阐解《神农本草经》为主旨的本草，大多受缪希雍影响。但缪希雍尊经复古的另一面，使其说不免有牵强附会、师心自用之处。其书中一些错误也遭到激烈的抨击，甚至有"《经疏》出而本草亡"的偏颇之论。

〔版本〕　今存有天启五年（1625）绿君亭原刊本，藏馆甚多。另有《四库全书》写本、《周氏医学丛书·初集》本（1891）等清刻本。1980 年江苏广陵古籍刻印社影印《周氏医学丛书·初集》本，此本各地多藏。

十三、《本草正》

〔作者〕　张景岳（1563—1640），名介宾，字会卿，别号通一子。景岳为其号。其原籍四川绵竹，后迁至会稽（今浙江绍兴）；著有《类经》《景岳全书》等，创"阳非有余，真阴不足"诸论；临证好用熟地及温补方药，为明代著名医家。《本草正》，即《景岳全书》卷 48、卷 49，因这部分药学内容学术价值甚高，故多将其视为一本独立的著作。其成书于 1624 年。

〔卷·类·药〕　2 卷。该书将药分为山草、隰草、芳香、蔓草、毒草、水石草、竹木、谷、果、菜、金石、禽兽、虫鱼、人 14 部，收药 300 种，且药名均编有顺序号。

〔内容·特色〕　该书所选皆为临床常用药。其无总论。各药名下，单书反畏及常用别名；其余药论另提行，不分项目，统而述之，一气呵成。其一般先介绍性味厚薄、阴阳，次述主要功效及产生该效的机制、临床运用范围、注意事项，又针对该药用法的有关争议提出自己的观点。其论药条理清晰，要言不烦，立论持平。

张景岳善用熟地，人称"张熟地"。该书用了近 1000 字论熟地，可见其偏爱之深。该书对畏熟地滞腻者，释其疑虑；对滥用姜、酒、砂仁制熟地者，力数其非。张景岳议论纵横，注重辨析临证用药之宜忌，这些论述反映了作者丰富的临证经验和深厚的理论根基。其对相似药物功用的比较、药物的配伍等也多有议论。

该书对个别药物存在的特殊问题，单独立论，如附子另立有"辨制法""辨毒"专题。该书在许多药物之下，附述了药物的炮制方法及其与用药的关系，这也是该书的特色之一。

自朱丹溪滋阴说盛行，明代医者多遵从之，出现了喜凉忌温的偏向。张景岳倡"阳非有余，真阴不足"之论以救时弊，在处方用药上，也与其理论相配应。他认为人参、熟地、附子、大黄，乃药中之"四维"，实为救偏补弊而设。从书中药论的整体来看，张景岳对各药的认识绝大多数是客观准确的，且表述得法，故此书向为后世医者所重视。

〔版本〕 《景岳全书》在明清翻印 30 余次，1958 年上海卫生出版社据岳峙楼本影印。

另，中国中医科学院藏《本草类考》一书精抄本。该本不著撰人，《全国中医图书联合目录》将其作为独立的一本书著录，附于 1908 年。今将此书与《本草正》相对校，始知两书实为一种。

十四、《本草汇言》

〔命名〕 该书汇集与作者同时的众多学者的药学言论，故名《本草汇言》。

〔作者·成书〕 倪朱谟，字纯宇，钱塘（今浙江杭州）人。他精于医，对药物十分注意。其"周游省直，于都邑市廛、幽岩隐谷之间，遍访耆宿，登堂请益。采其昔所未详，今所屡验者，一一核载"（"凡例"），又汇集历代本草 40 余种，纂成该书。书前有倪元璐于天启四年（1624）作的序，故其书当成于天启四年（1624）以前。倪朱谟的儿子倪洙龙（字冲之）将藏稿刊行。

〔卷·类·药〕 20 卷。该书收药 581 种，分草、木、服器、金、石、谷、果、菜、虫、禽、兽、鳞、介、人等部。

〔资料来源〕 倪朱谟在卷首将受采访人士的姓字名号、籍贯一一开列。其中"师资姓氏"12 人（均为当时的名医），"同社姓氏"136 人。这种把采访对象姓氏开列出来的做法是该书独创，这不仅表明了资料来源的广泛，而且也是研究当时医学人物的一份重要的史料。

〔体例·药图〕 各卷前集中附图，全书共计 530 余幅（以图名为准计算）。其中药材图（包括矿物）约 180 余幅，果木图则多截取枝条绘制。有时一药数图，如条黄芩、片黄芩、枯黄芩等。这些药材图或有与《本草原始》相似者。但本书卷18图页记有"万历庚申（1620）萧山庠士汤国华太素甫绘图；钱塘处士翁立贤恒玉甫勒象"。该书绘图年代与《本草原始》撰成年代（1612）比较近，书中未提及李中立《本草原始》，因此很难说两书绘图有直接联系。汤国华所绘图以果菜、谷等部诸图较好，从整体来看质量并不很高。

各药解说方式为：药名下记性味、阴阳归、经等；小字注产地、形态；集录诸论药之言；末附方剂，在各方旁边用小字注明出处。

卷20为总论，列"气味阴阳""升降浮沉"等题23项，内容多采自《本草纲目·序例》。

〔内容·价值〕　该书除载有148位学者的药论外，还在附方中摘引了大量的明代医方资料，其中有一些医方资料来自未刊行（或已刊今佚）的医方书，因此，他在保留这些资料上有一定功绩。

该书所引诸家药论丰富了临床用药和药性理论的内容，这是该书中最有价值的一部分内容。该书还大量记载了用药经验。如方龙潭论黄柏，从该药"抑阴中之火""清湿之热"两个主要功效出发，分析其主治、制法、禁忌等。倪朱谟记录的许多治法，多为江浙一带医家习用。如"松花"条下，"王明源抄"云："土人及时拂取，和白米、芡实、白糖调匀，印为糕饼，作茶馔食之。大能养胃清郁热。越东风俗，以此款宾。（万）历、（天）启间所时尚也。"

书中倪朱谟个人的意见不多，但从其注文来看，作者对医药确有一定的研究。倪朱谟极力反对服食丹药，认为丹砂"非良善之物"，并历数砒石的种种危害，引用有关论说谴责红铅（童女初行月经）治病之愚等。倪朱谟还比较注意药材品种的考证，对银柴胡、北柴胡、软柴胡三物的辨析比较明晰。该书还记载了浙江温州、处州山农人工种植茯苓的情况，以及他到晋（山西）、蜀（四川）山谷中访问龙骨产区的所见。

要之，该书增添了大量的明末诸家药论和方剂，其中以药理和临床用药内容居多。该书是明代新内容较多的本草之一。倪元璐曰："与李濒湖之《纲目》，陈月朋之《蒙筌》，缪仲淳之《经疏》，角立并峙。于以羽翼前人，启迪来者，厥功懋焉"。《浙江通志》认为："世谓李（时珍）之《本草纲目》得其详，此得其要，可并垺云。"

〔版本〕　据著录，今存明刊本约有4部。但据查，其均非明版，很可能是明末清初（1624—1645）时所刻。中国中医科学院藏大成斋本，中国国家图书馆藏清顺治二年（1645）重摹本。另有康熙三十三年（1694）本及其他清刊本多部存世。

十五、《食物本草》

〔**作者·成书**〕 扉页题书名为《备考食物本草纲目》。卷首题署："元东垣李杲编辑，明濒湖李时珍参订。"李东垣、李时珍编订实为托名，毋庸多辨，因书中屡见李时珍逝世（1593）之后的事情。

日本学者松平士龙和国人王重民，均认为该书为明·姚可成撰。王重民认为："卷中每类后有总论，或题姚可成曰，或不著姓氏，是其明证。又卷首载《救荒野谱》一卷，共一百二十种，盖因于王磐《野菜谱》者六十种，可成增补六十种，则可成亦留心此道者矣。考观音粉条在卷二十一，有吾吴云云，则因可成为吴县人。"

据考，该书卷首所补姚可成小引（1642），乃为姚氏所辑《救荒野谱补遗》而作的，与整个《食物本草》并无联系。该书前20卷总论也未见有"姚可成曰"字样。中国中医科学院藏本前有崇祯十一年（1638）云间陈继儒序，曰："予曾睹娄江云谷穆君著《食物纂要》，最为简明，有补人世。兹复得濒湖李君参补东垣《食物本草》，益加精切。"陈继儒（1558—1639）作序之年已在姚可成辑《救荒野谱补遗》之前，故姚可成撰本书的说法并非无疑。在陈继儒序之前，还有钱允治序（1621），谓："不佞虽不习医，窃用悯焉。因肆力穷探，僭加评注。每类各种，细心驳正。补其阙失，刊其繁紊。"一似此书为钱允治所编订。王重民认为此序乃姚可成伪托，但并无明证。其真正作者，尚有待细考。

〔**卷·类**〕 22卷。卷首录诸家论说及《救荒野谱》。该书分成水、谷、菜、果、鳞、介、蛇虫、禽、兽、味、草、木、火、金、玉石、土等部，各部又细分类目。末卷为总论。该书共载食物1679种，为中国食物本草之最。

〔**内容·特色**〕 该书内容极为丰富，为我国食物类本草之冠。其"凡例"云："凡载籍之所传，见闻之所及，以至庖司客座之所手经口授者，罔不兼收该采，得其目者二千余条。"可见其采辑之广。《本草纲目》为其主要资料来源。

该书首重水部，用了4卷来叙述，尤其是名水和名泉部分，叙述更详。其内容之广博，令人叹为观止。名泉类共记载全国各省有名的泉水654处。各泉记其地名方位、水质特点及功效。这为考察我国名泉分布及制酒、制矿泉水提供了宝贵的资料。

该书在谷类记载了许多日常米面食品，如馒头、饦塔等。其中馄饨的记载也很有意思，其云："馄饨，以水和面作皮，包菜肉糖蜜等馅，汤炊煮熟，象混沌不正之义。今俗祀先者多用之。""味甘，五月五日吞五枚，压鬼邪。六月六日以茄作馅，食之疗百疾。"

这类资料对考察我国食品发展历史及研究民俗学都很有用。

〔**版本**〕 该书藏于中国国家图书馆、南京中医药大学（仅数卷），中国中医科学院、故宫博物院（仅10卷）等处，均为明刊本。其扉页未载刊年，似应刊于1642—1644年间（因书中尚有"国朝"字样，故知该书刊刻时尚未入清）。

十六、《药品化义》

〔**作者**〕 明·贾所学原撰，李延昰补订。贾所学，字九如，鸳洲（今浙江嘉兴）人。李延昰于崇祯十七年（1644）"游苏中，偶得贾君九如所著《药品化义》……问其里人，有不闻其姓氏者"。又《药品化义》中提到方古庵、盛后湖（皆明末医家），可见贾所学约为明末人，生平不详。今将其书附系于1644年。

李延昰（1628—1697），原名彦贞，字辰山，又字期叔，号寒村，南汇（今属上海市）人。其为著名医家李中梓之侄，得李中梓所传，精于医理；因参与反清活动，在事败后遁迹平湖佑圣宫为道士，以医自给。其撰《脉诀汇辨》（1662）等书，又补订贾九如《药品化义》（1680）。后世将《药品化义》易名为《辨药指南》。

〔**卷·类·药**〕 13卷。或有将李延昰所拟4篇药论另作1卷而称该书为14卷者。全书分气、血、肝、心、脾、肺、肾、痰、火、燥、风、湿、寒13类，共论药162种。

〔**内容**〕 卷首是李延昰增补的药论。其一"本草论"，简要叙述历代本草著作的发展情况；其二"君臣佐使论"，综述了历代对君、臣、佐、使含义的各种解释；其三"药有真伪论"，论药之真伪，且其观点及材料与陈嘉谟《本草蒙筌》多同。其四"药论"，议药物性能与炮制、产地、品种的关系。

贾所学《药品化义》中，卷1"药母订例"相当于总论。其中提出了一个新的理论概念——"药母"。所谓"药母"，取法于"书有字母，诗有等韵，乐有音律"。提出此概念的目的在于归纳中医药理的要素，以"订为规范"，从而防止"议药者皆悬断遥拟"的弊病。作者把"药母"看成是"辨药指南，药品化生之义"的发源。

药母的具体内容为8项，简介如下。

体——燥、润、轻、重、滑、腻、干。

色——青、红、黄、白、黑、紫、苍。

气——羶（膻）、臊、香、腥、臭、雄、和。

味——酸、苦、甘、辛、咸、淡、涩。

（以上为"天地产物生成之法象"）

形——阴、阳、木、火、土、金、水。

性——寒、热、温、凉、清、浊、平。

能——升、降、浮、沉、定、走、破。

力——宣、通、补、泻、渗、敛、散。

（以上乃"医人格物推测之义理"）

根据这8项，贾所学把其他药理原则沟通起来。他把中药药理由法象（表面现象）到义理，用这8项贯穿起来，使之成为中药理论完整的体系。

该书论药的方法仍然是金元诸家旧套路，然其层次清晰，围绕常用的功效主治进行说理，较少虚玄处。药论之后，该书多以小字注出用药品种特征、简要炮制方法等，以切实用。书中各类药之后，有一个小结式的用药比较，这便于人们掌握该类药各自的特点。

综观全书，其以药母八法统诸法，门类简要，有分论、有总括，结构谨严，是不可多得的一部中药理论专著。朱家宝在《药品化义·序》中云"贾九如《药品化义》一书，以八法辨五药，而分隶于十三门。明辨以晰，而于俶诡峻烈之品，抉剔尤严。使夫读是编者，通其条贯"，对该书推崇备至。

〔版本〕　上海中医药大学藏涤俗草堂抄本。又有光绪三十年（1904）北京郁文书店铅印本，此本各地多藏。《辨药指南》14卷，即本书重印本，现存上海中华新教育社石印本。又，尤乘所订《药品辨义》，亦即《药品化义》，见下篇"《药品辨义》"。

十七、《本草通玄》

〔命名〕　以"通玄"名书，意即通解玄妙。后避康熙讳，改称"通元"。

〔作者·成书〕　李中梓（约1588—1655），字士材，号念莪，又号尽凡居士，云间（今上海松江）人，为明末清初名医。他究心医学50余年，治疗疾病常获奇效。其学以平正不偏见长。其著述甚富，有《诊家正眼》《病机沙篆》等书。其弟子甚众，如郭佩兰、尤乘等。据其门人戴子来序称，在撰该书之前，李中梓已经刊行了2种本草，但"未遑整阐其幽，悉简其误，用是复奋编摩，重严考订，扼要删繁，洞筋擢髓，成本草二卷，命曰《通玄》"。据推测，此书可能是李中梓晚年之作，约成书于1655年。

〔卷·部·药〕 2卷。全书分草、谷、木、菜、果、寓木、苞木、虫、鳞、介、禽、兽、人、金石14部，共收药316种。末附"用药机要""引经报使"。

〔内容〕 无总论。书末附"用药机要"等，且其多辑自前人本草，无可称道。

各药叙说简明，不尚浮词。其在药名之下，简介性味、归经、用药要点，然后有针对性地摘引前贤药论精义，并阐发已见。其后常附炮制方法。该书所选多属常用药，因而该书作为一部临床实用本草颇负盛名。

该书价值之所在，主要是李中梓根据自己长期的临床实践，为药学增添了新的内容。李中梓治学，注重实际。他在年轻时也相信豨莶草有补益之功，并诚心修制，但"久用无功，始知方书未可尽凭也"，于是指出将豨莶草作为风家至宝是世俗的误解。这些用药经验对指导后学是很有好处的。

李中梓将世俗用药偏见和前人书中的一些错误一一指明。他认为王节斋所说"参能助火，虚劳禁服"，产生了"印定医家眼目，遂使畏参如螫"的不良影响，并详细地分析了人参的正确用法。他还指出了俗见以知母为"滋阴上剂""劳瘵神丹"的危害；说明了紫草有凉血而使毒出之功，并不只是宣发之剂；认为世俗滥用紫苏为食品"甚无益也"等。书中偶举治验案，以论证用药要义。

该书诸药之下常有炮制法。李中梓认为"古法制药如雷敩，失之太过；而四大家已抵和平，然更多可商者"（"凡例"），所以本书详载制法，对十分之三四的古法进行了变动，如"古人制黄耆多用蜜炙，愚易以酒炙，既助其达表，又行其泥滞也。若补肾及崩带淋浊药中，须盐水炒之"。这说明李中梓对药物炮制颇有研究。

〔版本〕 流传最广的是经尤乘校定的《士材三书》本。此本自康熙六年（1667）初刊以来，已被翻印20余次，各地多藏。比较少见的是康熙十七年（1678）吴三桂建周于云南时所刻的单行本。此本书前第一序（"琴川"氏作）后的年号题款均被挖去；"重刻《本草通玄》序"无作序人姓氏，且序中有一段叙家世之文也被挖去。序中提到："予方且优游昆海……金碧近称首善，天府图书征求宜广，而中原方事戎马，书坊旧版，安知不即付之荒烟蔓草中也。"可知此本刻于云南昆明。该本不避康熙讳（玄），有新安门人戴子来序，且此序由昆明黄中立

（子厚）书于康熙十七年（1678）；卷首题款中有"三韩吴世珵玄石甫订"，吴世珵即吴三桂之孙。此本藏于中国中医科学院。

附：《药性解》

〔成书〕 《药性解》李中梓序称："余于读书之暇，发本经、仙经暨十四家本草、四子等书，靡不悉究。然后辨阴阳之所属，五行之所宜，著《药性解》二卷。"然未见2卷本行世。今所存天启二年（1622）刻本系经钱允治补注编订者。其前有钱允治"药性赋注解炮炙合序"（1622）。该序提到了李东垣《药性赋》（320种）、《药性解》，谓前者无注释，后者无炮制，遂取《雷公炮炙论》条文附于《药性解》各药之下，更名为《（镌补）雷公炮制药性解》，厘为6卷。钱允治云："本朝万历末，云间李中梓士材，玄禅之暇，研精此道，出其所蕴为注二卷。"可知《药性解》原书确仅2卷，约成书于1619年。

《四库全书》发现《雷公炮制药性解》一书存在着名实不符的问题，连带对李中梓著《药性解》也予以否定，曰："考宋《雷敩炮炙论》三卷，自元以来，久无专行之本，惟李时珍《本草纲目》，载之差详。是编所采，犹未全备，不得冒雷公之名。又《江南通志》载中梓所著书，有《伤寒括要》《内经知要》《本草通原》《医宗必读》《颐生微论》，凡五种，独无是书。卷首卷太医院订正姑苏文喜堂镌补字，亦坊刻炫俗之陋习。殆庸妄书贾，随意裒集，因中梓有医名，故托之耳。"

《四库全书》编者未见天启二年（1622）原刊，仅据书志，推断此书为托名，实误。《本草通玄》有李中梓门生戴子来序，且此序提到在《本草通玄》之前，李中梓已著有2种本草（即《本草征要》《药性解》），所以该书确系李中梓原撰。

〔内容〕 《药性解》增补本分金石、果、谷、草、木、菜、人、禽兽、虫鱼9部，共收药323种。该书于各药下简述药物之性味、归经、功治等，低一格加"按"字后注解药性及用药要点，简洁明了，常出新见。书中未见所取《本草纲目》内容，多取金元本草予以辨正。该书在若干药条之后，有小字双行"雷公云""扁鹊云"注，此乃钱允治所补。因该书更名增补本风行海内，翻印本常略去钱允治序，故后世多误认为李中梓原书也包括辑补的炮制内容，甚至误认为此书为《雷公炮炙论》的辑佚本之一。天启二年（1622）翁氏原刊本，中国中医科学院藏。另，该书有近50种翻刻本，各地多藏。

附：《本草证要》

〔**作者·成书**〕 本书为李中梓《医宗必读》卷3、卷4，卷首题为《本草征要》。卷前有小引曰："本草太多，令人有望洋之苦；药性太少，有遗珠之忧。兹以《纲目》为主，删繁去复，独存精要。采集名论，窃附管窥，详加注释。比之《珍珠囊》，极其详备。且句字整严，便于诵读，使学者但熟此帙，已无遗用，不必复事他求矣。"这表明该书是一部讲述药性要义的入门之书。其成书于崇祯十年（1637）。

〔**卷·药**〕 2卷。该书分草、木、果、谷、菜、金石、土、人、兽、禽、虫鱼11部，收药361种。

〔**内容**〕 各药不分项目，先述性味功治；后低一格记载用法要点或药理要义，或叙述炮制方法、采收、品种等，并无一定之规，但拣该药精要之处点拨数句。如云"按甘遂去水极神，损真极速。大实大水可暂用之，否则禁之"，指出甘遂主要适应证，以及个人的用药心得。

该书叙说简明，且有个人用药心得，甚受医家欢迎。它与李中梓《药性解》《本草通玄》有相似之处，但三者繁简各异，内容也不尽相同。

〔**版本**〕 《医宗必读》有明清刊本30余种，各地多藏。1957年上海卫生出版社又予铅印。

十八、《本草乘雅半偈》

〔**命名**〕 初名《本草乘雅》。四数为乘。因各药分"覈""参""衍""断"四项予以解说，故取"乘"字。"雅"则表示该书解说正规、合于经旨。该书逢明末兵乱而散失。经追忆重修，仅"覈""参"二项得以补全，而"衍""断"二项则无法复原，只得其半，故又缀以"半偈"2字。

〔**作者·成书**〕 卢之颐（约1598—1664），字子繇，一字繇生，号晋公、芦中人，钱塘（今浙江杭州）人。父卢复（参下篇304页），名医。卢之颐得家传，精于方药。他毕生勤于著述，晚年双目失明时，仍然殚精竭虑，探讨医学。

卢之颐年轻时，就对药物很有研究。其父著《纲目博议》遇到疑难问题时，常请卢之颐为之评决。卢复见他深明药理，就令他完成自己因病未竟的本草研究工作。卢之颐在父亲病故后，费时18年，完成《本草乘雅》（1647）。在原稿散于兵乱的情况下，他又尽量追忆而写成《本草乘雅半偈》。书中经常引用的"先人云"的内容，即其父卢复《纲目博议》一书的内容。

〔卷·药〕　据杭世骏《名医卢之颐传略》所载，《本草乘雅半偈》有 12 卷。《四库全书》编者所见为 10 卷本。《全国中医图书联合目录》著录为 11 卷。其实原书并未明确分卷，仅分《神农本草经》上、中、下三品，《名医别录》上、中、下三品，其余诸家本草按时代先后类列而分为第一帙、第二帙等。各家计算方法不一，故卷次略异。

该书各药下原有"义例""图说蔂""《本经》参""《别录》衍""附方断"，以"参"为重。

该书药数为 365 种，以应周天之数。"但古有今无者，居三之一。因于《本经》取二百二十二种，又于历代名医所纂，自陶弘景《别录》，至李时珍《纲目》诸书内，采取一百四十三种，以合三百六十五之数，未免拘牵附会。"（《四库全书提要》）其选药精审，有时在 1 部本草中只选出 1 种常用药。

〔体例·内容〕　各药之前，注出"本经×品"。次行列药名、气味良毒、功效主治。《神农本草经》药不分朱、墨，将《神农本草经》《名医别录》内容统而述之，是为正文。

注文低一格，首列"蔂曰"，下述别名、释名、产地、形态、采收、贮存、炮制、畏恶等内容。次列"参曰"，下为卢之颐对该药功效、形态等有关内容的理论推演。"蔂""参"二项都是卢之颐的个人撰述。在这二项之间，常夹引"先人云"（卢复语）及缪希雍、王绍隆、李时珍诸家之论。卢之颐的个人发挥，主要集中在"参"这一项。

卢之颐受他父亲的影响，常以儒理、佛理来推演医理。他对药物进行理论阐发时，经常从药物名称、法象、生态等入手。他尤其注重药物的生成。如他注菖蒲云："从茎中抽叶处，看破开心孔；又从茎枝盘结处，配合心主包络。即种种识证法，亦咸从生成中体会来，不惟说破至理，并说破看法。"这常使得药性的解释变得玄虚。但在讨论药物的适应证时，他能经常结合《黄帝内经》《伤寒论》《金匮要略》等书，细加分辨，每多经验之谈。《四库全书提要》指责该书拼凑 365 种药，实为"拘牵附会"，但高度评价了其议论和选药，谓其"考据该洽，辨论亦颇明晰。于诸家药品，甄录颇严。虽辞稍枝蔓，而于本草，究为有功"。

〔版本〕　今存世者有清初卢氏月枢阁刊本、《四库全书》本以及据该本转抄本多种。其藏于中国国家图书馆、中国中医科学院等处。近有铅印校点本。

第六章　清　代

(1644—1911)

一、《本草洞诠》

〔**命名**〕　其"凡例"称："语多纂辑，题曰《洞诠》。亦仿《文选》称撰之例，匪敢僭也。""洞诠"即透彻的阐释。

〔**作者·成书**〕　沈穆，字石匏，浙江吴兴人，精医药。其尝游历于公卿之门，足迹几遍全国。其晚年赋闲归里，"读蕲阳李氏《纲目》一书，精核赅博，叹其美备，从而采英撷粹，兼罗历代名贤所著，益以经史裨官，微义相关，并资采掇"（自序），于顺治十八年（1661）编成本书。

〔**卷·部·药**〕　20 卷。该书将药分为水、火、金石、土、谷、果、菜、草、木、服器、人、禽、兽、鳞、介、虫 15 部，共收药 640 种。"凡例"中号称收药800 种，其实不足此数。卷 19、卷 20 为"用药纲领"，多采自《本草纲目》等书"序例"，别无增益。

〔**内容**〕　沈穆介绍此书内容特点时说："但选择要药 800 余种，蒐辑诸家之论，折衷互异之词，旁采儒书，间附管见。药少而用详，词简而义无阙。只增烟草一种，以盛为时用也。"（"凡例"）其中不无虚夸之词，如烟草在《本草汇言》中早已记载，而沈穆却不知道，以为是自己新增的。

各药不分项目。自药名、性味功用至用药机制等，一气呵成，统而述之。文字简练流畅。沈穆认为"是集于谷、肉、果、菜诸部，凡入庖厨者，备著无遗。若善调于食饮者，虽不资药饵可也"（"凡例"）。该书还收载了很多非医药书中的内容，"以备博览，亦《尔雅》《诗疏》之一斑"。其他药物下，多不过百余字，简介药性，于其余内容（如形态、附方）皆极少涉及。该书是文人所辑本草，故文字条理明晰，然新见解及临床用药经验皆很缺乏。

〔版本〕 今有顺治十八年（1661）刊本，书前载王益明序、戴京曾序、翁自涵序、沈焯序及作者自序5篇。中国中医科学院中国医史文献研究所、中国医学科学院（且藏日本抄本）及上海图书馆等处均藏。

二、《本草崇原》

〔作者·成书〕 张志聪（1619？—1674），号隐庵，为明末清初杭州西泠人。其幼年丧父，学医于杭州名医张卿子（名遂辰）之门。构筑侣山堂于杭州胥山，招同志讲论医学。自顺治中至康熙初（1644—1674），从学者甚众。张志聪致力于医学经典的注解阐发，以经解经，著述甚富。《本草崇原》由张志聪初创（书未成而殁），弟子高世栻续成。后王琦访得该书副本，校刊于1767年。

高世栻（1637—1696？），字士宗，亦为杭州人。他习儒无成，改业医，从张志聪讲论医学。张志聪殁后，高世栻在侣山堂讲学论道4年，继承发挥张志聪之学。高世栻订补《本草崇原》的年代不详，今将其附于高世栻《医学真传》成书年（1699）之下。

书前有序，不署姓名，似为张隐庵所撰。序谓："余故诠释《本经》，阐明药性，端本五运六气之理，解释详备。"可见此书以探讨药性理论为主，采用诠释《本经》的形式阐发对药性的认识。

〔卷·药〕 3卷。各卷依次为上、中、下三品。书中《神农本草经》药233种，附品56种，合计289种。

〔内容〕 无总论。各药体例一般是：药性正文（包括药名、性味、功效主治）、小字注文（一般为别名、产地、形态、优劣等）、阐释。这三部分中，阐释部分为全书精华。正文大多数摘自《本草纲目》所载《神农本草经》条文。其中《神农本草经》药仅200余味，故很难说该书是《神农本草经》的完整辑注本。正文之下的小字注文中有一些对药物品种的考订见解，其记载了当时一些混淆品种的情况及鉴别特征。

张志聪虽明言"其阐明药性，端本五运六气之理"，但在具体药物中，却很少谈及运气。他多从药物性味、生成、阴阳五行之属性、形色等入手，结合主治疾病的产生机制，阐明《神农本草经》所载的药物功效。他对金元医家津津乐道的气味阴阳厚薄、引经报使等学说皆弃而不顾。清·仲学辂所评"《崇原》就《本经》释药性"，"以经解经"，可谓一语中的。张志聪就《神农本草经》主治逐项解释，其解释虽不乏新见，但也有不少曲为附会之处。汲汲于为《神农本草经》圆说，而较少有个人用药心得，是其不足之处。但其重视探讨药性本原的思想给徐大椿、陈修园等以深刻的影响。

该书在若干条文之后附按语（似为高世栻所撰），以就一些疑误之处加以驳正。

〔流传·版本〕 该书由王琦收入《医林指月》中，首刊于乾隆三十二年（1767）。光绪二十二年（1896）上海图书集成印书局铅印之。此本藏馆甚众。另有光绪二十四年（1898）香南书屋刊本。后郭汝聪将其部分论说收入《本草三家合注》中。仲学辂《本草崇原集说》亦以此书为主干。

三、《本草述》

〔命名〕 吴骥序谓："其曰述者，本经合论，曲邕旁通，以明夫不居作者。"意即述而不作。

〔作者·成书〕 刘若金（1585—1665），字云密，号蠢园逸叟，潜江（今属湖北）人；天启五年（1625）进士，官大司寇（或称大司马、刘尚书）；明末隐居著书，因多病常以医药自辅，而对本草尤加留意。其竭30年之力，十易其稿，纂成《本草述》80余万言。永历十八年（1664）书成。次年刘若金殁，原稿由其子刘湜收藏。该书曾有未完刻本，因潦草授梓，故错误较多。康熙三十八年（1699）该书由浙西高佑钜（字念祖）、陈汗（字言扬）订正，刘湜校订刊行。

〔卷·类·药〕 32卷。其分部次序多同《本草纲目》，其中少数药品的位置有更动。该书收药501种，且所收多为寻常药品。

〔内容〕 无总论。各论不分项目，次第叙产地、形态、采收、药性（集录金元诸大家有关性味归经之说）、主治（包括适应证、用药要点、药理探讨、用药方法、配伍）、附方（多简便方）、"愚按"（即刘氏自家论说）、修治。

该书主要资料源于《本草纲目》，其中金元医家药论最受重视。该书还采录了不少明末本草学家的论说，且以缪希雍的意见引用得最多，其次为卢之颐、卢复、王绍隆、李中梓、张三锡、罗周彦等的意见。

各药条以讨论药性药效及药理为主。刘若金常在略引前人论说之后，附以大篇的阐解。其论药的方法多与金元医家相同。其在每药下洋洋洒洒，详析药用，侈谈五行六化。其对有些药物的功治可能辨析入微，甚有见地；而对另一些药物的解说则又可能烦琐推衍，玄而又玄，令人不得要领。刘若金尤其推崇红铅（月经），此是其大谬之处。

该书药论吸引了一些后世学者。道光六年（1826）杨时泰获此书，"翻阅数过，爱不释手"，并加节略，编成《本草述钩元》一书。另《本草述录》也是该书的一种节本，参见下篇该条。

邹澍认为刘若金"著《本草述》，其旨以药物生成之时，度五气五味五色，以明阴阳之升降。实欲贯串（金元）四家，联成一线。惜文辞蔓衍，读者几莫测其所归"，批评切中肯綮。

〔版本〕　《全国中医图书联合目录》载中国中医科学院藏康熙二十九年（1690）初刊本，扉页作"《刘尚书本草》"。此即《本草述》未完刻本。又，今存康熙三十八年（1699）本，藏于北京大学医学部及安徽省图书馆。另有嘉庆十五年（1810）武进薛氏还读山房重刊本，道光二十二年（1842）、光绪二年（1876）姑苏来青阁重印薛氏还读山房本。该本藏馆甚众。近代有上海万有书局石印本（1933）及黄冈萧兰陵堂刊本（1936）。

附：《本草述钩元》

〔作者·成书〕　杨时泰（？—1833），字穆如，一字贞颐，武进（今属江苏）人；嘉庆二十四年（1819）举人。他精医善脉诊，得周慎斋秘旨；用药则遵从刘若金，疗效甚佳。杨时泰删约刘若金《本草述》，从道光七年（1827）开始，至道光十二年（1832）始毕其功；道光十三年（1833）撰《本草述钩元·自序》。然因"簿书劳瘁，不禄以终，未及以所著付梓人。藏稿于家者几十余载"。后该书由门人伍恂刊行，邹澍为之序（1842）。

〔内容〕　32卷。其卷类药物皆同《本草述》。

邹澍序曰："杨君以博雅通儒，治素理。为之去繁就简，汰其冗者十之四，达其理者十之六，而其旨粲然益明，择精语详，了如指掌。"

该书各药主要内容及编排次序与《本草述》多同，但删去了很多意义不大的浮言冗语，将刘若金"愚按"改成"论"，将篇幅大大压缩（原书约 20 万字）。该书比较简单，刊行以来，几乎取代了《本草述》。

〔版本〕　今有道光二十二年（1842）毗陵涵雅堂刻本、同治十一年（1872）薛氏家刻本等数种清刻本，藏馆较多。1921 年上海进化书局石印本及 1958 年上海科技卫生出版社铅印本流传更广。

四、《本草汇》

〔命名〕　自序说："《夏书》曰：东汇泽为彭蠡，东迤北会为汇。予于是编，亦此义尔。"

〔作者·成书〕　郭佩兰，字章宜，吴阊（今江苏苏州）上律里郊西人。他自幼多病，留意医药，习儒之余，常和同学陈白笔共同探讨医经、汤液。郭佩兰"积书至连屋宇，手抄几等身"。他从学于李中梓，得其指授，还和当时名医刘默生、沈朗仲等交往，切磋医学。顺治十二年（1655）《本草汇》初成。至康熙五年（1666）该书始定稿。

〔卷·部·药〕　18 卷。前 8 卷为医药理论，列经络图、药图（梅花屿本列于书末）、经脉诸论、用药式、宜忌药、杂证及各科病机、百病主治药等。总论占这样大的篇幅，在本草书中是少见的。郭佩兰有说明，云："是编专明药性，而首采杂论，继以用药式及病机与主治等八卷者，此亦略本《纲目》之例。惟病机则从楼全善《医学》增入焉。盖病机不辨，将药性安施？"

卷 9 至卷 18 分为草、谷、菜、果、木、虫、鳞、介、禽、兽、人、金石、服器、水、火、土 16 部，后附补遗。该书收药 485 种。

〔药图〕　每半页 4 图，有栏格，集中于书末，全书有 208 图。图前小引曰："今兹所图，止取适用，无事繁杂。故凡用根则不及叶，用叶则不及根，并用则兼。暨果蔬鸟兽虫鱼之属皆然。或一物而殊产者，亦止图其品之最上，而余则附载本物下，可因此以识彼。若耳目习用，人人能名者，竟不概列焉，无非以简单为务。"今检视其图，其中多有类似《本草汇言》者。其图不甚精细。书中药材图占大半。此外，该书另附经络图多幅。

〔内容〕　其于各药之下，先集数句对语（或 4、5、6、7 字），此系仿胡仕可、陈嘉谟所为。

其于药性下，选取诸家名论，主要讨论药性机制，附述地产、炮制、须使、畏恶、制反等内容。这部分资料主要取自李时珍《本草纲目》，兼取缪希雍《本草经疏》、李中梓（士材）《本草通玄》，其中极少有郭佩兰自家注说。

此书中比较新的东西是附方，其中"有秘授方，如养阳圣丹、乌龙消癖、接气沐龙等，传自异人，历试而验"。该书还采用了一些符号来分句断句、注音训读等，以使阅者"无临书按剑之苦"。

〔版本〕　《全国中医图书联合目录》载某些图书馆有顺治十二年（1655）本，但据书中序引所述，该书至康熙五年（1666）始定稿，故并无顺治十二年本。今中国科学院图书馆、北京大学、中国中医科学院等10余处均藏梅花屿本，此本当为原刊（1666）。另有书业堂本、日本元禄六年（1693）武江山田屋刊本等存世。

五、《握灵本草》

〔命名〕　自序云："是编初稿成，西昌喻嘉言先生适馆余舍，曾出以示先生。先生喟然曰：雷、桐不作，斯道晦塞久矣！君其手握灵珠以烛照千古乎？《握灵本草》者，喻先生之言也。"

〔作者·成书〕　王翊（17世纪），字翰臣。浙江嘉定人。因"家于嘤之东皋"（徐秉义序），又称其东皋先生。王翊"少工帖括，即兼通《灵》《素》之书"，后寄迹于医，所治多效。其"仿删繁之义"，于顺治十三年（1656）始撰此书，于康熙二十一年（1682）撰迄，凡四易其稿。

〔卷·部·药〕　卷首为"序例"，系节取《本草纲目·序例》中的部分内容而成的，且别无增益。

各论10卷，将药分为水、土、金、石、草、谷、菜、果、木、虫鱼、鸟兽、人12部，收药419种。另补遗1卷，亦分部类，共载药190种。故该书共收药609种。

〔内容〕　各药条叙说简要，体例大致为：首列药名（小字注产地、形态、制法）；次列"主治"，介绍性味功治；再次列"发明"，介绍用药方法及药性机制；最后列"选方"，录少数方剂，不注出处。该书因旨在节要，故删去《本草纲目》中的释名、集解等内容。在引用前人文献时，其多糅合之，未注明资料来源。"发明"一项对药物功效的特点及区别有所分析，但其中新的见解很少。该书简明浅近，是一部较好的入门书。

〔版本〕 今存康熙二十二年（1683）刊本及乾隆五年（1740）朱钟勋补刻本。

六、《药性纂要》

〔释名〕 此书系纂集《本草纲目》之要言而成的，故以《药性纂要》名书。

〔作者·成书〕 王逊（1636—?），字子律，号墙东圃者（简称东圃），武林（浙江杭州）人。他儒而兼医，治病多效验。康熙二十五年（1686），王逊集成本书，并将之收入其所辑《医林四书》。康熙三十三年（1694）该书始由王逊友人捐金刊行。参校者有其同学、门人等多人。

〔卷·类·药〕 4 卷。其分部与《本草纲目》同。该书收药 600 余种，其中 597 种系从《本草纲目》中所选切要者。据"凡例"所记，该书仅增补 9 种药，故共收药 606 种。但该书正文却漏去烟草、朱米，多出香结；未将狮子油列为正条。其他增补药为金部的神水、水中金（均为铅制剂），谷部的人皇豆，鳞部的海参，兽部的猴结，人部的马子硙。稿本"凡例"记增入 12 种药，较刊本多芥菜、苔菜、沙鱼翅、燕窝菜、海粉数药。这几种药在定稿付梓时均被删去。

〔内容·特点〕 该书主体内容系节选自《本草纲目》，各药正文不分项目，"前后浑合，贯串成章"。该书对药物出产、生成、形状、正误等内容的叙述略而不备，重在辑录诸家有关药性义理之说。王逊自家的评议，多围绕临证用药机制，或附于药条正文之后，冠以"东圃曰"，或于版框上方加眉批。据按语可知，王逊不仅介绍了个人用药经验，还出示了家传经效验方，这一部分内容较有价值。

在"凡例"中，王逊对毒药的论说比较全面深入。他重视辨证用药。书中记有秋石不同于阴炼、阳炼的另一制法。该书对杭州地区的风物、药品时有评说。其版框上方眉批中偶有字词注释。全书均有断句，且以圆点标示精要处。

此书对药性评述有可参之处。但其选药不甚精，未能尽符实用。

〔版本〕 中国中医科学院存残稿本 2 卷。稿中朱笔眉批，当是王逊手迹。另，中国医学科学院存康熙三十三年（1694）刊本，卷 4 第 77 页以下脱。北京大学存康熙刻本全帙。

七、《本草备要》

〔作者〕 汪昂（1615—？），号讱庵，安徽休宁人。他少习儒，久困场屋；及长弃举业，留意医药。汪昂对医药普及厥功甚伟。其所著《医方集解》《汤头歌诀》《本草备要》诸书，流传甚广。

〔卷·药〕 该书曾于康熙二十二年（1683）刊行，仅取药400余种；康熙三十三年（1694）再加订补，增药60余种，共收药475种。该书不分卷次，仅分草、木、果、谷菜、金石水土、禽兽、鳞介、鱼虫、人8部。

其卷前有"药性总义"，相当于总论；又集中附图461幅，这些图均系转绘自《本草纲目》钱蔚起本药图，无足称道。

〔内容〕 该书是一普及性本草书，资料多取自《本草纲目》《本草经疏》。其选取常用药品，述其要旨；又兼补《本草纲目》《本草经疏》之未备（故名"备要"）。汪昂在各药文字锤炼方面狠下功夫，所谓"文无一定，药小者语简，药大者词繁，然皆各为杼轴，煅炼成章，使人可以诵读"。

该书于各药名称之下，用几个小字说明其主要功效，如"何首乌：平补肝肾，涩精"；然后另起一行，系统介绍该药，且一般先述性味归经、功效主治，在注文中阐发其功治理论，然后介绍药材品种形态、加工炮制等。书中引文虽不无删节，但多注明出处。凡汪昂自家见解，则注明"昂按"。有关功治、形态的注文或长或短。如对于泽兰的基原问题，该书用较大篇幅予以集注。该书多引前人之言，少有汪昂自己意见。

该书实用全面，文辞简洁，成书后风行海内，为初学中医的入门读物。

〔版本〕 该书今以《增订本草备要》流传最广，有康熙三十三年（1694）文富堂刊本。此后刻本、石印本、铅印本共60余种，各地均可觅得。

八、《本经逢原》

〔命名〕 本书"疏本经之大义，并系诸家治法，庶使学人左右逢原"，故名。

〔作者·成书〕 张璐（1617—1699），字路玉，号石顽，江南长洲（今江苏苏州）人，为清初名医。他青年时博通儒业，明亡后弃儒业医；曾隐居太湖洞庭山10余年，行医著书。其有《张氏医通》等书传世。张璐认为《神农本草经》主治是药学的本源，按此用药者只有《金匮玉函方》《金匮要略》。此后唐《备急千金要方》独得精髓，但"立方之峻，有过于（张）长沙"。他对缪仲淳"开凿经义"比较赞赏，因而在《本经逢原》中，着重探讨药理和介绍用药经验。该书成于康熙三十四年（1695）。

〔卷·部·药〕　4卷。该书所列药物并不局限于《神农本草经》。全书收临床常用药784种，分32部，即水、火、土、金、石、卤石、山草、芳草、隰草、毒草、蔓草、水草、石草、苔草、谷、菜、果、水果、味、香木、乔木、灌木、寓木、苞木、服器、虫、龙蛇、鱼、介、禽、兽、人部。其不过将《本草纲目》各"类"变成"部"，别无改进。

〔内容〕　无总论。各药分两大部分叙述。其一于药名下直叙药性功治，或兼述炮制、产地、性状鉴别等；其二在"发明"项下，阐释药理，简明清晰。该书又多介绍用药经验，注意对配伍用药加以整理，如谓"白芍，为血痢必用之药，然须兼桂用之，方得敛中寓散之义"，并总结了一些配伍方式。

该书涉及药物质量的论述很多，对当时药材来源与疗效的关系有一些辨析。全书以阐发临床用药义理为要务，对药物真伪的经验鉴别法也很关注。其对秋石的鉴别的叙述，显示当时人们对某些有机物与无机盐的性质已有了相当细致的了解。该书是一部简明实用的综合性本草，可以供临床医生及药业工作者使用。

〔版本〕　今存1695年张氏隽永堂原刊本及清代刊本10余种。该书在近代屡经翻印。1957年四川人民出版社据渭南严氏原版印行之。此书流传甚广，各地多有收藏。

九、《药性通考》

〔作者〕　书扉题"太医院手著"。该书有乾隆三年（1738）郭纯序，其称刊刻此书的是医生黄清源。黄清源系"重庆巴县黄月辉之孙，名医刘公庠生之外姪"。该书即"康熙末年太医所编，秘授刘公汉基者也"。若此说属实，则本书撰于1722年以前。

检原书引文，发现其中有"李士材"、"昂按"（或指汪昂）等，故可进一步认为该书上限约在1694年（汪昂《本草备要》增订年）。该书多处以第一人称叙述，且载"尝游楚寓汉口""余客闽"等言，不像是康熙年间太医院集体编撰的，而像是某一人之作。

〔卷·类〕 8 卷。其中卷 1 至卷 6 为"药性考"，后 2 卷为"集录神效单方"及 24 种杂病论治及附方。该书不分部类，大致按自然属性归并药物，但亦有错乱夹杂处。其共论药 415 种。

〔内容·特色〕 该书无总论。各药条不分项目，统为直叙。前一部分简介药品性味、阴阳、良毒、制法、功效、主治、药理辨析等，且每结合临床实际论药。在有些药物的后半部分，以"○"作分隔标记，设问答若干，解释临床用药的许多实际问题。其中多数是有关药性功效及配伍运用机制的问答。这些问答涉及面广，有一定深度。

此外，该书内容还有涉及用药部位及炮制等方面。其指出："丁香有雌雄之分，其治病实无分彼此也……公者易得而母者难求，此世所以重母丁香也。"其又谓炮制"得宜，止可去其太过，而不能移其性"。

该书卷 1 至卷 3 多抄陈士铎《本草新编》，卷 4 至卷 5 多参《本草备要》。此外，其也偶尔介绍作者自己的用药心得。

〔版本〕 据载有乾隆间刊本，今未见。现存道光二十九年（1849）刊本，藏于中国科学院、中国中医科学院及四川省图书馆。

十、《本草经解要》

〔作者·成书〕 清·曹禾《医学读书志》记曰："《本草经解要》四卷，为梁溪（在今无锡）姚球字颐真撰。自序学医始末，著书原委。门人王从龙跋，从龙叔海文序，又列参校人华元龙等一十八人名，为六安州守杨公子字远斋者所刻。……坊贾因书不售，剜补桂名，遂致吴中纸贵。"可知《本草经解要》曾托名叶天士（叶桂）。

查今存该书最早刊本，确系经剜补托名叶天士撰者。该本去姚氏自序，保留了王云锦（海文）序、杨缉祖（远斋）序，序中姚球之名均被剜而补上"叶天士"3 字。但书后《本草经解要附余》杨友敬序却未被剜改，仍称"姚先生"，可证此书确为姚球所撰。

姚球，字颐真，堂号学易草庐。他精《易经》通医，著医书多种，惟本书存世。雍正十三年（1735）五月，他与子柏南，泛舟蓉湖，因舟覆而死。

〔卷·部·药〕 4 卷。该书分草、木、竹、果、金石、谷菜、禽兽、虫鱼、人 9 部，共计收药 174 种。其中收《神农本草经》药 116 种，《名医别录》药 30

种，《新修本草》药5种，《本草拾遗》药4种，《药性论》药1种，《汤液本草》药1种，《蜀本草》药1种，《开宝本草》药12种，《本草图经》药1种，《日华子本草》药1种，补遗1种，《本草纲目》药1种。可见该书所释药品，系以《神农本草经》药为主，兼及后世本草。

书后为《本草经解要附余》，此为杨友敬所撰。其"考证"部分述药32条，并附考"药性本草""卷帙次第"。其"音训"部分则分释药与释症2类，各有数十条。

〔**内容**〕　各药文字大致可分三部分：①正文，系择各药原出诸书的条文，简介性味、良毒、功效主治，不录别名、产地；②注文，低一格，阐释药性、归经、药理；③制方，条列配伍用药法。

该书释药的特色是将药物气味与人体脏腑功能（生理或病理状况）紧密结合，使"药与疾相应"。其每先叙述与之相关的脏腑功能及病因病机，然后指出药物取效的原委。它针对正文所列功效主治，逐项解释，但其中很少有与《神农本草经》所载不同的意见。

陈修园评价该书说"叶天士（陈修园误信坊贾托名）囿于时好，其立论多失于肤浅……间有超脱处"，故在《本草经读》中较多地采用该书之论。《本草三家合注》即将该书及张志聪《本草崇原》、陈修园《本草经读》三家注说合为一书，在清代影响很大。然清代诸家皆将叶天士作为此书作者，真正的作者姚球反湮没无闻。

杨友敬的"考证"论及药物的品种及产地，间或讨论药效、炮制，能表述自己的见解，惜条文不多。"音训"部分不仅注出读音、释义，还记有药材辨伪等内容。

〔**版本**〕　据杨友敬及曹禾所言，该书原有姚球学易草庐本，此本有姚球自序等（见《医学读书志》）。今《全国中医图书联合目录》著录的雍正二年（1724）稽古山房刊本已剜改作者名，但剜改作者名的时间当在姚球逝世（1735）以后，故此本实为1735年以后的剜改本。此外，尚有清金阊书业堂本、乾隆四十六年（1781）卫生堂刊本，光绪十四年（1888）古吴潘霨重刊本、光绪十九年（1893）羊城大文堂刊本等数种清刊本。民国年间上海书局据卫生堂刊本铅印（1919）及石印（1926）。1957—1958年上海卫生出版社铅印之。该书流传较广。

十一、《神农本草经百种录》

〔作者〕 徐大椿（1693—1771），字灵胎，又名大业，晚号洄溪老人，吴江（今属江苏）人。其因家人多病，发愤学医，"五十年中批阅之书约千余卷，泛览之书约万余卷"（《难经经释·序》）。他治学勤勉严谨，临证多效，医名大振。乾隆二十五年（1760）徐大椿被召入京。朝廷欲授以职，徐大椿坚辞，隐居吴山画眉泉。1771 年他再次被征召入京，至京 3 日卒。其著述甚富，著有《医学源流论》等 8 种。其本草著作有《神农本草经百种录》（1736）。此外，《医学源流论》中也有不少药论，如"药性今古变迁""人参论"等。

〔内容·评价〕 1 卷。该书收《神农本草经》药 100 种，并将之分上（63 种）、中（25 种）、下（12 种）三品排列。书中《神农本草经》条文取自《大观本草》。徐大椿就"市中所有（品种），审形辨味"。该书因产地、别名不可尽考其实而不解之；对其余内容，则一一采用夹注形式予以阐释。此外，其于各药后又另加按语。

徐大椿编此书的宗旨在于"辨明药性，阐发义蕴"。因限于"耳目所及无多"，"若必尽全经，不免昧心诬圣"，他仅择 100 种药。他认为前人多谈药物之"所当然"，但不谈"其所以然"，这样虽然"用古之方能不失古人之意"，但不利于自创新方。故此书重在解药之所以然。他还认为，张仲景医书中的用药之义"与《本经》吻合无间"，而唐以后"变化已鲜"，宋元"师心自用，谬误相仍"。这体现出他强烈的崇古尊经倾向。

其对药性理论的总体认识，可见该书"丹砂"条之注，其云："凡药之用，或取其气，或取其味，或取其色，或取其形，或取其质，或取其性情，或取其所生之时，或取其所成之地。各以其所偏胜而即资之疗疾，故能补偏救弊，调和脏腑。深求其理，可自得之。"徐大椿正是从这几方面入手，探求药理的。但是，他又指出，有一类药，"（其理）深藏于性者，不可以常理求也"。所以有些单秘验方，无法用常理来解释（如菟丝子去面黱等）。这种认识是合乎实际的。

书中所论，包含丰富的用药经验，经常指责时医误用诸药之害。徐大椿论药虽精要，但其中也有不少随文衍义、曲解附会之处。如他尝谓"多子（种子，影射人子）之药皆属肾"，又把龙骨、蓍草视为神物等。他多用象形比类、五行生克来强解药理，每失于蹈虚谈玄。

《四库全书提要》评价此书说："凡所笺释，多有精意。较李时珍《本草纲目》所载发明诸条，颇为简要……如所称久服轻身延年之类，率方士之说，不足尽信。大椿尊崇太过，亦一一究其所以然，殊为附会。又大椿所作药性专长论曰：药之治病，有可解者，有不可解者。其说最为圆通。则是书所论，犹属筌蹄之末。要于诸家本草中，为有启发之功者矣。"此论切中肯綮。

〔版本〕　此书单行本今存清刻 10 余种，内有乾隆元年（1736）初刊本，《四库全书》本、《徐氏医学丛书》本等。又，陈修园医书的多种刊本也收有此书。另，《本草三家合注》亦附刊之。1956 年人民卫生出版社影印之，因此该书流传甚广，各地均可觅得。

十二、《长沙药解》

〔命名〕　"长沙"指张仲景（张长沙）。本书"取仲景方药笺疏之"（自序），故名。

〔作者·成书〕　黄元御（1705—1758），字坤载，号研农，别号玉楸子，山东昌邑人。他早年习儒，29 岁时被庸医误治而左目失明，于是发愤学医。他把岐伯、黄帝、秦越人、张仲景奉为"四圣"，主张"理必《内经》，法必仲景，药必本经"。其著述甚富，著有《四圣悬枢》等书。

黄元御认为本草"先圣之不作，后学之多悖"，于是"恒有辨章百草之志"。乾隆十八年（1753）春，他"远考农经，旁概百氏"，将"人理"与"物性"相参，撰成《长沙药解》。

〔卷·药〕　4 卷。该书收载《伤寒论》《金匮要略》所用之药 161 种，不分部类。该书于目录各药名之下，注出方数（如"甘草十二方"等），兼议汤方 242 首。

〔内容〕　各药名下首列性味、归经，药性要点，次引方例以解释该方证候病机及该药功用，于药理则经常一语带过。这部分内容名为"药解"，实属方论。其在议论方例之后，常有一段论述药理、用药宜忌的文字，且终以炮制方法。黄元御议药论证，时或侈谈五行运气、四象生成，有时虽五行干支满纸，浅显之理却变得虚玄。

该书的特色在于把论病与用药议方结合起来，使药效落到实处。黄元御在分析张仲景诸方用药之后，提出了不少个人见解，纠正了许多时俗谬见之处，如指责

"后世庸工"认为黄柏"为滋阴补水之剂",以知母"通治内伤诸病"等。

《四库全书总目提要》评价说:"以药名药性为纲,而以某方用此药为目。各推其因证主疗之意,颇为详悉。然药有药之性味,此不易者也。用药有用药之经纬,此无定者也。故有以相辅而用者,有以相制而用者,并有以相反相激而用者,此当论方,不当论药。但云某方有此药,为某证而用;某方有此药,又为某证而用,是犹求之于筌蹄也。"

〔版本〕 今该书有咸丰十年(1860)燮和精舍刊本及清代几种刻本。另有《黄氏医书八种》本等,此本各地多藏。

附:《玉楸药解》

黄元御号玉楸子,故以号名书。乾隆十九年(1754),黄元御作《玉楸药解》8卷。该书收张仲景医书未载之药293种,分草部、木、金石、果附谷菜、禽兽、鳞介虫鱼、人、杂类8部。各药条首列性味、归经、功效主治,继述该药特点、针砭时弊,间附品种简介及炮制方法。其叙述简捷,很少有烦言冗词。他指出了许多旧本草记述中的错误,不遗余力地抨击当时滥用、误用某些药品的现象。如他认为轻粉毒烈,"不可入汤丸也。《本草》谓其治痰涎积滞,气膨水胀,良药自多,何为用此"。他讲究辨证用药,不为俗见所囿。他指出的许多药物误用的现象至今仍或存在。但黄元御在学术讨论中经常采用一些过激言词,"庸工""愚妄"之类的词语不绝于篇。他在思想上尊经崇古,故有不少偏颇之见,认为"后世本草数百,千载狂生下士,昧昧用之,以毒兆民。农黄已往,仲景云祖。后之作者,谁复知医解药?诸家本草,率皆孟浪之谈"。他甚至指责李时珍"博引庸工讹谬之论","荒唐无稽,背驰圣明作述之义几千里矣"(自序)。当时有不少人滥用滋阴药,黄元御却归罪于滋阴学派,说"庸工开补阴之门,龟地之杀人多矣"("何首乌"条)。对此,《四库全书提要》评曰:"是书谓诸家本草,其议论有可用者,有不可用者,乃别择而为此书。大抵高自位置,欲驾千古而上之,故于旧说,多故立异同,以矜独解。"该书刊行后,风行一时,"几于家置一编矣"(恽思赞《本草便读·序》)。今有咸丰十年(1860)长沙燮和精舍校刊本、《黄氏医书八种》本。同治、光绪年间多次刊行之。其藏馆甚众。

十三、《本草从新》

〔**作者·成书**〕 吴仪洛（约1700—?），字遵程，浙江海盐人。他自幼习儒，旁览医书；后专以医为业，垂40年，整理医书10余种。他比较推许汪昂《本草备要》，认为该书"卷帙不繁，而采辑甚广，宜其为近今脍炙之书也"。但他又指出该书作者不是个临床医生，因而有"专信前人，杂揉诸说，无所折衷"等失误。有鉴于此，吴仪洛在该书基础上重订，而成《本草从新》。该书成书于乾隆二十二年（1757），分6卷（或分刻为18卷）。

〔**内容**〕 全书载药720种，分11部52类。其部类名称多与《本草纲目》同，但其编排次序有所变更。

卷首"药性总义"，在《本草备要》基础上有所增补，如在"用药有宜陈久者，有宜精新者"条中，除记有原为人熟知的"六陈"而外，还补充了大黄、木贼、棕榈等20余种药。

各论除沿袭《本草备要》者外，有如下主要增补。

（1）增收药物275种。如燕窝、冬虫夏草等。

（2）对同类药物的品种及各自功效记载较详。如"人参"条提到了参叶、太子参、东洋参、西洋参、土人参、党参、珠儿参的性味功能。

（3）补充了较多的用药经验。例如，《本草备要》只说半夏"除湿化痰"，而该书则进一步指出"半夏为治湿痰之主药"。

（4）补述了若干药物的产地、性状鉴别、品质等内容。如"黄连"条，详述其不同产地品种的鉴别要点，包含了较丰富的实际辨药经验。此外，该书对药材修拣、净选也比较注意。

该书不足之处是所增药物约有半数并不常用，或不易得；有的药物（如预知子）吴仪洛自己不识，就认为"今并无是药"而删去。总的看来，该书颇为实用，在清代广为流传。

〔**版本**〕 道光五年（1825）以前刻版者多为6卷本（约有10个版本）。此后则多为18卷本（约刊行30余次）。近现代多有石印本及铅印本，各地均藏。

十四、《得配本草》

〔**释名**〕 得配，即药物配伍。所谓"得一药而配数药，一药收数药之功；配数药而治数病。数病仍一药之效”。该书详于论配伍，故以之名书。

〔作者·成书〕　清代姚江（今浙江余姚）3 位医家合著。他们是：严洁，字西亭，又字青莲；施雯，字澹宁，又字文澍；洪炜，字缉庵，又字霞城。他们诊视疾病遇奇病险证，则反复辩论，始处方药，无不得心应手。他们同辑的《盘珠集》内有医药书数种，《得配本草》为其一。他们因念“药之不能独用，病之不可泛治”，而纂此书。此书成于乾隆二十六年（1761）。嘉庆九年（1804），施雯后人施爱亭、洪炜后人洪西郊，与同里医者张涣，同刊此书。1957 年上海卫生出版社铅印之。

〔卷·类·体例〕　10 卷（末附《奇经药考》）。该书分部析类以《本草纲目》为准绳，收药 647 种。

各药名下，注出畏、恶、反、使；另立主治为首条，次述药物配伍，后或辨析药性功效及炮制方法，或附怪症用药。

〔特点〕　该书重在阐述药物之间简单配伍所产生的作用。其所述畏、恶、反、使摘自前人本草；得、配、佐、和则取自临床用药经验。如谓黄芩得厚朴、川黄连止腹痛；得白芍治下痢；得桑白皮泻肺火；得白术安胎；配白芷、细茶治眉框痛等。此可使学者触类旁通，灵活用药。这较之单纯罗列附方，似又前进了一步。

十五、《本草求真》

〔命名〕　该书于药物意义“无不搜剔靡尽。牵引混说，概为删除，俾令真处悉见”。故以“求真”名书。

〔作者·成书〕　黄宫绣，号锦芳，抚州宜黄（今属江西）人，生活于乾隆年间，为宜黄县监生。他对本草深有研究。鉴于当时的本草书“理道不明，意义不疏”，“况有补不实指，泻不直说；或以隔一隔二以为附会，反借巧说以为虚喝”的现象，黄宫绣力纠时弊，撰此书于乾隆三十四年（1769）。

〔卷·类·药〕　9 卷（另有“主治”2 卷，《脉理求真》1 卷）。该书共载药 520 种。

该书为解决药物功效分类与形质属性分类不可兼顾的矛盾，使之便于检索，将正文药条按功效分类，并于卷 11 之末附“卷后目录”（即索引），且仍按草、木、果、谷、菜、金、石、水、土、禽、兽、鳞、鱼、介、虫、人分部类药。卷首目录药名下注正文药条序号，卷末目录药名下亦注序号，是为本草著作中很有进步意义的索引形式。其正文各卷以补剂、收涩、散剂、泻剂、血剂、杂剂、食物等七大名目分部，各部再细分类。

另有"主治"2卷，分别为"脏腑病症主药"与"六淫病症主药"。卷前附图477幅，这些图多转绘自《本草纲目》或《本草汇言》，无甚价值。

〔内容·特色〕 该书无总论，惟各大类之前有提要。各药名下除注以序号外，兼注其自然属性（如草、木、果、谷等）。正文直叙性味、功能及辨析用药之理与方法。

黄宫绣探究药理，不拘成说，不尚空谈（所谓"断不随声附和，语作影响，以致眩人耳目"），注重用简明的语言，直接讲清药性。

在说理方法上，他"总以药之气味形质四字推勘而出，则药之见施于病者，既有其因，而药之见施于病而即有效者，又有其故"，从而把药理、药效建筑在药物形性和临床检验上，而不是侈谈名实性理、象形比类。就是对于被视为经典的《神农本草经》，作者也并不迷信。他认为《神农本草经》历经后世损益，"其真愈失，而其论愈讹"。他主张"惟求理与病符，药与病对"。其在论述药理方面颇多发明。

此外，该书还兼论药物来源真伪及炮制法。如谓："山西太行新出党参，其性止能清肺，并无补益，与久经封禁真正之党参（人参）绝不相同。"由此可知黄宫绣对药材也有较多的研究。

〔版本〕 今存乾隆年间初刊本及其他20余种清刻或近代石印本。1959年上海科学技术出版社铅印之。此书藏馆甚多，流传很广。

十六、《脉药联珠药性考》

〔命名〕 取因脉施药之义，以脉为纲类药，"上言脉症，下联方药"（自序），故名。

〔作者·成书〕 龙柏，字佩芳，号青霏子，长洲（今江苏苏州）人，生活于乾隆、嘉庆年间。他精于岐黄，行医达30年，治疾多效。自序谓："联珠一法，先言脉理，因脉言症，因症治药，方药虽定，亦一阵图而矣。"龙柏本此撰《脉药联珠》，内含《脉药联珠古方考》《脉药联珠药性考》《脉药联珠食物考》三书。《脉药联珠药性考》成书于乾隆六十年（1795）。

〔卷·类·体例·药〕 4卷（《脉药联珠》的卷4至卷7）。该书以浮、沉、迟、数四主脉为纲，下隶诸药又按草、木、金、石等分类，且首设"藤部"。其共

收药 3148 种，补遗 193 种。（含互相重复之药）

该书连同《脉药联珠食物考》（见下条），号称收药 4254 种，新增 291 种，实际上这是因计算药物数量的方法不同于其他本而得出的数字。同一植物药的花、叶、根、茎、仁、实、枝、皮散见于不同门类，并各计作一药。除少量新增品外，其余药物都取材于《本草纲目》。

〔内容〕 无总论。各药条采用"四言诀"，如云："上党参甘，微苦性寒。与辽参别，地气使然。熬膏补正，五脏能安。生津除热，益气煎丸。"

药诀后又附简注，以注明用法、形态、品种等，一般限于 16 个字（小字双行）。其余内容（如药用部位、炮制、基原形态、产地等）则于眉批中介绍。药物别名皆附见于目录中各药名下。这样一部药品众多、完全采用歌诀形式的本草，是本草史上绝无仅有的。

该书资料主体是《本草纲目》，但也补充了不少新的内容。新补的药物有一些是外来药（丁香油、檀香油等），但大多数是民间草药。该书对某些药品的形态、产地也有些新的记载。赵学敏从该书中摘引了数十条资料，以充实《本草纲目拾遗》。

《脉药联珠药性考》的流传并不广，没有达到因脉见药，以便读记的预期目的。原因在于其内容和形式的不相协调。脉诊只是四诊之一，浮、沉、迟、数只是脉之大端，凭此类药是无法产生实际作用的。将 4000 多种药不分良莠，一概编为歌括，反而不便取舍习诵。

〔版本〕 今有嘉庆十三年（1808）刻本《脉药联珠》，含《脉药联珠古方考》《脉药联珠药性考》《脉药联珠食物考》三书，统一编卷次，按金、石、丝、竹、匏、土、革、木名卷。该本今藏于中国中医科学院。另有翠琅玕馆丛书本、民国间江左书局石印本，藏馆甚多。《脉药联珠食物考》另有嘉庆元年（1796）写刻本、二十一年（1816）醒愚阁刊本等，藏于中国科学院等处。

附：《脉药联珠食物考》

〔作者〕 龙柏（参上条）。

〔内容〕 1 卷，为《脉药联珠》卷 8，又称《食物考》。该书录"生民常食之品"，列药 1106 种，补遗 96 种，并分诸水、诸火、五谷、造食、油、造酿、蔬菜、百果、茶、禽、畜、兽、鳞、介、盐 15 部。该书仍用四言诀，或数物合撰一诀，或一物单撰一长篇四言诀。该书通过眉批脚注，补充了许多服用方法和个人经验。如"菜油"条眉批云："吴人以菜油为正食，故妇女少血闭之症，而人不知也。"这是古人注意到地区日常食品与某些疾病关系的例证。其说理浅显易明。该书内容较《脉药联珠药性考》更切实用（版本见"《脉药联珠药性考》"条）。

十七、《本草纲目拾遗》

〔释名〕　本书为拾李时珍《本草纲目》之遗而作，故名。

〔作者〕　赵学敏，字恕轩，钱塘（今杭州）人，约生活于乾隆、嘉庆年间。他自幼习儒，性好博览，尤嗜医药。其家之"养素园"，藏医书甚富。他又辟地一畦，以栽药圃。他曾"从邻人黄贩翁家阅所藏医书万余卷"，凡有所得，辄"钞撮成帙"，"累累几千卷"。乾隆三十五年（1770），赵学敏集成医书《利济十二种》，其中与药学有关的著作为《本草话》32卷、《花药小名录》4卷、《升降秘要》2卷、《药性元解》4卷、《奇药备考》6卷（以上均佚）及《本草纲目拾遗》10卷。

〔成书·版本〕　该书初稿成于乾隆三十年（1765），然未刊行；此后作者又不断采访体察，对其进行增补修订。书内常记有赵学敏医药活动情况及时间，其中最晚的年代为嘉庆八年（1803），见于卷4"翠羽草"条及卷8"辣茄"条。可见此书在初成之后还经过近40年的增补修订。

本书传抄本颠倒错乱处甚多，钱塘张应昌（仲甫）"访知杭医连翁楚珍藏其稿本。假（借）阅，乃先生手辑未缮清本者。初稿纸短，继补之条，皆粘于上方。粘条殆满，而未注所排序次，故传钞错乱耳"。经张应昌编缮，该书于同治三年（1864）初刊。今存世者以同治十年（1871）钱塘张氏吉心堂刊本多见。光绪十一年（1885），合肥张绍棠组织王镜堂、范静存等校刻《本草纲目》毕，又取《本草纲目拾遗》原刻附刊。光绪十三年（1887）刻成该书（即味古斋重校刊本）。此后，商务印书馆1955年铅印张绍棠重刊本，并以张应昌本参校，另附四角号码索引。1957年人民卫生出版社影印张绍棠本。另有锦章书局石印本、国光书局铅印本（1955）及若干抄本。

本书原稿清末一度亡失，后为汤溪范行准收存于栖芬书室。

〔卷·类·药〕　各论10卷。卷首列"小序""凡例""总目""正误""目录（细目）"。"正误"项纠正《本草纲目》错误34条。各卷分类大致按《本草纲目》次第，惟细分金石部为金部、石部，又增藤部、花部（指出"木本为藤，草本为蔓"），删去人部（认为设人部药"非云济世，实以启奸"）。

该书载药物正品 716 种，附品（于正品中兼述。如"上党参防党附"）205 种，总计 921 种。

〔体例〕　赵学敏认为《本草纲目》将各药分项解说虽可谓详备，但每有名实不相应的现象，故"一切繁例从芟"，力求简便；于各药条下，次第罗列文献内容并注明出处，"统为直叙，不另分细目"。其个人心得，被附注于后或夹于文中，无一定格式。

〔特点〕　本书实际上起着续编《本草纲目》的作用。赵学敏从众多的医药书及地方志、笔记小说中搜集资料，引用文献 600 余种。其所引的许多医书、本草今已佚失，赖该书保存部分佚文。其所引本草有泰西石振铎《本草补》、赵学楷《百草镜》、王安《采药方》、《李氏草秘》等多种（见下篇）。该书在所引资料处注明了出处，这大大增加了它的文献价值。

除引用文献外，该书还记载了许多采访所得的辨药用药经验，且均注出所采访人名（不下 200 余人）。赵学敏还亲自考察药物。该书为鉴定药物提供了宝贵的资料。

该书的另一个特点是注重草药。其不仅大量记载了浙江一带的药用植物，还特别收载了许多边远地区、少数民族地区、沿海地域的药物（如广东、广西、云南、贵州、台湾、西藏、新疆、内蒙古等地的药物）以及国外的药物。该书所载药物分布之广是历代本草中罕见的。国外药物如日精油、金鸡勒等数十种，均首见于此书。

除各物药用价值外，书中还记了许多其他自然科学的成就。如用强水制铜版的方法，即首见于此书。

此外，该书附有大量医方，且其中有许多是采访得来的用药经验，简便有效。这一部分宝贵的资料还有待于进一步发掘。

总之，该书是清代新内容较多的本草著作之一，对清中期以前的草药进行了一次系统的总结，为现代药学发展提供了宝贵的资料。

十八、《本草经读》

〔作者·成书〕　陈修园（1753—1823），名念祖，号慎修，福建长乐人。他少于习儒之余，从祖父习医，后又师从泉州名医蔡茗庄（宗玉）。他于乾隆五十七年（1792）中举，尝官直隶威县（今属河北）知县等职；在任职期间，仍经常看病，救治民疾。其学术渊源上探早期医学经典著作，于近世则比较推崇张志聪、高世栻之辈。他勤于著述，著书16种。

《本草经读》（即《神农本草经读》）是陈修园卸任回籍（1802）后所撰。在此之前，其尝撰《神农本草经注》6卷，后从此6卷中遴选出切用药100余种，分作4卷，"俱从所以然处发挥，与旧著颇异。名曰《本草经读》。盖欲读经者，读于无字处也"。该书成于嘉庆八年（1803）。

〔**内容·评价**〕 4卷。该书卷1收上品药20种，卷2收上品药47种，卷3收中品药36种，卷4除收中品药5种外，尚收下品药10种，附录收药47种。该书共收药165种，其中《神农本草经》药118种。陈修园对后世增入之药，"多置而弗论"，故仅录何首乌等常见药47种。

各《神农本草经》药正文基本上录自《证类本草》白大字，但并不十分严谨，常将《名医别录》的有毒无毒列入正文。陈修园自家的注文"俱遵原文，逐字疏发。经中不遗一字，经外不溢一辞"（"凡例"）。陈修园解释经文的依据，和他一贯的学术见解是一致的。

陈修园认为，"自陶宏（弘）景以后，药味日多，而圣经日晦"，能够按《神农本草经》用药者，首推张仲景。因此，该书经常结合《伤寒论》《金匮要略》用药法讨论《神农本草经》药性。陈修园在解释《神农本草经》文字时，能从与《神农本草经》时代接近的古方书中寻求例证，这是他的高明之处。他在该书中的许多议论不仅有益于理解《神农本草经》，而且也有益于阐释张仲景医方。

然而陈修园未能尊重后世对药物认识的发展，崇古蔑今，极尽诋毁后世医家之能事。他尤其对李时珍《本草纲目》深恶痛绝，说《本草纲目》"杂收众说，经旨反为其所掩，尚可云本草耶"，"学者必于此等书焚去，方可与言医道"。至于张景岳、李士材等人，更是被他贬得一钱不值。其言狂悖，已不近情理。

例外的是陈修园推崇张志聪《本草崇原》、叶天士（托名）《本草经解》。他认为"二书超出群书之上"。故《本草经读》"多附二家之注"。

陈修园打出尊经复古的旗帜，批驳了当时一些对用药的错误认识，但却抹杀了后世对药物的发展，又走向了另一个极端。

陈修园在该书中穿插介绍了不少个人用药经验，这也是该书价值所在。如他以亲身经验，力斥当时滥行的各种建神曲的危害。

〔**版本**〕 该书刊行之后，流传甚广，"几于家置一编"（《本草便读》恽思赞序）。今存嘉庆八年（1803）撞篼书屋刻本，其藏于上海图书馆等6处。上海图书馆还藏有同年桂芸堂刻本。此外尚有儒兴堂（1868）、五福堂（1887）、上海江左书林（1889）、新化三味书局（1901）、渔古山房、汉文书局（1908）等刻本。1911年以后又多次石印或铅印之，达20余次。陈修园的各种医学丛书中亦收有该书。该书流传极为广泛，馆藏甚众。

十九、《调疾饮食辩》

〔命名〕　本书集调理疾病常用饮食物，辩说其理，故以名书。

〔作者·成书〕　章穆（约1743—1813），字杏云，晚号杏云老人，古郡（今江西波阳）人。其藏书甚富，勤于诵读，至老不倦，尤喜钻研医学及历算等实用之学。他行医50余年，治病多效，据载当时乡里人"望之如望佛"。他在行医时，"见误于药饵者十五，误于饮食者亦十五"，认为"药饵之误辜在医，饮食之误辜在病人。而律以食医调食之旨，医者亦不得辞其责也"。他晚年经"寒暑三更，稿凡五六易"，撰成《调疾饮食辩》。此书在章穆生前仅刻至一半。道光三年（1823）经国堂续刻之。

〔内容·特点〕　6卷。该书集论饮食物653种，并将其分为6类，即总类（水、火、油、盐等）、谷类、菜类、果类、鸟兽类、鱼虫类。卷首为"述臆"（前言）"发凡"《内经》饮食宜忌"，相当于总论。各论诸饮食物以《本草纲目》所载为主。其辩理则综合历代诸家之说，附以己见。卷末"诸方针线"，为病名用药索引（24则）。

该书不同于一般食疗书，除列述诸品用途之外，重在理论评述。其对当时在饮食调疾方面的一些俗弊（如禁病人食粥、炒米成炭等）加以抨击，辨析历代医药书中有关药理论述，对金元医家某些说理方法持否定态度。其诠理详明，颇多独特见解，但言辞不免偏激。对此，章穆自我申述说："提撕儆戒，未免嫌于狂憨。盖非立异鸣高，亦力挽颓败，不得不然之势……救弊之言，易于抗激，古今血性人往往如斯，惟读者谅其愚直而已。"书中论说对探讨中药理论有一定参考价值。

此外，该书地方色彩较浓，记述了鄱阳地区的用药品种、物产等。因章穆对天文历算等有广泛兴趣，故该书每于有关食药之下大量附述清代藏冰之制、岁差、茶课、水利、盐政等无关调疾的内容。

〔版本〕　今有道光三年（1823）经国堂刻本。此本扉页作《饮食辩录》，中国中医科学院等 8 处有藏。

二十、《本经疏证》

〔命名〕 本书针对《神农本草经》《名医别录》而撰，"疏其文而证其解"，故名《本经疏证》。

〔作者〕 邹澍（1790—1844），字润安，晚号闰庵，江苏武进人。其家贫苦读，博览群书，善诗古文词；隐于医。道光元年（1821）乡里欲荐邹澍于朝，他辞而不受。其著有本草、医书 9 种，文史著作 5 种。

〔成书〕 邹澍"取《本经》《别录》为经，《伤寒论》《金匮要略》《千金方》《外台秘要》为纬"，交互参证，疏明其所以然（自序）。他历时 6 年（1832—1837），对张仲景所用药 173 种予以疏证，编成《本经疏证》。此后应其侄邹豫春之请，他又取常用药为之疏证，得药 142 种，编成《本经续疏》。为方便贫家野居遇急时检索方药，1840 年他又撰《本经序疏要》。此书仿《证类本草·序例·诸病通用药》体例，以病为纲，归类常用药，并注其性味功效。此编"笔墨省减，病名既得原委，药味遂可别择。循证求病，因病得药，从药检宜"（《本经序疏要》卷 1），相当于临床用药手册。以上三书又常以《本经疏证》一名统指。原书由其学生抄录，未及订正而邹澍卒。其侄邹豫春"于是编讨论校录之力不少"（自序）。

〔卷·药·体例〕 《本经疏证》12 卷，卷 1 至卷 5 为上品，卷 6 至卷 9 为中品，卷 10 至卷 12 为下品，收药 173 种。《本经续疏》6 卷，亦分上、中、下三品，收药 142 种。二书合计载药 315 种。《本经序疏要》8 卷，共分 95 项，前 92 项为病名，其下各隶药物性能；后 3 项为"解百药及金石等毒""服药食忌""凡药不入汤酒"。

《本经疏证》和《本经续疏》采用"例则笺疏之例，体则辨论之体"的写法。即每一药条先录《神农本草经》《名医别录》之条文为正文，低一格引述药物基原形状，再附列后世药论（以卢子繇、刘若金之说为多）及邹澍自家论说（内容以辨析药性及其运用为主）。

〔内容·评价〕 该书搜集的资料较多，主要是汉唐医方书及明清诸大家的论说。该书自序说："无论村夫圃叟、妇孺臧获，凡于物理有关，无不询访厥由，苦思力索，期于有补。"可见作者尤重视民间经验的访求。

该书最突出的优点，是将《神农本草经》等书所载药物的药性与其在古方中的运用结合起来，辨析入微，并以亲自治验案为佐证。该书重视用归纳法研究药物作用。

邹澍论药，并不主张牵强附会，以一理贯通诸性。他说："凡论药之用，有求之本处可通，他处不可通者；有求之伤寒可通，杂病不可通者。"（卷1"人参"条）这一认识是比较客观的。他对张仲景医书中的用药规律研究很深，对一味药出现于哪几个方及其在每方中的用法之差别，多能仔细推究。

对前人见解相矛盾处，该书一一为之辩解（见"柴胡"条等）。除药性讨论之外，该书还兼及药物品种等内容。该书把病、方、药联合起来，"以是篇中每缘论药，竟直论方，并成论病"（序后语）。因此，谢观认为"此书与缪氏书均最为精博"（《中国医学源流论》29页）。

〔版本〕 曹禾《医学读书志》载："癸卯（1843），禾录稿寄汤君用中，倡锓于维扬，归版于其嗣子梦龙。"可见该书只有1843年以后的刻本。汤用中在《本经序疏要·跋》（1849）中介绍了他与邹澍的交往，且云："君殁后五年，戊申（1848），（赵于冈）始邮示此书。"这与曹禾所言有些出入。该书由汤用中付梓，首刊于道光二十九年（1849）。今有常郡韩文焕斋、常州长年医局、歙县洪氏（1858）、友经堂（1873）等多种清刊本。1911年后又有多种石印及铅印本。中华人民共和国成立后上海卫生出版社（1957—1958）及上海科学技术出版社（1959）两次铅印之。该书流传广泛，各地均藏。

二十一、《本草分经》

〔编者〕 姚澜，字浣云，山阴（今浙江绍兴）人。其因多病，中年则须发尽脱，故自号"维摩和尚"。他平素尝为人治病，药止数味，疗效尚佳，且自称"吾非知医，但知某药入某经耳"。该书初刊之时（1840），其已年逾花甲。

〔体例·内容〕 不分卷。该书以经络为纲，药物为目；首列"内景经络图"（15幅），次载"总药便览"，分草、木、虫、鱼等14类备载药名（下注所归经络），以便按经查药。该书主体内容以十二经及命门、奇经为纲，统领诸药（"不循经络药品"另立一节）。各经之下，又将药物分成补、和、攻、散、寒、热6类。各药条仅述性味、主治功效，寥寥数语。该书共收药804种，且所收药多为清末常用之品。书末载"同名附考"，以记药名异同。

该书各药内容虽无新意，但分类独具一格，在同类著作中影响较大。

〔版本〕 道光二十年（1840）初刊，后原版毁于战火。光绪十四年（1888），梅雨田稍正次序，予以重刊，增名为《本草分经审治》。今所存数种木刻及铅印本均源于以上 2 种刊本。

二十二、《植物名实图考》

〔作者·成书〕 吴其濬（1789—1846），字瀹斋，号雩娄农，别号吉兰，河南固始人；嘉庆二十二年（1817）中状元，曾任翰林编修，江西、湖北学政，兵部侍郎，湖南、湖北、云南、贵州、福建、山西等省巡抚或总督等职。吴其濬对植物有着极为浓厚的兴趣，在任职期间，十分留意于草木，借四处巡行之机，实地考察植物，收集了大量的植物资料。在 1841 年至其逝世这段时间内，吴其濬将他收集的资料，连同实物考察绘成的图形，编为《植物名实图考》。吴其濬生前此书还未刊行，由此可以推知作者还没有认为自己的著作已初步完备。吴其濬死后 2 年，该书才由山西巡抚陆应谷代为序刻，其时在道光二十八年（1848）。

〔卷次·品数〕 38 卷。该书共收植物 1714 种（总目录记载为 1710 种），并将其分为 12 类，即谷、蔬、山草、隰草、石草、水草、蔓草、芳草、毒草、群芳、果、木类。

该书所收植物中，有 18 种虽有图文，但无植物名称。例如，卷 11 有 2 种无名植物，卷 13 有 6 种植物名缺如，该书分别以"无名二种""无名六种"统而归之。

一般说来，该书每物一图，图文对照，只有少数植物有二图（如菊、蓝等 32 种）或三图（如羊桃、黄药子、犁头草等）或四图（如天南星）。个别植物有图而无文。

〔内容·特点〕 该书介绍与所载植物相关的某些内容，并绘图以供辨识。各种植物的文字内容一般是介绍文献出处、产地、植物形态、颜色，或性味、用途等。有些条文后附吴其濬按语，且一般冠以"雩娄农"字样。说明文字长短不一，长者洋洋千言，短者寥寥几句。

从书中诸品下的文献出处可知，该书所载诸品以已见于前人本草者居多，也有一些只在非医药书中记载，如《岭南杂记》的仙人掌、《花镜》的万年青等。还有一部分植物不见于前人记载，属吴其濬新增。据陈重明统计，该书共有新增品 519 种。①

---

① 陈重明. 吴其濬和《植物名实图考》. 中华医史杂志，1980，（2）：65.

这些植物主要分布于南方。据陈重明统计，其中有江西植物约 400 种，湖南植物约 280 种，云南植物约 370 种。吴其濬不仅详记了这些植物的产地，还对各植物的生长环境有细致的描述。该书还附记了各地的一些植物土名和用途，对品种考订和植物利用有一定的意义。

植物形态描述是该书的重点内容。该书此内容记述比较详细，举凡植株的根茎、枝叶、花果，各叙其形色。对花（包括花瓣、花蕊、花苞片等）、果实、种子的描述较前人前进了一大步。该书的植物形态记述较前人更为细致准确，在植物分类方面有重要的意义。

吴其濬对植物的辨认，以民间经验和实际比较观察为基础，大大提高了该书的学术价值。这从许多植物的说明文字中可以看出。例如，"骨碎补"条云："骨碎补与猴姜一类。惟猴姜扁阔，骨碎补圆长，滇之采药者别之。"这说明此条鉴别经验取自采药之人。为了得到第一手资料，吴其濬经常亲自采集、栽培植物（见"大青""党参"等条）。有时吴其濬还亲尝某些植物，验证古代的有关记载（见"雷公凿"条）。偶或见到所求之物，吴其濬则立刻予以记录绘图，如"鬼臼"条，吴其濬谓："此草生深山中，北人见者甚少……余于途中，适遇山民担以入市，花叶高大，遂亟图之。"

正是由于吴其濬具有这种求实的精神，《植物名实图考》这部书才形成了自己最重要的特点：资料翔实，观点较准确。该书对前人的一些错误见解提出了中肯的意见。如他批评李时珍"以醒头香属兰草，不知南方凡可以置发中辟秽气，皆呼为醒头，无专属也"等。吴其濬在辨正植物同时，补充记载了众多采访所得的植物功用，其中涉及医药的内容较多。他主张医者应该认识药物，谓"医者不知药而用方，其不偾事者几希"。对一些易于混淆的药用植物，吴其濬经常予以辨正。对于那些一时难以判别的疑似植物，吴其濬则如实列举文献记载矛盾之处，说明自己不敢决断的理由（见"蛇含""金盏草""八字草""鹿角菜"等条）。

〔绘图〕 该书的附图是历代传统本草图绘中最精确的，科学价值很高。据郑金生初步计点①，《植物名实图考》有图 1805 幅，其中约 5/6（近 1500 幅）是写生而成的，另外约 1/6（300 余幅）是从前人书中抄绘而来的。这些抄绘的本草图以取自《救荒本草》的最多（约 170 余幅），其次是《证类本草》转载的宋代《本草图经》的药图（100 余幅）。另外，其还从《本草纲目》（钱蔚起本）及《古今图

---

① 郑金生. 中药书籍资料的查找和利用（五）. 中药材科技，1983，（6）：41.

书集成》等书中转绘了一些药图。这些转绘的药图在风格上与《植物名实图考》有比较明显的差别，多数描绘整个植株，线条较刻板，图形枝叶布局欠生动，且在铅印本中这些图相对来说比较小；而《植物名实图考》的植物图以突出植物特征为主旨，一般按原株各部位的比例描绘，结构严谨，气韵生动，描绘细致入微，学术价值很高。此外，多数转绘的药图的相关解说文字也转录前人之言，很少有吴其濬自家心得。"黄精""栾荆""白药"等条，都指明了原图出处。取自《救荒本草》的图多集中在卷 5、卷 12、卷 35 等处；取自《证类本草》刻本的图则被转录于卷 8、卷 14、卷 20、卷 35 等处。无名称植物图有 18 幅，分布于卷 10（3 幅）、卷 13（6 幅）、卷 15（4 幅）、卷 19（3 幅）、卷 20（2 幅）。

〔影响·欠缺〕　　该书对植物名实的考证取得了巨大的成就。其图绘精美，资料丰富，成为联结我国古代本草和近代植物学的桥梁。德国人 Emil Bretschneider 在他所著的《中国植物学文献评论》一书（1870 年出版）中，对《植物名实图考》有很高的评价。他认为该书图形刻绘极为精审，其中最精确的往往可赖以鉴定植物的科或属。

现在许多植物学工作者，以该书图文为依据，鉴定植物。许多植物分类采用的中文名称，都源出该书。以植物科属名为例，大血藤科、八角枫科等 10 科，及一支黄花属、十大功劳属等 55 属，都采用了该书中的植物名称。1885—1890 年日本松村任三《植物名汇》、牧野富太郎《日本植物图鉴》，及中国裴鉴、周太炎《中国药用植物志》等，都曾以该书为重要参考文献。该书所载的谷类、蔬菜、花卉、果木，对研究农学、园艺学、医药学、植物学等都有很大的帮助，为开发利用这些农作物、药材及其他经济作物提供了资料。

美中不足的是，吴其濬并没有等到他的著作更完备就溘然而逝，加之受作者个人思想方法、阅历所及、历史条件等多方面因素的影响，该书还遗留有若干欠缺之处。药物重出是一大误，例如檗木、蕤核、栾华等既见于卷 33，又见于卷 37。这类例子近 20 种。把某些植物名称张冠李戴的现象该书亦有。例如，以黄药子（毛茛科）为虎杖（蓼科）等，不下 10 余处。

吴其濬状元及第，满腹文章，也常在《植物名实图考》中施泄。《植物名实图考》有些植物文末所附"雩娄农曰"，不时借题发挥，所论往往与本植物毫无关系。这些议论常涉及古今朝政、人事变迁、哲理、修身养性等，对于一部植物专著来说，未免有蛇足之嫌。

〔版本〕　　吴其濬殁后 2 年，即道光二十八年（1848），山西巡抚陆应谷初刻该书于太原府署。此本前有陆应谷序。此本未见存世。

光绪六年（1880）山西浚文书局利用初刻本原版重印。其时少数原版散失，又补充了一小部分新版，并由曾国荃增写了一篇序，余皆同初刻本。该本中国医学科学院、中国中医科学院等5处有藏。

此外，尚有1868—1911年日本明治间印本。

1915年云南省图书馆据日本明治初刊本石印。书首有由云龙先生《重刻植物名实图考序》，以及伊藤圭介《重修植物名实图考序》。此本云南省图书馆有藏。

1919年山西官书局重印本，即据1880年重印版再次重印，又补充了一些新版。此本中国中医科学院等处有藏。

1919年商务印书馆据陆应谷校刊本铅印（图为影印）。此本藏馆甚众。

1957年商务印书馆重印该书，以1919年商务排印本为底本，据1880年山西浚文书局重印本校勘。此本校改了旧本排印及原书中的一些错误。该本对书中侮辱少数民族和农民起义领袖的字句，做了个别的删改。该印本采用新式标点。书末又编有植物名称、人名、地名、引书索引4种，并用四角号码检字法排列，甚便检查。

1963年中华书局重印本，采用商务纸型重印。

附：《植物名实图考长编》

该书为吴其濬所编，为《植物名实图考》的资料准备。全书22卷，收载838种植物。其分部及药品数参见"《植物名实图考》"条。

吴其濬在诸植物名下，摘录了历代本草、农书、方志、诗词等中的有关资料。这些资料涉及各植物的产地、形态、名称、品种、栽培、药用及其他作用，内容十分丰富，且其中有关植物形态的资料尤多。其所引地方志中所载的出产品种的资料也很详备。书中间有吴其濬个人采访所得资料和实际经验。吴其濬有时也会在书中借物喻情，洋洋洒洒，写些与植物并无多大关系的文字。本书除引有《证类本草》《本草纲目》中的资料外，还引有《滇南本草》等书中的内容。该书版本参"《植物名实图考》"条。

二十三、《本草问答》

〔命名〕　该书是唐容川以问答形式撰写的，故名。

〔作者〕 唐容川（1847—1897），名宗海，天彭（今四川彭县）人。

唐容川治学主张"好古而不迷信古人，博学而能取长短"。他勤于研习医学，采用西方医学来解释中医基本理论，成为近代著名中西医汇通派医学家。其少业儒，为光绪十五年（1889）进士；授礼部主事，旋因妻卒乞归。其以医名世，著有《中西汇通医经精义》（1892）、《血证论》（1884）等书。

〔成书〕 唐容川于光绪十八年（1892）游广东，遇张伯龙。张伯龙寝馈方书，曾因治其父证而名噪一时，后师事唐容川，建议唐容川论列中西药品，说明本草流弊。二人相与问答，于光绪十九年（1893）撰成此书。

〔卷·内容〕 该书分上、下2卷。各卷内容不像其他本草书那样固定收载多少药，对每药详加论述，而很像一般本草书的总论部分，针对中医药理论中的某些共性问题，或某一类药物发问，重在理论探讨。全书共设问答60条。唐容川采用传统的阴阳五行、形色气味、取类比象等学说来阐释中药药理。

例如，唐容川解释人参生津作用原理为："人身之元气，由肾水之中，以上达于肺，生于阴而出于阳。人参由阴生阳，于甘苦阴味之中，饶有一番生阳之气。大能化气，气化而上，出于口鼻，即是津液，人参生津之理如此。"他对药物治病机制的解释为："人身之气偏胜偏衰则生疾病，又借药物之偏，以调人身之盛衰。"他认为中、西医互有优劣；神农尝药"即试验也"，比西医药理的试验要早很多。唐容川有时也将中、西药进行比较，但由于他对西医药了解得不够深，故而这种比较缺乏说服力。

该书上卷讨论的内容有药物治病原理、药性发挥、药物命名、药物气味升降等在人身的作用。

该书下卷主要讨论《雷公炮制》，指出方药作用与炮制的关系。例如，对于甘草生用、炙用之效各异，唐容川认为，在炙甘草汤中，取其益胃作用，故甘草宜炙用；在芍药甘草汤中，取其平胃作用，故甘草宜生用。

下卷还讨论了十八反、十七忌、十九畏、引经药等；讨论了风、寒、暑、湿、燥、火六气外感病用药法则；讨论了内伤病用药法则，强调内伤病要重视气血药的选用，如治郁证用"逍遥散"以偏重气分，治女子不得隐曲用"归脾丸"以偏重血分。

该书绝大部分论题是围绕中医药理设置的，其中有辨药之法及药物的反畏、炮制、升降、产地、引经等内容。

二十四、《本草崇原集说》

〔**命名**〕 该书以《本草崇原》为纲，集取众说，故以"集说"名书。

〔**作者·成书**〕 仲学辂，字昂庭，钱塘（今浙江杭州）人，约生活于19世纪下半叶。仲学辂邃于理学，在医学上以《神农本草经》及张仲景、张志聪、高世栻所著诸书为宗。其"用药神妙变化，曾征辟入都，供奉慈圣（即慈禧），归主杭垣医局二十余年"（章炳森序）。

仲学辂"虑近时本草无善本也，爰取《崇原》为纲，附载《经读》《经解》《百种录》，并张氏《侣山堂类辩》、高氏《医学真传》诸书，参酌己意，纂集成编"。此书草稿初成，仲学辂即殁。章炳森（椿伯）、王绍庸为之搜辑参订。二人尤其注意收集仲学辂遗墨（注说及眉批等），竭数年之力而终辑成此书。据慈禧求医时间（1880）判断，仲学辂约卒于1900年，故此书初成也当以此时为是。

〔**体例**〕 3卷，附录1篇。正文收药、分卷都不改《本草崇原》之旧，略删张志聪旧注烦冗之处。各药条撷取《神农本草经读》《神农本草经经解》《神农本草经百种录》《侣山堂类辩》《医学真传》诸书论药精义。该书总以《本草崇原》为主，诸说为辅，且间夹仲学辂评论（或附于注文中，加"○"以别，或列为眉批）。书后对陈修园《本草经读·附录》的药物亦予以集说。

〔**内容·评价**〕 该书将学术见解近似的诸书药论集于一书。与《本草三家合注》不同的是，该书收有《侣山堂类辩》《医学真传》中的一些论说，因而更能反映张志聪等人的学术思想。该书在选材方面比较精审，并能阐发个人见解。

仲学辂眉批，对所集诸书有评价，这些评价可以反映他的某些学术见解。仲学辂认为："《崇原》就《本经》释药性，《经读》从《本经》就药用。性实该用，用不离性，《崇原》所以高出诸家。""隐庵著《崇原》，以经解经；修园著《经读》，以方解经。方亦从经来，故可贵。""《崇原》先述药之本来面目，《经读》又详病之本来面目。"这些比较评述，较好地突出了《本草崇原》《本草经读》各自的特色。仲学辂对诸家矫枉过正之论有他的看法，认为"隐庵辨驳成氏（无己）伤寒，修园痛斥李（时珍）氏本草，尽从经论发泄出来，并非立异"。他虽然倾向于张志聪、陈修园之说，但不是很偏激。他说："多识于鸟兽草木之名，圣人所许。故李时珍《本草纲目》未可厚非也。独惜其杂参众说，挠乱经文，功不能掩罪耳。"

仲学辂在各药下的注说中，对前人学说进行评论的言论多，就药性功效阐发的叙述少。这对学习《神农本草经》有一定向导作用。

〔**版本**〕　今存宣统二年（1910）刊本。此本前有章炳森序，后有王绍庸跋，藏馆甚众。另，上海锦文堂曾予石印。

二十五、《本草思辨录》

〔**作者·成书**〕　周岩（1832—1905?），字伯度，号鹿起山人，山阴（今浙江绍兴）人，当时被称为"越中耆宿"。他幼时有过春温误服麻黄、患寒痢而医误投凉剂的经历，于是有志于医学。光绪八年（1882）他以疾弃官，取医书研读。他认为"辨本草者，医学之始基"，必须博思明辨，遂费时 6 年，撰成《本草思辨录》。该书于光绪三十年（1904）成书。

〔**内容**〕　4 卷。卷首"绪说"，评论中、西医学以及《医林改错》《中西医汇通》《全体通考》诸书之得失，力倡深入研究中医经典及中医基本理论。全书收药128 种，且所收药物大致按《本草纲目》药物之次序排列。此书是由平日研究张仲景及后世诸家医方时所记札记汇集而成的，故无体例。其特点是以方、药互相印证，紧密结合药物在不同方剂中的作用来辨析药性。该书每多独到见解，在讨论药性的这类书中独具一格。可是由于作者并非医家出身，书中个人用药经验比较欠缺。

〔**版本**〕　山阴周氏微尚堂初刊（1904）。1936 年该书被收入《珍本医书集成》。中华人民共和国成立后有排印本。

下篇 本草大系

第一章　南北朝以前

（581 年以前）

《神农黄帝食禁》7 卷

　　按　《汉书·艺文志》著录。其成书时间当早于《神农本草经》，约在秦汉之际或再早一些。唐·贾公彦《周礼注疏》引作《神农黄帝食药》。该书为记叙食物药的专书，早佚。《备急千金要方》卷 26 引"黄帝云"条文 48 条，主要讨论饮食禁忌，略述其宜。同书卷 24 载"神农黄帝解毒方法"。另，《金匮要略》第二十四、二十五篇的许多食物禁忌和中毒解救内容与其相近。此二书所载或认为即《神农黄帝食禁》佚文，但还有待进一步考证。

《神农食经》

《本草食禁》

　　按　《医心方》引《神农食经》2 条，《本草食禁》9 条。其另引《本草食禁杂方》《本草杂禁》等名称，疑这些名称皆《本草食禁》之异称。所引《本草食禁杂方》条文不只有食禁内容，而且有行止宜忌等内容。《神农食经》还可见于《太平御览》卷 867。以上二书是否即《神农黄帝食禁》，尚难臆断，今附见于此。

《神农食忌》1卷

按 《宋史·艺文志》著录此书。书今佚。其著者及成书年代不明，附见于此。

《药论》 西汉·公乘阳庆 传 公元前180年

按 《史记·扁鹊仓公列传》载淳于意师事公乘阳庆。公乘阳庆有"古先道遗传"的医书多种，《药论》为其中之一，然未见史志著录该书。

《神农本草》5卷

按 梁·阮孝绪《七录》（520—527）著录。

《神农本草》8卷

《神农本草》4卷 雷公集注

《神农本草经》3卷

按 以上《隋书·经籍志》著录。现存的《神农本草经》是经过梁·陶弘景整理过的。其原著非成于一人之手，亦非成于一时。该书主体内容约形成于西汉，一般认为即《隋书·经籍志》中著录的4卷本《神农本草》（题为雷公集注）。参见中篇103页。

《伊尹汤液本草》 题商·伊尹 撰

按 伊尹乃传说中的方剂创始人。皇甫谧《针灸甲乙经·序》云："伊尹亚圣之才，撰用《神农本草》以为《汤液》。"又，《通鉴》载伊尹著《汤液本草》，云："明寒热温凉之性，酸苦辛甘咸淡之味，轻清重浊，阴阳升降，走十二经络表里之宜。今医言药性，皆祖伊尹。"然商代尚无产生本草专著的条件，此说不可凭。

《子仪本草经》 题子仪 撰 汉

按 该书是我国最早见于著录的本草书，见于《周礼》贾公彦疏。其云此书为晋·荀勖（？—289）《中经簿》著录。子仪（或作子义、阳义、阳厉）相传为扁鹊弟子，很难臆定历史上是否实有其人。清·孙星衍疑此书即《神农黄帝食药》。日本铃木素行《神农本草经解故》认为"子仪辑录神农所尝定者，以为《本草经》"，又谓李当之所修本草即《子仪本草经》。今此书无任何佚文存世，亦别无旁证史料。以上诸家之见，尚待进一步研究。

《桐君采药录》3 卷　题桐君　撰　约 1—2 世纪

　　按　见中篇 107 页。

《雷公药对》4 卷　题。雷公　撰　约 1—2 世纪

　　按　见中篇 108 页。

《蔡邕本草》7 卷　汉·蔡邕　撰　192 年附

　　按　该书见录于《隋书·经籍志》（或作《本草》），早佚。蔡邕（132—192），字伯喈，陈留圉（今河南杞县南）人；为东汉著名文学家、书法家；《后汉书》有传。

《本草经》4 卷　蔡英　撰

　　按　该书见录于《隋书·经籍志》，今佚。疑蔡英为蔡邕之误，姑附于此。

《胎胪药录》

　　按　汉·张仲景《伤寒杂病论·序》中提及此书。顾名思义，该书当为儿科用药专著，今佚。

《药辨诀》1 卷　题汉·张仲景　撰　219 年附

　　按　《医心方》卷 2 "合服药忌日" 引该书佚文 1 条。同书卷 1 引该书佚文数十条，其内容为药物畏恶反忌。此书或写作《药弁诀》。我国书志无著录此书者。《日本国见在书目录》引载其目。《本草和名》中所引《药诀》，疑亦此书。

《神农本草例图》1 卷　撰人未详　汉？

　　按　唐·张彦远《历代名画记》"述古之秘画珍图" 一节著录，今佚。张彦远将此书名排在众多汉代名画之间。由于他未指明各名画是否按年代先后编排，故还不能判断《神农本草例图》是否为汉代之作，但至少可以说明此书在唐代已属珍秘，是我国早期的辅翼《神农本草经》的 "例图"。

《辨灵药经》　题汉·张道龄　撰

按　该书著录甚晚（1947 年《江西通志稿》），不足信。

《神农》

《黄帝》

《岐伯》

《雷公》

《桐君》

《扁鹊》

《季氏》

《医和》

《一经》

按　以上系《吴普本草》所引 9 家药论的代称。一般认为《季氏》即《李当之本草》，其余皆系托名。《岐伯》一称还见于《名医别录》（见《证类本草》卷 3 "矾石"条）。《扁鹊》一名亦见于《名医别录》（如《证类本草》卷 6 "泽泻"条）。此外，《备急千金要方》卷 26 引《扁鹊》食治条文 8 条。这些题作"扁鹊"的佚文是否出自一书，待考。

《李当之本草》3 卷　魏·李当之　撰　220 年附

《李当之药录》3 卷　魏·李当之　撰　220 年附

按　上二书详见中篇 110 页。

《吴普本草》6 卷　魏·吴普　撰　239 年附

按　《隋书·经籍志》记作"华佗弟子《吴普本草》六卷"。《嘉祐本草·补注所引书传》题书名作《吴氏本草》。见中篇 110 页。

《名医别录》3 卷　魏晋名医　集撰（旧题陶氏撰）　约 3 世纪　梁·陶弘景　整理　500 年附

按　见中篇 112 页。

《吕氏本草》

《华佗食经》

《神药经》

按 上三书宋《太平御览》各录其佚文 1 条。

《食疏》 晋·何曾 撰 278 年附

按 该书见《南齐书·虞悰传》。何曾（199—278），字颖考，陈国阳夏（今河南太康）人；《晋书》有传。

《灵芝瑞草像》 题东晋·陆修静 撰 323 年附

按 《浙江通志》著录此书。《湖州府志》作"《神仙芝草图记》二卷"。陆修静，字元寂，吴兴（今属浙江）人。

《灵芝瑞草经》 不著撰人

按 唐慎微《证类本草》卷 6 引该书佚文 1 条，仅"黄芝即黄精也"数字。姑附于此。

《南方草物状》 晋·徐衷 撰 4—5 世纪间

按 石声汉《辑徐衷南方草物状·序》介绍："徐衷，东晋及刘宋初年人。尝居岭表，笔所见风土、产物入笺奏，达之江表，后来集中成卷，名《徐衷南方奏》，亦称《徐衷南方记》。或更刺取其中草物名实，别为专篇，曰《南方草物状》。"该书一名《南方草木状》。北魏《齐民要术》、唐《艺文类聚》、宋《太平御览》等书均有摘引。石声汉所辑之书，共有草木 50 种，鸟兽鱼蚌贝 17 种，物产 2 种（共 69 种）。

其所载多为我国南方所产物品，或经由南方引进的外域物品，故其对研究我国生物学史有参考价值（参马宗申"《徐衷南方草物状》与《嵇含南方草木状》"一文）。

《南方草木状》 题晋·嵇含 撰

按 该书被作为我国或世界上最早的一部区系植物志受到后人重视。1983 年在我国召开了"《南方草木状》国际学术讨论会"，由此可见此书的影响之大。关于嵇含（263—306）是否为本书作者，至今众说纷纭，而以否定的意见居多。据胡道静"如何看待今本《南方草木状》"一文介绍，该书始著录于南宋尤袤《遂初堂书目》、陈振孙《直斋书录解题》。该书最早版本见于左圭《百川学海》。另，元·陶宗仪《说郛》（100卷原本）卷87所载该书并非源于《百川学海》本。《嘉祐本草》曾引用该书，这说明它最迟出现于北宋中期。该书虽非4世纪初写成（当形成于11世纪中期），但仍然是我国并且是世界上最早的一部区系植物志。它有一个母本，即6世纪以前徐衷《南方草物状》（新加坡许云樵有辑注本，1970年出版；西北农学院石声汉亦有辑本）。该书描述了我国南岭以南到东部中南半岛的边缘热带和中热带的许多种特产植物及其景观，做出了相当正确、比较系统的描述。

《食经》 9卷 北魏·崔浩 撰 450年附

按 《旧唐书·经籍志》等书著录。《隋书·经籍志》作"《崔氏食经》四卷"。该书今佚。崔浩（？—450），字伯渊，清河人。《北史》有其传，且载此书自序，叙撰书始末。

《芝草图》 1卷 南北朝以前

按 《隋书·经籍志》著录。陶弘景《本草经集注》"紫芝"条下注云："此六芝……形色瑰异，并在《芝草图》中。"此为该书绘成于陶弘景（456—536）之前的明证。该书今佚。

《神仙芝草经》

按 宋《证类本草》卷6"黄精"条引该书佚文1条，略述药性，而其中以道家言居多。书佚。《日本国见在书目录》所载《神仙芝草图》1卷，《宋史·艺文志》所载《神仙玉芝图》2卷，恐为同类书。二书均佚。

《神农本草属物》 2卷
《本草经轻行》 1卷
《本草经利用》 1卷

按 以上均见录于梁·阮孝绪《七录》（520—527），撰人及成书年代不明，皆佚。

《药法》42 卷

《药律》3 卷

《药性》2 卷

《药对》2 卷

《药目》3 卷

《神农采药经》2 卷

《药忌》1 卷

按 上七书亦见录于梁《七录》。《隋书·经籍志》将之转录于"《桐君药录》"条下。七书今均佚。

《赵赞本草经》1 卷　赵赞　撰

《王季璞本草经》3 卷　王季璞　撰

《随费本草》9 卷　随费　撰

按 二书均见录于梁·阮孝绪《七录》（520—527）。书佚。

《新集药录》4 卷　梁·徐滔　撰

按 该书见录于梁《七录》，今佚。徐滔为云麾将军。

《痈疽耳眼本草要钞》9 卷　甘濬之　撰

按 该书见录于梁《七录》，今佚。《新唐书·艺文志》《旧唐书·经籍志》记作"《疗痈疽耳眼本草要妙》五卷"。

《小儿用药本草》2 卷　王末　钞

按 该书见录于梁《七录》，今佚。

《谈道术本草经》3 卷　谈道术　撰

按 梁《七录》著录此书。《七录》另记有"徐叔嚼、谈道述、徐悦《体疗杂病疾源》三卷"。疑谈道述即谈道术，与徐叔嚼皆为刘宋时（420—479）人。

《小品方·述用本草药性》（《小品方》卷 11）　刘宋·陈延之　撰　5 世纪中

按 陈延之为刘宋时期著名医家。其所撰《小品方》（一名《经方小品》）12

卷在当时广为流传。近年日本发现该书序目及卷 1 残卷，已发表的卷首总目载此篇目。另，序例残卷中与本草有关系者有"述增损旧方用药犯禁诀"和"述旧方合药法"，前者述药物"相反、畏恶、相杀"，药物三品，君臣佐使，本草药物主治与加减等内容；后者述药物修治、制剂、药量确定换算等。此书成书时间早于《本草经集注》，但其内容与《本草经集注》内容有某些共通之处，故该书可为了解本草早期发展提供重要线索。据目录所示，卷 1 还有"述旧方用药相畏相反者""述成合备急要药并合药法"，二者亦与本草有关。

《雷公炮炙论》3 卷　刘宋（？）·雷敩　撰　479 年附

　　按　见中篇 120 页。

《本草病源合药要钞》5 卷　刘宋·徐叔嚮　抄　479 年附

《体疗杂病本草要钞》10 卷　刘宋·徐叔嚮等四家　抄　479 年附

　　按　上二书见录于《隋书·经籍志》，今佚。徐叔嚮，祖籍东莞（今山东莒县），寄籍丹阳，生活于刘宋（420—479）。

《本草病源合药节度》5 卷

　　按　《新唐书·艺文志》《旧唐书·经籍志》均著录此书。书名与徐叔嚮《本草病源合药要钞》相似。然《通志·艺文略》同时载此二书名，二者似为两本不同的书。书今佚。

《秦承祖本草》6 卷　刘宋·秦承祖　479 年附

　　按　《隋书·经籍志》著录此书。秦承祖，为南北朝名医。《宋书》载其事（见《太平御览》卷 722）。

《江餐馔要》1 卷　刘宋·黄克明　撰

　　按　《崇文总目辑释》及《通志·艺文略》均著录此书。后者在黄克明之前冠以"宋朝"2 字，似其当为南北朝刘宋时（420—479）人。

《刘休食方》1 卷　南齐·刘休　撰　约 482 年

    按　《隋书·经籍志》著录该书，注明其为梁冠军将军刘休撰，亡佚。刘休，字弘明，沛郡相（今江苏濉溪）人；建元四年（482）加冠军将军；《南齐书》有传。

《食珍录》1 卷　南齐·虞悰　撰　499 年附

    按　虞悰（433—499），字景豫，会稽余姚（今属浙江）人；《南齐书》有传。今《说郛》第 55 册载该书部分条文，其中治疗内容较少。

《陶隐居本草》10 卷　梁·陶弘景　撰

《本草经集注》7 卷　梁·陶弘景　撰　500 年附

    按　见中篇 115 页。

《药总诀》2 卷　梁·陶弘景　撰

《集药诀》1 卷　梁·陶弘景　撰

《制药总诀》1 卷

    按　以上三书，均见中篇 119 页。

《本草夹注音》1 卷　梁·陶弘景　撰

    按　该书见录于《日本国见在书目录》，今佚。

《太清草木集要》2 卷　梁·陶弘景　撰

    按　《隋书·经籍志》著录该书。《旧唐书·经籍志》《新唐书·艺文志》《通志·艺文略》《玉海》及《日本国见在书目录》均作“《太清草木方集要》三卷”。今国内未见有存世本。

《石论》1 卷

(本草序例) 残篇　500 年附

    按　此残篇系敦煌残卷，英国国家博物馆藏，编号为 S. 5968。本残卷有行格，字较工整。从残存内容看似为一本草序例，今存不过 100 余字。从中可知当时的本草理论已与《黄帝内经》紧密结合。今中国科学院藏缩微件。

《食经》2 卷

《食经》19 卷

《黄帝杂饮食忌》2 卷

《太官食经》5 卷

《太官食法》20 卷

《食法杂酒食要方白酒并作物法》12 卷

《食图》1 卷

《四时酒要方》1 卷

《白酒方》1 卷

《七日面酒法》1 卷

《杂酒食要法（方）》1 卷

《杂藏酿法》1 卷

《杂酒食要法》1 卷

《酒并饮食方》1 卷

《鳇及铛蟹方》1 卷

《羹臛法》1 卷

《鲊腤胸法》1 卷

《北方生酱法》1 卷

按　以上十八书，梁《七录》均著录，但不著撰人。书均佚。

《灵秀本草图》6 卷　源平仲　撰　536 年附

按　其为正史记载的较早的本草图，已佚。《历代名画记》在此书名下注云："起赤箭，终蜻蛉。源平仲撰。""赤箭"首见于《神农本草经》。"蜻蛉"首见于《名医别录》。陶弘景云蜻蛉"一名蜻蜓"。且陶弘景合《神农本草经》《名医别录》为一体，加注为《本草经集注》7 卷，赤箭在卷 3 之前，蜻蛉居卷 6 之末。据此推测，《灵秀本草图》似乎是按陶弘景本草编排顺序绘制的，其成书年代可能在陶弘景（456—536）之后到隋朝之前。

《药录》2 卷　北齐·李密　550 年附

按　《隋书·经籍志》著录此书。书今佚。李密（？—577），字希邕，平棘（今河北赵县）人。《北齐书》卷 22 "李元忠传"载其事。

《药对》2 卷　北齐·徐之才　撰　570 年附

    按　见中篇 109 页。

《老子禁食经》1 卷

《食经》14 卷

《食馔次第法》1 卷

《四时御食经》1 卷

《膳羞养疗》20 卷

    按　以上五书见录于《隋书·经籍志》。

《药目要用》2 卷

《本草经略》1 卷

《本草经类用》3 卷

《本草集录》2 卷

《本草钞》4 卷

《本草杂要诀》1 卷

《依本草录药性》3 卷（原注"录一卷"）

《入林采药法》2 卷

《太常采药时月》1 卷

《太常采药及合目录》4 卷

《诸药要性》2 卷

《种植药法》1 卷

《种神芝》1 卷

《会稽郡造海味法》1 卷

    按　以上十四书均由《隋书·经籍志》著录，均佚。

第二章　隋唐五代

（581—960）

《本草音义》3 卷　隋·姚最

按　姚最（535—602），字士会，吴兴武康（今浙江德清）人；南北朝名医姚僧垣次子。其医学活动时间在北周至隋代之间。其书今佚。

《淮南王食经》120 卷　隋·诸葛颖　撰

《淮南王食目》10 卷　隋·诸葛颖　撰

《淮南王食经音》13 卷　隋·诸葛颖　撰

按　以上据《旧唐书·经籍志》。《新唐书·艺文志》除记《淮南王食经》130 卷外，余皆与此同。《隋书·经籍志》作"《淮南王食经并目》一百六十五卷，大业中撰"。诸葛颖（535—612），字汉，丹阳建康（今江苏南京）人；《隋书》有传。

《新撰食经》7 卷

按　《日本国见在书目录》著录该书。日本冈西为人《宋以前医籍考》云："《医心方》所引，无《新撰食经》者，而有《七卷食经》五条，《七卷经》五十四条。《和名抄》所引，亦有《七卷食经》十七条，所谓《七卷食经》，疑即是书欤？"然复查《医心方》发现，该书卷 1 之末"本草外药七十种"一节首列"已上八种出《新撰食经》"。据此很难判定这二书是否为一书。

《马琬食经》　唐以前马琬　撰

　　按　《医心方》引录之，或引作"马琬""《马琬方》"，共有佚文 19 条。

《朱思简食经》　唐以前朱思简　撰

　　按　《医心方》引《朱思简食经》（或"朱思简"）佚文 13 条。

《诸药异名》10 卷　隋·行距　撰　619 年附

　　按　《隋书·经籍志》作"八卷"，并云："沙门行距撰，本十卷，今阙。"《旧唐书·经籍志》《新唐书·艺文志》作"释（僧）行智撰"。《通志·艺文略》仍有著录。书今佚。《畿辅通志》云："僧行距，姓李氏，赵郡人（今河北）。"

《本草》3 卷　隋·甄氏（佚名）

　　按　《隋书·经籍志》著录《甄氏本草》。书佚。

《药性论》4 卷　不著撰人（或题唐·甄权　撰）　627 年附

　　按　见中篇 123 页。

《本草药性》3 卷　唐·甄立言　撰　627 年附

　　按　《旧唐书·艺文志》著录该书。明·李时珍将其称《药性本草》，认为此书系甄立言之兄甄权所撰（参中篇 123 页）。书佚无考。

《本草音义》7 卷　唐·甄立言（一作甄权）　撰　627 年附

　　按　甄立言，隋唐间名医；《旧唐书》有传。其撰《本草音义》《古今录验方》，但二书均佚。

《药蔺》3 卷　题唐·甄立言　撰　627 年附

　　按　《日本国见在书目录》中有载。书佚失考。

《本草要术》3 卷　不著撰人　627 年附

　　按　《旧唐书·经籍志》著录该书，不著撰人姓氏。然《扶沟县志》（1833）卷 11 题其作者为甄立言。

《大蒐神芝图》12 卷　撰人未详　唐以前

　　按　唐·张彦远《历代名画记》著录该书。此书成书时间早于张彦远生活时代。书今佚。

《本草注音》　唐·杨玄（操）　撰

　　按　《日本国见在书目录》作"《本草注音》杨玄撰"。《和名抄引用汉籍》记书名为《本草音义》，亦云"杨玄撰"，且注明曾引用该书 3 次。冈西为人《宋以前医籍考》认为："《本草和名》多引杨玄操《音》者，疑即是书矣。"杨玄操为初唐人。《难经本义·引用诸家姓名》云："杨氏玄操，吴歙县尉，《难经注释》。"

《本草训戒图》　唐·王定　绘　649 年附

　　按　该书见录于唐·张彦远《历代名画记》，今佚。王定在贞观（627—649）中为中书，善画。

《药图》　唐·徐仪　658 年附

　　按　《新修本草》"积雪草"条下注曰："荆楚人以叶如钱，谓为地钱草。徐仪《药图》名为连钱草。"书佚。

《新修本草》20 卷　目录 1 卷　唐·苏敬等　撰　659 年
《药图》（即唐本《药图》）25 卷　目录 1 卷　唐·苏敬等　撰　659 年
《本草图经》（即唐本《图经》）7 卷　唐·苏敬等　撰　659 年

　　按　以上三书亦总称《新修本草》，合计 54 卷。详见中篇 125 页。

《本草音义》20 卷　唐·孔志约　撰　659 年附

　　按　该书见录于《新唐书·艺文志》，今佚。孔志约在显庆（656—660）中为礼部郎中，参与编修《新修本草》。日本丹波元胤《医籍考》云"孔志约作《新修本草·序》，不言自著《音义》，是又可疑"，对孔志约撰此书持怀疑态度。但孔志约为官定本草作序，自言所著《本草音义》是不合适的。有可能孔志约在《新修本草》成书后，为该书注音释义。

《杂注本草》 唐·蒋孝琬 加注 659 年附

按 该书见录于《日本国见在书目录》，今佚。蒋孝琬，显庆（656—661）中为朝请郎太常寺太医令，与苏敬等同修《新修本草》。

《备急千金要方》药论 唐·孙思邈 撰 652 年

按 孙思邈（581—682），京兆华原（今陕西耀县）人；为唐代著名医学家。《备急千金要方》卷 26 "食治"相当于一完整的食疗著作（见下条）。该书卷 1 "序例"中的"用药""合和""服饵""药藏"，均系药学内容。其中"用药""合和"保存了《本草经集注·序例》的部分内容（《真本千金方》直接转录）。又，卷 24 中的"解食毒""解百药毒"等，也与本草相关。现通行的《备急千金要方》为 1955 年后影印的日本江户医学影摹北宋刊本。

《千金食治》（《备急千金要方》卷 26）1 卷 唐·孙思邈 辑撰 652 年

按 其共 5 节，即"序论""果实""菜蔬""谷米""鸟兽虫鱼附"。"序论"中孙思邈曰："聊因笔墨之暇，撰《五味损益食治篇》，以启童稚。"其引仲景、卫汛、黄帝饮食概论，共列食药条文 154 条，叙药名，味、性，良毒，功效主治，别名，采收时月等，或记产地及形态。正文后附记"黄帝云"（讨论食忌）者 48 条，"扁鹊云"者 8 条，"《五明经》"者 1 条，"胡居士云"者 2 条，"名医云"者 1 条，"华佗云"者 3 条。正文绝大多数内容与《神农本草经》《名医别录》内容相近，可见此卷乃孙思邈从所见《神农本草经》传本中辑出有关食物者，再补入其他本草中的条文（以"黄帝云"条文居多）而撰成的。本卷虽非专书，但内容丰富，可谓今存最早最完整的食疗专篇。《证类本草》引作"《孙真人食忌》"。《本草纲目》引作"《千金食治》"。近代中原书局将此卷石印单行，名《千金方食治篇》，该本今藏于中国中医科学院。

《药录纂要》（《千金翼方》卷 2 至卷 4）唐·孙思邈 辑撰 约 682 年

按 中原书局将《千金翼方》卷 2 至卷 4 本草内容抽出，石印成单行本，并题书名为《药录纂要》。孙思邈在《新修本草》成书（659）后，将该书大字本文全部内容抄入《千金翼方》，不分朱墨。这3卷成为后世辑录《新修本草》的重要资料。

此外，《千金翼方》卷1有"采药时节"及"药出州土"，近林毅查考后指出，"采药时节"236种药中，有231种药的注文是从《新修本草》正经中抄录的，3种药引自唐本《图经》，只有2种药为孙思邈添附。可知《千金翼方》中的一些药学内容是孙思邈辑录补撰而成的。

《孙思邈芝草图》30卷　题唐·孙思邈　撰
《孙真人药性赋》1卷　题唐·孙思邈　撰

　　按　上二书前者见录于《宋史·艺文志》，后者见载于《百川书志》，均系托名之书。

《食谱》1卷　唐·韦巨源　撰

　　按　韦巨源，唐杜陵（今陕西西安东南）人。其所撰《食谱》，今存于《说郛》《五朝小说》等丛书。

《药性要诀》5卷　唐·王方庆　撰　702年附
《新本草》41卷　唐·王方庆　撰　702年附

　　按　《新唐书·艺文志》著录该书，书今佚。王方庆（？—702），雍州咸阳（今属陕西）人；《旧唐书》有传。

《食疗本草》3卷　唐·孟诜　撰　张鼎　增补　713—741年

　　按　见中篇132页。

《本草拾遗》10卷　唐·陈藏器　撰　739年

　　按　见中篇134页。

《崔禹锡食经》4卷　唐·崔禹锡　撰　741年附

　　按　《日本国见在书目录》著录该书。《医心方》引此书时作"《崔禹锡食经》""崔禹""《崔禹食经》""崔禹锡"等，共引有其条文146条。《中国医籍考》

云：“按是书，《源顺类聚抄》所引字训，较诸本草及小学之书，有不同者。盖以菌为蕈，芥为辛菜……均是六朝间之称，今人视为国语也。医官田泽温叔仲舒录出禹锡之说散见于古书中者，裒为二卷。虽未为完帙，足以知鼎味矣。”崔禹锡，齐州全节（今山东济南）人；开元年间（713—741）任中书舍人。

《本草音义》2卷　唐·李含光　撰　769年附

　　按　李含光（683—769），广陵江都（今江苏扬州）人。《颜鲁公文集》载其事。《嘉祐本草》《开宝本草》引录该书（见“稻米”“蠮螉”等条），或引作“《李含光音义》”。该书训释药名音义，并借此辨正名实。书今佚。

《本草音义》2卷　唐·殷子严　撰

　　按　《旧唐书·经籍志》《新唐书·艺文志》均著录该书。书今佚。《日本国见在书目录》记云“一卷”。

《删繁本草》5卷　唐·杨损之　撰

　　按　《嘉祐本草·补注所引书》曰：“《删繁本草》，唐润州（今江苏镇江）医博士兼节度随军杨损之撰。以本草诸书所载药类颇繁，难于看检，删去其不急并有名未用之类为五卷。不著年代，疑开元后人。”其中提到“有名未用之类”，则杨损之该书所删有可能是《新修本草》。《嘉祐本草》引该书佚文5条（见“云母”“菊花”等条），其所论涉及药材品种、炮制、剂型及服药宜忌等。

《胡本草》7卷　唐·郑虔　撰　755年附

　　按　《新唐书·艺文志》著录该书。书今佚。郑虔，郑州荥阳（今属河南）人；《新唐书》有传。该书为我国最早的反映外域及民族药的专著。

《天宝单方药图》　题唐·李隆基　制　755年附

　　按　宋·苏颂《本草图经·序》称：“明皇御制，又有《天宝单方药图》，皆所以叙物真滥，使人易知；原诊处方，有所依据。”此书失传甚早，北宋时仅存1卷。其类例直接影响到《本草图经》。苏颂引其佚文3条（见“莎草根”“白菊”“积雪草”条）。该书或被称作《天宝单行方》《天宝方》《天宝单方图》等。

《凤池本草》　题唐·彭蟾　撰

按　彭蟾，字东瞻。宜春（今属江西）人。凤池或为凤凰池的简称，常代指朝廷中书省机要部门。此书虽名本草，却未必是药书。

《何首乌传》1 卷　唐·李翱　撰

按　宋·苏颂《本草图经》引录该书，云其成于元和七年（812）之后，由李翱（772—841）撰。该书叙何首乌形态、采制等。《证类本类》亦引载之，然称"明州刺史李远传录经验"。李翱，字习之，陇西成纪（今甘肃秦安）人；唐代文学家、哲学家。

《入药镜》　题唐·崔隐士　撰

按　该书为道家书，后世不乏注释者。或误作本草著录。

《膳夫经手录》4 卷　唐·杨晔　撰　856 年

按　清·莫友芝《持静斋藏书志记要》云："《膳夫经手录》一卷。唐·杨煜（煜当作晔，避康熙讳）撰。抄本。煜，官巢县令。是书成于大中十年（856）。《唐宋志》《通志略》《崇文总目》并著述。所述茶品，分产地别优劣，甚详备。"该书或题作《膳夫经》《膳夫经手论》。杨晔，或误作阳晕、杨日华。日本《和名抄引用汉籍》《医心方》均引录该书。该书述饮食卫生习惯及食物宜忌。

《食医心鉴》3 卷　唐·昝殷　撰　859 年附

按　昝（zǎn）殷，成都人。一作昝商（《通志·艺文略》），据考此因避宋太祖父亲名讳而改。昝殷为成都医学博士。大中年间（847—859）相国白敏中询访名医，昝殷得到举荐（《产宝》周颋序）。该书一名《食医心镜》，因避宋太祖祖父名讳（敬）改"镜"为"鉴"。原书佚，佚文存于《证类本草》（100 条）、《医方类聚》（论 13 条，方 209 首）中。今本《食医心鉴》由日本多纪元坚辑自《医方类聚》。该书不同于一般的食物本草，其所载多为食疗方剂。

《删繁药咏》3 卷　唐·江承宗　撰

按　见《新唐书·艺文志》等书著录该书。书今佚。《宋史·艺文志》误"江"为"王"。

《四声本草》4 卷　唐·萧炳　撰

按　《嘉祐本草·补注所引书传》曰："唐兰陵（今山东兰陵）处士萧炳撰。取本草药名每上一字，以四声相从，以便讨阅，凡五卷（《通志·艺文略》等作四卷）。前进士王收撰序。"原书佚。《嘉祐本草》引录该书佚文 64 条，其述药物别名、品质、性味、功效、贮藏等。

《严龟食法》10 卷　唐·严龟　撰　904 年附

按　《新唐书·艺文志》等书著录该书。书佚。严龟祖籍盐亭（今属四川），为昭宗（889—904 年在位）时人。

《南海药谱》2 卷　唐·佚名氏　907 年附
《海药本草》6 卷　前蜀·李珣　撰　925 年附

按　上二书见中篇 136、138 页。

《本草稽疑》

按　日本《本草和名》（918）、《医心方》（984）均引录该书。后者卷 1 引其药 32 种，注出别名、产地、形态、主治等；另卷 3、卷 10、卷 14、卷 16、卷 17 皆引《本草馨疑》医方。作者、成书时间未详。

《草食论》6 卷　唐·郭晏封　撰

按　《宋史·艺文志·医书类》著录该书。书今佚。范行准考"乾宁晏先生"即郭晏封，其著有《制伏草石论》。（疑《宋史·艺文志》误"草石"为"草食"）

《丹草口诀》（一作《丹秘口诀》）
《五金粉药诀》
《本草疏》
《释药性》
《疗食经》
《本草杂要诀》
《药诀》

按　日本深江辅仁所撰《本草和名》（918）引录以上诸书，但均不著撰人。

其引用较多者为《药诀》《释药性》《本草杂要诀》等，所引内容多为药物释名。

《食经》3 卷　唐（？）·卢仁宗　撰

　　按　《旧唐书·经籍志》等书著录（《通志·艺文略》作"五卷"）。书今佚。《医心方》（984）引该书佚文 1 条，注出处为"卢宗《食经》"。

《本草性事类》1 卷　唐（？）·杜善方　撰

　　按　书佚。《嘉祐本草·补注所引书传》云："京兆（今陕西西安）医工杜善方撰。不详何代人。以本草药名，随类解释。删去重复，又附以诸药制使、畏恶、解毒、相反、相宜者为一类，共一卷。"《通志·艺文略》等记书名为《本草性类》。

《药类》2 卷

《本草用药要妙》2 卷（《新唐书·艺文志》《通志·艺文略》并作"九卷"）

《食经》4 卷（《新唐书·艺文志》注"又十卷"）　竺暄　撰

《四时食法》1 卷　赵武

《种芝经》9 卷

《太清诸丹要录集》4 卷

《神仙药食经》1 卷

《神仙服食方》10 卷

《神仙服食药方》10 卷

《服玉法并禁忌》1 卷

《太清诸草木方集要》10 卷

《四时采取诸药及合和》4 卷

《太清神丹中经》3 卷

《太清璿玑文》7 卷　冲和子　撰

《金匮仙药录》3 卷　京里先生　撰

《神仙服食经》12 卷　京里先生　撰

　　按　以上诸书均见录于《旧唐书·经籍志》，多为神仙养生服食之书。其时此类书亦列于"本草"之下，故照录。

《本草音》7 卷　李君　撰

《采药图》2 卷

《杂药论》1 卷

《杂药图》2 卷

《杂药》4 卷

《芝草图》2 卷（上、下）

《仙草图》5 卷

《练石方》1 卷

《药石》1 卷

《食禁》1 卷

《食注》1 卷　御注

　　按　以上诸药书，著者及成书年代不明。其中有否日本学者所撰，亦难判定。其由冈西为人《宋以前医籍考》引自《日本国见在书目录》，今姑附于此。

《药名谱》　后唐·侯宁极　编　929 年附

　　按　一名《药谱》。该书存于《说郛》等丛书中。《古愚山房方书三种》附此书，云天成（926—930）中进士侯宁极作《药谱》，并续补诸书药物异名。该书列药物异名若干，此罕见于方书。书中多数异名拟人化，以反映药性特征。

《食性本草》10 卷　南唐·陈士良　纂辑

　　按　见中篇 138 页。

《本草括要诗》3 卷　后蜀·张文懿　撰

　　按　《通志·艺文略》等书志著录该书。《玉海》引《中兴书目》，注明张文懿乃后蜀（934—965）人。书佚。

《蜀本草》20 卷　后蜀·韩保昇　编撰　938—964 年

　　按　见中篇 139 页。

《日华子本草》20 卷　吴越·日华子　集　923 年附

　　按　见中篇 141 页。

第三章 宋 代

（960—1279）

《开宝新详定本草》20 卷　宋·刘翰、马志等　编修　973 年

《开宝重定本草》20 卷　目录 1 卷　宋·刘翰、马志等　编修　974 年

　　按　上二书参中篇 143 页。

《调膳摄生图》　宋·赵自化　撰　1000 年附

　　按　《玉海》著录该书。此书原名《四时养颐录》，宋真宗改其名。赵自化，德州平原（今属山东）人；为后周及北宋医官；《宋史》有传。

《天香传》　宋·丁谓　撰　约 1022 年

　　按　此书为沉香专著。其详述沉香品种、形态、产地、采收等，部分文字存于《证类本草》卷 12。丁谓（965—1037），字公言，下邳（今江苏邳州）人；曾任宰相，乾兴元年（1022）被贬崖州（海南岛），得悉沉香生产情况。

《养身食法》3 卷

　　按　《崇文总目辑释》《宋史·艺文志》著录该书。

《本草韵略》5 卷

《采药论》1 卷

《制药法论》1 卷

《方书药类》3 卷

《新广药对》3 卷　宗令祺　撰

《医门指要用药立成诀》1 卷　叶传古　撰

《药林》1 卷

　　按　以上七书，均见录于《崇文总目辑释》与《通志·艺文略》等书。

《萧家法馔》3 卷

　　按　《崇文总目辑释》《宋史·艺文志》将该书列入医书类，《通志·艺文略》则将其归入食经。书今佚。

《馔林》5 卷（《宋史·艺文志》作"四卷"）

《侍膳图》1 卷

　　按　上二书，《崇文总目辑释》《宋史·艺文志》将其列入医家类；《通志·艺文略》将其归入食经类。二书均佚。

《陈雷炮炙论》3 卷

　　按　《崇文总目辑释》《通志·艺文略》著录该书。书今佚。

《嘉祐本草》20 卷　目录 1 卷　宋·掌禹锡等　编修　1060 年

　　按　见中篇 145 页。

《本草图经》20 卷　目录 1 卷　宋·苏颂　撰　1061 年

　　按　见中篇 147 页。

《节要本草图》　宋·文彦博　辑　约 1063 年

　　按　文彦博（1006—1097），字宽夫，汾州介休（今属山西）人，曾任宰相。《潞公集》所载《节要本草图·序》，言其嘉祐初建言重定《本草图经》，并于书成"录其常用切要者若干种，别为图策，以便披检"。书今佚。

《药准》1 卷　宋·文彦博　集　1063 年附

按　文彦博（见上条）《潞公集》载此书序。序谓其认为"依本草立方，则用之有准"，乃集方 40 首，将所用药之性味功效注于方内，以便处疗。是知此书乃方书。《直斋书录解题》著录该书。

《本草辨误》2 卷　宋·崔源　撰　1077 年附

按　《通志·艺文略》等书著录该书，或作 1 卷。《玉海》云崔源为熙宁（1068—1077）中人。书佚。

《重广补注神农本草并图经》23 卷　宋·陈承　纂　1092 年

按　见中篇 149 页。

《证类本草》31 卷　宋·唐慎微　撰　约 1093 年

按　见中篇 150 页。

《彰明附子记》　宋·杨天惠　著　约 1100 年

按　该书系统介绍彰明附子的产地、栽培、形态、鉴别等，为附子专论。其文存于南宋·赵与峕《宾退录》卷 3。杨天惠（约 1048—1118），郫县人，一说郪县人，二县均在四川；曾任彰明县知县。

《主对集》1 卷　宋·庞安时　撰　1100 年附

《本草补遗》　宋·庞安时　撰　1100 年附

按　《宋史·庞安时传》载，庞安时"观草木之性与五脏之宜，秩其职任，官其寒热，班其奇偶，以疗百疾，著《主对集》一卷"；又因"药有后出，古所未知，今不能辨。尝试有功，不可遗也，作《本草补遗》"。书佚。清·陈揆《稽瑞楼书目》载《本草补》1 册，未著撰人，《宋以前医籍考》将之归入"《本草补遗》"条。

《食时五观》　宋·黄庭坚　撰　1105 年附

按　今《说郛》载其文。黄庭坚（1045—1105），字鲁直，分宁（今江西修水）人；宋代著名诗人。

《大观本草》31卷　宋·唐慎微　原撰　约1093年　艾晟　校补　1108年

　　按　见中篇155页。

《政和本草》30卷　宋·唐慎微　原撰　曹孝忠等　奉敕校　1116年

　　按　见中篇158页。

《本草衍义》20卷　宋·寇宗奭　撰　1116年

　　按　见中篇166页。

《天目真镜录》　宋·唐子霞　著　1117年附

　　按　唐子霞，好读书，政和年间（1111—1117），从眉山陆惟忠游。其著《天目真镜录》，谓天目（山）有养生之药蓍草、芫花，皆名著仙经。《于潜县志》（1812）卷14有其传。

《本草辨正》3卷　宋·李中　1120年附

　　按　《奉化县志》（1773）有其传，录其书名。李中（？—1120），字不倚，浙江奉化人。书佚。

《药名诗》1卷　宋·陈亚　撰

　　按　《宋史·艺文志·别集类》著录该书。书今佚。

《大宋本草目》3卷

　　按　清·叶德辉考辑之《宋绍兴秘书省续编到四库阙书目·史类目录》载此书名。该书为现知最早的本草书目，今佚。

《玉食批》　题宋·司膳内人　撰　1127年附

　　按　该书今存于《说郛》中。

《本草节要》3卷　宋·庄绰　集　1128年附

　　按　南宋·陈振孙《直斋书录解题》著录该书。书今佚。庄绰，字季裕，清源（今山西清徐）人，一说筠州（今江西高安）人，官吏。其尝著《膏肓腧穴灸法》（1128）、《鸡肋篇》等书。

《绍兴本草》31 卷　宋·王继先等　撰集　1159 年

　　按　见中篇 161 页。

《王易简食法》10 卷　宋·王易简　撰

　　按　《通志·艺文略》著录该书。《宋史·艺文志》作"《王氏食法》五卷"。书今佚。

《药证》1 卷

　　按　《通志·艺文略·本草用药》著录该书。书今佚。

《药证病源歌》5 卷　蒋淮　撰

　　按　《通志·艺文略》著录该书。日本藤原信西《通宪入道藏书目录》记"《药证病源歌》一结四卷"。该书未见传存。

《本草要诀》1 卷　梁嘉庆　撰

　　按　《通志·艺文略》等书著录该书。书今佚。

《珍庖馐录》1 卷
《诸家法馔》1 卷
《续法馔》5 卷　曹子休　撰

　　按　《通志·艺文略·食经》等著录该书。二书均佚。

《古今食谱》3 卷

　　按　《通志·艺文略·食经》著录该书。书今佚。

《通志·昆虫草木略》2 卷　南宋·郑樵　撰　1161 年

　　按　郑樵（1103—1162），字渔仲，兴化军莆田（今属福建）人；南宋著名史学家。其著《通志》《动植物志》等 80 余种书。《通志》卷 75、卷 76 为"昆虫草木略"，载草木禽兽 478 种。该篇考订诸品名实，时出新见。

《本草成书》24 卷　宋·郑樵　纂　约 1161 年

《草木外类》5 卷　宋·郑樵　纂　约 1161 年

按　郑樵曾"以虫鱼草木之所得者，作《尔雅注》，作《诗名物志》，作《本草成书》，作《草木外类》"。其时约在绍兴年间（1131—1162）。郑樵认为，"景祐以来，诸家补注，纷然无纪"，遂将本草重新分类汇纂，其中《本草成书》收药 1095 种，《草木外类》收药 388 种，合计 1483 种。即《本草成书》在《神农本草经》《名医别录》基础上又扩充了 365 种药（取自诸家药品）。他又从《证类本草》挑隐微之物 388 种，纂成《草木外类》。《本草成书》尝"集二十家本草及诸方书。所补治之功，及诸物名之所言，异名同状，同名异状之实，乃一一纂附。其经文为之注解。凡草经诸儒异录，备于一家书，故曰《成书》"。这表明，郑樵在本草文献的整理方面，除辨析药物"异名同状，同名异状"之外，还对《神农本草经》条文进行了注解疏证，是为明、清疏解《神农本草经》之滥觞。以上诸书未见流传。

《食鉴》4 卷　南宋·郑樵　撰　约 1161 年

按　原书佚。明·李诩《戒庵老人漫笔》卷 2"郑樵《食鉴》"一节中尚存其"调养以救饮食三失"及"食养六要"内容。

《采治录》　南宋·郑樵　撰　约 1161 年

《畏恶录》　南宋·郑樵　撰　约 1161 年

按　上二书从书名推测，前者似为采收炮制专书，后者为药物畏恶宜忌专论。二书均佚。

《膳夫录》　宋·郑望之　撰　1161 年附

按　《说郛》存其文。该书为饮食类著作。郑望之（1078—1161），字顾道，彭城（江苏徐州）人；《宋史》有传。

《食治通说》1 卷　南宋·娄居中　撰

按　《直斋书录解题》著录该书，云娄居中乃"临安药肆金药臼者"。娄居中，东虢（河南荥阳）人，后设药肆于临安（今杭州）。其精儿科，重食治。书佚。其佚文见于《食物辑要》等书中。

《纂类本草》20 卷（？）　宋·陈言　编（？）　约1173 年

按　见中篇 170 页。

《药书》10 卷（或 2 卷）　南宋·黄宣　撰　1175 年附

按　《天台县志》（1683）著录该书。黄宣，字达之，浙江天台人；淳熙二年（1175）进士。其书今佚。

《本草释义》　南宋·练谦　著　1204 年附

按　《德兴县志》（1872）著录该书。练谦，字孟叔，由婺源迁德兴（均属江西）；嘉泰四年（1204）举乡试魁。其书今佚。

《本草笺要》（《太平惠民和剂局方》中）　南宋·许洪　注　约1208 年

按　许洪，字可大，武夷（今福建武夷山）人；嘉定初为敕授太医助教、前差充四川总领所检察惠民局官员，曾差充行在和剂辨验药材官。南宋·陈衍《宝庆本草折衷》载，许洪"纂取本草药性治疗之要，注于《局方》诸药之中。其如粉霜、草乌头之类，皆本草所阙者，许洪则别引性用以注之。悉可取正，但不言药之味耳"。陈衍以"本草笺要"概括许洪补注的内容，而其实无成书。由此可知，今见的《太平惠民和剂局方》药注，及其中增注的若干新的内容皆许洪之功。

《和剂指南总论》3 卷　南宋·许洪　撰　1208 年

按　许洪"增注和剂方叙意"（1208）云："又编次《和剂指南总论》，以冠帙首。"现存若干种版本《太平惠民和剂局方》后均附此书。该书卷上论处方、合和、服饵、用药、畏恶反忌、服药食忌、炮制（185 种）；卷中、下为诸证病因证候及处方。其或名《太平惠民和剂局方指南总论》《用药总论指南》等。

《本草经注节文》4 本　宋·陈日行　撰　约1208 年

按　南宋·陈衍《宝庆本草折衷·诸贤著述年辰》记载："《本草经注节文》淳熙（1174—1189）中浙曹贡士陈日行，字用卿，越之暨阳（浙江诸暨）人，后为太医学教授。取本草药物，删繁撷颖。凡性味主疗之说，经列于先，注继于次，混作大字。其部品依《证类》之本编排。又掇陶隐君、掌禹锡、寇宗奭三家之序，总为序例，扬之卷首。至嘉定（1208—1224）中会稽石孝溥及绍兴府帅守兼浙东宪汪纲为序。"明代《汲古阁珍藏秘本书目》记："《本草注节文》，四本。陈日行影抄。"由此可知该书明末犹存。书今佚。

《本草节要》　南宋·张松　纂　1213 年附

　　按　南宋·陈衍《宝庆本草折衷·诸贤著述年辰》记："《本草节要》：嘉定（1208—1224）中监饶州商税张松，字茂之，择取本草常用药，抄节性味、主治之要，合经注之文，统以成段。虽立言简甚而亦颇加补辑。如自然铜之治风、香薷之治暑，乃经注所阙而张松乃补之之类。又如增立炉甘石、草果等条，最为切当。并不著药物所出州土及收采时月，亦未依次排具部品。复为续集小编，尤有助于经注也。初婺州太守孟□为序。"张松另著《究原方》（1213），倡"治病当究原""当审虚实"。现《宝庆本草折衷》所存张松本草佚文 60 余条，以介绍用药经验为主，略述药材来源形态，如谓"无食子有西、南二种……南者壳细，摇不响，其力胜"等。

《新编类要图注本草》42 卷　序例 5 卷　原题南宋·许洪、刘信甫　校正　1216 年附

　　按　参中篇 164 页。

《本草之节》（原附《太平惠民和剂局方》之前）　宋·刘明之　辑　1216 年附

　　按　南宋·陈衍《宝庆本草折衷》记："桃溪居士刘明之，字信甫所述。先纂本草常用药物，别为小佚（袟），冠于卷前。亦有泛者，仍集许洪诸家精语，分而取之，详且当矣。未睹序跋，不审刘明之于何年述此书，难以知也。"据此，其似与下条《图经本草药性总论》相近，可互参。

《图经本草药性总论》3 卷　1216 年附

　　按　该书可见于照旷阁本《太平惠民和剂局方》（存中国中医科学院）等刊本之后。书为 3 卷，将药分为玉石、草木、人、兽、禽、虫鱼、果、米谷、菜部，收药 422 种。该书节取自《证类本草》。其每药下仅 100 余字（无宋以后内容）。《宝庆本草折衷》尝记《太平惠民和剂局方》有 2 种刊本附节要本草："其一编系桃溪居士刘明之，字信甫所述。先纂本草常用药，别为小佚，冠于卷前"；"又一编系宝庆中监建宁府合同场提督惠民局黄伯虤，永嘉人所述。亦先纂本草常用药物以冠卷前，一如刘明之□，更少数药耳"。《图经本草药性总论》即类此，然不明原节要者是谁。

《本草正经》3卷　南宋·王炎　辑　约1217年

按　这是《神农本草经》最早的辑本。辑者王炎（1138—1218），字晦叔，婺源武口（今属江西）人；官"军器大监、金紫光禄大夫"。其有文学著作《双溪文集》存世。该集录《本草正经·序》，称其辑书的目的在于"存古""不忘其初"。该辑本是以《嘉祐本草》为辑佚底本的。序中还说："今考其书，论药性温凉、味甘苦多异。"由此可推知王炎曾对《神农本草经》的内容有过一些考订。此书在明末陈士龙藏书目录中还有著录，今已佚失。

《履巉岩本草》3卷　南宋·王介　编绘　1220年

按　见中篇168页。

《疡医本草》　南宋·颜直之　撰　1222年附

按　《苏州府志》（道光）著录该书。颜直之（1172—1222），字方叔，号乐闲居士，长洲人。其著医方本草多种，但诸书均佚。

《本草集议》　南宋·艾原甫　撰　约1224年

按　陈衍《宝庆本草折衷》略记此书内容及特点，云："（艾氏）遴选近要药物，会集唐谨（慎）微、寇宗奭诸书，复以己意发越，叙括条品；考订精详，议论明整。凡药有种类同而性用切似者，如磁石与玄石，如附子与天雄，此等多总为一条。然其条犹稍亏也。虽从《证类》之本，排具部品，而间亦颇相互。又立药性杂辨，以纪畏恶反忌之说，列于帙端。至于论药之异名，制药之方法，并注目录条下。惟禽部不书，乃著常食论说七篇，而鸡鸭飞禽皆并论之矣。此篇之文断于终卷之尾。"由此可知该书是一部颇有创见的实用本草，在编写方式上也有所改进。据陈衍推考，此书约成书于嘉定、宝庆年间，1224年前后。原书佚，《宝庆本草折衷》存其佚文数十条。

《本草备要》　宋·王梦龙　约1225年

按　南宋·陈衍《宝庆本草折衷》记曰："《本草备要》：宝庆（1225—1227）中婺州太守王梦龙，字庆翔，山阴（浙江绍兴）人。谓张松《本草节要》，其间编叙无伦。乃增入药物异名、土产之宜、美恶之辨，注于目录之内。其分别部品，并循《证类》原式。凡逐条性味功用，即张松之旧文耳。于中又增药数品，虽欲备张松之阙，然亦不甚切也。王守自为序。"原书今佚。据陈衍所言，该书只是《本草节要》的增补本而已，无甚特色。

《本草之节》（原附《太平惠民和剂局方》之前）　南宋·黄伯訹　辑　约1226年

按　南宋·陈衍《宝庆本草折衷》记："宝庆（1225—1227）中监建宁府合同场提督惠民局黄伯訹，永嘉（浙江温州）人所述。亦先纂本草常用药物以冠（《和剂局方》）卷前，一如刘明之之旧，更少数药耳。仍撮许洪总论，辅以杂方考。此编述笺注规度悉蹈刘明之轨辙也。福建路提举天台王梦龙为序。按，刘明之书传世已久，而黄伯訹书始行焉。"参"《图经本草药性总论》"条。

《本草辨疑》　约1227年

按　撰者佚名。南宋·陈衍《宝庆本草折衷》载："此书亦是本草之节，特异其名尔。所编药品，并如张松。混括经、注，并为一段。又纪产药州土，兼略画图像。仍自创灯心草及马勃二图。虽依《证类》之本分排部品，乃以果、米、菜三部移于木部之后，惟人部阙之。亦掇陶隐居、掌禹锡、寇宗奭三家之序总为义例，与诸药异名，叙之于前。"可知此书配有药图，并有新增药图，这在南宋节要性本草中是个例外。原书早佚。

《本草简要歌》　1227年附

按　书佚。《宝庆本草折衷》存其佚诀1条："越瓜却乃是稍瓜。"

《皇宋五彩本草图释注义》60本　1227年附

按　清·孙从添《上善堂书目》载："《皇宋五彩本草图释注义》，六十本，缺三十本，季沧苇藏本。"今未见他书著录该书，书恐佚。

《宝庆本草折衷》20卷　南宋·陈衍　撰　1248年

按　见中篇171页。

《彩画本草》　南宋·尹氏　1252年附

按　南宋·周密《志雅堂杂抄》记："先子向寓杭收异书，太庙前尹氏（为书贾之名）尝以《彩画王辅图》一部求售……尹《彩画本草》一部，不知流落何所。"由此可知该书早佚。周密（1232—1298）之父曾购求此书，故将此书出现年代系于1252年。

《活国本草》 宋·胡铨 撰

按 《江西通志稿》著录该书。胡铨，庐陵（江西吉安）人。从书名看，其似乎并非药书。

《禅本草》 南宋·文雅 著

按 此佛家书，与药无关。《九江府志》（1874）著录该书。

《全芳备祖》58卷 南宋·陈景沂 辑 1253年

按 该书仿唐·欧阳询《艺文类聚》的形式，收集以植物为对象的诗词歌赋。每一种植物之下，分事实祖、赋咏祖、乐府祖。事实祖简述名称考释、植物形态、用途等内容；其他部分则汇集诗赋中与该植物有关的章句。这对了解植物形态和用途有一定参考价值。书中也列有"药部"，但其仅收36种植、矿物药，内容单薄。明·王象晋《群芳谱》、清·刘灏《广群芳谱》都是在此书基础上扩充而成的。或谓此书为我国第一部植物词典，实言过其实。近农业出版社影印日本图书寮藏建安麻沙本。

《谷菜宜法》 宋诩 1265年附

按 该书今存于《百川学海》（1265—1274）丛书中。

《中朝食谱》 宋·陈达叟 编
《本心斋蔬食谱》1卷 宋·陈达叟 撰 1265年附

按 陈达叟，清漳人。陈达叟除撰《蔬食谱》之外，还编过《中朝食谱》。《蔬食谱》今存于多种丛书中，如《借月山房汇钞》《百川学海》《说郛》等。

《食禁经》3卷 高伸 撰

按 《宋史·艺文志·农家类》著录该书。书今佚。

第四章　金元时期

（1115—1368）

《素问药注》　金·刘完素　撰　1185 年附

按　刘完素（约 1132—1200），字守真，号通玄处士，河间（今属河北）人，故又称"刘河间"；金元四大家之一，倡火热学说。明·熊均《医学源流》载其撰《素问药注》。书今佚。

《本草论》　金·刘完素　撰　1185 年

按　此论见《素问病机气宜保命集》第九。其引述《黄帝内经》气化、制方、君臣佐使、气味厚薄阴阳及治法之论说，结合《伤寒论》用药法，以印证《黄帝内经》中的治法理论。此篇还对陈藏器十剂之说，《神农本草经》三品之说、毒药用法等以及《圣济经》中的药理说，予以阐发。尤其是对七方十剂，做出了较明确的解说，并列举药证。此论杂糅金以前有关药性治方的理论，为金代较早的本草专论。

《药略》　金·刘完素　撰　1185 年

按　该篇为《素问病机气宜保命集》卷下。该篇列药 65 种，注出药物主要功效或归经。刘完素按形、色、性、味、体五种说理体系，阐释药理（参见上篇 44 页）。

《珍珠囊》　金·张元素　撰　1200 年附

《洁古珍珠囊》　金·张元素　撰　1200 年附

  按　前者为《医要集览》本，后者为《济生拔粹》本，均见中篇 174 页。

《洁古本草》2 卷　金·张元素　撰

  按　明·焦竑《国史经籍志》著录该书。今未见。

《脏腑标本药式》1 卷　题金·张元素　撰　1234 年附

  按　此书题为张元素撰，但晚至清·周学海《周氏医学丛书》始载。周学海认为："此编无单行本，世亦绝少知之者。止见李东璧《本草纲目》前载之。而高邮赵双湖，收入《医学指挥》中。其小注校《纲目》本稍多，殆赵氏所增耶。"李时珍《本草纲目》卷 1 载"脏腑虚实标本用药式"，以五脏六腑为纲，述各脏本病、标病，以泻、补、寒、发等治法为目，类列有关药名。但李时珍未注明此篇是张元素撰，后世题为张元素书，当系托名。该书近代多次印行，张寿颐（山雷）又为之补正，扩为 3 卷，名《脏腑药式补正》，1958 年上海科技卫生出版社铅印之。

《药类法象》　金·李东垣　撰　1251 年附

《用药心法》　金·李东垣　撰　1251 年附

《药象论》　金·李东垣　撰

《用药珍珠囊》　金·李东垣　撰

  按　以上四书见中篇 176 页。

《李东垣药谱》1 卷

  按　明·朱睦㮮《万卷堂书目》著录《东垣药谱》1 卷。清·钱曾《也是园藏书目》著录《李东垣药谱》1 卷。今均未见。

《东垣珍珠囊》　托名金·李东垣　撰

  按　此书即张元素《珍珠囊》，李时珍指出："后人翻为韵语，以便记诵，谓之《东垣珍珠囊》则谬矣。"误题李东垣所撰之书甚众，名称或异，如《东垣方指掌珍珠囊》《药性珍珠囊》等。

《诸药论》　元·李浩　撰　1279 年撰

按　《滕县志》（1716）载此书名。李浩，祖籍曲阜，五世祖迁居滕县（均属山东）；精医。其所著之书有多种，均佚。

《药谱》1 卷

按　清·钱曾《也是园藏书目》著录该书。

《药象图》　元·罗天益　撰

《咬咀药类》1 卷　元·罗天益　撰　1283 年

按　罗天益，字谦父（一作谦甫），真定（河北正定）人；名医李东垣弟子，后任太医。其所撰《药象图》，今佚。所著《卫生宝鉴》卷 21 为《咬咀药类》，载药 100 种，论药物拣择炮制。经校比发现，该篇内容多抄自李东垣《药类法象》。卷末所列诸药论，亦多本李东垣。《卫生宝鉴》今以 1938 年上海涵芬楼影印本为多见。

《至元增修本草》　元·许国祯　等撰修　1284 年

按　许国祯，字进之，山西曲沃人；博通经史，尤精医学。明·王圻《续文献通考》载"世祖至元二十一年（1284），命翰林承旨撒里蛮，翰林集贤大学士许国祯，集诸路医学教授增修"而成《至元增修本草》。其为元代惟一的药典性本草，今佚。据上述记述，此次编修也有地方上的医学教授参加。

《本草歌括》2 卷　元·胡仕可　编　1295 年

按　《本草纲目》简介："元瑞州路医学教授胡仕可，取本草药性、图形作歌，以便童蒙者。"《中国医籍考》存该书自序，署名为"宜丰可丹仕可"，是知胡仕可，字可丹，江西宜丰人。日本冈西为人《本草概说》云："自序于元贞元年（1295）成书，可见是后世续出的药性歌之端绪。"今上海图书馆所存《新刊校讹大字本草歌括》，又名《图经节要补增本草歌括》，系经明·熊宗立补增之本，今从中可见草部原编 153 种，熊宗立补增 26 种；木部原编 64 种，熊宗立补增 14 种。每药下所附之图，取自《证类本草》。其以小字注明性味、产地、形态、别名等；大字书写七言歌括一首，叙药物功能主治。此本虽经补增，然依旧可从中窥见书之原貌。另上海图书馆还藏有一种《图经节要补增本草歌括》，其与此本内容相似，而分卷更细（8 卷）。该书，《医藏目录》作 2 卷，《国史经籍志》作 8 卷，可见两者所依据的是不同的版本。

《本草》　元·俞时中　纂　1295 年附

　　按　《金华县志》（1894）载其书。书今佚。俞时中，字器之，浙江金华人；元太医令。

《汤液本草》3 卷　元·王好古　撰　约 1298 年

　　按　见中篇 177 页。

《本草经》　元·王东野　注 1300 年附

　　按　《吉安府志》《庐陵县志》载其事。王东野，名平，永新（今属江西）人；精方脉，尝注《本草经》。书今佚。其大德初为永新州官医提领，至大四年（1311）后被荐为太医。《江西通志稿》误载其书名为《本草经疏》。

《用药十八辨》1 篇　元·李云阳　撰　1300 年附

　　按　此篇存于元·黄石峰《痘疹玉髓》卷 2。李元阳为纠正痘疹治疗中 18 种误用之药而撰此文。黄石峰在李元阳辨药之后，附以评语，用七言诗形式表述。中国中医科学院存明代建邑书林余秀峰绣梓本影抄件《（秘传）痘疹玉髓》。

《诸方辨论药性》（《秘传眼科龙木论》卷 9、卷 10）　2 卷　1300 年附

　　按　《秘传眼科龙木论》成书年代至今仍有争议，一般认为其成书于宋元之间。不著撰人。或有题作明·葆光道人编撰者。其卷 9、卷 10 为《诸方辨论药性》，分玉石、草、木、人、兽、禽、虫、鱼、果、米谷、菜诸部叙药 164 种，且这些药皆可治眼病。此篇叙用药、制药法，内容单薄。1958 年后有该书铅印本。

《饮膳正要》3 卷　元·忽思慧　等撰　1330 年

　　按　见中篇 179 页。

《本草类要》10 卷　元·詹瑞方　撰

　　按　明·焦竑《国史经籍志》著录该书。书今佚。《永乐大典》残卷存其佚文。

《本草元命苞》9 卷　元·尚从善　撰　1331 年

按　中国中医科学院所藏黄丕烈旧抄本，署"御诊太医宜授成全郎上都惠民司提点尚从譱（善）撰"，有至顺二年（1331）序。序称："读书之暇，撷其切于日用者 468 品，取其义理精详，治法赅博，纂而成章。"该书分部仿《大观本草》，收药 468 种，药品排列次序较《大观本草》有所调整。各卷药物前均编有序号，且其下次第简述君臣佐使、性味、功效、主治、产地、采收、形态等。

《日用本草》8 卷　元·吴瑞　撰　1331 年附

按　李时珍曰："《日用本草》：书凡八卷。元海宁医士吴瑞，取本草之切于饮食者，分为八门，间增数品而已。瑞，字瑞卿，元文宗时人。"又《经籍访古志》载："《家传日用本草》嘉靖四年刊本，聿修堂藏。元新安医学吴瑞编辑。七世孙镇校补重刻，首有嘉靖四年李汛序，吉氏家藏及称意馆藏书记印。"该书收食物 540 余种，编为 8 卷。李时珍曾摘采该书内容。今北京大学图书馆藏泰昌元年（1620）钱允治校刻本，书分 3 卷，但其并非李时珍所引《日用本草》，乃伪托之书。真本今国内无存，日本有藏。

《饮食有度》1 卷　元·李鹏飞　辑　1351 年

按　李鹏飞（1282—?），自号澄心老人，九华（今安徽青阳）人。其所撰《三元参赞延寿书》第 3 卷为《饮食有度》，专谈饮食宜忌，分五味、食物（又分果实、米谷、菜蔬、飞禽、走兽、鱼类、虫类）二部分摘取前人有关资料。"食物"一节只录损益参半者，对于有损无益、有益无损者皆不录。其每条下仅述宜忌，与一般本草不同，内容丰富。今有胡文焕《寿养丛书》本（1592）。中国中医科学院等处有藏。

《本草衍义补遗》　元·朱丹溪　撰　1358 年附

按　见中篇 180 页。

《丹溪本草》1 卷　题元·朱丹溪　撰

按　明·叶盛《菉竹堂书目》著录该书，今未见。

《养生之要》1卷　元·汪汝懋　编辑　1360年

按　汪汝懋，字以敬，号邈斋，原籍安徽歙县（一说浮梁，今江西景德镇），后徙居浙江淳安桐江，又号桐江野客；至正年间（1341—1368）任国史馆编修。其尝增广太史令杨元诚旧作而成《山居四要》。该书卷2为《养生之要》，分"服药忌食""饮食杂忌""解饮食毒""饮食之宜""法制馁败"5篇，汇辑前人所论，多涉及食疗。该书有胡文焕《寿养丛书》本（1592）、《格致丛书》本。

《补注本草歌括》6卷（一作8卷）　元·何士信　补注　1368年附

按　何士信，福建建安人。《中国医籍考》载该书为8卷，注云"存"，但我国未见该书。

《丹溪药要》　元·赵良仁　撰　1368年附

按　《续经济考》引《姑苏郡志》云，赵良仁，字以德，占籍长洲（今苏州），为朱丹溪弟子。其所著《丹溪药要》等书，今佚。

《四时宜忌》　元·瞿祐　辑

按　瞿祐，字宗吉，元时钱塘（今浙江杭州）人。他的这本《四时宜忌》直到清末《学海类编》（106册）才出现。未见他书著录该书。该书按月辑录本草、方书中有关药物采收及服食宜忌，其内容均抄自前人之书，别无心得。

《本草发挥》1卷　元·滑寿　撰　1368年附

按　滑寿，字伯仁，号樱宁生；祖籍河南襄城，其祖迁居江苏仪征。滑寿为元末著名医学家。《浙江通志》著录该书。书今佚。

《本草发挥》4卷　元·徐彦纯　辑　1368年附

按　徐彦纯（？—1384），字用诚，会稽（今浙江绍兴）人，客居苏州。其于元末（一说明初）辑成本书。该书分部同《证类本草》，载药270种，并按自然属性将药分为玉石、草、木、人、兽、禽、虫鱼、果、菜等部类。其卷4为总论，列述药性理论。其于各药下简介性味功治，引录金元诸家论说。

该书卷1各药下，多先引药物性味功用，再引述前代文献。卷2、卷3于各药下，多单纯引述前代文献。其所引文献多从临床实用出发。其于常用药下，如人参、甘草、生姜、桂、柴胡、大黄、牵牛子、附子、石膏等药下，援引前代文献较多。对一些服食有害药物的，该书亦加以引述。如其对朱丹溪"石钟乳"久服有害论转录如下："石钟乳为慓悍之剂，自唐时太平日久，膏粱之家，惑于方士长生之说，以药石体重气厚，可以延年，习以成俗，迨宋及今，犹未已也，斯民何辜受此气悍之祸，衰哉！本草赞其久服有延年之功，而柳子原从而述其美，予不得不深言之。"

前3卷，几乎全是转录的前人资料，极少有徐彦纯本人见解。书名虽称"发挥"，但其在药物方面并无"发挥"。所以，李时珍评曰："取张洁古、李东垣、王海藏、朱丹溪、成无己数家之说，合成一书尔，别无增益。"

卷4，集前代名医用药总论而成，主要论述药性；徐彦纯根据《黄帝内经》理论，在药性方面做了一些发挥，其中有关药物气味厚薄、归经、制方用药等的发挥较多。

该书"随证治病药品"介绍了常见症状的一般用药，如"头痛须川芎，如不愈，加引经药：太阳川芎，阳明白芷，少阳柴胡、太阴苍术、少阴细辛，厥阴吴茱萸；头顶痛用藁本去川芎；肢节痛用羌活"。

该书"㕮咀"指出当归拈痛汤重用羌活以治遍身痛，天麻半夏汤重用天麻、半夏，以治风痰头痛。

该书刊本，今有明天启年间聚锦堂刻本，藏于浙江图书馆；又有明太医薛铠（良武）校订、其子薛辛甫校刻本，今存于《薛氏医案》（丛书），各地多藏。

此外，和本书同名异书者为元·滑寿撰的《本草发挥》，书已佚。

《本草韵会》

按 明·徐春甫《古今医统大全》著录。未见该书。

《饮食须知》8卷 题元·贾铭 撰

按 《学海类编》（1831）始收此书，未见明以前书志著录该书。《海昌外志》（明末抄）云，贾铭，字文鼎，为万户之长。此书选食物250余种，并将之分水、谷、菜、果、味、鱼、禽、兽8类，简述诸品性味宜忌。书中载陶节庵等人之言，且有元代未见记载的落花生、南瓜等，故其当系托名之书（参见中篇193页）。

第五章　明　代

（1368—1644）

《药性赋》1 卷

　　按　同名书有多种。本书分寒、热、温、平四赋，分别述药 60、60、54、66种，共 240 种。该书内容流畅易晓，药效简明。其最早见于《医要集览》丛书，与《珍珠囊》合刊，不著撰人。后人多合此二书为《珍珠囊药性赋》，题为张元素或李东垣撰，此实为托名。

《本草药性赋》1 卷

　　按　明·焦竑《国史经籍志》著录该书。

《类编本草集注》　　明·崇安　辑

　　按　著者佚其姓。叶子奇《本草节要》多本此。

《本草节要》10 卷　明·叶子奇　撰　约 1378 年

　　按　《浙江通志》著录该书。未见该书。叶子奇，一名锜，字世杰，号静斋，浙江龙泉人；元末明初浙西著名学者。其于洪武十一年（1378）著《草木子》。该书"观物篇"记有一些对人体、动物、植物的认识，颇多新见，《本草纲目》数引其说。《龙泉县志》（1762）载《本草节要·序》，谓叶子奇年老居闲，出崇安《类编本草集注》，钩玄提要。该书首列《神农本草经》药性，次叙形态，审药备方，多宗寇宗奭之说。书佚。《本草汇言》"阿胶"条所引《叶氏本草》，疑即此书。

《本草歌括》　明·刘纯　编1388年附

按　刘纯，字宗厚。其先淮南吴陵人，后移居关中咸宁（今陕西长安）。其父刘橘泉，曾受业于朱丹溪之门。刘纯继家业，医道大行。李时珍注胡仕可《本草歌括》时谓刘纯亦有同类作品。今未见该书。

《汤液本草》　明·李暲　撰

按　康熙《松江府志》、乾隆《娄县志》著录该书。书今佚。李暲（璋），字叔如，华亭（今上海）人。

《类证用药》　明·戴思恭　辑　1405年附

按　明·焦竑《国史经籍志》著录该书。书今佚。戴思恭（1323—1405），字原礼，婺州浦江（今浙江金华）人。其从朱丹溪学医，名盛于浙东西，后为太医院使。《明外史》有其传。

《救荒本草》2卷　明·朱橚　撰　1406年

按　见中篇182页。

《庚辛玉册》2卷　明·朱权　撰　1426年附

按　朱权，号臞仙，明太祖第十六子，被封为宁献王。李时珍介绍："宣德（1426—1434）中，宁献王取崔昉《外丹本草》、土宿真君《造化指南》、独孤滔《丹房镜源》、轩辕述《宝藏论》、青霞子《丹台录》诸书所载金石草木可备丹炉者，以成此书。分为金石部、灵苗部、灵植部、羽毛部、鳞甲部、饮馔部、鼎器部，通计二卷。凡五百四十一品。所说出产形状，分别阴阳，亦可考据焉。王号臞仙，该通百家，所著医、卜、农、圃、琴、棋、仙学、诗家诸书，凡数百卷。《造化指南》三十三篇，载灵草五十三种，云是土宿昆元真君所说，抱朴子注解，盖亦宋、元时方士假托者尔。古有《太清草木方》《太清服食经》《太清丹药录》《黄白秘法》《三十六水法》《伏制草石论》诸书，皆此类也。"今未见该书。李时珍引

《造化指南》时常称《土宿本草》。

《本草权度》3 卷　明·黄济之　撰　1437 年附

按　该书为综合性医书，与药无关。存此免误。

《用药珍珠囊诗括》　明·杨澹庵　1440 年附

按　书今佚。《续经济考》载杨士奇介绍杨澹庵之言，谓"尝坐累讼系，闲暇无所用意，则著此书"。此人当与杨士奇（1365—1444）同时。

《本草集略》　明·解延年　撰　1442 年附

按　《登州府志》（1694）著录该书。书今佚。解延年，字世纪，山东栖霞人；正统七年（1442）进士。官宦余暇，其著医书多种。

《补增本草歌括》8 卷　元·胡仕可　原编　明·熊宗立　增补　1446 年附

按　熊宗立，名均，字道轩，号勿听子，明初福建建阳人。其校刻医书 20 余种，厥功甚伟。《补增本草歌括》（全名《图经节要补增本草歌括》）是熊宗立在元·胡仕可《本草歌括》基础上补增而成的（参本篇 285 页）。另，《经籍访古志》载《图注节要补注本草歌括》6 卷，注称"元敕授抚州（当作瑞州）路医学教授胡仕可编次，前建安进士何士信增注"。熊宗立此书是否以何士信本为蓝本尚待查考。此本字句讹误、刊脱处颇多。

《药性赋补遗》　明·熊宗立　补注　1446 年附

按　清初《续经济考》卷 3 著录此书。日本冈西为人推测《历代名医录》所著录的《药性赋补遗》大概就是《增补本草歌括》（《中国医书本草考》236 页）。书佚失考。

《滇南本草》3 卷　明·兰茂　撰　1449 年附

按　见中篇 184 页。

《本草证治辨明》10 卷　明·徐彪　撰　1451 年附

按　《明史》著录该书。书今佚。徐彪，字文蔚，号希古，上海华亭人。其家世为医官，徐彪亦供职太医院，并于景泰二年（1451）升院判。

《本草集要》8 卷　明·王纶　辑　1492 年

　　按　见中篇 187 页。

《用药、药戒》1 卷　明·周恭　辑　1493 年

　　按　此卷为《医说会编》（1493）卷 3。作者周恭，字寅之，别号梅花主人，江苏昆山人。该书为笔记体医书。本卷"用药"一项载论 38 条，"药戒"载论 21 条，多辑自前人书。此外，《医说会编·养生调摄》与《医说会编·食忌》，共载 80 余条论说。中国中医科学院藏有该书。

《神农本草经会通》10 卷　明·滕弘　辑　1495 年附

　　按　今存万历四十五年（1617）刻本，其藏于中国科学院。书前滕万里序（1616）称，滕弘，别号可斋，西瓯（贵州贵县）人，为其六世祖。据此可知滕弘约生活于 15 世纪。其书分草、木、果、谷、菜、玉石、人、兽、禽、虫鱼 10 部，载药 958 种（仅很少一部分为《神农本草经》药）。该书多取《证类本草》及金元医家诸本草之资料，列叙药物的采取、性味、功效等。书中引文仿《汤液本草》体例（如"珍云""心云"等），其中"集云"下的内容疑为《本草集要》内容，故将此书撰年附于 1495 年。书名"会通"，实无多少新意。

《新编注解药性赋》　明·刘全备　编注　1500 年附

　　按　刘全备，字克用，柯城（今河南内黄）人。其熟谙医经，著书多种。该书或著录为《编注药性》《注解药性赋》。卷前论用药与四时治法关系。正文每句赋文用大字，并以小字注出典故、治验、性用、单方等。卷末列述各脏腑用药法及补真养性内容。中国中医科学院藏该书明刊本（1500 年刊）。

《本草品汇精要》42 卷　明·刘文泰等　撰　1505 年

　　按　见中篇 188 页。

《药性赋》4 篇　明·严萃　编　1510 年附

　　按　《嘉兴县志》（1685）记载，严萃，字蓄之，浙江嘉兴人；弘治十一年

（1498）授广东阳江令。其祖上业医，故其暇则躬研医药，撰《药性赋》4 篇，分寒热温平之异。书今佚。笔者疑此即与《珍珠囊》合刊之《药性赋》（见本篇 290 页）。

《药性赋》　明·傅滋　撰　1516 年附

按　傅滋，字时泽，号浚川，浙江义乌人。其博学精医，著《医学集成》（1516）12 卷。李时珍载其撰《药性赋》，今未见该书。

《本草约言》4 卷　明·薛己　辑撰　约 1520 年
《药性本草》2 卷
《食物本草》2 卷

按　《本草约言》由《药性本草》《食物本草》两书组成（见中篇 192 页）。

《食物本草》4 卷　佚名氏　绘　1520 年附

按　该书为彩绘本，郑金生首次报道了该书药图情况（《中药材科技》，1983 年 6 期）。其分类及文字内容悉同薛己《食物本草》。书中不著编绘人，共有药图 467 幅。其图为工笔精绘，在风格上极似《本草品汇精要》之图，且两书中少数药图形状像同出一人之手。药味仅 385 种，故有时一药数图。如"李"条有 21 幅不同品种的李树图；"梨"条有 7 图；"酒"条有 16 幅制酒图，概括了制酒的全过程。对栽培植物的描绘甚精细，为该图谱的特色。书中有些药图也存在着明显的错误，如将银杏叶画成奇数羽状复叶，把落花生果实绘成大桃状等。这可能是画师们未见原物，凭文字想象绘成的缘故。今该书存于中国国家图书馆。

《儒门本草》　明·卢和　撰

按　《东阳县志》（1828）卷 27 著录该书。书佚。

《食物本草》2 卷　题明·卢和　撰稿　1521 年附
《食物本草》2 卷　题明·汪颖　撰　1521 年附

按　以上二书见中篇 193 页。

《本草会编》20 卷　明·汪机　编　约 1522 年

按　汪机（1463—1539），字省之，安徽祁门人。其居祁门石山，故号石山居士，人称汪石山。其精通医术，名噪一时。其著有《本草会编》。书今佚。陈嘉谟《本草蒙筌·序》载："吾邑汪石山续集《会编》，喜其详略相因，工极精密矣。惜又杂采诸家，而讫无的取之论。"李时珍评曰："惩王氏《本草集要》不收草木形状，乃削去本草上中下三品，以类相从。菜谷通为草部、果品通为木部，并诸家序例共二十卷。其书撮约似乎简便，而混同反难检阅。冠之以荠，识陋可知；掩去诸家，更觉零碎。臆度疑似，殊无实见，仅有数条自得可取尔。"（《本草纲目·序例》）

《野菜谱》1卷　明·王磐　撰　1530年附

按　王磐（1470—1530），字鸿渐，号西楼，南京高邮人；著名散曲家。其因见当时江淮连年水旱，恐饥民误食野菜伤生，乃集野菜60种，各附一图、一诗，简述其形态、用法。该书图形粗拙，诗歌格调虽高，但从植物、药物学角度来看，并无多大科学价值。其一名《王西楼野菜谱》。该书流传甚广，《农政全书》《山居杂志》《三续百川学海》等丛书均予收载。

《药性书》　明·方广　撰　1536年附
《脉药证治》　明·方广　撰　1536年附

按　方广，字约之，号古庵，新安休宁（今属安徽）人。其推崇《丹溪心法》，以儒医名世。其尝编订《丹溪心法附余》，集药性、脉理、病机、治法、经络、运气六者于一书。《续经籍考》载其撰《药性书》，《古今医统》载其撰《脉药证治》。未见二书存世。

《古庵药鉴》2卷　明·方广　撰　1536年附

按　该书分治风、热、湿、燥、寒、疮、实、虚8门，各门又分数类，各类开列药名，分述性味、功能等。每药下寥寥数语，无甚新意。该书今存于《丹溪心法附余》、明贺岳《医经大旨》、皇甫嵩《本草发明》诸书中。近代陶湘将其单独抄录。

《食品集》2卷　明·吴禄　编录　1537年

按　书前有许应元序、苏志皋序（1556）及沈察跋（1537）。吴禄，字子学，号宾竹；吴江县医学候缺训科。所辑该书分谷、果、菜、兽、禽、虫鱼、水7部，收食物342种。经核查发现，该书内容与卢和《食物本草》大同，但次序略有变更，并将"味类"散入谷、菜部。其卷末附五味宜忌等内容，此多辑抄自前人书。近有中国书店影印明刊本。中国国家图书馆藏该书手抄本。

《药性粗评》4 卷　明·许希周　辑纂　1541 年

按　许希周，字以忠，舂陵（今属湖南宁远）人。其以药书浩瀚不便记忆，乃"杂举众意味相对者，属之以词"。该书分草木、玉石、禽虫、人 4 类，有骈语 506 条，涉及药物 1000 余种。各条首列骈语 2 句，述二药之功效，下注产地、品种、采收等，次列味、性、主治，末附单方。该书简明实用，但创见甚少。今有嘉靖三十年（1551）刻本，藏于河北医学院及中山大学中山医学院。

《本草源流》1 卷　不著撰人

按　明·叶盛《菉竹堂书目》著录该书。未见该书。

《药性要略大全》11 卷　明·郑宁　撰　1545 年

按　《中国医籍考》著录该书，注云"存"，并载郑宁序（1545）。郑宁，字七潭，歙北丰阳人。其谓古今方书众说纷纭，乃取诸书，参互订正，撰成该书。原书今存于日本，国内有复制件，且有校点本及影印本。

《释药》4 卷　明·程伊　撰　1547 年附

按　程伊，字宗衡，号月溪，新安岩镇（今属安徽歙县）人。明·殷仲春《医藏目录》著录程伊《程氏医书六种》（1547），《释药》为其中之一，又名《释药集韵》。今未见该书。

《饮食》1 卷　明·周臣　编辑　1549 年

按　周臣，字在山，原籍江苏吴县，后入籍河北霸县；官吏。其纂《厚生训纂》，汇编养生诸法。该书卷 2 为《饮食》，首列饮食宜忌一般原则，继列各饮食物宜忌，末附服药忌食之物品、救荒所备食品等。今有胡文焕文会堂本（1592），北京大学等数处有藏。

《本草拾珠》　明·万全　撰　1549 年附

按　明·祁承爜《澹生堂书目》著录该书。今《万密斋医学全书》（1549）中未见此书。万全，字密斋，罗田（今属湖北）人；为明代著名儿科学家。

《本草正讹》　明·袁仁　撰　1550 年附

按　此书未见。《中国医籍考》注云："见于王畿《袁参坡小传》。"袁仁，字良贵，号蒢坡，苏州人。袁仁当与王畿（1498—1583）同时，故附其书于 1550 年。

《药性准绳》　明·贺岳　撰　1556 年附
《本草要略》　明·贺岳　撰　1556 年

按　贺岳，字汝瞻，海盐（今属浙江）人。其初撰《药性准绳》，书今佚。其又撰《医经大旨》（1556），该书卷 1 为《本草要略》（书口作"药性"）。"凡例"称该卷之药"出自东垣《珍珠囊》，丹溪秘传，随身备用计七十种"。该书后附"古庵药鉴"。今有明嘉靖余氏敬贤堂本，藏于中国中医科学院等处。

《药性赋》　1 卷　明·冯鸾　撰　1560 年附

按　冯鸾，字子雍，通州（江苏南通）人；嘉靖三十一年（1552）以贡举，授郧西知县。《通州志》（1674）等载其医学著述名。书今佚。

《人参传》　明·李言闻　撰　1564 年附

按　此书为本草史上现知第一部人参专著。原书已佚，佚文存于其子李时珍《本草纲目》中。该书对人参加工、性味、功效、配伍禁忌等，均有论述。李言闻尝为太医院莲幕，其子李时珍承医业，以医药闻名于世。

《本草蒙筌》　12 卷　明·陈嘉谟　撰　1565 年

按　见中篇 191 页。

《本草蒙筌撮要》　1 卷　明·蔡承植　撰　1565 年附

按　明·殷仲春《医藏目录》著录该书。未见该书。

《本草纂要至宝》　9 卷　明·方谷　著　1565 年

按　方谷（1508—?），字龙潭，安徽徽州人；任钱塘医官。据书前的序言知，该书撰于 1565 年。该书现有万历十五年（1587）杨鹤泉抄本（藏于上海中医药大学）。此本无序、跋、凡例，书前有"明经法制论""用药权宜论"二篇，书末附"药性赋"一篇。倘将此三篇各作 1 卷计，则适符《明史》所记《本草集要》（见本篇 300 页）卷数。正文 9 卷，载药 178 种。该书简述药性功效，间附药论及单方。

《食鉴本草》2 卷 明·宁源 编 1566 年附

按 宁源，号山臞，京口（江苏镇江）人。该书取兽、禽、虫、果等可食之品 100 余种，简述性味功效，附前人论说及方剂。书中间有个人解说（注以"新增"）。其约成书于嘉靖年间，故今将其附于 1566 年。李时珍评曰："《食鉴本草》：嘉靖时京口宁原所编。取可食之物，略载数语，无所发明。"今存胡文焕文会堂刻本（1592），中国国家图书馆等多处有藏。

《太医院增补青囊药性赋直解》2 卷
《太医院增补医方捷径》2 卷 明·罗必炜 辑 1566 年附

按 此二书由闽书林杨能儒刻印时合刊，题太医院罗必炜参订。前书又名《医方药性》；后者简称《医方捷径》。二书均分上下两栏。《医方药性》载三部分内容：①《药性赋》（四性）；②张元素《珍珠囊》及李东垣《用药法象》中的若干资料；③《药性赋》，分玉石、草、木、人、虫鱼、果品、米谷、蔬菜、禽兽等类。这些内容与后世《雷公炮制药性赋》（有元山道人识者）内容基本相同，但《医方药性》之编排更为零散。此书在由闽书林黄心轴（或黄灿宇）刊行时卷首名为《鼎刻京板太医院校正分类青囊药性赋》，并题罗必炜（或罗右源）参订；封面名《青囊药性赋》（3 卷），扉页名《珍珠囊补药性全赋》。书后均附有《初学万金一统要诀》，介绍藏象与脉象，今中国中医科学院藏此残本。

《医方捷径》另有不同内容的"药性赋""诸品药性赋"各一篇。卷下"增补分门别类药性"，按功效列药，简述炮制法。

上二书合刊时或以第一部书为总书名，或名《太医院增补药性赋医方捷径真本》（1874 年闽书林刻）、《珍珠囊药性赋医方捷径》（清刻本）等。其也有 10 卷本，或名《医方药性初学要诀》（1904 年宝庆详隆书舍刻）、《珍珠囊药性全书》（1888 年知不足轩刻，两仪堂藏版）、《医门初学万金一统要诀》（多种清刻本）等。此书名称极乱，但均题罗必炜参订。此书各地多藏，今据其有明嘉靖本，而将其编年附于 1566 年。

《太乙仙制本草药性大全》8 卷　明·王文洁　编辑　约 1573 年

　　按　见中篇 195 页。

《本草纲目》52 卷　明·李时珍　撰　1578 年

　　按　见中篇 196 页。

《用药歌诀》1 册　不著撰人　1578 年附

　　按　该书实为方剂歌诀，并按风门、寒门等归类方歌。因书名易被理解为本草书，且被《全国中医图书联合目录》误列入本草类，故将其附述于此。其书被刊于明代《医要集览》丛书中。

《本草发明》6 卷　明·皇甫嵩　编辑　1578 年

　　按　皇甫嵩，号灵石山人，武林（今浙江杭州）人。他参阅诸本草及金元药性说，撰成此书。卷 1 为总论，分专题列药性理论。该书择药 600 种，以常用药居每卷上部，稀用品在下。该书还专于发明药物主治、配伍要点。该书将药分专治、监治两大法，叙说简明。药条之末注药物形态、产地、采收、炮制等。皇甫嵩之子皇甫相，曾参与编写。今有明刊本，藏于浙江图书馆等地。

《药性歌》1 卷　明·龚廷贤　编　1581 年

　　按　龚廷贤，字子才，江西金溪云林山人，自号云林。其著述甚富，所撰《万病回春》卷 1 即《药性歌》，朝鲜刊本曾予以单独刊行。该书共录四言药性歌括 240 首。天启二年（1622）长洲（今江苏苏州）邵达（字行甫）将《药性歌》增入明·皇甫中《明医指掌》卷 1，并于诸歌之下补充简单注文。此后清·张仁锡又在《药性歌》基础上扩充增注而成《药性蒙求》（参见本篇 359 页）。

《茹草编》4 卷　明·周履靖　编绘　1582 年

　　按　周履靖，字逸之，别号梅墟山人，又号梅癫，嘉禾（今浙江嘉兴）人。他性甘淡而嗜古，得草药 102 种，绘图撰诗，集成本书。卷 1 载李日华"茹草解"、张之象"飧英歌"二文，次载草物 50 种；卷 2 录张服采"采芝歌"、皇甫汸"烹葵歌"，后载草物 52 种。每物一诗一图，兼注食法。卷 3、卷 4 为"茹草纪言"，汇集前人书中有关茹草之说。诗文典雅悠闲，不似王磐《野菜谱》诗文情调凄苦。

该书之图形较精，皆由写生得来。中国中医科学院存明金陵荆山书林刻本（1644）。

《易牙遗意》2 卷　明·韩奕　编　1582 年附

按　该书分酝造、脯鲊、蔬菜、笼造、炉造、糕饵、汤饼、斋食、果实、诸汤、诸茶、食药等类，述食品 143 种，重在述食品之制作方法，其中亦有与医药相关者，内容丰富。作者韩奕，字公望，苏州人。周履靖为之校。

《本草切要》卷数不明　明·方谷　著　1584 年附

《本草集要》12 卷　明·方谷　著　1584 年附

按　方谷（1508—?），字龙潭，安徽徽州人；任钱塘医官。《明史》载《本草集要》12 卷，今未见该书。《本草汇言》引方谷药论及方剂 140 余条，其中出方谷《本草切要》者 10 余方。疑此二书与方谷《本草纂要至宝》实出一源。

《南产志》2 卷　明·何乔远　编次　1586 年

按　此书为《闽书》卷 150、卷 151，有日本单行本。何乔远，字稚孝，号匪莪，福建晋江人；明末大臣，博览，好著书。此 2 卷共载南产物品 334 种，其内容多取自前人书，间附己之见闻。该书资料甚富，且多有与药学相关者。中国中医科学院藏日本刻本。

《本草补》　明·曾砺　撰　1586 年附

按　曾砺，字石甫，山东阳信人；万历十四年（1586）进士。《阳信县志》（1759）载此书。书今佚。

《本草抄》　明·方有执　撰　1589 年

按　方有执（1573—1593?），字中行，安徽歙县人。《本草抄》未单行，附于方有执《伤寒论条辨》之后。此篇录药 91 种（皆张仲景所用药），简介性味功治，引录前人本草，附以己见，论及用药及药物品种等，以备检对。

《饮馔服食笺》3 卷　明·高濂　编次　1591 年

按　高濂，字深甫，号瑞南道人、湖上桃花渔，钱塘（今浙江杭州）人；明戏曲家，曾任鸿胪寺官。其撰《遵生八笺》。该书卷 11 至卷 13 为《饮馔服食笺》，集茶、汤、粥、果实粉面、蔬、曲、酿造等食品配制方法，间有与食疗相关者。该书有明清以来刊本 10 余种，中华人民共和国成立后有铅印单行本。明代钟惺（伯敬）、陈智锡（成卿）分别有校阅本，故或有误作钟惺所撰者。

《珍异药品》　明·高濂　撰　1591 年附

按　赵学敏《利济十二种总序》云："昔高濂有《珍异药品》，而搜其未全。"其佚文见《本草纲目拾遗》"透骨草""勾金皮""不死草"等药条下，记植物生境、形态、功治用法等。

《药性全备食物本草》4 卷　明·吴文炳　汇编　1593 年附

按　全称《新刻吴氏家传养生必要仙制药性全备食物本草》。吴文炳，字沛泉，盱江（今江西南城）人。该书收食品 459 种，分水、五谷、菜、果、兽、禽、虫、鱼、品味数类，附汤、酒、粥 100 余种。其内容多杂取诸家本草，叙诸品产地、形态、性味功用宜忌等，良莠毕集。书中未引李时珍之言，然多有《本草纲目》新增之品（如鸡塅、马槟榔等）。中国中医科学院藏刘钦恩刻本。

《雷公炮制便览》5 卷　明·吴武　撰

按　《医籍考》著录该书，注云"存"。今未见该书。此著录有误。吴武只是该书的序的作者，非该书撰者。

《新刊雷公炮制便览》5 卷　明·俞汝溪　辑　1593 年附

按　俞汝溪生平不详。该书非炮制专书，收药 968 种，且药均辑自《证类本草》（未收玉石部）。其于各药下以述性味、功效主治为主，略载炮制法。其所引若干《雷公炮炙论》条文，均被列于各药文末，别无新见。中国国家图书馆存明刊本。

《药纂》　明·吴崑　撰　1594 年附

按　吴崑（1553—?），字山甫，号鹤皋，安徽歙县澄塘人。其著有《医方考》等医书多种。《中国医籍考》引亡名氏鹤皋山人传云，吴崑有《药纂》诸书，将次第行于世。今未见该书。

《药性会元》3卷　明·梅得元　撰　1594年附

　　按　梅得元，字元实，钱塘（今杭州）人，万历年间人；精于医。其所撰《药性会元》，系节要本草，词简理约，兼述己之经验。国内未见其书。①《中国医籍考》注云"存"，并录该书陈性学序，由此可知其人其书之梗概。

《本草纲目注释》　明·沈长庚　注　1596年附

　　按　《南昌府志》（1873）著录诸书。书今佚。

《本草病因》1卷　明·冯淑沙　撰
《药性类明》（一作《药证类明》）2卷　明·张梓　撰

　　按　二书均见录于明·殷仲春《医藏目录》。《中国医籍考》注云《药性类明》"存"，今均未见该书。②

《药性赋大全》12卷　明·吴惟贞　编　1596年附

　　按　明·殷仲春《医藏目录》著录该书，"惟贞"作"维贞"。《中国医籍考》注云"存"，今国内未见该书。《宋以前医籍考》记日本藏吴惟贞参校、周绍濂补注的《药性赋》3卷，未解二者是否同书。吴惟贞，字凤山，长水人，生活于万历年间；有医书多种。

《本草定衡》13卷　题明·龚信　增补　1596年附

　　按　《医藏目录》载该书为龚廷贤撰。今存明刻本题为龚信增补。龚信，字西园，江西金溪人；太医院官。龚廷贤为其子。该书全称《重刊图像本草炮制药性赋定衡》。据范行准考证（《栖芬架书目录》），此书乃杂取《本草纲目·序》《大观本草》图文等拼凑而成，托名龚信（生活年代早于李时珍）。

---

　　①　笔者撰《历代中药文献精华》时，国内尚未有《药性会元》。该书已于20世纪末复制回归，今有影印本及校点本。

　　②　笔者撰《历代中药文献精华》时，未见此二书。《本草病因》作者冯愈，字淑沙，嘉靖年间人。其《病因三法》已从日本复制回归，但《本草病因》未见存世。张梓之书又名《药证类明》，今有孤本存世。

《本草便》2 卷　明·张懋辰　辑

　　按　张懋辰，字远文，海阳（今广东潮安）人，生活于 16 世纪。其撰《脉便》2 卷、《本草便》2 卷，并将二者合刊于《医便》一书之后。

《本草真诠》2 卷　明·杨崇魁　编辑　1602 年

　　按　见中篇 204 页。

《本草图形》4 卷　不著撰人

　　按　明·祁承爜《澹生堂书目》著录该书。未见该书。

《药性论》1 卷　明·罗周彦　编　1612 年

　　按　罗周彦，字德甫，号慕庵（一作慕斋），又号赤诚，歙县（今属安徽）人。该卷为其所撰《医宗粹言》（1612）10 卷之卷 4。该卷分上、下两部分。上部为"本草总论"及"药性纂"，下部为"制法备录"。"本草总论"将药理原则编为七言歌括，兼注义理。"药性纂"录 250 余种药，编为药赋。"制法备录"为炮制内容，总结了炮制十七法，后人误将此作为雷公炮制十七法。所论制法简明实用，颇多新见。今中国中医科学院等处藏明何敬塘刻本（1612）。

《用药准绳》2 卷　明·罗周彦　编　1612 年

　　按　此即《医宗粹言》卷 5、卷 6。其设风、寒、暑、湿等病证 69 目，下列应用诸药，别其功用。诸证之末，常缀以"丹溪活套"，以便临床。

《本草原始》12 卷　明·李中立　撰　1612 年

　　按　见中篇 204 页。

《药性歌括》1 篇　明·龚廷贤　编　1615 年

　　按　此篇载于龚廷贤《寿世保元》甲集卷 1 "本草门"，取药 400 种，编为四言歌括，下注炮制法。该门另有文 2 篇："药论"，阐发药性及剂型宜忌；"药有五法"，述汤膏散丸酒五法的作用。光绪二十年（1894）退省氏将之摘录单行，名《寿世保元四言药歌》。1958 年上海卫生出版社铅印之，更名《药性歌括四百味》。

《本草总括》2 卷　明·聂尚恒　撰　1616 年

按　此即《医学汇函》卷 12、卷 13。一名《本草总括分类》。今存于中国中医科学院。

《神农本经》3 卷　明·卢复　辑　1616 年

按　卢复，字不远，号芷园，钱塘（今杭州）人；明末浙中名医。卢复谓某些古代经典医著"有种子功能也"，并把《神农本草经》作为医经种子之一。其费时 14 年（1602—1616）辑成此书，此书为现存最早的《神农本草经》辑本。该书目录取自《本草纲目》所载《神农本草经》目录，佚文则辑自《证类本草》，载药365 种。今有《医种子》（1624）丛书本等数种刻本。

《芷园臆草·题药》不分卷　明·卢复　撰　1619 年

按　该书为《芷园臆草》之一种，前有万历四十七年（1619）自序。该序叙撰书始末：万历三十年（1602）春，卢复受仁和刘侯旨，集《本草约言》。卢复对药性义理反复参究，历 17 年还未撰成书。他"温习《纲目》，后题数言以自记。义出偶中，若泣若歌"，他的这些笔记被其子卢之颐整理订刻成《芷园臆草·题药》。该书系一笔记体读书心得，故无门类项目。该书共论药 43 种，以阐发药性机制为主。卢复受理学、佛教影响很深，在推求药理时，常徇名求义、比类象形。今上海中医药大学存上海中华新教育社石印本。另，该书存于《医种子》中。《医种子》，今有天启四年（1624）刻本，藏于四川省图书馆；又有日本抄本（有日人显美序文及眉注并望三英跋），存于中国中医科学院。

《药性解》2 卷　明·李中梓　撰　1619 年

按　见中篇 215 页。

《食物辑要》8 卷　明·穆世锡　撰　1619 年附

按　该书今仅存万历年间（1513—1619）刊本，藏于中国国家图书馆。明末陈继儒在《食物本草·序》中提到"曾睹娄江云谷穆君著《食物纂要》，最为简明，有补人世"，疑《食物纂要》即《食物辑要》。该书内容简明，且存有宋代《食治通说》佚文。

《金石昆虫草木状》27卷　明·文淑　绘　1620年

按　该书现藏于台湾"中央图书馆"，为彩色药物图谱。书前有张凤翼序（1631）、杨廷枢序（1632）、徐沇序、赵均序（1620）。赵均为绘者文淑之夫，其序略曰："余内子文淑，自其家待诏公累传以评鉴翰墨，研精缃素，世其家学，因为图此，始于丁巳，纥于庚申，阅千又余日，乃得成帙。"又曰："此金石昆虫草木状，乃即今内府本草图汇秘籍为之。"该书共载药材1070种，药图1315幅。文淑（1594—1634），长洲（今江苏苏州）人；明代名士文徵明之后。其书画得家法，更工花鸟。据台湾学者考证，文淑画卷蓝本的惟一可能来源是文徵明。文徵明有可能接触《本草品汇精要》，他应有一临摹写本传至文淑，以作蓝本。但文淑此画卷并非完全照摹，亦有增删。该书原有附卷绘其家有花草，今无。另，周祐、周禧之《本草图绘》，又摹自文淑画卷。

《药径》2卷　明·许兆祯　撰

按　一名《药准》。许兆祯，字培元，乌程（今浙江吴兴）人；万历年间医家，著述近10种，《药径》为其中之一。《中国医籍考》注云"存"，国内未见该书。

《上医本草》4卷　明·赵南星　辑　1620年

按　赵南星（1550—1627），字梦白，号侪鹤居士，高邑（今河北元氏）人；为万历年间大臣、文学家，兼知医。其尝以食物调治己之疾病，且均获愈，乃辑《本草纲目》中养生要品230余种，简述其品种、性味、主治、宜忌等，并附以单方。今该书有明赵悦学重刻本（1620）存世，藏于中国中医科学院等数处。

《本草摘要》　明·邵讷　撰

按　《余姚县志》（1899）著录。《天一阁书目》载晋陵龚道立为此书所撰之序。龚道立为万历十四年（1586）进士，则邵讷书亦约成于万历年间。

《本草诠要》　明·顾文熊　撰

按　顾文熊，字乘虬，江苏江阴人。《江阴县志》（1840）著录其书。

《本草发明》 明·陈廷赞 撰

按 陈廷赞，字襟宇，常熟（今属江苏）人。《常昭合志》（1949）著录其书。书今佚。

《本草正讹补遗》 明·徐昇泰 撰

《本草辨疑》数百卷 明·徐昇泰 撰

按 徐昇泰，字世平，会稽（今浙江绍兴）人。上二书见录于《绍兴府志》（1672）等书，今佚。

《本草补遗》 明·姚宏 撰

按 姚宏，山东巨野人；为医学训科。《巨野县志》（1840）载其撰医书多种，书均佚。

《读神农本草经疏》12 卷 明·缪希雍 1622 年

按 前 3 卷题为"续神农本草经序例"或"续神农本经"。经与缪希雍《神农本草经疏》对照，可知该书乃《神农本草经疏》节纂残本。此本疏药仅 126 种，书名卷次杂乱残缺。据《神农本草经疏》顾澄先题词，可知该书是一残刻本，由西吴朱汝贤刻印。《医藏目录》著录该书。今存于中国国家图书馆等处。

《炮炙大法》 明·缪希雍 口述 庄继光 录校 1622 年

按 见中篇 206 页。

《雷公炮制药性解》6 卷 明·李中梓 撰 钱允治 订补 1622 年

按 李中梓撰《药性解》2 卷（见中篇 215 页），钱允治为之订补。钱允治序（1622）称："余览雷公所论，僭为条附于各药之下，熬煮修事，种种俱悉。"其在付与太末翁氏刊刻时，将此书改名《（镌补）雷公炮制药性解》，厘为 6 卷，此书实为《药性解》增补本。钱允治共辑入"雷公云"135 条，"扁鹊云"1 条，自注 1 条。钱允治（1541—?），初名府，后以字行，更字功甫，姑苏（今江苏苏州）人；贫而好学，年 80 余，隆冬病疡，映日抄书，薄暮不止。订补此书时其已 81 岁。钱允治校订的医书还有《药性赋》等，但都托名为李东垣编。

《神农本草经疏》30卷　明·缪希雍　撰　约1623年

  按　见中篇206页。

《野菜博录》3卷　明·鲍山　撰　1622年

  按　鲍山，字元则，号在斋，自署香林主人，婺源（今属江西）人。其于自序中称，尝种可食植物于家圃，又向僧道访求蔬食，亲尝滋味，乃撰《野菜博录》（1622）3卷（草2卷，木1卷）。该书收野菜435种，绘图记用，各别性味，并载野菜调制法。该书图文多取自《野菜谱》及《救荒本草》。1935年江苏国学图书馆陶风楼影印之；次年商务印书馆《四部丛刊》予以收入。该书藏馆甚多。

《药性诗诀》1卷　明·沈应旸　编　1623年

  按　沈应旸（约1552—?），字绎斋，京口（今江苏镇江）人；医官。其编《明医选要》10卷（1623）。《药性诗诀》为该书卷9。其摘常用药360种以符周天度数，又补遗30余种草类药，悉编七言歌括，别无新意。中国中医科学院等处藏该书明刻本（1623）。

《蕴斋本草》　　明·朱蕴斋　撰　1623年附

  按　《本草汇言》卷7"石蕊"条注云："见《蕴斋本草》。"同条附方中又注云："五方出朱蕴斋《医集》。"书佚失考。

《本草正义》卷数不明　明人　撰　1623年附

  按　明·倪朱谟《本草汇言》卷13"硝石"条引本书，余皆不详。

《药能》　明·沈惠　撰

  按　沈惠（或误作沈愚），字民济，华亭（今属上海市）人；小儿医。他著书9种，《药能》为其中之一，今佚。《松江府志》（1663）著录该书。

《本草正》2卷　明·张景岳　撰　1624年

  按　见中篇208页。

《本草汇言》20 卷　明·倪朱谟　撰　1624 年

　　按　见中篇 209 页。

《本草大成药性赋》5 卷　明·徐凤石　撰

　　按　《中国医籍考》著录该书，注云"存"。然今国内未见该书。①

《纲目博议》　明·卢复　撰　约 1626 年

　　按　卢复尝撰此书，但此书未完稿。其中部分内容被引入其子卢之颐《本草乘雅半偈》，且被注为"先人云"或"先人《博议》云"等。

《本草考汇》2 卷　明·卢复　撰　1626 年附

　　按　明·祁承爜《澹生堂书目》著录该书。今未见该书。

《本草辨疑》12 卷　明·郑之郊　撰　1627 年附

　　按　郑之郊，字宋孟，昆山（今属江苏）人；天启时（1621—1627）太医院吏目。《昆新两县志》（1826）著录其所撰本草，书今佚。

《养生要括》　明·孟笨　辑　1634 年刊

　　按　孟笨，字伯山，号会稽山人；浙中名医。该书辑《本草纲目》饮食物 250 种，简介其性味、主治，偶加自注，少有发明。中国中医科学院存明刻本（1634），此本有朱兆柏等的 2 篇序文。

《本草辨真总释》　明·岳甫嘉　撰　约 1635 年
《食物辨真总释》　明·岳甫嘉　撰　约 1635 年

　　按　岳甫嘉，字仲仁，兰陵（今江苏武进）人；通医术，著《医学正印种子编》（1635）。此书附编载岳甫嘉所著各种医药书之名。上二书亦见载，今未见其存世。

---

　　① 笔者撰《历代中药文献精华》时，未见该书。该书已于 20 世纪末复制回归，今有影印本及校点本。

《本草征要》2卷　明·李中梓　撰　1637年

　　按　见中篇216页。

《食物本草》22卷　托名元·李杲　编　明·李时珍　校　1638年

　　按　见中篇211页。

《药性辨疑》　明·姚能　撰

　　按　姚能，字懋良，号静山，浙江海盐人；著《药性辨疑》等三书，书今佚。《海盐县图经》（1624）有其传，《浙江通志》转录之。

《本草会编》　明·靳起蛟　辑　1640年附

　　按　靳起蛟，字霖六，明季仁和（今属浙江）人。自宋以来，其家世代业医。其所辑《本草会编》，今佚。陈邦贤《中国医学史》误将靳起蛟作宋人。冈西为人《宋以前医籍考》袭其误。今正。

《本草考证》2卷　明·黄渊　撰

　　按　《绍兴府志》等书著录之，《余姚县志》记作《本草证》。书今佚。

《药镜》4卷　明·蒋仪　撰　1641年

　　按　蒋仪，字仪用，浙江嘉善武水人；尝游学于王肯堂弟子张玄暎门下。《四库全书》记："仪，嘉兴人。正德甲戌（1514）进士，其历官未详。"但蒋仪在《药镜·凡例》中介绍，他是在崇祯十四年（1641）校定刊行王肯堂（1549—1613）所传《医镜》之后，又编《药镜》的。因此，蒋仪绝不可能是"正德甲戌进士"。查《明清进士题名碑录索引》，同名进士蒋仪乃直隶天津右卫人（原籍直隶昆山），今正误。该书旨在简约易诵，故每药下仅有骈语数句。其将有关归经、炮制、选辨、反畏等的内容，概归入"凡例"。各卷依次为温、热、平、寒四类药，共344种（药名下注以序号）。其附载"拾遗赋"（收药120种，赵学敏引作《药镜拾遗赋》）、"滋生赋"（录25种水类药品）、"补遗"（载36种食品之性用）、"疏原赋"（经络、用药法）。《四库全书》评价说："其载药性，分温热平寒为四部，各以俪语，括其主治。后附拾遗、疏原、滋生三赋，以补所未备。词句鄙浅，徒便记诵而已"。该书今有崇祯十四年（1641）撰者自刊本及清刻本（1664），中国中医科学院等处有藏。

《救荒野谱补遗》　明·姚可成　撰

　　按　姚可成，明末人，号蒿莱野人。他将明·王磐（西楼）《野菜谱》更名为《救荒野谱》，又补充草类 45 种、木类 15 种，名《救荒野谱补遗》。该书各品为救荒而辑，仍仿《野菜谱》，每品一图、一歌，或注出产地。该书附刊于《食物本草》卷首（见中篇 211 页）。另有《借月山房汇钞》本及日本平安书肆长松堂本。后者中国中医科学院有藏。

《种药疏》1 卷　明·俞宗本　辑　1643 年附

　　按　俞宗本，字立庵，明末吴郡（今江苏苏州）人。该书被收入《居家必备》丛书。据王毓瑚考订，其内容全抄自《农桑辑要》而略有删节（《中国农学书录》）。中国国家图书馆藏水边林下本。

《分部本草妙用》10 卷　明·顾逢伯　编　1630 年

　　按　顾逢伯，字君升，号友七散人，古吴（今江苏苏州）人。其移兵书之理于医药，将前 5 卷按五脏分部，以仿兵阵之五部。对于其他兼经杂药，其取法于兵之各有专长，按效归类，并于各类之下，又分温补、寒补、温泻、寒泻、性平 5 种。该书叙药 560 余种，分部方式别具一格，述药简明，然发明无多。今中国中医科学院等多处藏明崇祯间刻本。

《本草拔萃》　明·陆仲德　撰　约1643 年

　　按　钱谦益《有学集》云："仲淳没后二十余年，家子陆仲德氏读缪氏之书，而学其学。作为《本草拔萃》，以发明其宗要。"陆仲德为江苏常熟人，其书今佚。

《医方本草》　明·施永图　撰

　　按　施永图，字明台，一字山公，浙江秀水（今浙江嘉兴）人；官吏。《嘉兴府志》（1721）著录其《医方本草》，书今佚。

《山公医旨食物类》5 卷　明·施永图　辑

　　按　上海中医药大学所藏明刻残卷（卷 4、卷 5），录鳞部 60 种、介部 24 种，难以从中窥该书全貌。① 据史常永先生考证，清·沈李龙《食物本草会纂》多袭取此书内容。《中国医籍考》著录为《本草医旨食物类》。

《药性微蕴》1卷　明·萧京　撰　约1644年

按　萧京（？—约1644），字万舆，号通隐子，福建晋江人；官吏；曾得李时珍甥孙胡慎庵传授，沉酣医学20年；撰《轩岐救正论》6卷。该篇为《轩岐救正论》卷3。该卷类似药论，议用药、制药，折衷诸家，证以己验。该卷撰文43条，涉及100余种药物。中国中医科学院藏清可亭刻本，南京图书馆藏日本刻本。

《理虚用药宜忌》1卷　明·汪绮石　著　1644年附

按　汪绮石为明末医家，撰《理虚元鉴》2卷（陆懋修厘为5卷），《理虚用药宜忌》为5卷本之卷4，为治虚劳药专论，议药21种。其先于药名下注出忌用、宜用、酌用、不必用、审用、偶用、不可用等，继而阐发其理，就病论药，简洁实用。该书有刊本10余种，中华人民共和国成立后有排印本。

《药性便览》2册　明·戚日旻　撰　1644年附

按　戚日旻，字肇升，括苍（今浙江丽水）人；明末隐士。其所撰《药性便览》分杂症、妇人、小儿三科，各科又以功效类药。该书于各药下分述性味、归经、主治、宜忌诸项，无所发明。今中国科学院图书馆存其抄本。

《药品化义》13卷　明·贾所学　撰　李延昰　补订　1644年附

按　见中篇212页。

《太医院补遗本草歌诀雷公炮制》8卷　明·余应奎　补遗　1644年附②

按　今存明书林陈乔刻本（藏中国中医科学院）。其扉页题"李东垣先生辑《增补雷公炮制药性赋解》"，书口作"全补药性雷公炮制"，卷首署"上饶泸东余

---

① 笔者撰《历代中药文献精华》时，仅见该书残卷。现该书全帙已从日本复制回归，今有影印本。

② 此为笔者撰《历代中药文献精华》时所推测。该书今考有1585年刻本，故其成书年代须往前提。

应奎补遗"。该本分上下两栏。上栏为《药性诗歌便览》，编药歌 750 余首。下栏即本书，分金石、草、木、人、兽、禽 6 部，叙药 639 种。其摘取《证类本草》诸药性味功治，并于末附"雷公云"，计 232 条。

《药性指南》2 卷　明·汤性鲁　撰　1644 年附

　　按　《南皮县志》著录该书。另，1932 年《南皮县志》又出汤宾（汤性鲁之父）《药性指南》1 卷。《中国分省医籍考》谓："殆宾所著书，性鲁复为之增补，故卷数较宾原著增一卷，而《县志》皆著录也。"书今佚。

《本草类方》　明·潘凯　辑　1644 年附

　　按　潘凯，字岂凡，号仲和，吴江（今属江苏）平望镇人。《吴江县志》（1747）等地方志载其事。所著书今佚。

《药谱明疗》30 卷　明·黄云师　辑　1644 年附

　　按　黄云师，字非云，一字雷岸，德化（今江西九江）人；崇祯三年（1630）进士。其退居后著书 15 种。《药谱明疗》为其中之一，乃撷取《本草纲目》精华而作，考证论辩较广博。书佚，序文存于《德化县志》（1780）。

《金华药物镜》3 卷　明·商大辂　撰

　　按　商大辂，号茹松，浙江金华人。此书见录于《金华县志》（1823），似为一地方本草，今佚。

《药品征要》　明·姚濬　撰

　　按　姚濬，字哲人，和州（今安徽和县一带）人。其家世业医。其所撰多种医书，见录于《医部全录》，今均佚。

《药性主治品部证类歌总要》　不著撰人　1644 年附

　　按　全书不分卷。中国国家图书馆存明抄本。

《本草发挥精华》　明·沈宗学　撰

　　按　沈宗学，字起宗，江苏吴县人；善书法，号墨翁。其所著本草见录于《吴县志》、《江南通志》（作《本草发挥》），今佚。

《药性书》 明·彭缙 撰

按 彭缙，字北田，安徽萧县人。《徐州志》（1722）著录其所撰《药性书》，书今佚。

《本草图绘》 5册 明·周祜、周禧 合绘 周荣起 撰文 1644年附

按 该书为蝴蝶装，明绢本彩绘。中国中医科学院藏2册（原栖芬室藏书），中国国家图书馆藏3册。每册绘药13～15种不等。周祜（一作淑祜、祐）、周禧（一作淑禧）为姊妹，江苏江阴人，号江上女子，与其父周仲荣（字荣起）皆为画家。该书为未完之彩绘本。据《池北偶谈》，此书乃临仿文淑之《金石昆虫草木状》而成，故实为《本草品汇精要》之转绘本。核其图无误。

《本草辑要》 明·邢增捷 撰

按 《新昌县志》载邢增捷所撰书名多种，然诸书均佚。

《药性标本》 10卷 明·吴文献 撰

按 吴文献，字三石，婺源（今属江西）人。《婺源县志》（1757）著录其所撰医药书，书今佚。

《本草发微》 明·金时望 撰

按 金时望，浙江汤溪人。《汤溪县志》（1783）载其所撰书之名，书今佚。

《炮制诸药性解》 1卷 明·苏万民、苏绍德 合撰 1644年附

按 苏万民，字明吾，山东滋阳人；明末清初时为当地名医。其子绍德，继其传，纂其书多种，见《兖州府志》（1736）。书今佚。

《本草辨名疏义》 明·王育 撰 1644年附

按 王育，字子春，号石隐，镇洋（今江苏太仓）人。《镇洋县志》（1745）载其所撰本草之名。书今佚。

《本草乘雅半偈》11 卷　明·卢之颐　撰　1647 年

按　见中篇 216 页。

《本草辨误》　明·唐达　撰　1650 年附

按　唐达，字灏如，浙江德清人；明亡后隐于医。《湖州府志》（1758）载此本草之名，书今佚。

《本草通玄》2 卷　明·李中梓　撰　约 1655 年

按　见中篇 213 页。

《本经注疏》　明·乔三余　撰　约 1660 年

按　张璐《本经逢原·序》（1695）云："昔三余乔子，有《本经注疏》一册，三十五年前，于念莪先生斋头曾一寓目。惜乎未经刊布，不可复观。"乔三余（约1585—1660）名在修，上海县人。其家世业医，其善用古方。

第六章　清　代

（1644—1911）

《本草发明纂要》　明末清初刘默　撰　1645 年附

　　按　刘默，字默生，钱塘（今浙江杭州）人，寓居苏州专诸里。《本草汇》将其与沈朗仲并称为苏州名医。《苏州府志》（1691）载其撰本书，书今佚。

《尝药分笺》　清·万学贤　辑　1650 年附

　　按　该书为《贮香小品》卷 4，署名"鄞邑万学贤石君辑"。书内载日常贵重中药鉴别法。上海中医药大学存其清初刻本残卷。

《本草摘要》　清·俞汝言　撰

　　按　俞汝目，字右吉，浙江嘉兴人。《嘉兴县志》（1685）载其事。其所撰本草今佚。《中国分省医籍考》云嘉庆六年《嘉兴县志》"有清俞汝贤《本草摘要》一书，未知与此是否误复"。

《本草经注》　清·李无垢　1656 年附

　　按　李无垢，名元素，浙江钱塘人；明末为南京太医院医士。其于清初所注《本草经》，多发新义，如论吉贝子（棉花籽）不宜久服，娓娓数百言。朱彝尊为其作传。其书无存。

《本草药性对搭》　清·翟良　纂辑　1659 年附

按　翟良（1588—1671），字玉华，山东益都人。其有医名，勤著述。该书为其授徒之教材，今未得见。《中国分省医籍考》据某些方志所载，改书名为《药性对答》。然对搭（配伍）与对答（问答）意义不同，今以翟良《医学启蒙汇编·序》所引此书之书名为据。

《本草古今讲意》　清·翟良　纂　1659 年附

按　《益都县志》（1753）著录之，书今佚。《中国分省医籍考》查若干方志知其均作《本草古方讲意》，乃据《博山县志》（1937）改作《本草古今讲意》，且云"据孙廷诠《沚亭文集》翟先生医书序，则《古方讲意》当别为一书"。今录《中国分省医籍考》之说以备考。

《本草汇笺》10 卷　清·顾元交　纂　1660 年

按　顾元交，字焉文。明末清初毗陵（今江苏常州）人。其医得同里名医僧胡慎柔之传。其因虑《本草纲目》之浩繁、《本草经疏》之附会，乃取众书之长，编纂而成《本草汇笺》10 卷（1660）。该书首列药图，集运气及诸药学总论，继以草、木、果、谷、菜、人、禽、兽、虫鱼、鳞、介、玉、石、水、火、土等分部类药，载药近 400 种。该书以临床用药内容为主，介绍药性功治，并附录验方。有清顺治间刊本及振秀堂刻本（名《增补图象本草备要汇笺》）、龙耕堂刻本，藏于中国中医科学院等处。

《药性抄》　清·陈辐　撰

按　《石城县志》（1660）等书著录之，或作《药性赋》，书今佚。

《金匮本草》6 卷　清·费密　撰　1660 年附

按　费密，字此度，号燕峰，四川新繁（今新都）人。费密著述甚富，《金匮本草》为其中之一，今佚。

《本草注》 清·黄百谷 撰

按 黄百谷，字农师，清初浙江余姚人。《余姚县志》（1899）著录其医药书多种，书今佚。

《寿世秘典》4种 清·丁其誉 辑 1661年

按 丁其誉，字蜚公，江苏如皋人；顺治十二年（1655）进士，授石楼令；兼精岐黄。其所撰《寿世秘典》（18卷）由4种书合成：①《月览》，按月备载岁时、物候、农事、起居饮食宜忌；②《调摄》，录"养生要论""保生月录""颐真秘韫""食治选要"4篇，每多饮食宜忌内容；③《类物》（见下条）；④《集方》，以病类方。中国中医科学院存明末颐吉堂刻本。

《类物》2卷 清·丁其誉 辑 1661年

按 其为《寿世秘典》卷3、卷4。其序云："凡物类之有关于日用饮食者，悉为考订。无验不书，非典弗录。"该书收食品349种，先述其形态、性味良毒、功效主治，次附"发明"，引诸家论说，多取材于《本草纲目》以及缪希雍、卢复、王象晋诸家之言。该书各药下内容繁简得宜，充实，多切实用，且不乏己见（见"鱼鳔""燕窝"诸条）。该书堪称清代优秀的食物本草。

《本草洞诠》20卷 清·沈穆 编辑 1661年

按 见中篇218页。

《本草丹台录》2卷 清·陆圻 撰 1661年附

按 陆圻（1614—?），字丽京，一字景宣，号讲山，浙江钱塘（今杭州）人，早负诗名，为"西泠十子"之一。其所撰医书多种，今佚。

《药性炮制歌》 清·蒋示吉 撰 1662年

按 蒋示吉，字仲芳，号自了汉，江苏苏州人；明亡后弃儒业医，撰《医宗说约》6卷（1662）。该篇为《医宗说约》卷1后半部。该篇收药316种，按自然属性分类。每药下有四言诗一首，下注炮制法。其歌或辑自前人书，别无新意。该书有清刊本20余种。王文选《活人心法》（1838）曾转载此歌。

《药能》 清·金铭 撰 1662 年附

按 金铭，字子弁，金山（今属上海市）人；尝从秦景明（昌遇）习医。《金山县志》（1751）载其事及医著（佚）。

《分经本草》 清·岳含珍 撰 1662 年附

按 岳含珍，字玉也，山东博山人；清初授昭勇将军。其所著医书 9 种，今佚。《博山县志》（1753）有其传。

《药性歌括》1 卷 清·翟良 纂 1663 年

按 翟良（见本篇 316 页）辑《医学启蒙汇编》（1663）。该书卷 6 为本草，转录《珍珠囊赋》（即《药性赋》）及《本草纲目》总论部分内容。其后为《药性歌括》。此篇分治风、热、湿、燥、寒、疮及食治 7 门，收药 372 种，于各药下撰歌一首。有清刊本 3 种，中国国家图书馆等处有藏。

《本草述》32 卷 清·刘若金 撰 1664 年

按 见中篇 220 页。

《本草汇》18 卷 清·郭佩兰 撰集 1655—1666 年

按 见中篇 222 页。

《食鉴本草》 清·尤乘 编 1667 年

《病后调理服食法》 清·尤乘 编 1667 年

按 此二书均见于尤乘《寿世青编》。前者为食疗物品集；后者以病邪性质分类，集录各类调理食品。康熙年间石成金略加修订，将《病后调理服食法》改名《食愈方》，收入《石成金医书六种》。《寿世青编》可见于《士材三书》及《珍本医书集成》，藏馆甚众。

《本草纲目必读》 清·林起龙 辑 1667 年

按 林起龙，字北海，渔阳（今北京密云）人。其所撰该书为《本草纲目》节本，收药 600 余种。该书于每药下撷取气味、主治、发明、附方四款，剪繁去复，注重临床用药。中国中医科学院存康熙年间朱杨武三奇斋补修原刻本。

《本草纲目摘要》4卷　清·莫熺　辑　1669年

　　按　莫熺（1607—?），字丹子，武林（今浙江杭州）人。其于明末悬壶，清初入都，医名颇盛。其辑《莫氏锦囊十二种》，《本草纲目摘要》为其中之一。《本草纲目摘要》摘《本草纲目》药457种，于各药下分集解、气味、主治、发明四项，不录附方。该书繁简较为适度，别无增益。中国科学院等处存康熙、乾隆年间刻本，1741年汇印时题扉作《新镌增补详注本草摘要》，署名为汪讱庵手订，莫丹子著。

《侣山堂类辩》卷下　清·张志聪　撰　1670年

　　按　张志聪（见中篇219页）《侣山堂类辩》（2卷，1670）卷下论药42则，论方6则。该卷有"本草纲领论""药性形名论""草木不凋论""炮制辨"等文，论药43种，颇多一己之见，较寻常普及本草高出一筹。该书有清刻本多种及近代铅印本，流传较广。

《本草择要纲目》2卷　清·蒋居祉　辑　1679年刊

　　按　蒋居祉，字介繁，号觉今子，新安（今安徽歙县）人；业儒，兼究医学。《本草择要纲目》收药356种，分寒、热、温、平四类。其于各药下立气味、主治二项，兼注畏恶、出产、形态、炮制等。既殁，其子瀚（字雪洲）刻其书（1679）。《珍本医书集成》亦收入此书。

《山农药性解》4卷　清·钱捷　撰　1670年附

　　按　钱捷，字月三，号陶云，浙江象山人；顺治九年（1652）进士。《象山县志》（1759）载其撰《山农药性解》，书今佚。

《本草类证》　清·沈好问　撰

　　按　沈好问，字裕生，明末清初浙江钱塘（今浙江杭州）人。其家世为小儿医。《钱塘县志》著录此书，书今佚。

《本草挈要》1卷　清·史树骏　纂辑　1671年

　　按　史树骏，字庸庵，晋陵（今江苏武进）人；顺治四年（1647）进士。其因伤亡妻，取平日所录方剂，请同里医生俞蕴（字卷庵）参订，于1671年编成

《经方衍义》。该篇为《经方衍义》卷5中的一篇，分药为草、木、果、菜等8部，载药280种。其于每药下篇数句骈语，以便记诵。中国中医科学院存康熙年间刻本（1671）。

《本草纲目类纂必读》　清·何镇　类纂　1672年刊

按　何镇，字培元，京口（今江苏镇江）人。其家世业医。该书各刊本卷次不同，有12卷本、29卷本、36卷本。综言之，有卷首2卷，"图说"11卷、"各症主治药品"4卷，"本草药性发明"12卷，或后附"何氏类纂必读"18卷。其中"本草药性发明"载药610种，节取《本草纲目》各药主治功效、药论附方等。中国医学科学院、中国国家图书馆等多处有藏。

《药性注》　清·陆守弦　撰

按　陆守弦（一作弘），字子怡，江苏常熟人。《常熟县志》（1761）载此书（或作《药性》），书今佚。

《药性赋》1卷　清·系屯子　撰

按　系屯子，湖南岳阳人。其所撰《纂修医学入门》，经卢士卓、卢拱辰手录，于100余年后始刊（1775年刊）。该篇为《纂修医学入门》卷3，述药500余种，为五言诗。末附"心药赋"，为治心病而拟，套用药名，乃游戏笔墨；又有"汤论"，讨论君臣配合。其所引用之人名多不见于医药书。中国中医科学院有藏。

《饮食须知》　清·朱本中　纂　1676年

按　朱本中，号凝阳子，道名泰来，安徽歙县人。朱本中辑《贻善堂四种须知》，《饮食须知》为其中之一。《饮食须知》录饮食物367种。细考其分类及条文发现，其与卢和《食物本草》多同。今有清刻本数种，分别藏于中国中医科学院等处。

《何氏本草纂要》8卷　清·何金瑄　撰　1676年附

按　何金瑄，江苏丹徒人。其曾参订何镇《新镌何氏附方济生论必读》（1676），书今存。《丹徒县志》（1879）载其撰《本草纂要》，书今佚。

《药物性能独解》（译名）　清·达磨曼仁巴·洛桑曲札　撰　1678 年附

　　按　达磨曼仁巴·洛桑曲札为著名藏医学家。其著该书及《医宗补遗密药指南》等医书。

《本草详节》12 卷　清·闵钺　1681 年

　　按　闵钺，字晋公，江西奉新人；顺治间举人。其晚年著述颇富。《本草详节》今有康熙二十年（1681）默堂主人刻本，藏于上海中医药大学。

《握灵本草》10 卷　《补遗》1 卷　清·王翊　辑　1682 年

　　按　见中篇 223 页。

《本草备要》　清·汪昂　撰　1683 年刊

　　按　见中篇 225 页。

《药性纂要》4 卷　清·王逊　撰　1686 年

　　按　见中篇 224 页。

《本草经》（辑本）3 卷　清·过孟起　辑　1687 年

　　按　过孟起，字绎之，长洲（今江苏苏州）人；康熙十五年（1676）行医于光福里，人称良医。其尝辑《吴中医案》，录苏州医家治验精华。其所辑《本草经》3 卷，卷首列 12 条总论。书中今存上品药（120 种），缺中、下品药。正文取之《证类本草》白大字，不录产地、生境。上海中医药大学有藏。

《本草新编》5 卷　清·陈士铎　编　1687 年附

　　按　陈士铎，字敬之，号远公，别号朱华公，浙江山阴（今绍兴）人。《本草新编》"考《纲目》《辨疑》诸善本"，以探讨药性理论为要旨，引经据典，辨析疑问。今有康熙年间刊本和日本刻本（1789）等，藏于中国医学科学院、军事医学科学院等处。

《本草删书》　清·唐玉书　撰　1687 年附

　　按　唐玉书，字翰文，上海人；为名医李用粹门人。其所撰《本草删书》，今佚。

《药品辨义》3 卷　明·贾所学　原撰　清·尤乘　增辑　1691 年增辑

　　按　尤乘，字生洲，号无求学者、空山学道者，吴门（今江苏苏州）人；为名医李中梓高弟，亦有医名。其著述甚富。其于康熙年间得贾所学《药品化义》，视为珍宝，为之增广。卷上增"用药机要"，杂取李时珍、缪希雍等人之言。卷中、下分 14 类，述药 144 种，且在内容上与李延昰订补之《药品化义》相同。今有康熙三十年（1691）林屋绣梓本，藏于中国中医科学院。

《食物本草会纂》8 卷　清·沈李龙　纂辑　1691 年

　　按　沈李龙，字云将，檇李（今浙江嘉兴）人。其所编《食物本草会纂》，有 8 卷本及 12 卷本，分水、火、谷、菜、果、鳞、介、禽、兽等部。书前有图 367 幅，且除新绘水部 6 图、火部 4 图外，皆转录自《本草纲目》（钱本）。12 卷本后附《日用家钞》《脉学秘传》2 卷。书中绝大多数材料摘自《本草纲目》，少数为采访所得。史常永先生考此书多袭取明·施永图《山公医旨食物类》。今有清刻本数种，藏于中国国家图书馆、中国中医科学院等处。

《本草必用》2 卷　清·顾靖远　撰　1692 年附

　　按　顾靖远，字松园，吴门花洲（今苏州）人。其业医 30 余年，被称为"苏州医派之先驱"。他著有《顾氏医镜》（丛书），《本草必用》为其中之一。《本草必用》录常用药 283 种，并将之各归部类，说其功治，释其性理，示其禁忌。该书要言不烦，甚切实用。今有康熙年间抄本（藏于中国医学科学院）及近代石印、铅印本。

《杂症痘疹药性主治合参》12 卷（卷首 1 卷）　清·冯兆张　编撰　1694 年

　　按　冯兆张，字楚瞻，浙江海盐人；以医名世。冯兆张纂《冯氏锦囊秘录》丛书（1694），《杂症痘疹药性主治合参》为其中之一。卷首为总论，辑药论 18 则，载痘疹三治、五法、四因、六淫、八要等。各论依草、木、石、谷等分 10 部，载药 540 种。其于部分药物下分别介绍用治杂症及治疗痘疹的主要功效。其凡例对药性理论也有一定的归纳。现有清刻本及石印本 10 余种。该书藏馆甚众。

《痘疹药性五赋》　清·冯兆张　编撰　1694 年

按　此为《冯氏锦囊秘录·痘疹全集》卷 2 所载 5 篇痘疹药性赋，依次为："节制赋"，介绍用药宜忌；"权宜赋"，述药味加减；"指南赋"，叙常用药主要功治；"金镜赋"，议痘疹不同阶段用药法；"玉髓药性赋"，录 60 余种药之辨证施用要点。

《本草易读》8 卷　题清·汪昂　编撰　1694 年附

按　此书题作"汪讱庵先生秘本，徐灵胎、叶天士二先生藏本，清御医吴谦先生审定"。书前有序，评述历代本草，不署姓氏年月。卷 1、卷 2 列证 107 部，注出应用药物。卷 3 至卷 8 载药 462 种，简述药物性味功治、产地形状等。汪昂似无此作，此恐系托名之作。上海大成书局石印之（1926），该本藏于上海中医药大学。

《本经逢原》4 卷　清·张璐　撰　1695 年

按　见中篇 225 页。

《药性赋幼科摘要》1 卷　清·夏鼎　撰　1695 年

按　夏鼎，字禹铸，安徽贵池人；康熙八年（1669）武举，兼善小儿医。该篇为其所著《幼科铁镜》之卷 6。该卷述药 100 余种，以寒、热、温、平四性类药。每类后所附夏氏药论（论大黄、附子、黄芪、人参），颇有见地。该书有刊本 30 余种，藏馆甚众。

《山居本草》6 卷　清·程履新　撰　1696 年刊

按　程履新，字德基，安徽休宁人；曾师事名医李士材。今上海图书馆所存《山居本草》6 卷，刻于康熙三十五年（1696）。

《饮食》　清·石成金　撰　1697 年

按　石成金（1660—?），字天基，号醒庵愚人，江苏扬州人。石成金撰《长生秘诀饮食》，该篇为其中一篇，分"食宜早些""食宜缓些""食宜少些""食宜淡些""食宜暖些""食宜软些"6 节。

《本草补》　墨西哥石振铎　撰　1697 年

按　赵学敏《本草纲目拾遗》数引此书，"吸毒石"条下记作"泰西石振铎《本草补》"。据范行准《明季西洋医学传入史》考证，该书为墨西哥传教士石振铎所撰，为最早有记载的传入我国的西药专著。范行准早年曾在仁和赵魏（字晋斋）《竹崦庵传钞书目》中，发现其载有《本草补》1 卷，计 26 页，书今佚。① 从赵学敏所引，可知该书记载产于外洋的天然药物及精制品（如日精油），并介绍其功效和用法。

《食鉴本草》

《食愈方》（以上均见《石成金医书》）　清·石成金　修订　1697 年附

按　据盛红考证，此二书是在尤乘《食鉴本草》和《病后调理服食法》两书基础上修订而成的，在分类及内容上与其一脉相承。此二书被收入《石成金医书六种》中，卷前题"扬州石成金天基订集"。其成书年代不明，今将其附于《长生秘诀》成书年（1697）之后。《食鉴本草》分谷、菜、瓜、果、味、鸟、兽、鳞、甲、虫 10 卷，录食品 97 种，并简述其功用。《食愈方》所录为经调制的饮食物，如水芝丸、豆麦粉等；分风、寒、暑、湿、燥、气、血、痰、虚、实 10 类，载方 74 首，且诸方多切实用。《石成金医书六种》有康熙年间刊本，藏于上海中医药大学。费伯雄《食鉴本草》亦系托名，不过是以上二书合刊本而已。

《药理近考》2 卷　清·陈治　编　约 1697 年

按　陈治，字三农（一字山农），号泖庄，云间（今上海松江）人。其家五世业医。陈治将先世医著择要编为《证治大还》40 卷（1697），该篇为其中之一。是篇前半部述补泻汗吐下诸法之辨证用药，辑录若干前人药论，多述家传用药经验，理论阐发很少；后半部抄集前人用药方法。中国国家图书馆等处存其康熙年间贞白堂刻本。

《用药大略》1 篇　清·高世栻　撰　1699 年

按　高世栻（见中篇 219 页）撰《医学真传》（1699）。其书为高世栻讲座专

---

①　笔者撰《历代中药文献精华》时未见《本草述》全书。20 世纪末该书中文版从法国复制回归，今已有点校本。

辑，该篇即其中一篇。该篇仅 1600 余字，但提出许多独家见解，并列数十种药的运用以为例证，较好地体现了辨证用药特色。今有《医林指月》本，1939 年上海千顷堂铅印之。

《辨药大略》1 篇　清·高世栻　撰　1699 年

按　此篇亦为《医学真传》之一篇，约有 3500 字，力主对药物应辨伪、辨证，针砭时弊，纠用药之误。其内容充实，观点鲜明。

《秘授精选药性》3 卷　清·张为铎　编　1699 年

按　书前的一段药性简括，为常用药药性提要，内容贫乏。其后则为医方、祝由，与本草无关。该书乃张为铎为积阴蹄而刻的劣书。

《本草》　清·吴晼庵　辑　约 1700 年

按　吴楚，字天士，号晼庵，安徽歙县澄塘人；清初诸生。本篇为其所撰《宝命真诠》之卷 3，收药 266 种，分草、木、果、谷菜、金石、生物、人身 7 部。其中"生物"部为首见之名。此卷于各药下注明药物性味良毒、归经制法及功治、发挥。其说多类似李中梓《本草通玄》之论。中国科学院等处藏康熙六十年（1721）刻本。

《本草性能纲目》40 卷　清·王宏翰　撰　1700 年附

按　王宏翰（？—1700），字惠源，号浩然子。其先世本河汾人，后陟居姑苏（今江苏苏州）。其既通理学，又信天主教，后因母病而习医，著作甚多，常采西学，揉入性理。其著有《本草性能纲目》40 卷，但今未见该书传世。

《本草谱》　清·张园真　撰

按　张园真，初字岩征，改号岩贞，浙江桐乡乌青镇人；有文名。《桐乡县志》（1887）载其撰《本草谱》等书，书今佚。

《本草正论》　清·尹乐渠　撰

按　尹乐渠，江西清江人。该篇为其《医学捷要》之一部分，以歌括形式述药 400 余种，多取材于李中梓、汪昂诸家之医药书。

《药性便蒙》2卷　清·陈古　撰　1700年附

　　按　陈古，字石云，华亭（今属上海市）七宝里人；精医；约生活于17—18世纪间。今存《药性便蒙》2卷抄本。该本为寻常药性入门读物，今藏于中国中医科学院。

《本草纂要》1卷　清·陈元功　纂

　　按　《中国医籍考》注云"存"，但国内未见该书。陈元功，字晏如，江苏吴县人；初为武将，后改习医。其择常用药180种，"备言其性之所以可独用、可兼用，与所以不可用"（王心一序），纂成《本草纂要》。

《本草析治》　清·吕熊　撰

　　按　吕熊，字文兆，清初人。《昆山新阳合志》（1751）载其所撰书名，书今佚。

《本草品汇精要续集》10卷　清·王道纯　等撰　1701年

　　按　明·刘文泰《本草品汇精要》撰成后，深藏于内府，与世隔绝。康熙三十九年（1700），武英殿监造赫世亨、张常住奉清圣祖诏将弘治本《本草品汇精要》摹造一部，太医院吏目王道纯、医士汪兆元奉诏校正文字。经检视发现，清代校正本与明本文字已有较大差距，这说明王道纯不只进行了一般的校勘，还进行了许多删补工作。与此同时，王道纯等还仿照原书体例，编撰了《本草品汇精要续集》10卷，并于康熙四十年（1701）进表续成。王道纯续集主要参照《本草纲目》，共载药498种（正条319种，附条179种），并附以《脉诀四言举要》等。1936年商务印书馆刊行经王道纯校正的《本草品汇精要》及《本草品汇精要续集》的文字部分。1964年人民卫生出版社再次重印之。该书各地多藏。

《本草提要》4卷　清·葛天民　撰

　　按　葛天民，字圣逸，一字春台，江苏江都人。《江都县志》（1743）载此书之名，书今佚。

《修事指南》1卷　清·张叡　撰　1704年刊

　　按　张叡，字仲岩，南通州（今江苏南通）人，一说紫琅人；康熙年间太医院使。其谓后世冠"雷公炮制"之书，多有名无实，乃纂《修事指南》。该书集药222

种，抄录《本草纲目》"修治"项下条文，别无心得。自康熙四十三年（1704）以来，该书屡经翻刻。近代有石印本及铅印本，改名《制药指南》或《国医制药学》。

《本草纂要》10 卷　清·闵珮　撰　1706 年附

按　闵珮，字玉苍，号雪岩，浙江乌程人；康熙四十五年（1706）进士。其所撰本草著录于《乌程县志》（1881），今佚。

《训蒙本草》　清·魏丕承　编　1708 年附

按　魏丕承，字宪武，号藿村，山东德县人；康熙四十七年（1708）举人。《德县志》（1935）载其所撰本草，书今佚。

《食宪鸿秘》3 卷　清·朱彝尊　撰　1709 年附

按　朱彝尊（1629—1709），字锡鬯，号竹垞，浙江秀水（今浙江嘉兴）人；为文学家。该书为其才藻之绪余，列各种饮食烹调法，并介绍饮食宜忌，或注诸品功用。中国中医科学院存清刊本（有年希尧 1731 年序）。

《本草万方针线》　清·蔡烈先　编辑　1711 年

按　蔡烈先，号茧斋，山阴（今浙江绍兴）人。其于康熙年间费时 3 年（1709—1712）从《本草纲目》中辑出附方，按病归类。该书乃医书较早的一种索引著作（"针线"乃古索引代名词之一），被附刊于《本草纲目》之后。

《药性》　清·王大斌　撰　1711 年

按　王大斌，字伯玉。安徽旌德人。其撰《医经提纲》11 集。《药性》为第 1集，载药若干，并将各药内容编为歌诀。书末所附注文，解说简要。今安徽省图书馆藏宁寿轩刻本（1712）。

《生草药性备要》2 卷　清·何谏　撰　1711 年附

按　何谏，号青萝道人。该书又作《生草药性》。序后署为"岁在康熙午邠"，疑"午邠"为"辛卯"之误。该书为草药专书，录植物药 301 种，据称这些药"多属粤东土产"，不明其今属何地。每药下列数语，以述药之性味功治，偶及形态别名。该书内容新颖，其所载药物多为今民间常用草药。从文中用字（如煲、蕴等）及提及的地名（如佛山南泉等）来看，其似为广东地方本草。今有清代广州五桂堂等刻本，藏于广东省立中山图书馆。

《花圃药草疏》　清·葛云薜　撰

　　按　葛云薜，字履坦。《昆山新阳合志》（1751）载其事。其所撰本草今佚。

《本草偶拈》1 卷　清·周垣综　撰　约1715 年

　　按　周垣综，字公鲁，江苏东海人，知医。周垣综撰《颐生秘旨》8 卷，本卷居其末。该卷录常用药 138 种，简述药物之功能主治，颇似信手拈来。中国中医科学院藏雍正七年（1729）姑苏沈元瑞（怀玉）氏裕麟堂重刻本。

《伤寒药性赋》1 篇　清·蒲松龄　撰集　1715 年附

　　按　蒲松龄（1640—1715），字留仙，别号柳泉居士，世称聊斋先生，山东淄川（今属山东淄博）人；文学家。该赋即《聊斋文集》卷 1 中的一篇，集《伤寒论》药物 89 种，并将药物有关内容编为歌诀。该篇今载于中华书局铅印《蒲松龄集》（1962）中。

《草木传》10 回　题清·蒲松龄　撰　1715 年附

　　按　此传见于《蒲松龄集》附录。据路大荒考，很难断定此传系蒲松龄撰，其云："例如《草木传》剧本，就和据说是乾隆时期的抄本《本草记》剧本以及道光年间的抄本《药会图》剧本的形式完全相同。"该书将药物拟人化，编造情节，以普及药性。全传分"栀子斗嘴""陀僧戏姑""妖蛇出现""石斛降妖""灵仙平寇""甘府投亲""红娘卖药""金钗遗祸""番鳖造反""甘草和国"10 回。该书剧情平庸，介绍药物 350 余种，内容丰富。山东淄博蒲松龄纪念馆存抄本，名《志异外书草木传全集》《草木春秋》（与云间子同名书不同内容）。

《本草类编》　清·刘兆晞　撰

　　按　刘兆晞，字孟旭，山东阳信人。《阳信县志》（1759）载其所撰书名，书今佚。

《药性通考》8卷　清·太医　编　刘汉基　传　1722年附

　　按　见中篇226页。

《本草经解要》4卷　清·姚球　撰（托名叶天士撰）　1724年

　　按　见中篇227页。

《得宜本草》1卷　清·王子接　集　1732年

　　按　王子接，字晋三，江苏苏州人。其于暮年撰《得宜本草》（又称《绛雪园得宜本草》）。该书按品分类，载药458种（其中上品151种，中品139种，下品168种）。该书各品又分"遵经""补时用"2类，但并未全按《神农本草经》取药。其条文内容更与《神农本草经》无关。该书简述药味归经、配伍方法，一般不录药性，注重配伍。中国中医科学院等多处藏其抄本。

《得宜本草分类》1卷　清·王子接　原撰　陆宝陈　录　1732年附

　　按　此书即王子接《得宜本草》，由陆宝陈抄录（抄年不明）。今存于南京图书馆。

《食物本草备考》2卷　清·何克谏　编撰　1732年

　　按　何克谏，字其言。其所撰《食物本草备考》（又名《养生食鉴》），为普及性食物本草。大连图书馆存雍正十年（1732）金陵抱清阁本。另有清刊本5种，分藏于各地。

《本草类方》10卷　清·年希尧　编　1795年

　　按　年希尧，字允恭，号偶斋主人，广宁（辽宁北镇）人；大臣。其于案牍余暇，取《本草纲目》等书附方，集成此书（1735）。

《神农本草经百种录》1卷　清·徐大椿　撰　1736年

　　按　见中篇229页。

《本草诗笺》10卷　清·朱钥　编　1739年

　　按　朱钥，字东樵，江苏苏州人。其任惠民局司事，故该书一名《惠民局本草诗笺》。该书选常用药 848 种，仿《本草纲目》分类。该书于各药下先择要注出别名、产地、形态、性味、炮制、用法等，继编八句七言诗专论药性功效。药诗流畅，旨该词简，甚便初学。今有清刻本数种，上海图书馆等处有藏。

《食鉴本草》4 卷　清·柴裔　辑　1740 年

按　柴裔，字竹蹊。他深究养生之理，分 14 部，集日用之饮食物 468 种，并订正各物之药性，区分其宜忌。书末附"食物金镜"1 篇。上海中医药大学藏刻本。

《药性歌括》1 篇　清·沈懋官　编　1743 年

按　沈懋官，字紫亮，号怀愚子，归安（今浙江吴兴）人。他的《医学要则》（4 卷）一书中，"不按本草、不明性味浮沉"规范之下，附有《药性歌括》。今有乾隆五十九年（1794）刻本，藏于山东省图书馆。另，中国中医科学院藏葵锦堂梓本。

《药性洞源》　清·徐观宾　撰

按　徐观宾，江苏昆山人。《昆新两县志》（1816）著录其书名，书今佚。

《用药时宜》　清·盛熙　撰

按　盛熙，字新周，号敬斋，浙江嘉善人。其所著医药书多种，今佚。《嘉善县志》（1894）著录该书。

《醒园录》2 卷　清·李化楠　撰　1752 年

按　李化楠（1713—1768），字廷节，号石亭，四川罗江（今德阳）人；官吏。其所撰《醒园录》收集多种饮食调配及膳方配制方法，涉及各种食疗方法。中国中医科学院藏手抄本。

《长沙药解》4 卷　清·黄元御　撰　1753 年
《玉楸药解》8 卷　清·黄元御　撰　1754 年

按　见中篇 230 页。

《药性别》 清·郭治 撰 1753年附

按 郭治，字元峰，广东南海人。其常与名医何梦瑶相过从。其所撰《药性别》，今未见。

《本草类集》 清·朱雍模 辑 1754年附

按 朱雍模（1659—?），字皋亭，号三农，又号南庐，浙江海昌（今浙江海宁）人，寄籍杭州。《海昌备志》（1847）载其医书之名，书今佚。

《本草从新》6卷（18卷） 清·吴仪洛 撰 1757年

按 见中篇232页。

《医学源流论·方药》 清·徐大椿 撰 1757年

按 《医学源流论·方药》共24则药论，集中反映了徐大椿的用药思想，如"用药如用兵论""药石性同用异论"等，见解超绝。此书流传甚广，各地多藏。

《药性切用》6卷 题清·徐大椿 撰 1757年附

按 此为《徐灵胎医略六书》之一。据考该书并非徐大椿之作，在学术思想、风格上与《神农本草经百种录》相差甚远。其在分类上与《本草纲目》相仿，且兼收《本草从新》新载药。其于每药下以数语，简述性味、归经、功效、宜忌，并无发明。1903年赵翰香居铅印之。

《药性》2卷 清·汪绂 撰 1758年

按 汪绂（1692—1759），一名烜，字灿人，号双池，又号重生，婺源（今属江西）人；曾至福建谋生，沿途考核草、木、虫、鱼。汪绂著《医林纂要探源》，此篇为该书之卷3、卷4。此二卷载药680种，载方613首，分谷、草、木、火等13部。其于各药下以大字记性味、功效、宜忌，以小字注形态、主治用法、药理阐释等，多不附炮制内容。该书对药物形态描述细致，记有番椒（辣椒）形态及闽产果木，且对药物归经、药性常出新见。此书有清刊本2种，各地多藏。

《药性赋》1卷 清·沈步青 撰

《本草辑略》 清·沈步青 撰

按 沈步青，字天申，嘉定（今属上海市）人。《嘉定县志》（1881）著录上二书，书今佚。

《药性考》 清·柴允煌 撰

按 柴允煌，字令武，仁和（今浙江杭州）人。《杭州府志》（1779）载此书之名，书今佚。

《得配本草》10 卷 清·严洁 等撰 1761 年

按 见中篇 232 页。

《药镜》 清·卜祖学 撰

按 《嘉兴府志》（1801）著录该书，书今佚。

《本草补遗》 清·徐视三 撰

按 徐视三，字元岳，浙江海盐人；针灸医生。《嘉兴府志》（1801）载其书之名，书今佚。

《本草分经分治》6 卷 清·唐千顷 撰 1726 年附

按 唐千顷，字桐园，上海人；好经术，兼精医学。其撰《大生要旨》（1762）、《本草分经分治》（佚）。据《嘉定县志》载，后者乃取本草删繁之意，摘要药 400 余种，分经者 5 门，分治者 6 门（即按经络、病证类药）。

《药性歌诀》2 卷 清·何之蛟 编 1764 年附

按 该书或称《本草韵语》。何之蛟，广东南海名医何梦瑶（西池）之子。其所撰《药性歌诀》，附刊于其父《四诊韵语》之后。该书集各种药性理论（如引经报使、妊娠忌服等）及 316 种药品歌诀（或五言，或七言），以利初学。

《草药方》 清·汪连仕 撰
《采药书》 清·汪连仕 撰

按 汪连仕生平里贯不详。上二书均见于赵学敏《本草纲目拾遗》。《草药方》亦兼载植物形态（见四方如意草、漉角藤等药）。《采药书》重在记录草药形态、异名、生境，亦载功能、用法。原书均佚。

《草药纲目》卷数不明　清·汪（君）怀　著

按　钱塘张应昌（仲甫）"《本草纲目》拾遗跋"云："余又闻雍、乾间杭人汪君怀著有《草药纲目》一书，哀然大部，与濒湖《纲目》等。其稿未传抄，访诸其族人，皆未见，想已湮没失传，恨未得其书，与李氏、赵氏鼎峙，为本草之大全也，惜哉！"清代以"草药"名书者有数种，此独"哀然大部"，然书佚无考。赵学敏与汪（君）怀同里同时，未引用此书，惟引汪连仕《草药方》《采药书》各数十条，与此书之佚有无关系，待考。

《草宝》　佚名氏　撰

按　赵学敏《本草纲目拾遗》引此书数条（见"土连翘""见肿消""金线钓虾蟆""虎头蕉"等药条下）。《草宝》多记药物功效，兼述形态。书今佚。

《采药志》　清·王安卿　撰

按　赵学敏《本草纲目拾遗》引此书（见"红珠大锯草""野苎麻""金钱草""无骨苎麻""小将军""鱼鳖金星"等条下）。其所记为草药别名及功用治法，故其与王安《采药方》近似。但"鱼鳖金星"条同时引有《采药志》与《采药方》，据此可知二书似乎并非同书异名。书今佚。

《采药方》　清·王安　撰
《采药录》　清·王安　撰

按　赵学敏《本草纲目拾遗》引《采药方》10余条。《采药方》虽以"方"名书，实际上是一本草著作，主要记载草药异名及功治等（见"金钗草"条、"金钟荷叶"条）。另，赵学敏又引王安《采药录》数条（见"老君须""鬼扇草""鲇鱼须"等条）。《采药录》对植物形态描述甚详。原书佚。

《土宿本草》

按　赵学敏《本草纲目拾遗》在"万年青"条下引此书曰"雁来红、万年青，皆可治汞"，由此可知该书为道家烧炼丹药之书。李时珍《本草纲目》载有土宿真君《造化指南》一书，不知其与此书有无关系。

《山海草函》 不著撰人

按 赵学敏《本草纲目拾遗》在"桑叶滋""金莲花""玉簪花""梧桐花"等条下引此书，该书主述草药功用。今未见该书。

《丹房本草》 不著撰人

按 赵学敏《本草纲目拾遗》"金线钓虾蟆""金刚纂"等条引此书。该书主要记载植物形态，及其在烧炼丹药中的用途。今未见该书。

《本草辨误》 清·翁有良 撰

按 赵学敏《本草纲目拾遗》"防风党参"条下引"翁有良《辨误》"，讨论党参的品种和鉴别特征。根据赵学敏引书体例，凡前有"本草"2字的书名，多省此2字，故此书似当为《本草辨误》。又"银柴胡"条下亦引"翁有良"之论，辨银柴胡、前胡、古城柴胡之异同。原书已佚。

《用药识微》 佚名氏 撰

按 赵学敏《本草纲目拾遗》"土贝母"等条下引该书，如云"《用药识微》云：川贝中一种出巴东者独大，番人名紫草贝母，大不道地。出陕西者名西贝，又号大贝"。可知此书在鉴别药材产地品种方面精细入微。

《李氏草秘》 清·李氏

按 赵学敏《本草纲目拾遗》引该书30余条（见"望江青""接骨草""独脚马兰"等条）。该书一般记载草药生境、形态、别名、主治、用法等。书今佚。

《识药辨微》 佚名氏 撰

按 赵学敏《本草纲目拾遗》引该书。其"昭参"条下记云："《识药辨微》云：人参三七，外皮青黄，内肉青黑色，名铜皮铁骨。此种坚重，味甘中带苦。出右江土司，最为上品。大如拳者治打伤，有起死回生之功。价与黄金等。"这是关于三七药材辨别的经验之谈，"铜皮铁骨"至今仍为药工鉴别三七之真诀。赵学敏在"银柴胡"条所引《药辨》，疑与此书同。书今佚。

《食物宜忌》

    按 赵学敏《本草纲目拾遗》引此书（见"南天竹""黄练芽""梅花""茶菊""糖橘红""落花生"等条），言饮食性味、功治。原书佚。

《食物便览》   清·雨蓑翁 撰

    按 赵学敏《本草纲目拾遗》引此书（见"落花生"条），述食物宜忌。原书佚。

《海药秘录》

    按 赵学敏《本草纲目拾遗》"通血香"条引此书。从佚文可知，该书所记为民间草药单验方。

《蔡氏药帖》   清·蔡氏 撰

    按 赵学敏《本草纲目拾遗》"建神曲"条引此书，述神曲功效主治。原书今佚。

《华夷花木考》

    按 赵学敏《本草纲目拾遗》引此书（见"阿勃参""椰油"等条）。该书所载多为海外植物。该书主述药物形态功用。未见原书。

《升降秘要》2 卷   清·赵学敏 撰 1760 年
《药性元解》4 卷   清·赵学敏 撰 1760 年
《奇药备考》6 卷   清·赵学敏 撰 1760 年
《本草话》32 卷   清·赵学敏 撰 1760 年
《花药小名录》4 卷   清·赵学敏 撰 1760 年

    按 以上五书均被收入赵学敏《利济十二种》中。赵学敏在"总序"中叙撰书始末。赵学敏从何竹里处得闻制伏鼎火诸说，因集古来升降诸方，参以制法，编为《升降秘要》。《药性元解》主述药性之奇制。《奇药备考》乃针对高濂《珍异药品》、李时珍《本草纲目》的拾遗补阙之作。《本草话》似谈药物的产地形性。《花药小名录》似为录药物别名之书。诸书今均佚。

《百草镜》8 卷　清·赵学楷　撰　1760 年附

按　赵学楷是赵学敏的弟弟，两兄弟自幼热爱医学。赵学敏《利济十二种·总序》云："弟锐意岐黄，用承先志，虽未敢自信出以应世，然亲串间有请诊者，服其药无不应手愈。居恒喜著书，所纂有《百草镜》八卷。"此书已佚，赵学敏《本草纲目拾遗》转引该书 100 余条。从《百草镜》佚文可知，该书记草药甚众，详载诸药发苗时节、生境、形态、采收时月及单方验方，内容相当丰富。

《本草纲目拾遗》10 卷　清·赵学敏　撰　1765—1803 年

按　见中篇 236 页。

《用药分类》1 卷　清·顾锦　编　1765 年附

按　顾锦，字少竺，号术民，元和（今江苏苏州）甫里人；乾隆时（1736—1765）名医。《吴县志》载其所撰书名。书佚。

《人参谱》4 卷　清·陆烜　撰　1766 年

按　该书在清代人参专著中为内容最丰富者。陆烜，字子章，浙江平湖人。他搜寻有关资料数百种，对人参的释名、产地、性味、方疗、故实、诗文等均予采摘。书中记有当时东北人参的价格及有关人参的法律。该书还介绍了西洋参来源及其与国产人参的异同。这是研究我国人参史的宝贵资料。今有乾隆年间陆烜刻《梅谷十种书》本及《昭代丛书》本，中国国家图书馆等多处有藏。

《本草求真》11 卷　清·黄宫绣　撰　1769 年

按　见中篇 233 页。

《药性歌》　清·朱鸣春　撰

按　朱鸣春，字晞雍，江苏泰兴人。《泰兴县志》载其撰《药性歌》（一作《药性篇》），书今佚。

《本草集要》8 卷　清·罗咏　撰

按　罗咏，字二西，江苏高邮人。《高邮县志》（1813）载其撰《本草集要》，书今佚。

《人参考》 清·唐秉钧 撰 1778年刊

按 唐秉钧，字衡铨，练水（今广东潮阳）人。该书介绍人参辨伪、产地、规格、收藏等内容，是了解清代人参行市的重要史料。其内容翔实精当，亦为海外学者所重。日本石坂圭宗珪评曰："其书特能辨地道，出山之蚤暮、货市行色之高下等，历历可指摘。至其辨行户店家多立名称以眩惑人者，又可谓颇精且实也。虽零星册子，不亦足以传乎。"今浙江图书馆藏嘉定唐秉钧竹暎山庄刻本（1778）。另有清刻本及近代刊本各1种。

《草木备要》 6册 清·汪昂 原著

按 此书前有汪昂序，后署"乾隆四十三年岁在戊戌（1778）小春月绣谷吴世芳书"。察其内容可知，其由《本草备要》与《医方集解》合刊而成，每页上半为本草、下半为医方。吴世芳距汪昂年代已久，此或为吴世芳重刊易名者。其藏于衡阳市图书馆。

《法古录》 3集 清·鲁永斌 辑 1780年

按 鲁永斌（约1712—?），字宪德，山阴（今浙江绍兴）人。该书分天、地、人3集，录药536种，分草、木、果、谷等14部。卷首"用药总义"，集录《本草纲目》《本草备要》药理资料。正文节取诸家议药文字，并注明出处，无增补发明。惟"凡例"略述其对归经、主治、反畏的看法，较有新义。原存稿本，中华人民共和国成立后上海科学技术出版社影印之。

《本草选志》 清·间邱铭 撰

按 间邱铭，号尹节，一作升节，上海南汇人。《松江府志》（1818）等载此书名。书今佚。

《本草纂要》 清·曹枢旸 纂

按 曹枢旸，字翰臣，江苏江都人；精医理。《扬州府志》（1874）谓其《本草纂要》可与汪昂《本草备要》相垺。书今佚。

《质问本草》 8卷 琉球吴继志 编绘 1785年

按 吴继志，字子善，琉球中山人；业医，乾隆中采集琉球及土噶剌掖玖诸岛所产药用植物，"摹写其形，并附注记。每岁托其使人往清者，广质之于燕京、福省诸处，往复辨证。犹有未晰者，至盆种而往"。经 12 年成书 8 卷（上篇 3 卷，下篇 4 卷，附录 1 卷）。其前后质询于京都、江南、浙江、江西、福建、广东、山西等地的 45 人。该书共收药用植物 160 种。每物一图，且图皆系写生之图，描画精细准确。正文记产地、形态、花果期。书后列所质询诸家撰写的答复文字，一般是描述形态、简单功用、别名等的文字。该书以本草为名，但并不是真正的药书，而是一种地方植物调查记录。日本萨藩南山藏原稿，未梓行之而卒，其曾孙萨藩麟洲始付梓。该本流传不广。中国中医科学院藏日本天保八年（1837）精刻本。1984年中医古籍出版社再次影印之，始广其传。另有彩色稿本，今亦有影印本传世。

《治痘药性说要》2 卷　清·孙丰年　著　1785 年

按　孙丰年，字际康，号小田子，白下（今江苏南京）人。孙丰年著《幼儿科说要》。其内有书 3 种，《治痘药性说要》为其一。该书分谷、菜、虫、鳞、介等 8 部，述药 160 种，为颇有特色之专科用药著作。该书多发治痘用药经验，见解新颖，解说明晰，间附验案。该书今存于中国中医科学院。

《本草督经》　清·王燧周　撰

按　王燧周，字亦人，婺源（今属江西）人。《婺源县志》（1826）载其书之名。书今佚。

《用药准绳》　清·钱培德　撰

按　钱培德，字德培，江苏昆山安亭镇人。《昆新两县志》（1826）载其书之名。书今佚。

《入药彀》　清·程如鲲　撰

按　程如鲲，字斗垣，婺源（今属江西）人。《婺源县志》（1826）记其书之名。书今佚。

《药义明辨》18 卷　清·苏廷琬　撰　1788 年

按　苏廷琬，字韫辉，号灵泉，浙江海昌人。《海昌备志》（1847）载《药义明辨·自序》（1788），其云苏廷琬见刘云密《本草述》"曲畅旁通，义无弗彻"，

"但文繁理富，一时未易卒读，谨摘录大要，诠次成文。其别本有可采者，仍附各条中"。该书注重药性药理，不载种类修治。书今佚。

《药考》 清·李士周 撰 1788 年附

按 李士周，江苏如皋人。乾隆五十一年至五十三年（1786—1788），其曾设局施药。其所著《药考》，今佚。

《本草分经》 清·吴应玑 撰

按 吴应玑（原作机），浙江东阳南岭人。《东阳县志》（1828）记其书之名。书今佚。

《本草》3 卷 清·罗国纲 撰 1789 年

按 罗国纲（约 1646—?），字振占，楚南上湘（今湖南湘乡）人。罗国纲行医 50 余年，晚年撰《罗氏会约医镜》，该篇为其卷 16 至卷 18。该篇发凡起例，可独立成书。其分草、竹木、谷等 10 部，收药 483 种。该篇无总论，于各药下述药物之重点主治，释药物治病之理。其于版框上方各药名之上，用 2~4 字标出功能，又记各药顺序号。多数药条后附一按语，这些按语每多经验之谈。今存大成堂刻本（1789），该本藏馆较多。

《本草辑要》6 卷 清·林玉友 辑 1790 年

按 林玉友，字渠清，号寸耕居士，福建侯官人。其辑诸书之要药要义而成此书。该书在药品分部上与《本草纲目》同。该书载药 616 种，各述其性味、功效、制法、释义、附方等。该书之资料多引自李时珍、缪希雍、汪昂诸家之书，新意不多。中国中医科学院等处存道光十一年（1831）寸耕堂刻本。

《随园食单》 清·袁枚 撰 1790 年附

按 袁枚（1716—1798），字子才，号简斋、随园老人，浙江钱塘（今浙江杭州）人，著名诗人。该书集袁枚 40 年所知烹饪须知及各种食单，详述其取料烹制方法，但不涉及医疗作用。

《解毒编》1卷　清·汪汲　辑　1791年

　　按　汪汲，号古愚，又号海阳竹林人。该书为解毒专著。凡饮食、药饵、草、木、菜、果之属中有毒者，该书均述其食后的毒性反应及解毒法，内容极为丰富（包括解野菰、盐卤、水银、砒霜等毒性），很有特色。中国中医科学院存光绪三十三年（1907）江陵邓氏重刻本。

《吴氏本草》1卷　清·焦循　辑　1793年

　　按　焦循（1763—1820），字理堂，甘泉（今江苏江都）人；博学多才艺。其所辑《吴氏本草》（1793），多取材于《太平御览》等书，辑药168种。上海图书馆存其手校稿本。

《考正古方权量说》　清·王丙　撰　1792年附

　　按　王丙，字绳林，号朴庄，元和（今江苏苏州）人；乾隆年间名医。该文仅是《吴医汇讲》中的一篇文章，然或有将其作一书著录者。

《三皇药性考》　清·康时行　撰　1792年附

　　按　康时行（1705—1772），字作霖，娄县（今属上海市）人；善医术，为薛生白所重。《松江府志》（1818）载其书名。书今佚。

《脉药联珠药性考》4卷　清·龙柏　撰　1795年
《脉药联珠食物考》1卷　清·龙柏　撰　1795年

　　按　见中篇234页。

《药确联珠》4卷　清·黄堂　撰　1795年附

　　按　黄堂，字云台，锡山（今江苏无锡）人；曾师事缪松心（1710—1793），临证多效。该书稿本藏于南京中医药大学。

《灵豆录》　清·王式舟　撰　1795年

　　按　王式舟，字楼村，江苏宝应（一说兴化）人。其中年撰《灵豆录》，洪亮吉（1746—1809）为之作序。该书集《神农本草经》之品，又增陶弘景、唐慎微之注，作补遗若干条，今佚。

《用作盐梅》2卷　清·慎修　撰　1795年附

按　抄本，浮笺记有"慎修鄙见"。该书记烹调名目及各种菜肴烹调法，所记似以北京名菜为主。书中医药内容极少。今藏于中国中医科学院。

《医宗宝镜·药性》　清·邓复旦　编　1798年刊

按　邓复旦，江左人。他所编《医宗宝镜》的首编为"药性"。该编先录"药性赋"1篇，次撰药论，其中"反畏并用论""用药活变论"等颇有见地。嘉庆三年（1798），邹璞园刊刻之。近代有石印本。

《神农本草经》（辑本）3卷　清·孙星衍、孙冯翼　合辑　1799年

按　孙星衍（1753—1818），字渊如，又字伯渊、季仇，江苏阳湖（今江苏武进）人；经学家、校勘学家、金石学家。嘉庆四年（1799），孙星衍与其弟孙冯翼（凤卿）依《证类本草》白大字，辑成《神农本草经》，并将之刊入《问经堂丛书》。该书分三品载药365种（上120种、中120种、下125种）。书末附《神农本草经·序录》白字8条、佚文12条，《吴氏本草》12条，"诸药制使"1篇、《药对》5条。辑本在条文体例上同《证类本草》，但增加了生境内容（原墨字内容）。其增加生境的依据是《太平御览》、薛综注张衡赋均引有《神农本草经》生境内容。该书之编排大体参《证类本草》目录而定。凡《吴普本草》引《神农百草经》性味者，亦作《神农本草经》药，如该书增黍米、粟米。该书还增收了升麻（《太平御览》引），但漏收石下长卿一药。该书具有资料翔实、考据精确等优点。其但"以序例退置编末，附以药对、诸药佐使，如此之类，均不免杜撰"（丹波元坚）。今有多种清刊本及近代铅印本。

《本草要义与性味配伍》（译名）　清·贡曼·官却德勒　撰
《药名正字》（译名）　清·贡曼·官却德勒　撰

按　贡曼·官却德勒是清代藏族医家，生于西藏贡卡地区，属藏医北方派。其著述甚众，所著药学专著有以上2种。

《本草搜根》　清·姜礼　撰　1800年附

按　姜礼，字天叙，江苏江阴人。《江阴县志》载其精医术。其治病日记得失，建立功过格；著有《仁寿镜》《本草搜根》。今《本草搜根》有清抄本，藏于

中国国家图书馆，题为"天叔公"撰，天叔即天叙之误。

《尝药本草》8 卷　清·高梅　撰

  按　高梅，字云白，江苏无锡人。《无锡金匮续志》（1840）记其书名。书今佚。

《人参图说》　清·郑昂　撰　1802 年刊

  按　郑昂，字轩哉，古鄞（今浙江宁波）人。他数十年间留心于人参药材的考察，撰《人参图说》，以述其地道、形体、皮纹、神色、芦蒂、粳糯、空实、坚松、糖卤、镶接、铅沙、真伪等。书中颇多实践经验。今内蒙古图书馆藏嘉庆七年（1802）荻蒲书屋刻本。上海中医药大学存手抄本。

《神农本草经注》6 卷　清·陈修园　辑注　1802 年附

  按　蒋庆龄《神农本草经读·序》云："陈修园老友……著有《神农本草经注》六卷，其言简，其旨该……壬戌冬回籍读礼，闭门谢客，复取旧著六卷中遴其切用者一百余种，附以别录，分为四卷。"可见《本草经读》即从《神农本草经注》中节录增补而成的。另，《本草经读》佚名氏后叙，谓陈修园"前著有《本草经注》六卷，字栉句解，不遗剩义，缮本出，纸贵一时"。该佚名氏尝撰《本草经三注》，其中就引有《神农本草经注》之说。陈修园此书未见刊行，录此备考。

《本草经读》4 卷　清·陈修园　撰　1803 年

  按　见中篇 237 页。

《本草经三注》　佚名氏　辑　约 1803 年

  按　《本草经读》佚名氏后叙提到，他曾"集张隐庵、叶天士、陈修园三家之说而附以管见，名为《本草经三注》，而集中惟修园之说最多"。此与《本草三家合注》不同。

《药性汇集》

  按　此名系中国中医科学院馆藏时自拟。该函中共有抄本药书数种，其情况如下。①《药性歌》：据内容推测，即明·龚廷贤《药性歌》。②《补录本草备要药性》：不著撰人；补药 72 种，起自松节，终至枳椇子；每药下列数语，以介绍性味、功治。③《治痘药性说要》：仅摘录果部 22 种，参见本篇 338 页 "《治痘药性说要》" 条。④《神农本草经读》：原为陈修园辑注，此抄本仅录其《神农本草经》原文，删去注释。⑤《药性气味类裁》：不著抄者；每药下有四言诗一首，与龚廷贤《药性歌》大同小异；惟编排有序，共分补、散、杂三剂，各剂又细分功效类药。此后杂抄 "药性补遗" 及引经、炮制药性、十八反、十九畏歌括等。

《本草翼》　清·王子接　撰　叶天士　参补
《本草翼续集》　清·许嗣灿　增辑　1804 年

　　按　王子接（见本篇 329 页）撰《本草翼》，门人叶天士参补。今军事医学科学院藏嘉庆刻本。另，许嗣灿又在《本草翼》基础上予以增辑，而撰成《本草翼续集》，该书被收入钱塘许嗣灿汇集的《叶氏四种》中。

《桐雷歌诀》2 卷　清·张德奎　编　1806 年附

　　按　张德奎（1723—1806），字聚东，号默斋，浙江南浔镇人。《南浔志》（1922）记其书名。书今佚。

《参谱》1 卷　清·黄叔灿　撰　1808 年刊

　　按　黄叔灿，字牧村。该书集其所采访的许多人参商之经验而编成。其涉及人参的鉴别、收购和销售等许多环节。该书初刊于 1808 年，后有数种刊本，近代有影印本。

《药字分韵》2 卷　清·陈瑺卿　撰　1808 年附
《本草集说》2 卷　清·陈瑺卿　撰　1808 年附

　　按　陈瑺卿，字卜三，号石眉、天目山人，浙江海昌人；生活于嘉庆年间前后；精音韵。《海昌备志》（1847）记陈瑺卿《本草集说》。《杭州府志》（1922）记《药字分韵》。二书均佚。

《本草经疏辑要》10 卷　清·吴世铠　纂　1809 年

　　按　吴世铠，字怀祖，海虞（今江苏常熟）人。该书取缪希雍《本草经疏》，删取其半，共录药 450 种。该书虽较缪希雍书简明，而发明殊少。其于版框上眉批处注出用药、制药法。其采用符号标示人名、书名（□），方名（—），精要处（○），要害处（△）。其末 2 卷非本草内容。今有清刻本 3 种，藏馆较多。

《壶中医相论》1 卷　清·朱颜驻　撰　1809 年

按　朱颜驻，字耀庭，熙安（今广东番禺）人；生活于清嘉庆年间（1796—1820）。其所撰《壶中医相论》（1809），谈及药物修治，认为药材必须地道，炮制必须如法。今中国医学科学院存道光九年（1829）刊本。

《医阶辨药》　清·汪必昌　撰　1810 年

按　汪必昌，字燕亭，新安（今安徽歙县）人。汪必昌撰《聊复集》5 卷，《医阶辨药》为其中之一，然独立成书。该书藏于军事医学科学院。

《药性》　清·秦大任　撰　1811 年

按　秦大任（1752—?），字显扬，朝歌（今河南淇县）人。其辑古今医学之要成《医贯辑要》一书。本篇为其中一篇专篇。该书今藏于中华医学会上海分会图书馆。

《药笼小品》1 卷　清·黄凯钧　辑　1812 年

按　黄凯钧（约 1752—?），字退庵，号退庵居士，浙江嘉善人。黄凯钧撰《友渔斋医话》6 种，《药笼小品》为其末。该书不分部类，大致以植、矿、动物为序，列常用中药 309 种。其简要介绍临证用药要点，间附个人经验，间出新意，切于实用。今存嘉庆十七年（1812）原刻本及《中国医学大成》本。该书藏馆甚众。

《药性医方辨》3 卷　清·罗浩　撰　1812 年附

按　罗浩，字养斋，安徽歙县人。《海州文献录》（1936）等书记其医药书名。《药性医方辨·序》云"罗君云：药性之失，失在唐宋"，然原书未见。

《调疾饮食辩》6 卷　清·章穆　撰　1813 年

按　见中篇 239 页。

《本草纂要稿》　清·王龙　撰　1815 年附

　　按　该书抄本题"京口王龙九峰氏撰"，至于此"王龙九峰"是否与同里王之政（亦号九峰，1753—1815）为同一人，尚待考。全书收药 315 种，分隶金石、卤石等 10 部。其于各药下简记性味、功效、配伍、反恶等，甚乏新意。北京大学有藏。

《药性》1 卷　清·陈璞、陈玠　撰　1817 年

　　按　陈璞（琢之）、陈玠（健庵），燕山人。陈璞、陈玠兄弟推崇叶天士之学，撰成《医法青篇》。本卷为该书卷 8，载药 389 种。其多取材于《本草备要》，且云《本草备要》择取《药性大全》之要而成。其按经络类药，并于各药下介绍性味、功治、炮制、反畏及鉴别等，叙说简明，重点突出。书稿存于中国中医科学院。

《养小录》3 卷　清·顾仲　撰　1818 年

　　按　顾仲，字中村，号浙西饕士，浙江嘉兴人。他讲究遵生颐养。其所撰《饮食中庸论》《臆定饮食》等文，今佚。其又取海宁杨子建先世所辑《食宪》中有关饮食的内容，增以己验，易名《养小录》。该书详述汤、酱、饵、肴所用水、果、谷、肉、菜等物的制备。

《四言药赋》　清·芝荪氏　抄辑　1819 年

　　按　该书精抄本，无栏格，无序跋，封面题"己卯（1819）夏月芝荪氏"。书中抄辑《药性总义》，后为《四言药赋》。《四言药赋》分治风、热、湿、燥等 9 门，收药 460 种；于每药下撰四言诀一首。该本今藏于中国中医科学院。

《药性正误》　清·程观澜　撰　1820 年附

　　按　程观澜，号泽轩，安徽怀宁人；精本草、脉诊。嘉庆年间（1796—1820）其救治疫病患者千百人。其所著《药性正误》等书，均佚。

《本草杂著》　清·李之和　撰　1825 年

　　按　李之和，字节之，号漱芳，河北平乡人。《平乡县志》（1868）载其所撰书之名。书今佚。

《草药图经》1 卷　清·莫树蕃　撰　1827 年

按　该书原为德丰氏《集验简易良方》卷 3。德丰氏命莫树蕃（字琴冈，福建闽侯人）为之校订。莫树蕃深入乡间，叩询耆老，博采有关草药的知识，得药 60 种。该书于药下各附其图，并注明药物之气味形色及功效。自道光七年（1827）以来，该书被多次刊行。中国中医科学院存单行本。

《类经证治本草》　清·吴钢　编辑　1827 年

按　吴钢，字诚斋，屏山人。该书分 4 册，卷首"凡例"列述药性理论若干条，撷取诸家药论，载所谓李东垣《炮制药歌》，并将《药性粗评》正文歌赋抄为"许希周《药性赋》"。各论按经类药，各经又分补、泻、温、凉、平散六子目。该书以 556 种作《类经》（即本书类药之经络名）正品，以 463 种为附品。其又列"经外药总类"，大体按《本草纲目》分类法，收药 572 种，附入 286 种。全书收药 1867 种，皆为《本草纲目》药，只是编类与之不同而已。该书各药下不分项目，统而述之，介绍性味、功治，及诸家药论、附方、产地形态、炮制等，少有个人见解。序中称其书绘图 1 册，今中国中医科学院所藏抄本并无绘图。

《本草正义》2 卷　清·张德裕　辑　1828 年

按　张德裕，字距标，号目达子、术仙，浙江鄞县人。该书按性味、功效类药（如甘温、发散、气品……），分成 12 类，收药 361 种。每药下数语，述其性味功治，简要平淡。中国中医科学院藏道光八年（1828）刻本。

《本草述录》6 卷　清·张琦　节录　1829 年附

按　张琦（1763—1832），字翰风，一字宛邻，阳湖（今江苏武进）人；常州派词人，又精医理。其尝节录刘若金《本草述》而成《本草述录》。后蒋溶（字文舟）又在张琦节本基础上再加辑补（多"补集"一节），仍其旧书名。二书均藏于中国中医科学院。

《本草》2 卷　清·翁藻　编辑　1830 年

按　翁藻，字稼江，江西武宁人。本篇为其所撰《医钞类编》之卷 23、卷 24。该篇依《本草纲目》分 16 部，收药 789 种。其各药下以讨论药性功效理论为主，多述配伍用药法及同类药之药性比较。其内容充实，可供临床用药参考。今有奉新许氏刊本（1830），江西省图书馆等多处有藏。

《本草汇编》　清·龚国琦　撰

　　按　龚国琦，字景仁，江西南昌人。《江西通志稿》（1947）载其书之名。书今佚。

《本草类编》　清·江宗淇　撰
《丹丸善本》　清·江宗淇　撰
《丹膏善本》　清·江宗淇　撰

　　按　江宗淇，字筠友，江西信丰人。《信丰县志》（1870）著录上三书。书今佚。

《博爱轩药论》　清·王定恒　撰

　　按　王定恒，字久占，江西万载南田人。《万载县志》（1871）载其医药书之名。书今佚。

《本草记物》　清·罗克藻　撰

　　按　罗克藻，字拣庭，江西星子人。《星子县志》（1871）载其书之名。书今佚。

《本草述钩元》32 卷　清·杨时泰　撰　1832 年

　　按　见中篇 221 页。

《药性歌》　清·蔡恭　撰

　　按　《上海县志》（1872）著录该书。书今佚。

《药性便用》　清·赵国栋　撰

　　按　赵国栋，号大木，四川彰明（今四川江油）人；任医学训科。同治《彰明县志》载其书之名。书今佚。

《药性切指》　清·陈心泰　撰

　　按　同治《万县志》载此书之名。书今佚。

《药性论》1 卷　清·黄元吉　编　1833 年

　　按　黄元吉（1782—?），字济川，彭门（今四川彭州）人。其著《医理求真》8 卷。该篇为《医理求真》卷 6，论药 100 余种，不分门类，于每药下论以寥寥数语。中国中医科学院等处藏清春林堂刻本。

《药性分经》　清·盛壮　撰

　　按　盛壮，号研家，江西武宁人。《南昌府志》（1873）载其书之名。书今佚。

《本草经验质性篇》　清·程兆麟　撰

　　按　程兆麟，一名石麟，广西桂平人。《桂平县志》载其书之名。书今佚。

《本草类方续选》　清·朱煜　撰　1833 年附

　　按　朱煜，字濑溪，甘泉（今江苏江都）人。《甘泉县志》（1881）载其书之名。书今佚。

《本草随录征实》　清·武溱　辑　1834 年

　　按　其为未成之书稿。草序署"清溪武溱霁苍氏"。武溱辑此书，乃录诸家本草，"稍减于《纲目》之繁，稍增于《征要》之简"。今中国中医科学院存其残本（有药 300 余种）。其于各药下简述性味、主治。其亦大量引录典故、传说及耳闻之事，"聊作诗词歌赋之一助"。

《本草发明》　清·沈以义　撰

　　按　沈以义，字仕行，上海宝山人。光绪《宝山县志》著其医药书之名。书今佚。

《新增本草方症联珠》5 卷　清·萧缵绪　补订　1835 年

　　按　萧缵绪，字作周，一字丰亭，沩宁（今湖南宁乡）人。该书乃汪昂《本草备要》的订补本。其取材于《本草纲目》，而补充了药物真伪、宜忌、畏恶等内容。其仅增少数药物，附于书末，然增方 2000 首，分门列症，将药、方、症结合。书今佚。

《人参谱》8 卷　清·殷增　撰

　　按　殷增，字乐庭，号东溪，江苏吴江县人。《苏州府志》（1824）记其书之名。书今佚。

《本经疏证》12 卷　清·邹澍　撰　1837 年
《本经续疏》6 卷　清·邹澍　撰　约 1839 年
《本经序疏要》8 卷　清·邹澍　撰　1840 年

　　按　以上 3 种，见中篇 240 页。

《何氏药性赋》　清·何其伟　编　1837 年附

　　按　何其伟，字韦人，号书田，晚号竹簳山人，青浦（今属上海）人。其家世业医。该书分寒、热、平、温四性，收药 350 种。何时希《何书田年谱》著录该书。原书未见，疑即今之何岩《药性赋》（见本篇 371 页）。

《寿世医窍》2 卷　清·陈仲卿　撰　1838 年刊

　　按　锡羡堂本（1838）无作者姓氏。此书按经分类；各经附经络图，列主病、药名及主要功效；各药下简述功效、主治、宜忌等。今中国中医科学院等数处有藏。

《药品揭要》　清·邹岳　撰　1838 年

　　按　邹岳，字五峰，号东山，盱江（今江西南城）人。其所著《外科真诠》末附《药品揭要》。《药品揭要》简介外科常用药品。有多种清刊本，1955 年上海中医书局铅印之。

《药达》2 卷　清·顾墨耕　撰

　　按　顾墨耕，奉贤（今属上海市）青村港人。其所撰《药达》，原见录于《奉贤县志》（1878）。今上海图书馆存此书下卷，题作顾以琰撰，疑顾墨耕与顾以琰即同一人。

《本草名汇》 清·祝文澜 撰

按 祝文澜，字晋川，号秋田，南汇（今属上海）人。此书之名见于《南汇县志》（1879）。书今佚。

《本草经纬》 清·张用均 撰

《本草指隐》 清·张用均 撰

《本草缀遗》 清·张用均 撰

按 张用均，字辅霖，浙江镇海人。上三书载于《镇海县志》（1879）。三书今佚。

《十剂表》 清·包诚 编 1840年

按 包诚，字兴言，安吴（今安徽泾县）人；受学于阳湖张琦。该书用表格形式归纳药物，以十二经为纵，十剂（宣、通、补、泻、轻、重、滑、涩、燥、湿）为横，嵌入诸药。该书于各药下记载性味、入脏、功效等。其卷前首列《十剂解》，以阐释十剂义理及适应证；继列73种药名，以出其官名（正名）及俗名。该书今有清刊本（1866）及影印本（1983）。

《本草分经》不分卷 清·姚澜 纂辑 1840年

按 见中篇241页。

《神农本草存真》3卷 清·张鉴 撰1840年附

按 张鉴，字春治，一字葡鹤，号秋水，晚号负疾居士，浙江吴兴南浔镇人。《南浔镇》（1859）记其书之名。书今佚。

《本草汇编》 不著辑者 1840年附

按 中国中医科学院存此书抄本，书名系馆藏时自拟。该书为一平庸的《本草纲目》节抄本。此本天头间附转绘来的小药图，敷有彩色，无甚价值。

《本草三家合注》6卷 清·郭汝聪 辑 1840年附

按 该书一名《本草三注》，后附徐灵胎《百种录》。郭汝聪（小陶），山西临汾人。其得《本草经三注》，又附刻《神农本草经百种录》。该书目录悉依《本草崇原》，为张志聪《本草崇原》、叶天士《本草经解要》（即姚球之作）、陈修园《本草经读》摘要合纂本，收药 289 种。该书自成书以来，被刊行 30 余次，各地多藏。

《晶珠本草》　清·旦增彭措　撰 1840 年

按　该书一名《无瑕晶球晶珠本草》，为著名藏医药学专著。"晶球"指原作，采用韵文体（木刻版共 22 页）；"晶珠"则指注疏部分，共分 55 节（木刻版共 206 页）。该书收录藏医所用药物 1400 余种，对草药的分类和药物性能记载较详，集藏药之大成，倍受后世藏医界的重视。作者旦增彭措，全名德玛尔·旦增彭措，为藏族著名医学家。"德玛尔"即今四川甘孜藏族自治州德格印经院附近一寺院名。该书旧有木刻本。1911 年 6 月青海省塔尔寺再版的木刻本附有药物图鉴、诊病示意图、医疗器具图及人体穴位图等，为今藏医采药行医手册。四川甘孜州卫生局亦予铅印。

全书 2 部各 13 章，收药 2294 种。其上部为歌括，概论各种药物功效；下部为注疏，分论每种药物的来源、生境、性味、形态。该书以《四部医典》为基础，经实地考核写成，订正历代谬误，有藏医学本草之大成之称。罗达尚等有译注本。

《本草观止》3 卷　不著辑者　1840 年附

按　该书清抄本，无序跋、题款。该书分部同《本草纲目》（略变次序）。其收药 558 种，且于每药下简介性味、药性机制、主治功能。其还用小字简注品种炮制。其今藏于河南中医学院。另，上海中医药大学藏同名书 2 卷，为清人张对扬撰。苏州医学院图书馆亦藏同名书 2 卷，不著撰人。未比较以上三书是否系同一书。

《药性歌括》　不著抄人　1840 年附

按　其抄本卷前杂抄小儿病证方论；此后每页记药 8 种。该书共录药 417 种，且于各药下介绍性味、功治及歌括。其今藏于中国科学院图书馆。

《本草药性歌括便读》　清·卢清河　撰

按　卢清河，字道中，四川中江人。其所撰《本草药性歌括便读》，今未见。

《尊经本草歌括》2 卷　清·许宗正　编

> **按**　许宗正，字星东，四川射洪人。今存许宇正医书 4 种，《尊经本草歌括》为其中之一。4 种医书均为潼川刻本，藏于四川省图书馆，未得亲检。

《本草分队发明》2 卷　清·吴古年　编

> **按**　吴古年，名芹，本姓姚，归安（今浙江吴兴）人；当地名医。中国中医科学院所藏《本草分队》抄本，以脏腑经络归类药物，并将之分成 11 队；又列"药品补遗""新增药品""新增补遗" 3 类，并将各类又分为猛将、次将，论药 642 种，而这些药多为当地所产。该书解说简明，便于记诵。后其弟子凌奂，以本书为基础，撰《本草害利》。

《药队补遗》　不著撰人

> **按**　上海中医药大学藏该书抄本。其书口作"药队补遗"。其谓"凡一切应用之品而为十一队所未收者，备采于后"，有 55 页之多。疑此即《本草分队发明》之附录。

《四言本草》5 卷　不著撰人　1840 年附

> **按**　上海图书馆藏清刊本。该书按性味、功效将药物分成 5 类（如甘温平补、苦寒沉降等），收药 447 种。其分类思想是"并十剂于六味五性之内"，比较独特。各药下均有一首四言诗。

《本草约编》　不著撰人　1840 年附

> **按**　上海图书馆藏清抄本。此本无作者、抄者姓名。该书之分部、分类悉同《本草纲目》，但置草、木、果、菜等植物药于前，金石类等无机物于中，禽、兽、虫、鳞等动物类药于后。该书节取各药简要功效，无甚特色。

《药性考》　清·刘恒龙　撰

> **按**　刘恒龙，字兰亭，浙江桐乡人。《浙北医史人名志》载其书之名。书今佚。

《本草核真》　清·夏朝坐　撰

按　夏朝坐，字理堂，江苏江浦人。《江浦埤乘》（1891）载其书之名。书今佚。

《本草释名》2 卷　清·俞启华　撰

按　俞启华，字旭光，婺源（今属江西）人。《婺源县志》（1882）载其书之名。书今佚。

《本草分经类纂》2 卷　清·施镐　纂

按　施镐，字缵丰，上海崇明人。《崇明县志》（1831）载其医药书之名。书今佚。

《本草分韵便览》5 卷　清·戴传震　撰

按　戴传震，原名葆钧，号省斋，江苏昆山人。《昆新两县续修合志》（1880）云，戴传震见时医处方喜写药物别名，易于误人，乃撰《本草分韵便览》。书今佚。

《本草备览》　清·冯钧年　撰

按　《江宁府志》（1880）著录该书。书今佚。

《本草正误》　清·俞塞　撰

按　俞塞，字吾体，号无害，婺源（今属江西）人。《皖志列传稿》（1936）载其所撰书之名。书今佚。

《本草经注》　清·姜璜　撰

按　姜璜，字怀滨，江西南丰人。此书著录于《南丰县志》，今佚。

《草木春秋》　清·云间子　演义

按　书前驷溪云间子序称："集众药之名，演成一义……虽半属游戏，然其中金石草木水土禽兽鱼虫之类，靡不森列。"该书杜撰一汉代故事，以药名为人名，设君臣狼主、强盗仙家、佳人猛将。故事情节平庸，故事中人物性别、性情、善恶等多参照药物之药性及药名拟定，但对于实际药学内容，该书则很少介绍，远逊于《草木传》。中国中医科学院存大文堂刻本。

《附子辨》　清·罗健亨　撰

　　按　罗健亨，字沄谷，湖南湘潭人。《湘潭县志》载其有医书四五种。书今均佚。

《药性总集》　撰人不详

　　按　该书分草、木、菜、人、禽兽、虫鱼、金石、果、谷菜 9 部，录药 415 种。另附"药性补遗"，收药 130 种。每药下有四言诗一首，四句、六句不等。该书间附反恶等内容。今存抄本，藏于湖南衡阳市图书馆。

《补读轩药引杂考》2 卷　清·王德爵　撰

　　按　王德爵，字雨时，江苏吴江人。其书无序跋，卷上载药 200 种，卷下则仅录 52 种，全书共收药 252 种。每药下有寥寥数语。今有抄稿本，存于上海中医药大学。

《本草再新》12 卷　清·叶天士（小峰）　节录　1841 附

　　按　该书又由长洲王源达泉补注。1841 年白从瀍刻印。1934 年苏州国医社再版时，误将作者改为叶天士。叶天士生于 1666 年，卒于 1745 年。其实此书不是叶天士所著。

《引经便览》　清·夏翼增　撰 1842 年

　　按　夏翼增（约 1772—?），字益能，蓉江人；先儒后医，精于临证。此书一名《引经药诀》。该书首绘十四经经图，次述分际、循行及用药诀，皆括以七言诗，不详述各药性味、功治等内容。中国科学院图书馆存仁心斋本（1842）。

《素仙简要》4 卷　清·奎英　撰　1842 年

　　按　奎英，号素仙，满族人；道光十年（1830）治愈清宣宗疾，升太医院左院判。此书由药性、诊候两部分合成。药性部分收常用药 560 种，通以四性分类，以利初学。中国科学院等处藏明道堂本（1844）。近代有石印本。

《药性捷诀》1 卷　清·何第松　撰

按　何第松，字任迁，婺源（今属江西）人。《婺源县志》（1882）载其医药书之名。书今佚。

《药性集要便读》3 卷　清·岳昶　辑　1843 年

按　岳昶（1773—1860），字晋昌，江苏武进人。此书取材于《本草纲目》《本草经疏》《本草述》《本经逢原》等书。其载药 360 种，并于各药下撰歌括（或五言或七言，不拘长短），以述气味形色经络。该书又另附主治功用发明。其虽名"便读"，实则洋洋洒洒。现有清刻本 2 种，藏于中国中医科学院等处。其或被著录为《药性集要便览》（简称《药性集要》）。

《本草》2 卷　清·王世钟　辑　1844 年刊

按　王世钟，字小溪，四川岳池人；撰《家藏蒙筌》18 卷。本篇为《家藏蒙筌》卷 15、卷 16。该篇共载药 359 种，不分部类。每药下有 100 余字，述其性味、归经、功效主治及宜忌。其偶加之按语，亦有佳处。中国中医科学院藏文盛堂刻本（1844）。

《本草求真》2 卷　清·赖宗益　撰

按　《赣县志》著录此书。书今佚。

《本草别钞》10 卷　清·倪端　撰

按　《江都县续志》（1883）载此书之名。书今佚。

《本草药性主治订要》5 卷　清·陈翰　撰

按　陈翰，字尊汀，别字未堂，崇乡远溪（今江西修水）人。《义宁州志》（1873）载此书之名。或有将其作《本草药性》《主治订要》著录者。书今佚。

《本草补述》12 卷　清·林衍源　撰

按　《苏州府志》（1883）载此书之名。书今佚。

《药性简要》1卷　清·廖云溪　编　1844年

按　廖氏号云溪，中邑（今四川中江）人；从汪百川习医。廖云溪辑《医学五则》。其中第2集为《药性简要》，又名《药性简要三百首》，录七言歌括300首。该书取材于《本草备要》，分草、木、果、谷等8部。中国中医科学院等处藏清刻本。

《医门初步》1卷　清·廖云溪　辑　1844年

按　廖云溪取胡公淡遗作《医方捷径珍珠囊》摘要而成《医门初步》。该书汇辑药性赋及引经报使、六陈、十八反、十九畏等众多药性歌括（计22种）。余参上条。

《神农本草经》（辑本）4卷　清·顾观光　辑　1844年

按　顾观光（1799—1862），字尚之，又名漱泉，别号武陵山人，江苏金山人；考据学家。其所辑《神农本草经》卷1为"序录"，余则为上、中、下三品药。该书收药365种，取材于《证类本草》白大字，并经过了一些考证和校勘。其采用李时珍所列《神农本草经》目录编类药品。此辑本较孙星衍辑本稍逊，流传有限。今有其清刻本（1883）。1955年后有影印本。

《务中药性》20卷　清·何本立　编　1844年

按　何本立（1779—1852），字务中，江西清江人。该书取《本草纲目》常用药，于每药下分别撰八句七言诗，以便诵读。今中国中医科学院等处藏清刻本。

《本草征要》2卷　清·张德馨　撰

按　张德馨，号雪香，上海南汇人。《南汇县志》（1884）载此书之名。书今佚。

《本草摘要》　清·贺宽　撰

按　《丹阳县志》著录该书。书今佚。

《药性弹词》　清·王文选　编　1847年

按　王文选，字锡鑫，号亚拙山人，万邑（今四川万县）人。王文选编《医学切要》6卷，该篇为《医学切要》卷 1 中的一篇，分寒、热、温、平四类。每药下各有一词。该篇共收药 211 种。其后列"分类见病用药歌""十九畏歌""十八反歌"等。有清刻本 2 种，多馆有藏。

《济荒必备》3卷　清·陈仅　编　1847 年

按　陈仅为县官，此书为其任上所撰。该书分成三部分："蓺薥集证"，述栽种红薯法；"辟谷补方"，搜集各种书中的辟谷方 45 则，实用价值很小；"代匮易知"，采集可食植物资料 73 则（多取自朱橚《救荒本草》、徐元扈《野菜谱》、顾黄公《野菜赞》等书）。上三部分各作 1 卷，总以"济荒必备"为名。《济荒必备》虽属农书，多涉医药。中国中医科学院等处存道光二十九年（1849）刻本。

《本草》　清·刘淑随　撰

按　刘淑随，字贞九，山东宁阳人。《宁阳县志》（1887）载此书之名。书今佚。

《本草求原》27卷　清·赵其光　辑　1848 年

按　赵其光，字寅谷，冈州（今广东新会）人。赵其光推崇刘若金、徐灵胎、叶天士（当为姚球）、陈修园四家之本草注，复"为之增其类，补其义"，撰成《本草求原》。该书又名《增补四家本草原义》。其杂采众说，申以己见，补充了一些名医方论及治验，且于《神农本草经》药外，兼采常用时药与食物，共得药 900 余种。另，该书附方数万。其在药物分类上同《本草纲目》。中国科学院等处存其原刻本（1848）。

《药性摘录》1卷　清·文晟　辑　1850 年

按　文晟，字叔来，江西萍乡人。其遗有《六种新编》丛书。《药性摘录》按功效（如温中、平补等）将药物分为 31 类，收药 433 种。其于各药下摘抄性味、功治，平泛无新意。各药后列"常用药物"，分经封将（如手少阴心经，补心猛将龙眼肉）。末为"食物"，录饮食物 330 余种，简介饮食物之性味、功治。江西省图书馆等处存清文庆堂本（1865）等刊本。

《神农本草经赞》3 卷　清·叶志诜　撰　1850 年

按　叶志诜，字东卿，湖北汉阳人；大臣。叶志诜取孙星衍辑《神农本草经》原文，再加赞、注而成此书。每药下有四言四韵。该书赞语古奥，又自引诗赋本草释其出典。今有《汉阳叶氏丛刻医类七种》本、《珍本医书集成》本。

《药性赋》　清·丁悦先　撰　1850 年附

按　丁悦先，道光间安徽怀宁人。《怀宁县志》著录该书。书今佚。

《药性辨论》　清·钱维翰　撰　1850 年附

按　钱维翰，字亮卿，上海塘湾人。其所撰药书之名见《上海县续志》，今未见。

《一隅本草》　清·孙兆惠　编绘　1850 年

按　孙兆惠，字笠江，江苏昆山（或误作安徽）人；道光年间（1821—1850）官云南呈贡及蒙自知县；工画，知医。其取兰茂《滇南本草》坊刻本及杨慎传抄著作中的滇药合编而成《一隅本草》。该书收药 410 种，间附己说，并附手自绘图。然未见该书传世（见《滇南本草》赵藩序）。

《本草从经》　清·颜宝　撰

按　颜宝，字善夫，江苏江都瓜州人；生活于 19 世纪；为"淮扬九仙"之一（九仙指九位名医）。《续修江都县续志》载其撰《本草从经》。书今佚。

《本草择要》3 卷　清·王荩臣　编　约 1851 年

按　见本篇 372 页"《本草撮要类编》"条。

《本草注释》4 卷　清·张国治　辑

按　张国治，字子瑜，上海金山人。许光镛《枫泾小志》（1891）载其医药书之名。书今佚。

《本草省常》1 卷　清·田绵淮　辑　1853 年

按　田绵淮，字伯洰，号寒劲子，中州商邑（今河南商丘）人。田绵淮撰

《援生四书》（丛书），《本草省常》为其中第三种。该书为养生而设，仅收饮食品365种（实存350种），故不录治病所需草、木、金石药。其增收匾豆、红芋之类，对动物药则"详著其短、略著其长"，以免有伤生灵。中国中医科学院藏余庆堂本（1873）。

《本草明览》11卷　清·钮文鳌　抄　1854年

　　按　钮文鳌抄于刘东孟家（1854）。该书收药388种，分草、木、谷、菜等10部，简介药物之性味、功效。书后附引经报使等内容。上海图书馆有藏。

《药性蒙求》　清·张仁锡　撰　1856年

　　按　张仁锡（？—1860），字希白，上海青浦人。张仁锡纂《药性蒙求》（初名《药性诀》《四言药性》）。该书于邵达订补的皇甫中《明医指掌·药性歌》的基础上予以增补，载药439种，并将之分为草、木、果、菜等13类。其在各药下先用大字出四言诗四句，次用小字注出用药要点、药材性状、炮制、产地等。该书多引《本草纲目》《本经逢原》《本草从新》等书，偶增己见，对诸药作用之介绍比较切中肯綮。上海中医药大学存抄本，1979年上海古籍书店复印之。

《本草别名》　清·朱春柳　编　1856年抄

　　按　此书今上海图书馆藏咸丰六年（1856）抄本。

《本草纲目补遗》　清·黄宗沂　撰　1856年附

　　按　黄宗沂（？—1856），字鲁泉，号同甫，江苏江都人。《江都县续志》（1883）著其书名。书今佚。

《药解》2卷　清·周廷燮　撰

　　按　周廷燮，字载阳，四川井研人。光绪《井研县志》著其书之名。书今佚。

《药性辨》　清·夏承天　撰

　　按　《余姚县志》（1899）著录该书。书今佚。

《药性歌》　清·汝昌言　撰

　　按　汝昌言，江苏吴江人。其所撰药书见录于《黎里续志》（1899），今佚。

《一隅本草》　清·黄上琮　撰

　　按　黄上琮，字文琦，上海宝山罗店镇人。《宝山县志》（1882）载其书之名。书今佚。

《药性歌括》　清·杨喜霖　撰

　　按　杨喜霖，字雨亭，辽宁海城人。《海城县志》载其书之名。书佚。

《本草图经》　清·高锦龙　撰　1860 年附

　　按　见本篇 368 页"《本草简明图说》"条。

《药性辨同》　清·刘源长　撰

　　按　《宁津县志》（1900）著录该书。书今佚。

《随息居饮食谱》　清·王孟英　撰　1861 年

　　按　王孟英（1808—1866?），名士雄，浙江杭州人；清末著名温病学家。其于咸丰十一年（1861）撰此书（简称《饮食谱》）。该书收饮食品 327 种，并将之分为水饮、谷食、调和、蔬食、果食、毛羽、鳞介 7 类。该书简介饮食之功效、宜忌，附以用法，每出新见，为食疗佳作。今有清刻本及石印本多种，多馆有藏。

《本草便读》6 卷　清·江敏书　编　1861 年附

　　按　江敏书，咸丰年间（1851—1861）人。该书正文 6 卷，另有"补遗""续遗"各 1 卷。末附《药性要义》1 卷。中国国家图书馆等处存 1936 年山东铅印本。

《病理药性集》　清·巴堂试　撰　1861 年附

　　按　巴堂试，字以功，安徽歙县人；咸丰年间（1851—1861）行医江西。《歙县志》载其书之名。书佚。

《本草害利》　清·凌奂　撰　1862 年

　　按　凌奂，字晓五，浙江吴兴人；从吴古年习医，得传《本草分队》。其以此为基础，集各家本草精义，补入药之害于病者，逐一加注，编成《本草害利》。该书在分类上仿《本草分队》，按脏腑列 11 队，各队又分温凉补泻之猛将、次将，并于诸药下设"害"（副作用）、"利"（功用、配伍）、"修治"（炮制及用药品种鉴别）三项。该书内容丰富，甚切实用。1982 年中医古籍出版社排印之。

《注释本草纲目》　清·张杏林　注　1862 年附

　　按　张杏林（？—1862），字春卿，江苏高邮人。《扬州府志》（1874）载其书之名。书佚。

《本草汇纂》3 卷（附 1 卷）　清·屠道和　撰　1863 年
《药性主治》1 卷　清·屠道和　撰　1863 年
《分类主治》1 卷　清·屠道和　撰　1863 年

　　按　屠道和，字燮臣，湖北孝感人。其所撰《本草汇纂》，收药 500 余种，并将之按功效（如平补、温补等）分为 30 余类目。该书还简述各药之归经、性味、功治、制法等。该书共采辑 20 余家本草精要。附录载饮食物 130 余种，并述其性味功用宜忌。卷末列"脏腑主治药品"，以功效归类药名。另，《药性主治》一书按病证罗列主治药名（设证 111 种）。《分类主治》列治法 30 则（名目多同《本草汇纂》），并于每一治则下论其应用机制，且列举有关药物以为例证。卷末附"毒物"。今有育德堂《医学六种》刻本（1863）。

《药性分经》　清·钱嘉钟　撰　1864 年附

　　按　钱嘉钟，号云庵，浙江嘉善人。《嘉兴府志》（1878）著录该书。书今佚。

《神农本草经》（辑本）3 卷　清·黄奭　辑　1865 年

　　按　黄奭（字右原），江苏甘泉人；世为富商，嘉庆、道光年间任刑部员外郎，钦赐举人。其治经史及小学，好辑刻古书。《神农本草经》（同治四年辑）即其所辑刻书之一，被收入《黄氏逸书考》。该辑本除增加补遗 22 条外，余皆同孙星衍辑本。杨守敬《日本访书志》卷 9 云："按，此本与孙氏《问经堂丛书》本全同，惟卷末多补遗二十二条。考孙氏自序，于此书源流甚晰，不应是窃人之书。而卷末二十二条，非平日用力此学，亦不能得也……然不应没孙氏名而直署己作。"范行准则直云："二孙辑本，即被当时富商黄奭所窃，删去叙录，辑入《黄氏逸书考》中。"所补 22 条分别辑自《太平御览》《尔雅》《续博物志》，亦见功力。今有清刻本及 1982 年影印本。

《食鉴本草》　题清·费伯雄　撰　1865 年

按　费伯雄（1800—1879），字晋卿，江苏武进孟河人。其家世业医。其著有《费氏食养三种》。而据盛红考订，《食鉴本草》即石成金订集的《食鉴本草》和《食愈方》的合刊本而已，非费伯雄原撰。其另有《食养疗法》及《本草饮食法》二书。

《本草补注》　6 卷　清·方耀　撰　1865 年附

按　方耀，字舍山，浙江海盐人。《海盐县志》（1876）载其撰医药书多种。该书均佚。

《本草二十四品》　24 卷　清·陆懋修　撰　1866 年附

按　陆懋修（字九芝），江苏元和（今苏州）人；以医名世。其所撰该书按功效分 24 卷（如消散风寒、辟除温暑等），述常用药 297 种。该书先以大字书药物之主要功效，次注药物之性味归经、主治禁忌，画龙点睛，重点突出。其还于目录中药名之下简注用量、性味、煎法、制法等。中国国家图书馆藏林屋丹房抄本，冯汝玖重录之。

《神农本草经摘读》　清·林屋洞仙　辑

按　中国国家图书馆所藏抄本，题林屋洞仙九芝辑。九芝为陆懋修之字，陆懋修堂号为林屋丹房，疑林屋洞仙为陆懋修之别号。

《本经便读》　4 卷（附《名医别录》1 卷）　清·黄钰　编　1869 年

按　黄钰，字宝臣，四川璧山人。其尝"取《本经》而编辑之，补短截长，叶以韵语，名曰《本经便读》"。该书正文收药 232 种。附录虽题名"名医别录"，实非《名医别录》辑本，乃辑《名医别录》至《本草纲目》所出药 143 种而成。合前 4 卷，该书共有药 375 种。其于每药下编歌一首，别无补注发明。今有清刻本数种，藏于中国中医科学院等处。

《本草摘要》　清·程履丰　撰　1869 年附

按　程履丰，字宅西，号芑田，婺源（今属江西）人；同治间官吏。《婺源县志》（1925）载其所撰书之名。今上海图书馆、上海中医药大学藏佚名氏同名书，不解其是否为程氏所撰。

《草木便方》4 集　清·刘兴　撰　1870 年刊

按　刘兴，字善述，四川合川县西里刘家岩人。其尝竭力搜求川东土产药物，察形究性，附以方剂，编成该书，稿成即卒。其子刘士季为之辑定，刊该书于同治九年（1870）。该书分元、亨、利、贞 4 集。前 2 集为草药，载药 508 种；后 2 集为药方。该书附有药图。其文字部分采用七言歌诀形式，介绍性味功用。该书为一颇有特色的地方本草（四川合阳赤水一带），四川省中药研究所（该所存此书原刻本）等处对其进行了深入的研究整理。

《萃金裘本草述录》9 卷　清·蒋溶　补辑　1870 年

按　该书一名《萃金裘初集》《本草述录》。蒋溶，字文舟，江苏武进人。其得张琦《本草述录》，乃增"补集"1 卷，添野山参、东洋参等药。今中国中医科学院藏手抄本。

《用药》1 卷　清·雪樵　辑 1870 年

按　雪樵，不明姓氏。该篇为其所著《兰台要旨》卷下。该卷阐发药理，不述具体药物功治。其于每四句四言韵语之后，略加阐述，如谓"药性主治，不外五行，分阴分阳，归十二经""色青气臊，其味则辛。属木之药，入胆与肝"等。上海中医药大学藏益寿堂刻本（1870）。

《方药类编》4 卷　清·熊煜奎　辑　1872 年

按　熊煜奎，字吉臣，号晓轩，湖北武昌人。其所辑《方药类编》为《儒门医宗总略》后集。该书阐述药性补泻，辨析气味宜忌，采摘历代诸家论药精要，又按证列举治方，合论方药。湖北省图书馆藏同治年间崇训堂刻本。

《本草纲目释名》　清·耿世珍　辑　1874 年附

按　耿世珍，字廷瑾，一字光奇，广陵（今江苏扬州）人。该书名"释名"，实则仅按《本草纲目》原部类摘录诸药之别名，并无一处解释。1982 年中医古籍出版社影印抄本。

《本草群集》　清·黄滋材　编　1874 年附

　　按　中国科学院图书馆藏此书抄本。

《合药指南》4 卷　清·许大椿　撰　1874 年附

　　按　许大椿，以字行，江苏吴县人。《吴县志》（1933）载其所撰药书之名。今未见该书。

《药性赋》1 卷　清·李朝珠　撰　1874 年附

　　按　李朝珠，字佩玫，别号坦溪，河北曲阳人；生活于 19 世纪后半叶。《曲阳县志》（1904）载其医药书之名。今未见该书存世。

《本草因病分类歌》　清·王铨　编　1876 年刊

　　按　王铨（1831—1877），字子衡，一字松舫，河北新城人。王铨编《医学家怅》6 卷，该篇为其一。该篇将药物按病分类，并各编歌括，以便学医者入门。中国科学院等处藏光绪二年（1876）文莫室刻本。

《本草征要》　清·胡杰人　撰
《本草别名》　清·胡杰人　撰

　　按　胡杰人，字芝麓，因手有歧指又号指六异人，浙江余姚人。《余姚六仓志》（1920）载其医药书之名。书今佚。

《本草赘余》1 卷　清·杨履恒　撰

　　按　杨履恒，字孚敬，江苏江阴人。《江阴县续志》（1920）载其书之名。书今佚。

《药要便蒙》2 卷　清·谈鸿鋆　编　1881 年

　　按　谈鸿鋆，字问渠，居北京虎坊桥，任职于农部。其编《药要便蒙新编》（简称《药要便蒙》）。该书收药 365 种（《神农本草经》药 143 种，诸家本草药 222

种），择前贤精义，编为四言诗句，特重用韵。其按药效将药物分为 10 门。该书曾与《笔花医镜》合刊，或有将此书易名《药性新赋》者。该书多馆有藏。

其上卷载药补益门 65 种，定通门 63 种，祛寒门 20 种；下卷载药泻热门 48 种，驱风门 35 种，除痰门 20 种，润燥门 22 种，利湿门 24 种，收涩门 26 种，清散门 42 种。每味药下正文编四句诗，每句诗 4 字，共 16 字。这些诗句主要介绍药物性味、功效、引经等。至于该药特点，则作旁注；注文内容有别名、禁忌、副作用、服法等，文字简洁，一般不超出 30 字。其于每药最后又补充药性之相反忌、制法与用药的大法等，文句简明扼要。

该书是一本普及性本草，适合初学者诵读，便于记忆。

该书资料抄自前人，书中无作者本人新义。

《存存斋本草撷华》3 卷　不著撰人　1881 年附

按　该书抄本 3 册，版心记"味根草堂"，封面题"味根草堂本草"。该书今仅残存草类药 97 种。该书杂集明清诸家药论，别无新义。存存斋为清医家赵晴初（1823—1895）之堂号。赵晴初名彦辉，号存存老人，浙江绍兴人；著有《存存斋医话稿》（1881）。疑此本草由赵晴初辑录。

《本草考证》4 卷　清·翁机　撰

按　翁机，浙江钱塘（今杭州）人。《杭州府志》（1922）著录此书。书今佚。

《天宝本草》　不著撰人　1883 年

按　该书不著撰人。卷首题书为《天宝草本》，书口亦作"草本"。全书所载，尽是草药。该书首列寒、热、温、平四赋，虽仿"药性赋"（四性）体例，但与其内容迥别。其次载"药性歌"149 首（每药一歌），如"开喉剑名八爪龙，叶下藏珠状元红。咽喉红肿皆能治，牙疼肿热火症同"。今藏于中国中医科学院者，为1939 年重刊本。中国科学院图书馆藏宣统三年（1911）本，题书名为《天宝本草药性》（2 卷）。2 种版本均不载作者。

《读本草纲目摘录》　清·徐用笙　摘　1883 年附

按　徐用笙，自号书呆子，山阴（今浙江绍兴）人。徐用笙常依《本草纲目》所载治疗疾病，又取其价廉易得之物 265 种，简录性味、功治及附方，编成《读本草纲目摘录》。上海中医药大学存 1883 年抄本。

《药赋新编》1 卷　清·程曦等　纂　光绪十年（1884）刻版付印

　　按　该书由程曦、江诚、雷大震合纂。程曦，字锦雯，安徽歙县人。江诚，字抱一。雷大震，字福亭。江诚、雷大震二人均为浙江衢县人。该书仿《药性赋》，载药 342 种，以寒、热、温、平分类，计寒性药 87 种，热性药 88 种，温性药 71 种，平性药 80 种。其最后附有药性十八反歌和十九畏歌。

　　在同性药中，其又把功用相近的药，用骈语编成对句，排为一对偶句。

　　如寒性门中的犀角与羚羊角骈语对偶句为"犀角之功清热利痰治吐血；羚羊之效定惊明目理拘挛"；热性门中的附子与干姜骈语对偶句为"附子回阳，补肾命之火，兼逐风寒湿气；干姜燥湿，去脏腑之寒，更消胀瘕症"；温性门中的黄芪与当归骈语对偶句为"炙黄芪益气补中，欲泻火生芪有功，护卫芪皮有效；全当归温中活血，欲养血归身可进，破血归尾可图"；平性门中的黄精与玉竹骈语对偶句为"益脾胃、填精髓、杜筋骨、除风湿、黄精速效；补气血、止烦渴、愈中风、却寒热，玉竹功彰"。每一药的骈语，均简注药物之种类、归经、功治，并附有配合应用方法。书末所附"药性大略"，述一般药性理论。该书每药的骈语，介绍了该药的主要内容，文字精练，语句虽短，却能突出主要作用。此外，其还把性味、功用相近的药味作为骈语对偶，以进行比较。原书作者说："姑弃繁而就简，当举一而反三。"初学者须经老师讲解，才能领悟该书内容。在领悟后，再把它背熟，对日后临床用药，极为方便。该书被收入《医家四要》中。《医家四要》分 4 卷，卷 1 为《脉诀入门》，卷 2 为《病机约论》，卷 3 为《方歌别类》，卷 4 为《药赋新编》。该书有近代刻本、石印本及铅印本。1958 年上海卫生出版社出版了排印本。

《本草纲目易知录》8 卷　清·戴葆元　编　1885 年

　　按　戴葆元（约 1815—1887），字心田，一字守愚，婺源（今属江西）人。戴葆元取《本草纲目》《本草备要》二书，增删而成《本草纲目易知录》。该书分草、谷、菜、果等 16 部，载药 1208 种。其以大字介绍性味、功治，小字注附方；偶夹个人意见，并注"葆按"。书末附《万方针线易知录》，此乃抄摘《万方针线》一书而成。江西省图书馆存木刻本（1887）。

《神农本草经》（辑本）3 卷　清·王闿运　辑　1885 年

按　王闿运（1833—1916），字纫秋，号湘绮，湖南湘潭人；辞章家。王闿运自称得严生所获长安明代翻刻嘉祐年间《神农本草经》刊本，遂以之为底本辑此书。该书收药 360 种（归并了数药）。今有成都尊经书院刻本。1942 年，四川成都刘复以之为主体，取孙星衍、顾观光辑本参校补遗，并以《神农本草》为名刊行之。1942 年上海古医学会铅印之。

《注解神农本草经》10 卷　清·汪宏　辑注　1885 年

按　汪宏，字广庵，安徽歙县人。该书成于光绪十一年（1885），1888 年梓行。汪宏自称于咸丰六年（1856）得熙宁元年（1068）《神农本草经》重刊本，但其因蠹蚀而殊难披阅。所以，他取《本草纲目》诸书校对，抄成《神农本草经》。《神农本草经》载药 365 种，汪宏将之分成 9 卷，且为之注解。汪宏所称宋本《神农本草经》，据盛红考证，并不可信。该书今存于上海中医药大学。

《汤液本草经雅正》10 卷　清·钱艺等　编　1885 年

按　钱艺，字兰陵，镇洋（今浙江吴兴）人。该书系一以《神农本草经》药物为主的注解本草，由钱艺儿辈集成。书名"雅正"，取其辞雅理正之义。今上海中医药大学存该书稿本。

《本草衍句》1 卷　清·黄光霁　撰　1885 年

按　该书存于《三三医书》，不著撰人，仅云"休宁金履陛社友昔年录寄之稿"。《婺源县志》（1925）载，黄光霁，字步周，婺源潢川人。金陵、姑苏皆知其医名。其著《本草衍句》。黄光霁与景廉（1824—1885）为同时代人。因此，据黄光霁所居地区、声望，以及该书成书年代、书名，可以认为黄光霁即此书的作者。该书录药 268 种，分草、木、石、谷、菜、兽诸部。其于每药下撰韵语数句，并于末附简注及单方。卷首列反忌、引经报使及高世栻《用药大略》等，内容平平。

《神农本草直指》4 卷　附录 1 卷　清·戈颂平　撰　1885 年

按　戈颂平，字直哉，海陵（今江苏泰州）人。戈颂平著《戈氏丛书四种》，其中内含《神农本草指归》（或作《本草指归》）。今上海中医药大学、泰州图书馆有传抄本。

《本草歌》　清·胡翔凤　撰

按　胡翔凤，字守先，号爱吾，婺源（今属江西）清华人。《婺源县志》（1925）载其医药书之名。书今佚。

《校补药性》1卷　清·戴绪安　辑　1886年

按　戴绪安，字小轩，寿春（今安徽寿县）人。戴绪安尝辑《医学举要》4卷（1886），本篇为其卷4。该卷仿《本草图经》分部类。各部用歌赋体，每联介绍数种药物主要功效，又注其产地、炮制、形态、反畏、性味、功治等。该卷共有骈句190余联，涉及药物400余种。中国中医科学院等处存清刻本。

《本草撮要》10卷　清·陈其瑞　辑　1886年

按　陈其瑞，字蕙亭，当湖（今浙江平湖）人；光绪七年（1881）任职于江苏官药局。该书选常用药668种，分草、木、果、蔬等9部，简述药物之性味、归经及功治配伍。其主治宗《神农本草经》，体裁仿《本草述钩元》。该书有清资生堂刻本（1902）及《珍本医书集成》铅印本。

《医门小学本草快读贯注》4卷　清·赵亮采　编　1887年

按　赵亮采，字见田，湖北襄阳人。赵亮采谓本草乃医门之小学，遂编此书（简称《医门小学》）。该书首列阴阳运气、脏腑经络及药性总义，次以药性寒、热、温、平四赋为纲，杂采前人之说之注释。书后附有诊法、经络歌诀。湖北省图书馆等处藏清鹿门慎业斋本（1887）。

《本草便读》2卷　清·张秉成　辑　1887年

按　张秉成，字兆嘉，江苏武进人。该书集药580种，并于每药下编成数联韵语，述其性味、主治。该书还注明了临床应用要点、炮制、形态、宜忌。其分类仿《本草纲目》。该书卷首列"用药法程"，即药性总论。其集诸多本草歌诀之长而成，繁简得当，故流传甚广。1913年上海章福记书局石印时易名为《本草新读本》。1953年广益书局出版铅印本。

《本草简明图说》4卷　清·高砚五　编　1887年

按　高砚五，字承炳，号念岵，江苏无锡人。其先世高锦龙，认为《本草纲目》绘图经多次翻刻，已失其真，乃著《本草图经》，逐种考校。书成毁于战乱，仅余草部 100 余种药。高砚五以此为基础，补绘而成《本草简明图说》。该书收药 1000 余种，附以药图。其图或来自写生，或采自西方植物图绘，或据传闻想象而绘，鱼龙混杂，然笔法细腻。该书还于图上注以药性。上海图书馆等多处藏石印本（1892）。

《桂考》1 卷　清·张光裕　撰　1889 年

按　张光裕，字近人。该书述桂之真伪、用法，辨桂之形色气味及取、制、用、藏诸法。另，该书还附《采桂图》2 幅。1925 年黄任恒续辑 1 卷，与该书一并刊行，名《桂考续》。中国国家图书馆等处有铅印本。

《汉药大观》　清·程义廉　撰

按　《续禹城县志》（1939）著录该书。书今佚。

《新订本草大略》1 卷　清·陈珍阁　撰　1890 年

按　陈珍阁，名宝光，广东新会人。其兼知西医。该卷为其所撰《医纲总枢》之卷 2。该卷按功效将药物分成 26 类，选常用效验药 328 种，并释其功效主治。其解说各类功效，能融贯中西，自成一格。中国中医科学院等处藏光绪年间刻本。

《本草便记歌》　清·宋言扬　撰

按　宋言扬，字春农，山东胶州人。《山东通志》（1911）著录该书。书今佚。

《本草摘要》　清·陈楚湘　撰

按　陈楚湘，一名诗怀，浙江鄞县人。《鄞县通志·文献志》（1951）著录该书。书今佚。

《本草识小》　清·孙郁　撰

按　孙郁，字兰士，江苏丹徒人。《续丹徒县志》（1930）载其书之名。书今佚。

《本草便读》　清·郑作霖　撰
《药性赋》　清·郑作霖　撰

按 郑作霖，字解祥，山东庆云人。《庆元县志》（1931）著录该书。今未见其书。

《良药汇编》14 卷　清·苏飞卿　编　1892 年

按 今有光绪十八年（1892）台湾淡水刻本，藏于上海图书馆。

《吴氏摘要本草》　清·吴承荣　辑　1892 年

按 吴承荣，字显文，安徽歙县人。其所辑该书一名《吴氏摘要本草实法》。该书内容依次为本草论、十八反、十九畏及各类功效药物。该书采用四言诗形式述药。上海中医药大学藏该书手抄本。

《本草便读》1 卷　清·蒋鸿模　撰　1892 年

按 蒋鸿模（1853—1918），字仲楷，合州（今四川合川）人。该书取《神农本草经》及后世注释，编为歌诀。其除收常用药外，又附录当地所产经试有效之草药。另有《证治药例》（1914），由李时珍《本草纲目》"百病主治药例"删订而成。

《神农本经》1 卷　清·姜国伊　辑　1892 年

《神农本经经释》1 卷　清·姜国伊　释　1892 年

按 姜国伊，字尹人，岷阳（今四川郫都）人。姜国伊于同治元年至光绪十八年（1862—1892）辑成《神农本经》，该书共收药 365 种。该书之佚文及目录悉取自《本草纲目》。《神农本经经释》（简称《本经经释》）的药数及条文悉同所辑《神农本经》，其在《神农本经》基础上再加注释，以明功治。姜国伊自称"惟遵《内经》，以圣解圣"，然书中实多臆测附会、徇名索义之处，无多少实际经验。中国中医科学院等处藏《姜氏医学丛书》本（1892）。

《本草问答》2 卷　清·唐宗海　撰　1893 年

按 见中篇 245 页。

《寿世保元四言药歌》　清·退省氏　录　1894 年刊

按 此即明·龚廷贤《药性歌》（见本篇 299 页）。此书由退省氏摘录自刊

（藏于中国中医科学院）。考同时代的姚凯元（字子湘，号雪子，浙江吴兴人）有《退省斋说医私识》，疑"退省"即姚凯元堂号。

《药性赋》 清·何岩 编 1894 年附

按 何岩（1824—1894），字鸿舫（一作鸿芳），青浦（今属上海市）人。其家世业医。他于青龑山开辟何氏药圃，种药颇多。他检圃得药，据药辨性，作《药性赋》。该赋传诵一时。该赋分温、热、寒、平四性，共收药 334 种。其于各药下以骈语述药物之功效，简洁流畅。上海中医药大学藏青浦何氏家藏未刊本及《重古何氏药赋》（抄本）。上海图书馆藏《何氏药性赋》（王丕显 1927 年重抄，附四言《药性歌》）。上海中医药大学中医文献研究所所藏《温性药赋》，误将此四赋中首赋名作书名，且在药味数上与他本略有出入，然仍属何岩所撰。

《药性诗解》 清·李桂庭 集 1895 年

按 该书一作《活人心法·药性诗解》。其为李桂庭课徒时所集。李桂庭将某药功效拟成一题，由学生赋诗，李氏批改（加按语，明其主治及用法）。中国中医科学院存该书抄稿本。

《本草韵语》2 卷 清·陈明曦 编 1895 年

按 陈明曦，字星海，星沙（今湖南长沙）人。陈明曦拣常用药 273 种，撰诗 304 首。该书按功效分类诸药。陈明曦将各类药名又合集为诗一首，并将之收入该书目录。正文药诗述功效主治，至于其余性味、归经、产制、反恶等则用夹注。陈明曦于书中偶附己见，故该书新意不多。中国国家图书馆等处藏清刻本（1898）。

《土药类志》 清·许安澜 撰

按 江西《昭萍志略》（1935）著录该书。书今佚。

《每日食物却病考》2 卷 清·吴汝纪 辑 1896 年

按 光绪二十二年（1896）上海书局石印之，今存于镇江图书馆。

《本草类要》 清·庆恕 编 1896 年

按 庆恕（1840—1916?），字云阁，满族，辽宁抚顺人；光绪二年（1876）

进士。庆恕编《医学摘粹》（1896），《本草类要》为其中一种。《本草类要》收常用药 180 种，分补、攻、散、固、寒、热 6 门，各门又细分类，并于每药下以数十字，括其主效。该书平淡无奇，惟求简易。今有清刊本及 1983 年点校本。

《医学辨证》4 卷　清·张学醇　编　1896 年

按　张学醇，字筱溥，浙江绍兴人。其所撰《医学辨证》，内含方药。其尝取常用药逐味尝之，选药 160 种，并将之分阴阳五味，列于十二经脉之后，故该书体例类似《本草分经》。今有清抄本及近代铅印本。

《药性粗评全注》　　清·黄彝尊　编　1896 年

按　黄彝尊，字虔僧，湖南长沙人。其取《本草纲目》《本草纲目拾遗》诸书中常用药 663 种，将药性括为骈语，复加评注，以为习药入门书。中国中医科学院等处存光绪二十三年（1897）铅印本。

《本草撮要类编》　　清·王荩臣　原撰　韩鸿等　订补　1897 年

按　王荩臣撰《本草择要》时，多遵《本草从新》，附入自己平昔用药心得。该书因兵乱散失迨半。韩鸿（字印秋）之父师事王荩臣，乃拾掇残卷，删繁去复，略加校补，将之收入《韩氏医课》，命名《本草撮要类编》。其将药物分为草、木、藤、谷、诸辛香及动物 6 类。该书在药性方面仍遵《本草从新》，间附效方及用药心得，编为骈句。韩鸿于其父殁后，将王子接《得宜本草》等书内容补入其中，间附己见。中国中医科学院藏稿本。

《本草集要按》　清·陈镇　编　1898 年

按　今有光绪二十四年（1898）稿本，藏于上海中医药大学中医文献研究所。

《本草崇原集说》3 卷（附录 1 篇）　　清·仲学辂　编集　约 1900 年

按　见中篇 247 页。

《神农本经校注》3 卷　清·莫文泉　撰　1900 年

按　莫文泉（1837—?），字枚士，号苕东迁叟，归安（今浙江吴兴）人；长于文字考据。该书卷前为"《神农本经》释例"及《神农本草经》13 条总论。

"《神农本经》释例"统一解释药物命名意义、性味、主治、病名含义等。余 3 卷按李时珍所出《神农本草经》目录，参顾观光、卢复等辑本，辑列条文，重在注释名称字义。凡古来有争议者，其多专立附条，辨析用药品种，附入个人见闻。浙江图书馆等多处藏光绪二十六年（1900）归安月河莫氏家刻本。

《药魂三百种》6 卷

按 该书不著撰人。其按功效及证名将药分为 6 门 44 类。该书于各药名之上注其草木金石属性，并依次列用量、味气及功效等。其中功效限以 4 字成一句，每药下以 8 字尽之。该书收药 300 种，内容简略。今上海中医药大学藏稿本。

《痘疹药性》1 卷　清·牛凤诏　撰　1900 年附

按 牛凤诏（1840—1904），字恩宣，河北霸县人。《霸县新志》（1934）载其书之名。书今佚。

《新著本草精义》　清·吴恂如　编　1900 年附

按 吴恂如为浙江黄岩人。此书为稿本。该书收药 306 种，并将之按功效分 36 类。其于各药下简述性味、功效、主治，略释药理。该书还附载配合禁忌。上海中医药大学有藏。

《药性三字经》2 卷　清·袁凤鸣　编

按 袁凤鸣为河北临漳人。该书收药 499 种，汇诸家精论，参以己验，编为 3 字韵语。其内又有《青囊药性赋》，述药 248 种。1949 年以后袁凤鸣族裔献此书，河北中医学院重编校之。

《神农本草经正义》　清·陶思曾　撰

按 陶思曾，字在一，浙江绍兴人。《绍兴县志资料》（1939）载其书之名。书今佚。

《本草晰义》　清·徐汝嵩　撰

按 徐汝嵩，字雄五，浙江乌青镇人。《乌青镇志》（1936）载其书之名。书今佚。

《本草正味》　清·金铭之　撰

按　金铭之，一名权，字其箴，号鸥园，浙江临海人。《临海县志》（1934）载其书之名。书今佚。

《药义辨伪》2 卷　清·陈定涛　撰

《药性补遗》1 卷　清·陈定涛　撰

按　陈定涛，字德渊，号一澶，侯官（今福建福州）人。上二书均佚。

《药性论》　清·陈周　撰

按　陈周，字献之，简州（今四川简阳）人。该书共 3 篇，对传统药理某些说法提出了异议，谓心疾食猪心等皆囿于"医者意也"所致之臆说，还抨击了制药自矜精细等做法。其尤反对用药惟取平和，不求精当之陋习。书未见存世。

《本草歌括》　清·陈启予　编

按　陈启予乃四川合川人。近代《合川县志》载其所撰本草之名。今未见该书。

《伪药条辨》4 卷　清·郑肖岩　撰　1901 年

按　郑肖岩（1848—1920），名奋扬，福州福州人。其所撰《伪药条辨》，揭露了当时药业市利之徒以伪乱真、以贱抵贵的不良现象。书将成，其堂弟郑蘦如又提供了 30 余种药物的辨别资料，表弟郭叔雅也提供了 40 余种药物的鉴别经验。全书载药 110 种。该书后有经曹炳章补订的《增订伪药条辨》。近代有铅印本。

《药论》　清·沈文彬　撰　1901 年

按　沈文彬取高鼓峰《药论随笔》一编，又从吴澹园（名达，字东旸）处得《药能》一书，乃将二者熔为一炉，再加编校。该书分补、散、泻、血、杂 5 剂，而各剂又按功效分细目，共收药 221 种。该书于主要介绍药物之功治及归经、配伍，为初学入门书。上海中医药大学存抄本。沈文彬（1870—1956），号杏苑，上海浦东人。

《本草思辨录》4卷　清·周岩　著　1904年

　　按　见中篇248页。

《脉诀本草录》　清·佚名氏　1905年抄

　　按　今中国科学院图书馆藏光绪三十一年（1905）抄本。

《中馈录》1卷　清·曾懿　撰　1906年

　　按　曾懿（1853—?），字伯渊，号华阳女士，华阳（今四川双流）人。该书为曾懿《古欢室医书三种》之一，将女子应习之食物制造各法分20节介绍，然与医药无关。或有将其作食疗书著录者。

《药性赋》　清·福寿堂主人　编　1908年

　　按　该书分药性寒类赋、药性温散赋、药性温补赋，述药350余种。今中国中医科学院藏粤东新宁福寿堂铅印本。

《九龙虫治病方》　不著撰人　1908年附

　　按　书前永宁外史序介绍了九龙虫的传入历史及形态。该书所列治证极广。中国中医科学院藏抄本。

《洋虫》　不著撰人　1908年附

　　按　洋虫即九龙虫。书中介绍了该虫的产地、传入历史、形态及功治。中国中医科学院存刊本。

《抄本药性赋》　不著抄人　1908年抄

　　按　中国中医科学院馆藏时定其名。其内抄有《用药发明》《珍珠囊药性赋》《药性赋》《药性赋解摘句便读》《各种花露》《用药凡例》《主治指掌》《诸品药性诗》等。

《南阳药证汇解》6卷　清·吴槐绶　撰　1908年

　　按　吴槐绶（约1833—?），字子绂，浙江仁和人。该书列举张仲景用药161种，按其立方治证之意，分类排列，使药、方、证互相比较。书前另有"汉张仲景先师用药分量考"1篇。今有《吴氏医学丛刊》本，藏于上海中医药大学。

《本草歌括》　清·林毓璠　撰　1908年附

　　按　林毓璠，字兰阶，四川大竹人。其于光绪年间编《本草歌括》，书今佚。其书之名见近代《续修大竹县志》。

《本草分经》1卷　清·张节　辑　1909年

　　按　张节，字心在，安徽歙县人。其所撰《张氏医参》7种，内有《本草分经》1卷。该书将诸药分属十二经、三焦、命门、奇经八脉、营卫，共收药936种（包括重复）。其于每药下仅简注一性能（如补、益、泻等）或一功效。中国中医科学院藏张氏家刊本（1909）。

《药性选要》4卷　清·王鸿骥　编　1909年

　　按　王鸿骥，字翔鹤，遂州（今四川遂宁）人。该书前3卷收《神农本草经》药（上品113种，中品89种，下品36种），卷4收《名医别录》以下诸家本草药147种，共收药385种。该书在每药下以四句歌括作正条，后附用药机制及相近药物功治比较等。书中注释多采自《神农本草经百种录》及《本草经三家合注》，少有自家见解。该书被刊入《利溥集》，中国中医科学院藏宣统二年（1910）成都闲存斋刊本。

《药性要略》　清·钱国祥　录　1910年

　　按　钱国祥，号吴下迂叟，金匮（今并入江苏无锡）人。该书载药281种，并将之分为草、谷、木、菜等10部。其于每药下以数语，略述性味、功治，别无新意。该书今存于中国中医科学院。

《中国药理篇》　清·李克蕙　撰

　　按　《丰城县志》（1948）著录该书。

《药性提要歌诀》　清·郭学洪　录　1910年附

　　按　郭学洪，字竹芗，江苏吴江人。该书择常用药编为七言歌括，简介药物之归经、效用及禁忌，而以寒、凉等10种药性归类药物。上海图书馆存1920年吴江柳氏传抄本。

《诸病主药》　不著撰人

按　上海中医药大学藏日本医学馆刻本。该书收集了 180 余证的主用药物，并标示出某病须用某药，为临床用药手册之类的著作。

《增补药性赋》1 卷　清·黄晖史　撰　1911 年刊

按　黄晖史，名炜元，广东大埔人。黄晖史编《医学寻源》5 卷，《增补药性赋》为其中之一。

《药物学豆》　清·五洲访道人　编　1911 年附

按　该书旧抄本，年代失考。其列"提纲""总义"及"细目"三节，其中"总义"一节概述中医药理，有独到之处。今藏于上海中医药大学。

《杂症药谱》　不著撰人　1911 年附

按　该书抄本，书口作"此书治一切杂症药谱"，下有"忠义置""信成置"字样，收单方 200 余首，无药学内容。然此书易因书名被误解为药书。

《方药集义阐微》6 册　不著撰人　1911 年附

按　该书杂乱无章，乃清末抄本。其分上下栏，由杂抄的《神农本草》《本草经疏》《神农本草经解》等书的内容，拼凑而成。其藏于中国中医科学院。

《神农本草》1 卷　清·王仁俊　辑　1911 年附

按　该书题作魏·吴普等述，清·王仁俊辑。王仁俊（1866—1913），字捍郑，江苏吴县人；专事古书辑佚。该书被收于《玉函山房辑佚书续编·医家类》，王仁俊辑佚时除参考《证类本草》外，还从《艺文类聚》《初学记》《太平御览》等书中搜求资料。

《本草释名类聚》2 卷　不著辑者　1911 年附

按　该书稿本，辑录《本草纲目》诸药别名，依原书部类编排。今中国中医科学院藏该书。

《东瓯本草》8 卷　清·李苣　撰　1911 年附

　　按　李苣，字淑诚，原名式夔，浙江瑞安人。该书从书名揣测，似为一地方本草。书今佚。

《本草》　清·程龄源　编　1911 年附

　　按　该书署名"歙邑龄源贯邦程氏编剂"。其分补、收涩、散、泻、血、杂诸剂，各剂又按功效分章，共录药 356 种。其于每药下仅简录性味、归经、畏忌、炮制，平庸无可称道。今存抄稿本，藏于中国中医科学院。

《药性歌诀》1 卷　清·沈志藩　编

　　按　沈志藩，字价人，号守封，上海人。其所编《药性歌诀》，于 1935 年铅印，今藏于上海中医药大学中医文献研究所。

《本草摘要》1 卷　不著撰人　1911 年附

　　按　该书取《本草纲目》中常用药 467 种，并将之分为 26 部（与《本草纲目》同）。今上海图书馆藏该书。

《新修本草》（辑本）　清·李梦莹　补辑　1911 年附

　　按　中国中医科学院藏未刊稿本。

《本草择要》　清·锡昌　撰

　　按　锡昌，字选之，号退龄，蒙古奈曼氏正黄旗人。《续丹徒县志》（1930）著录该书。书今佚。

《本草分类》　清·悔迟居士　撰

　　按　重庆图书馆存抄本。

《药性赋音释》1 卷　清·范美中　原撰　余苹皋　音释

　　按　南京中医药大学藏清明辨斋刊本。

书名索引

五画

历
代
中
药
文
献
精
华

六画

十一画

十二画

十三画

作者索引

393

本草古籍辑注丛书·第一辑